Héroes y Mártires del Cristianismo Apostólico

Spanish—*The Acts of the Apostles*

Dibujos a pluma por James L. Converse

Elena G. de White

Autora de *El Deseado de todas las gentes,*
El triunfo del amor de Dios, El camino a Cristo,
La educación, Palabras de vida del gran Maestro,
y muchas otras obras de calidad y de gran circulación.

Héroes y Mártires del Cristianismo Apostólico

La historia de los triunfos,
las enseñanzas y las persecuciones
de la iglesia cristiana en sus primeros tiempos.

PUBLICACIONES INTERAMERICANAS

Bogotá — Caracas — Guatemala — Madrid — Managua
México — Panamá — San Salvador — San José, C. R.
San Juan, P. R. — Santo Domingo — Tegucigalpa

Título de este libro en inglés:
The Acts of the Apostles

Derechos reservados.
Copyright © 1984, by
Pacific Press Publishing Association.
Se prohíbe la reproducción total o parcial de esta obra
sin el permiso de los editores.

Editado e impreso por
PUBLICACIONES INTERAMERICANAS
División Hispana de la Pacific Press Publishing Association:
P.O. Box 7000, Mountain View, California 94039, EE. UU. de N. A.
Apartado 16, Montemorelos, Nuevo León, México

Primera edición: 1984
15.000 ejemplares en circulación

Offset in U.S.A.
ISBN 0-8163-9971-9

Prefacio

Desde la antigüedad se ha conocido el quinto libro del Nuevo Testamento con el nombre *Los hechos de los apóstoles*, pero no se lo denomina así en el texto original. En uno de los primeros manuscritos bíblicos, el *Códice Sinaítico*, el libro aparece sólo con el nombre *Hechos*, nada más. Hay una razón: El libro de *Los hechos* estaba destinado a ser mucho más que una breve crónica de las actividades de los primeros cristianos.

El autor de *Los hechos*, San Lucas, un converso gentil, destinó su libro a todos los creyentes, tanto judíos como gentiles. Si bien éste no cubre sino un período de poco más de treinta años, está repleto de importantes lecciones para la iglesia en todas las épocas de su historia. En *Los hechos de los apóstoles* Dios indica claramente que el cristiano experimentará, en nuestros días, la presencia del mismo Espíritu que el día de Pentecostés descendió con gran poder y convirtió la vacilante llamita del Evangelio en una poderosa hoguera.

La manera abrupta en que concluye el libro de *Los hechos* no es accidental. Sugiere que esta conmovedora narración está inconclusa, y que los hechos que Dios obró por el Espíritu ejercerían su influencia a través de toda la dispensación cristiana. Cada generación sucesiva añadiría a la narración original su propio capítulo lleno de belleza y poder. Los hechos que se registran en este libro notable son, en el sentido más literal, los hechos del Espíritu, ya que en los tiempos apostólicos fue el Espíritu Santo el que apareció como el único ayudador y consejero de los dirigentes cristianos. Durante el Pentecostés los discípulos, unidos en fervorosa oración, fueron llenos del Espíritu y salieron a predicar el Evangelio con asombroso poder. Los siete hombres escogidos como diáconos estaban "llenos del Espíritu Santo y sabiduría" (Hechos 6: 3). El Espíritu Santo dirigió también los acontecimientos durante la ordenación de Saulo (Hechos 9: 17); en la aceptación de los gentiles como miembros de iglesia (Hechos 10: 44-47); en la elección de Pablo y Bernabé para la obra misionera (Hechos 13: 2-4); en la conducción del Concilio de Jerusalén (Hechos 15: 28), y en los viajes misioneros de San Pablo (Hechos 16: 6, 7). En otras ocasiones, cuando la iglesia sufrió intensa persecución a manos de judíos y romanos, el Espíritu Santo sostuvo a los creyentes y los guardó del error.

El atractivo libro que el lector tiene ante sí, *Héroes y mártires del cristianismo apostólico,* fue uno de los últimos que escribió Elena G. de White. Esta obra, una de las más iluminadoras que produjo su prolífica pluma, fue publicada pocos años después de su muerte. Traducida después al castellano con el título de *Los hechos de los apóstoles,* ha alcanzado una amplia difusión en los países hispanohablantes.

Estamos seguros de que el lector encontrará en sus páginas un poderoso estímulo para testificar de su fe cristiana, aun en medio de dificultades. El mensaje que contienen es plenamente contemporáneo, y su actualidad se refleja en el empeño de la autora por demostrar que el siglo XX será testigo de un derramamiento de poder espiritual que superará al de Pentecostés, y del cual, si así lo deseamos, todos podremos participar.

Los Editores.

Indice

HEROES Y MARTIRES

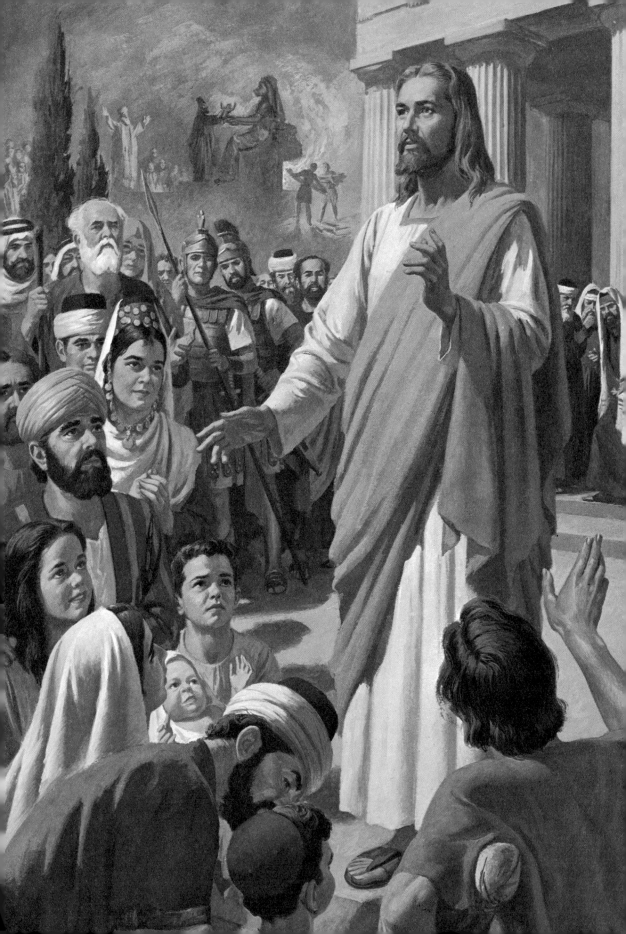

CAPITULO 1

El Propósito de Dios para su Iglesia

LA IGLESIA es el medio señalado por Dios para la salvación de los hombres. Fue organizada para servir, y su misión es la de anunciar el Evangelio al mundo. Desde el principio fue el plan de Dios que su iglesia reflejase al mundo su plenitud y suficiencia. Los miembros de la iglesia, los que han sido llamados de las tinieblas a su luz admirable, han de revelar su gloria. La iglesia es la depositaria de las riquezas de la gracia de Cristo; y mediante la iglesia se manifestará con el tiempo, aun a "los principados y potestades en los lugares celestiales" (Efesios 3: 10), el despliegue final y pleno del amor de Dios.

Muchas y maravillosas son las promesas registradas en las Escrituras en cuanto a la iglesia. "Mi casa será llamada casa de oración para todos los pueblos" (Isaías 56: 7). "Y daré bendición a ellas y a los alrededores de mi collado, y haré descender la lluvia en su tiempo; lluvias de bendición se-

1

Cristo fundó su iglesia en medio de
un mundo que ignora el amor de Dios, como
una agencia para salvar a la humanidad.

rán... Y levantaré para ellos una planta de renombre, y no serán ya más consumidos de hambre en la tierra, ni ya más serán avergonzados por las naciones. Y sabrán que yo Jehová su Dios estoy con ellos, y ellos son mi pueblo, la casa de Israel, dice Jehová el Señor"* (Ezequiel 34: 26, 29, 30).

"Vosotros sois mis testigos, dice Jehová, y mi siervo que yo escogí, para que me conozcáis y creáis, y entendáis que yo mismo soy; antes de mí no fue formado dios, ni lo será después de mí. Yo, yo Jehová, y fuera de mí no hay quien salve. Yo anuncié, y salvé, e hice oír, y no hubo entre vosotros dios ajeno. Vosotros, pues, sois mis testigos, dice Jehová, que yo soy Dios". "Yo Jehová te he llamado en justicia, y te sostendré por la mano; te guardaré y te pondré por pacto al pueblo, por luz de las naciones, para que abras los ojos de los ciegos, para que saques de la cárcel a los presos, y de casas de prisión a los que moran en tinieblas" (Isaías 43: 10-12; 42: 6, 7).

"En tiempo aceptable te oí, y en el día de salvación te ayudé; y te guardaré, y te daré por pacto al pueblo, para que restaures la tierra, para que heredes asoladas heredades; para que digas a los presos: Salid; y a los que están en tinieblas: Mostraos. En los caminos serán apacentados, y en todas las alturas tendrán sus pastos. No tendrán hambre ni sed, ni el calor ni el sol los afligirá; porque el que tiene de ellos misericordia los guiará, y los conducirá a manantiales de aguas. Y convertiré en camino todos mis montes, y mis calzadas serán levantadas...

"Cantad alabanzas, oh cielos, y alégrate, tierra; y prorrumpid en alabanzas, oh montes; porque Jehová ha consolado a su pueblo, y de sus pobres tendrá misericordia. Pero Sion dijo: Me dejó Jehová, y el Señor se olvidó de mí. ¿Se olvidará la mujer de lo que dio a luz, para dejar de compadecerse del hijo de su vientre? Aunque olvide ella, yo nunca me olvidaré de ti. He aquí que en las palmas de las manos te tengo esculpida; delante de mí están siempre tus muros" (Isaías 49: 8-16).

La iglesia es la fortaleza de Dios, su ciudad de refugio, que él sostiene en un mundo en rebelión. Cualquier traición a la iglesia es traición hecha a Aquel que ha comprado a la humanidad con la sangre de su Hijo unigénito. Desde el principio, las almas fieles han constituido la iglesia en la tierra. En todo tiempo el Señor ha tenido sus atalayas, que han dado un testimonio fiel a la generación en la cual vivieron. Estos centinelas daban el mensaje de amonestación; y cuando eran llamados a deponer su armadura, otros continuaban la labor. Dios ligó consigo a estos testigos mediante un pacto, uniendo a la iglesia de la tierra con la iglesia del cielo. El ha enviado a sus ángeles para ministrar a su iglesia, y las puertas del infierno no han podido prevalecer contra su pueblo.

A través de los siglos de persecución, lucha y tinieblas, Dios ha sostenido a su iglesia. Ni una nube ha caído sobre ella sin que él hubiese hecho provisión; ni una fuerza opositora se ha levantado para contrarrestar su obra, sin que él lo hubiese previsto. Todo ha sucedido como él lo predijo. El no ha dejado abandonada a su iglesia, sino que ha señalado en las declaraciones proféticas lo que ocurriría, y se ha producido aquello que su Espíritu inspiró a los profetas a predecir. Todos sus propósitos se cumplirán. Su ley está ligada a su trono, y ningún poder del maligno puede destruirla. La verdad está inspirada y guardada por Dios; y triunfará contra toda oposición.

Durante los siglos de tinieblas espirituales, la iglesia de Dios ha sido como una ciudad asentada en un monte. De siglo en siglo, a través de las generaciones sucesivas, las doctrinas puras del cielo se han desarrollado dentro de ella. Por débil e imperfecta que parezca, la iglesia es el objeto al cual Dios dedica en un sentido especial su suprema consideración. Es el escenario de su gracia, en el cual se deleita en revelar su poder para transformar los corazones.

"¿A qué haremos semejante el reino de Dios? —preguntó Cristo—, ¿o con qué parábola lo compararemos?" (S. Marcos 4: 30). El no podía emplear los reinos del mundo como símil... Los reinos terrenales son regidos por la fuerza del poder físico; pero del reino de Cristo está excluida toda arma carnal, todo instrumento de coerción. Este reino está destinado a elevar y ennoblecer a la humanidad. La iglesia de Dios es el palacio de la vida santa, lleno de variados dones y dotado del Espíritu Santo. Los miembros han de hallar su felicidad en la felicidad de aquellos a quienes ayudan y benefician.

Es maravillosa la obra que el Señor determina que sea realizada por su iglesia, a fin de que su nombre sea glorificado. Se da un cuadro de esta obra en la visión de Ezequiel del río de la salud: "Estas aguas salen a la región del oriente, y descenderán al Arabá, y entrarán en el mar; y entradas en el mar, recibirán sanidad las aguas. Y toda alma viviente que nadare por dondequiera que entraren estos dos ríos, vivirá... Y junto al río, en la ribera, a uno y otro lado, crecerá toda clase de árboles frutales; sus hojas nunca caerán, ni faltará su fruto. A su tiempo madurará, porque sus aguas salen del santuario; y su fruto será para comer, y su hoja para medicina" (Ezequiel 47: 8-12).

4

Desde el principio Dios ha obrado por medio de su pueblo para proporcionar bendición al mundo. Para la antigua nación egipcia Dios hizo de José una fuente de vida. Mediante la integridad de José fue preservada la vida de todo ese pueblo. Mediante Daniel, Dios salvó la vida de todos los sabios de Babilonia. Y esas liberaciones son lecciones objetivas; ilustran las bendiciones espirituales ofrecidas al mundo mediante la relación con el Dios a quien José y Daniel adoraban. Todo aquel en cuyo corazón habite Cristo, todo aquel que quiera revelar su amor al mundo, es colaborador con Dios para la bendición de la humanidad. Cuando recibe gracia del Salvador para impartir a otros, de todo su ser fluye la marea de vida espiritual.

Dios escogió a Israel para que revelase su carácter a los hombres. Deseaba que fuesen como manantiales de salvación en el mundo. Se les encomendaron los oráculos del cielo, la revelación de la voluntad de Dios. En los primeros días de Israel, las naciones, por causa de sus prácticas corruptas, habían perdido el conocimiento de Dios. Una vez le habían conocido; pero por cuanto "no le glorificaron como a Dios, ni le dieron gracias, sino que se envanecieron en sus razonamientos, ... su necio corazón fue entenebrecido" (Romanos 1: 21). Sin embargo, en su misericordia, Dios no las borró de la existencia. Se proponía darles una oportunidad de volver a conocerle por medio de su pueblo escogido. Mediante las enseñanzas del servicio de los sacrificios, Cristo había de ser levantado ante todas las naciones, y cuantos le miraran vivirían. Cristo era el fundamento de la economía judía. Todo el sistema de los tipos y símbolos era una profecía compacta del Evangelio, una presentación en la cual estaban resumidas las promesas de la redención.

Pero el pueblo de Israel perdió de vista sus grandes privilegios como representante de Dios. Olvidaron a Dios, y dejaron de cumplir su santa misión. Las bendiciones que recibieron no proporcionaron bendición al mundo. Se apropiaron ellos de todas sus ventajas para su propia glorificación. Se aislaron del mundo a fin de rehuir la tentación. Las restricciones que Dios había impuesto a su asociación con los idólatras para impedir que se conformasen a las prácticas de los paganos, las usaban para edificar una muralla de separación entre ellos y todas las demás naciones. Privaron a Dios del servicio que requería de ellos, y privaron a sus semejantes de dirección religiosa y de un ejemplo santo.

Los sacerdotes y gobernantes se estancaron en una rutina de ceremonias. Estaban satisfechos con una religión legal, y era imposible para ellos dar a otros las verdades vivientes del cielo. Consideraban cabalmente suficiente su propia justicia, y no deseaban que un nuevo elemento se introdujera en su religión. No aceptaban la buena voluntad

de Dios para con los hombres como algo independiente de ellos mismos, sino que la relacionaban con sus propios méritos debidos a sus buenas obras. La fe que obra por el amor y purifica el alma no podía unirse con la religión de los fariseos, hecha de ceremonias y de mandamientos de hombres.

En cuanto a Israel declara Dios: "Te planté de vid escogida, simiente verdadera toda ella; ¿cómo, pues, te me has vuelto sarmiento de vid extraña?" (Jeremías 2: 21). "Israel es una frondosa viña, que da abundante fruto para sí" (Oseas 10: 1). "Ahora, pues, vecinos de Jerusalén y varones de Judá, juzgad ahora entre mí y mi viña. ¿Qué más se podía hacer a mi viña, que yo no haya hecho en ella? ¿Cómo, esperando yo que diese uvas, ha dado uvas silvestres?

"Os mostraré, pues, ahora lo que haré yo a mi viña: Le quitaré su vallado, y será consumida; aportillaré su cerca, y será hollada. Haré que quede desierta; no será podada ni cavada, y crecerán el cardo y los espinos; y aun a las nubes mandaré que no derramen lluvia sobre ella. Ciertamente la viña de Jehová de los ejércitos es la casa de Israel, y los hombres de Judá planta deliciosa suya. Esperaba juicio, y he aquí vileza; justicia, y he aquí clamor" (Isaías 5: 3-7). "No fortalecisteis las débiles, ni curasteis la enferma; no vendasteis la perniquebrada, ni volvisteis al redil la descarriada, ni buscasteis la perdida, sino que os habéis enseñoreado de ellas con dureza y con violencia" (Ezequiel 34: 4).

Los jefes judíos se consideraban a sí mismos demasiado sabios para necesitar instrucción, demasiado justos para necesitar salvación, demasiado altamente honrados para necesitar el honor que proviene de Cristo. El Salvador se apartó de ellos para confiar a otros los privilegios que ellos

7

habían profanado y la obra que habían descuidado. La gloria de Dios debe ser revelada, su palabra afirmada. El reino de Cristo debe establecerse en el mundo. La salvación de Dios debe darse a conocer en las ciudades del desierto; y los discípulos fueron llamados para realizar la obra que los jefes judíos no habían hecho.

*Las citas bíblicas son tomadas de la versión Reina-Valera revisada en 1960.

VM: Versión Moderna.

CAPITULO 2

La Preparación de los Doce

PARA continuar su obra, Cristo no escogió la erudición o la elocuencia del Sanedrín judío o el poder de Roma. Pasando por alto a los maestros judíos que se consideraban justos, el Artífice Maestro escogió a hombres humildes y sin letras para proclamar las verdades que habían de llevarse al mundo. A esos hombres se propuso prepararlos y educarlos como directores de su iglesia. Ellos a su vez habían de educar a otros, y enviarlos con el mensaje evangélico. Para que pudieran tener éxito en su trabajo, iban a ser dotados con el poder del Espíritu Santo. El Evangelio no había de ser proclamado por el poder ni la sabiduría de los hombres, sino por el poder de Dios.

Durante tres años y medio, los discípulos estuvieron bajo la instrucción del mayor Maestro que el mundo conoció alguna vez. Mediante el trato y la asociación personales, Cristo los preparó para su servicio. Día tras día caminaban y hablaban con él, oían sus palabras de aliento a los cansados y cargados, y veían la manifestación de su poder en favor de los enfermos y afligidos. Algunas veces les enseñaba, sentado entre ellos en la ladera de la montaña; algunas veces junto a la mar, o andando por el camino, les revelaba los misterios del reino de Dios. Dondequiera hubiese corazones abiertos a la recepción del mensaje divino, exponía las verdades del camino de la salvación. No ordenaba a los discípulos que hiciesen esto o aquello, sino que decía: *"Seguidme"*. En sus viajes por el campo y las ciudades, los llevaba consigo, para que pudieran ver cómo enseñaba a la gente. Viajaban con él de lugar en lugar. Compartían sus frugales comidas, y como él, algunas veces tenían hambre y a menudo estaban cansados. En las calles atestadas, en la ribera del lago, en el desierto solitario, estaban con él. Le veían en cada fase de la vida.

Al ordenar a los doce, se dio el primer paso en la organización de la iglesia que después de la partida de Cristo habría de continuar su obra en la tierra. Respecto a esta ordenación, el relato dice: "Después subió al monte, y llamó a sí a los que él quiso; y vinieron a él. Y estableció a doce, para que estuviesen con él, y para enviarlos a predicar" (S. Marcos 3: 13, 14).

Contemplemos la impresionante escena. Miremos a la Majestad del cielo rodeada por los doce que había escogido. Está por apartarlos para su trabajo. Por estos débiles agentes, mediante su Palabra y Espíritu, se propone poner la salvación al alcance de todos.

Con alegría y regocijo, Dios y los ángeles contemplaron esa escena. El Padre sabía que la luz del cielo habría de irradiar de estos hombres; que las palabras habladas por ellos como testigos de su Hijo repercutirían de generación en generación hasta el fin del tiempo.

Los discípulos estaban por salir como testigos de Cristo, para declarar al mundo lo que habían visto y oído de él. Su cargo era el más importante al cual los seres humanos habían sido llamados alguna vez, siendo superado únicamente por el de Cristo mismo. Habían de ser colaboradores con Dios para la salvación de los hombres. Como en el Antiguo Testamento los doce patriarcas eran los representantes de Israel, así los doce apóstoles son los representantes de la iglesia evangélica.

Durante su ministerio terrenal, Cristo empezó a derribar la pared divisoria levantada entre los judíos y gentiles, y a predicar la salvación a toda la humanidad. Aunque era judío, trataba libremente con los samaritanos y anulaba las costumbres farisaicas de los judíos con respecto a ese pueblo despreciado. Dormía bajo sus techos, comía junto a sus mesas, y enseñaba en sus calles.

El Salvador anhelaba exponer a sus discípulos la verdad concerniente al derribamiento de la "pared intermedia de separación" entre Israel y las otras naciones, la verdad de que "los gentiles son coherederos" con los judíos, y "copartícipes de la promesa en Cristo Jesús por medio del Evangelio" (Efesios 2: 14; 3: 6). Esta verdad fue revelada en parte cuando recompensó la fe del centurión de Capernaúm, y también cuando predicó el Evangelio a los habitantes de Sicar. Fue revelada todavía más claramente en ocasión de su visita a Fenicia, cuando sanó a la hija de la mujer cananea. Estos incidentes ayudaron a sus discípulos a comprender que entre aquellos a quienes muchos consideraban indignos de la salvación, había almas ansiosas de la luz de la verdad.

Así Cristo trataba de enseñar a sus discípulos la verdad de que en el reino de Dios no hay fronteras nacionales, ni castas, ni aristocracia; que ellos debían ir a todas las naciones, llevándoles el mensaje del amor del Salvador. Pero sólo más tarde comprendieron ellos en toda su plenitud que Dios "de una sangre ha hecho todo el linaje de los hombres, para que habiten sobre toda la faz de la tierra; y les ha prefijado el orden de los tiempos, y los límites de su habitación; para que busquen a Dios, si en alguna manera, palpando, puedan hallarle, aunque ciertamente no está lejos de cada uno de nosotros" (Hechos 17: 26, 27).

En estos primeros discípulos había notable diversidad. Habían de ser los maestros del mundo, y representaban muy variados tipos de carácter. A fin de realizar con éxito la obra a la cual habían sido llamados, estos hombres, de diferentes características naturales y hábitos de vida, necesitaban unirse en sentimiento, pensamiento y acción. Cristo se propuso conseguir esta unidad. Con ese fin trató de unirlos con él mismo. La mayor preocupación de su trabajo en favor de ellos se expresa en la oración que dirigió a su Padre: "Para que todos sean uno; como tú, oh Padre, en mí, y yo en ti, que también ellos sean uno en nosotros"; "para que el mundo conozca que tú me enviaste, y que los has amado a ellos como también a mí me has amado" (S. Juan 17: 21, 23). Su constante oración por ellos era que pudiesen ser santificados por la verdad; y oraba con seguridad, sabiendo que un decreto todopoderoso había sido dado antes que el mundo fuese. Sabía que el Evangelio del reino debía ser predicado en testimonio a todas las naciones; sabía que la verdad revestida con la omnipotencia del Espíritu Santo, habría de vencer en la batalla contra el mal, y que la bandera teñida de

13

Jesús llamó a doce hombres de diversas ocupaciones para que fueran sus discípulos y fundadores de su iglesia.

sangre flamearía un día triunfalmente sobre sus seguidores.

Cuando el ministerio terrenal de Cristo estaba por terminar, y él comprendía que debía dejar pronto a sus discípulos para que continuaran la obra sin su superintendencia personal, trató de animarlos y prepararlos para lo futuro. No los engañó con falsas esperanzas. Como en un libro abierto leía lo que iba a suceder. Sabía que estaba por separarse de ellos y dejarlos como ovejas entre lobos. Sabía que iban a sufrir persecución, que iban a ser expulsados de las sinagogas y encarcelados. Sabía que por testificar de él como el Mesías, algunos de ellos serían muertos, y les dijo algo de esto. Al hablarles del futuro de ellos, lo hacía en forma clara y definida, para que en sus pruebas venideras pudieran recordar sus palabras y ser fortalecidos creyendo en él como el Redentor.

Les habló también palabras de esperanza y valor. "No se turbe vuestro corazón —dijo—; creéis en Dios, creed también en mí. En la casa de mi Padre muchas moradas hay; si así no fuera, yo os lo hubiera dicho; voy, pues, a preparar lugar para vosotros. Y si me fuere y os preparare lugar, vendré otra vez, y os tomaré a mí mismo, para que donde yo estoy, vosotros también estéis. Y sabéis a dónde voy, y sabéis el camino" (S. Juan 14: 1-4). Por amor a vosotros he venido al mundo, por vosotros he trabajado. Cuando me vaya, todavía trabajaré fervientemente por vosotros. Vine al mundo para revelarme a vosotros, para que pudierais creer. Voy a mi Padre y a vuestro Padre para cooperar con él en favor vuestro.

"De cierto, de cierto os digo: El que en mí cree, las obras que yo hago, él las hará también; y aun mayores hará, porque yo voy al Padre" (S. Juan 14: 12). Con esto Cristo no quiso decir que los discípulos habrían de realizar obras más elevadas que las que él había hecho, sino que su trabajo tendría mayor amplitud. No se refirió meramente a la realización de milagros, sino a todo lo que sucedería bajo la acción del Espíritu Santo. "Cuando venga el Consolador —dijo él—, a quien yo os enviaré del Padre, el Espíritu de verdad, el cual procede del Padre, él dará testimonio acerca de mí. Y vosotros daréis testimonio también, porque habéis estado conmigo desde el principio" (S. Juan 15: 26, 27).

Estas palabras se cumplieron maravillosamente. Después del descenso del Espíritu Santo, los discípulos estaban tan llenos de amor hacia Cristo y hacia aquellos por quienes él murió, que los corazones se conmovían por las palabras que hablaban y las oraciones que ofrecían. Hablaban con el poder del Espíritu; y bajo la influencia de ese poder miles se convirtieron.

Como representantes de Cristo, los apóstoles iban a hacer una impresión definida en el mundo. El hecho de que eran hombres humildes no disminuiría su influencia, sino que la acrecentaría; porque las mentes de sus oyentes se dirigirían de ellos al Salvador, que, aunque invisible, seguía obrando todavía con ellos. La maravillosa enseñanza de los apóstoles, sus palabras de valor y confianza, darían a todos la seguridad de que no obraban ellos por su propio poder, sino por el poder de Cristo. Al humillarse a sí mismos, declararían que Aquel a quien los judíos habían crucificado era el Príncipe de la vida, el Hijo del Dios vivo, y que en su nombre hacían las obras que él había hecho.

En su conversación de despedida con sus discípulos la noche antes de la crucifixión, el Salvador no se refirió a los sufrimientos que había soportado y que debía soportar to-

15

davía. No habló de la humillación que lo aguardaba, sino que trató de llamar su atención a aquello que fortalecería la fe de ellos, induciéndolos a mirar hacia adelante a los goces que aguardan al vencedor. Se regocijaba en el conocimiento de que podría hacer más por sus seguidores de lo que había prometido y de que lo haría; que de él fluirían amor y compasión que limpiarían el templo del alma y harían a los hombres semejantes a él en carácter; que su verdad, provista del poder del Espíritu, saldría venciendo y para vencer.

"Estas cosas os he hablado —dijo— para que en mí tengáis paz. En el mundo tendréis aflicción; pero confiad, yo he vencido al mundo" (S. Juan 16: 33). Cristo no fracasó, ni se desalentó; y los discípulos debían manifestar una fe igualmente constante. Debían trabajar como él había trabajado, dependiendo de él como fuente de fuerza. Aunque su camino iba a ser obstruido por imposibilidades aparentes, por su gracia habían de avanzar, sin desesperar de nada y esperándolo todo.

Cristo había terminado la obra que se le había encomendado que hiciera. Había reunido a aquellos que habrían de continuar su obra entre los hombres. Y dijo: "He sido glorificado en ellos. Y ya no estoy en el mundo; mas éstos están en el mundo, y yo voy a ti. Padre santo, a los que me has dado, guárdalos en tu nombre, para que sean uno, así como nosotros". "Mas no ruego solamente por éstos, sino también por los que han de creer en mí por la palabra de ellos, para que todos sean uno... Yo en ellos, y tú en mí, para que sean perfectos en unidad, para que el mundo conozca que tú me enviaste, y que los has amado a ellos como también a mí me has amado" (S. Juan 17: 10, 11, 20-23).

CAPITULO 3

La Gran Comisión

DESPUES de la muerte de Cristo, los discípulos estuvieron a punto de ser vencidos por el desaliento. Su Señor había sido rechazado condenado y crucificado. Los sacerdotes y gobernantes habían declarado con sorna: "A otros salvó, a sí mismo no se puede salvar; si es el Rey de Israel, descienda ahora de la cruz, y creeremos en él" (S. Mateo 27: 42). El sol de la esperanza de los discípulos se había puesto, y la noche había descendido sobre sus corazones. A menudo repetían las palabras: "Nosotros esperábamos que él era el que había de redimir a Israel" (S. Lucas 24: 21). Solitarios y con el corazón quebrantado, recordaron sus palabras: "Porque si en el árbol verde hacen estas cosas, ¿en el seco, qué no se hará?" (S. Lucas 23: 31).

Jesús había intentado varias veces descorrer el velo del futuro ante sus discípulos, pero ellos no se habían interesado en pensar en las cosas que él decía. Por causa de esto, su muerte los había sorprendido; y ellos, al recapitular el pasado y ver el resultado de su incredulidad, se llenaron de tristeza. Cuando Cristo fue crucificado, no creyeron que resucitaría. El les había dicho claramente que se levantaría al tercer día, pero ellos, perplejos, deseaban saber qué quería decir. Esta falta de comprensión los dejó enteramente desesperados en ocasión de su muerte. Quedaron amargamente chasqueados. Su fe no traspasaba las sombras que Satanás había arrojado a través del horizonte de ellos. Todo les parecía vago y misterioso. Si hubieran creído las palabras del Salvador, ¡cuánta tristeza habrían evitado!

Aplastados por el desaliento, la pena y la desesperación, los discípulos se reunieron en el aposento alto, y cerraron y atrancaron las puertas, temiendo que pudiera sobrevenirles la misma suerte de su amado Maestro. Fue allí donde el Salvador, después de su resurrección se les apareció.

Por cuarenta días Cristo permaneció en la tierra, preparando a los discípulos para la obra que tenían por delante, y explicándoles lo que hasta entonces habían sido incapaces de comprender. Les habló de las profecías concernientes a su advenimiento, su rechazamiento por los judíos, y su muerte, mostrando que todas las especificaciones de estas profecías se habían cumplido. Les dijo que debían considerar este cumplimiento de la profecía como una garantía del poder que los asistiría en sus labores futuras. "Entonces les abrió el entendimiento —leemos—, para que comprendiesen las Escrituras; y les dijo: Así está escrito, y así fue necesario que el Cristo padeciese, y resucitase de los muertos al tercer día; y que se predicase en su nombre el arrepentimiento y el perdón de pecados en todas las naciones, comenzando desde Jerusalén". Y añadió: "Vosotros sois testigos de estas cosas" (S. Lucas 24: 45-48).

Durante estos días que Cristo pasó con sus discípulos,

obtuvieron ellos una nueva experiencia. Mientras oían a su amado Señor explicando las Escrituras a la luz de todo lo que había sucedido, su fe en él se estableció plenamente. Llegaron al punto de poder decir: "Yo sé a quién he creído" (2 Timoteo 1: 12). Comenzaron a comprender la naturaleza y extensión de su obra, a ver que habían de proclamar las verdades que se les habían encomendado. Los sucesos de la vida de Cristo, su muerte y resurrección, las profecías que señalaban estos sucesos, los misterios del plan de la salvación, el poder de Jesús para perdonar los pecados, de todas estas cosas habían sido testigos y debían hacerlas conocer al mundo. Debían proclamar el Evangelio de paz y salvación mediante el arrepentimiento y el poder del Salvador.

Antes de ascender al cielo, Cristo dio a los discípulos su comisión. Les dijo que debían ser los ejecutores del testamento por el cual él legaba al mundo los tesoros de la vida eterna. Vosotros habéis sido testigos de mi vida de sacrificio en favor del mundo, les dijo. Habéis visto mis labores por Israel. Y aunque mi pueblo no quiso acudir a mí para poder tener vida, a pesar de que los sacerdotes y gobernantes han hecho conmigo lo que querían, aunque me han rechazado, tendrán todavía otra oportunidad de aceptar al Hijo de Dios. Habéis visto que recibo libremente a todos los que acuden a mí confesando sus pecados. Al que a mí viene no lo echaré fuera de ninguna manera. Os encomiendo a vosotros, mis discípulos, este mensaje de misericordia. Ha de darse tanto a los judíos como a los gentiles, primero a Israel y entonces a todas las naciones, lenguas y pueblos. Todos los que crean integrarán una iglesia.

La comisión evangélica es la magna carta misionera del reino de Cristo. Los discípulos habían de trabajar fervorosamente por las almas, dando a todos la invitación de misericordia. No debían esperar que la gente viniera a ellos; sino que debían ir ellos a la gente con su mensaje.

Los discípulos habían de realizar su obra en el nombre de Cristo. Todas sus palabras y hechos habían de llamar la atención al poder vital de su nombre para salvar a los pecadores. Su fe habría de concentrarse en Aquel que es la fuente de la misericordia y el poder. En su nombre habían de presentar sus peticiones ante el Padre, y recibirían respuesta. Habían de bautizar en el nombre del Padre, del Hijo y del Espíritu Santo. El nombre de Cristo había de ser su consigna, su divisa distintiva, su vínculo de unión, la autoridad para su curso de acción y la fuente de su éxito. Nada que no llevara su nombre y su inscripción había de ser reconocido en su reino.

Cuando Cristo dijo a sus discípulos: Salid en mi nombre para traer a la iglesia a todos los que crean, les presentó claramente la necesidad de conservar la sencillez. Cuanto menor fuera su ostentación, mayor sería su influencia para el bien. Los discípulos habían de hablar con la misma sencillez con que había hablado Cristo. Debían impresionar en sus oyentes las lecciones que él les había enseñado.

Cristo no dijo a sus discípulos que su trabajo sería fácil. Les mostró la vasta confederación del mal puesta en orden de batalla contra ellos. Tendrían que luchar "contra principados, contra potestades, contra los gobernadores de las tinieblas de este siglo, contra huestes espirituales de maldad en las regiones celestes" (Efesios 6: 12). Pero no se los dejaría luchar solos. Les aseguró que él estaría con ellos; y que si ellos avanzaban con fe, estarían bajo el escudo de la omnipotencia. Les ordenó que fuesen valientes y fuertes; porque

Uno más poderoso que los ángeles estaría en sus filas: el General de los ejércitos del cielo. Hizo amplia provisión para la prosecución de su obra, y asumió él mismo la responsabilidad de su éxito. Mientras obedecieran su palabra y trabajasen en comunión con él, no podrían fracasar. Id a todas las naciones, les ordenó, id a las partes más alejadas del globo habitable, y estad seguros de que aun allí mi presencia estará con vosotros. Trabajad con fe y confianza; porque yo no os olvidaré nunca. Estaré siempre con vosotros, ayudándoos a realizar y cumplir vuestro deber, guiándoos, alentándoos, santificándoos, sosteniéndoos y dándoos éxito en hablar palabras que llamen la atención de otros al cielo.

El sacrificio de Cristo en favor del hombre fue pleno y completo. La expiación se había cumplido. La obra para la cual él había venido a este mundo se había efectuado. El había ganado el reino. Se lo había arrebatado a Satanás, y había llegado a ser heredero de todo. Estaba en camino al trono de Dios, para ser honrado por la hueste celestial. Revestido de autoridad ilimitada, dio a sus discípulos su comisión: "Por tanto, id, y haced discípulos a todas las naciones,

bautizándolos en el nombre del Padre, y del Hijo, y del Espíritu Santo; enseñándoles que guarden todas las cosas que os he mandado; y he aquí yo estoy con vosotros todos los días, hasta el fin del mundo" (S. Mateo 28: 19, 20).

Precisamente antes de dejar a sus discípulos, Cristo explicó claramente una vez más la naturaleza de su reino. Les recordó las cosas que les había dicho anteriormente respecto a ese reino. Declaró que no era su propósito establecer en este mundo un reino temporal. No estaba destinado a reinar como monarca terrenal en el trono de David. Cuando los discípulos le preguntaron: "Señor, ¿restaurarás el reino a Israel en este tiempo?" él respondió: "No os toca a vosotros saber los tiempos o las sazones, que el Padre puso en su sola potestad" (Hechos 1: 6, 7). No era necesario para ellos penetrar más en el futuro de lo que las revelaciones que él había hecho los capacitaban para hacerlo. Su trabajo era proclamar el mensaje evangélico.

La presencia visible de Cristo estaba por serles quitada a los discípulos, pero iban a recibir una nueva dotación de poder. Iba a serles dado el Espíritu Santo en su plenitud, el cual los sellaría para su obra. "He aquí —dijo el Salvador—, yo enviaré la promesa de mi Padre sobre vosotros; pero quedaos vosotros en la ciudad de Jerusalén, hasta que seáis investidos de poder desde lo alto" (S. Lucas 24: 49). "Porque Juan ciertamente bautizó con agua, mas vosotros seréis bautizados con el Espíritu Santo dentro de no muchos días". "Pero recibiréis poder, cuando haya venido sobre vosotros el Espíritu Santo, y me seréis testigos en Jerusalén, en toda Judea, en Samaria, y hasta lo último de la tierra" (Hechos 1: 5, 8).

El Salvador sabía que ningún argumento, por lógico que

fuera, podría ablandar los duros corazones, o traspasar la costra de la mundanalidad y el egoísmo. Sabía que los discípulos habrían de recibir la dotación celestial; que el Evangelio sería eficaz sólo en la medida en que fuera proclamado por corazones encendidos y labios hechos elocuentes por el conocimiento vivo de Aquel que es el camino, la verdad y la vida. La obra encomendada a los discípulos requeriría gran eficiencia; porque la corriente del mal que fluía contra ellos era profunda y fuerte. Estaba al frente de las fuerzas de las tinieblas un caudillo vigilante y resuelto, y los seguidores de Cristo podrían batallar por el bien sólo mediante la ayuda que Dios, por su Espíritu, les diera.

Cristo dijo a sus discípulos que ellos debían comenzar su trabajo en Jerusalén. Esa ciudad había sido el escenario de su asombroso sacrificio por la raza humana. Allí, cubierto con el vestido de la humanidad, había caminado y hablado con los hombres, y pocos habían discernido cuánto se había acercado el cielo a la tierra. Allí había sido condenado y crucificado. En Jerusalén había muchos que creían secretamente que Jesús de Nazaret era el Mesías, y muchos que habían sido engañados por los sacerdotes y gobernantes. El Evangelio debía ser proclamado a éstos. Debían ser llamados al arrepentimiento. Debía aclararse la maravillosa verdad de que sólo mediante Cristo puede obtenerse la remisión de los pecados. Y mientras Jerusalén estaba agitada por los conmovedores sucesos de pocas semanas atrás, era cuando la predicación de los discípulos haría la más profunda impresión.

Durante su ministerio, Jesús había mantenido constantemente ante los discípulos el hecho de que ellos habrían de ser uno con él en su obra de rescatar al mundo de la esclavitud del pecado. Cuando envió a los doce y más tarde a

3—H.M.C.A., ACTS Span.

los setenta, a proclamar el reino de Dios, les estaba enseñando su deber de impartir a otros lo que él les había hecho conocer. En toda su obra, los estaba preparando para una labor individual, que se extendería a medida que el número de ellos creciese, y finalmente alcanzaría a las más apartadas regiones de la tierra. La última lección que dio a sus seguidores era que se les habían encomendado para el mundo las alegres nuevas de la salvación.

Cuando llegó el momento en que debía ascender a su Padre, Cristo condujo a los discípulos hasta Betania. Allí se detuvo, y ellos se reunieron en derredor de él. Con las manos extendidas en ademán de bendecir, como asegurándoles su cuidado protector, ascendió lentamente de entre ellos. "Y aconteció que bendiciéndolos, se separó de ellos, y fue llevado arriba al cielo" (S. Lucas 24: 51).

Mientras los discípulos estaban mirando arriba para recibir la última vislumbre de su Señor que ascendía, él fue recibido en las gozosas filas de los ángeles celestiales. Mientras estos ángeles lo escoltaban a los atrios de arriba, cantaban triunfalmente: "Reinos de la tierra, cantad a Dios, cantad al Señor; al que cabalga sobre los cielos de los cielos… Atribuid poder a Dios; sobre Israel es su magnificencia, y su poder está en los cielos" (Salmo 68: 32-34).

Los discípulos estaban todavía mirando fervientemente hacia el cielo cuando "he aquí se pusieron junto a ellos dos varones con vestiduras blancas, los cuales también les dijeron: Varones galileos, ¿por qué estáis mirando al cielo? Este mismo Jesús, que ha sido tomado de vosotros al cielo, así vendrá como le habéis visto ir al cielo" (Hechos 1: 10, 11).

La promesa de la segunda venida de Cristo habría de mantenerse siempre fresca en las mentes de sus discípulos.

El mismo Jesús a quien ellos habían visto ascender al cielo, vendría otra vez, para llevar consigo a aquellos que aquí estuvieran entregados a su servicio. La misma voz que les había dicho: "He aquí yo estoy con vosotros todos los días, hasta el fin del mundo", les daría la bienvenida a su presencia en el reino celestial.

Así como en el servicio típico el sumo sacerdote ponía a un lado sus ropas pontificias, y oficiaba con el blanco vestido de lino del sacerdote común, así Cristo puso a un lado sus ropas reales, fue vestido de humanidad, ofreció sacrificio, siendo él mismo el sacerdote y la víctima. Como el sumo sacerdote, después de realizar su servicio en el lugar santísimo, salía vestido con sus ropas pontificias, a la congregación que esperaba, así Cristo vendrá la segunda vez, cubierto de vestidos tan blancos "que ningún lavador en la tierra los puede hacer tan blancos" (S. Marcos 9: 3). El vendrá en su propia gloria, y en la gloria de su Padre, y toda la hueste angélica lo escoltará en su venida.

Así se cumplirá la promesa de Cristo a sus discípulos: "Vendré otra vez, y os tomaré a mí mismo" (S. Juan 14: 3). A aquellos que le hayan amado y esperado, los coronará con gloria, honor e inmortalidad. Los justos muertos se levantarán de sus tumbas, y los que estén vivos serán arrebatados con ellos al encuentro del Señor en el aire. Oirán la voz de Jesús, más dulce que ninguna música que hayan sentido alguna vez los oídos mortales, diciéndoles: Vuestra guerra ha terminado. "Venid, benditos de mi Padre, heredad el reino preparado para vosotros desde la fundación del mundo" (S. Mateo 25: 34).

Bien podían los discípulos regocijarse en la esperanza del regreso de su Señor.

CAPITULO 4

Este capítulo está basado en Hechos 2: 1-39.

Pentecostés

CUANDO los discípulos volvieron del olivar a Jerusalén, la gente los miraba, esperando ver en sus rostros expresiones de tristeza, confusión y chasco; pero vieron alegría y triunfo. Los discípulos no lloraban ahora esperanzas frustradas. Habían visto al Salvador resucitado, y las palabras de su promesa de despedida repercutían constantemente en sus oídos.

En obediencia a la orden de Cristo, aguardaron en Jerusalén la promesa del Padre, el derramamiento del Espíritu. No aguardaron ociosos. El relato dice que "estaban siempre en el templo, alabando y bendiciendo a Dios" (S. Lucas 24: 53). También se reunieron para presentar sus pedidos al Padre en el nombre de Jesús. Sabían que tenían un Representante en el cielo, un Abogado ante el trono de Dios. Con solemne temor reverente se postraron en oración, repitiendo las palabras impregnadas de seguridad: "Todo cuanto pidiereis al Padre en mi nombre, os lo dará. Hasta ahora nada habéis pedido en mi nombre; pedid, y recibiréis, para que vuestro gozo sea cumplido" (S. Juan 16: 23, 24). Extendían más y más la mano de la fe con el poderoso argumento:

27

Los discípulos esperaron y oraron por
el cumplimiento de la promesa de Cristo,
y el Espíritu Santo descendió sobre ellos.

"Cristo es el que murió; más aun, el que también resucitó, el que además está a la diestra de Dios, el que también intercede por nosotros" (Romanos 8: 34).

Mientras los discípulos esperaban el cumplimiento de la promesa, humillaron sus corazones con verdadero arrepentimiento, y confesaron su incredulidad. Al recordar las palabras que Cristo les había hablado antes de su muerte, entendieron más plenamente su significado. Fueron traídas de nuevo a su memoria verdades que habían olvidado, y las repetían unos a otros. Se reprocharon a sí mismos el haber comprendido tan mal al Salvador. Como en procesión, pasó delante de ellos una escena tras otra de su maravillosa vida. Cuando meditaban en su vida pura y santa, sentían que no habría trabajo demasiado duro, ni sacrificio demasiado grande, si tan sólo pudiesen ellos atestiguar con su vida la belleza del carácter de Cristo. ¡Oh, si tan sólo pudieran vivir de nuevo los tres años pasados, pensaban ellos, de cuán diferente modo procederían! Si sólo pudieran ver al Señor de nuevo, cuán fervorosamente tratarían de mostrar la profundidad de su amor y la sinceridad de la tristeza que sentían por haberle apenado con palabras o actos de incredulidad. Pero se consolaron con el pensamiento de que estaban perdonados. Y resolvieron que, hasta donde fuese posible, expiarían su incredulidad confesándolo valientemente delante del mundo.

Los discípulos oraron con intenso fervor pidiendo capacidad para encontrarse con los hombres, y en su trato diario hablar palabras que pudieran guiar a los pecadores a Cristo. Poniendo aparte toda diferencia, todo deseo de supremacía, se unieron en estrecho compañerismo cristiano. Se acercaron más y más a Dios, y al hacer esto, comprendieron cuán grande privilegio habían tenido al poder asociarse tan estrechamente con Cristo. La tristeza llenó sus corazones al pensar en cuántas veces le habían apenado por su tardo entendimiento y su incomprensión de las lecciones que, para el bien de ellos, estaba procurando enseñarles.

Estos días de preparación fueron días de profundo escudriñamiento del corazón. Los discípulos sentían su necesidad espiritual, y clamaban al Señor por la santa unción que los había de hacer idóneos para la obra de salvar almas. No pedían una bendición simplemente para sí. Estaban abrumados por la preocupación de salvar almas. Comprendían que el Evangelio había de proclamarse al mundo, y demandaban el poder que Cristo había prometido.

Durante la era patriarcal, la influencia del Espíritu Santo se había revelado a menudo en forma señalada, pero nunca en su plenitud. Ahora, en obediencia a la palabra del Salvador, los discípulos ofrecieron sus súplicas por este don, y en el cielo Cristo añadió su intercesión. Reclamó el don del Espíritu, para poderlo derramar sobre su pueblo.

"Cuando llegó el día de Pentecostés, estaban todos unánimes juntos. Y de repente vino del cielo un estruendo como de un viento recio que soplaba, el cual llenó toda la casa donde estaban sentados".

Sobre los discípulos que esperaban y oraban vino el Espíritu con una plenitud que alcanzó a todo corazón. El Ser infinito se reveló con poder a su iglesia. Era como si durante siglos esta influencia hubiera estado restringida, y ahora el cielo se regocijara en poder derramar sobre la iglesia las riquezas de la gracia del Espíritu. Y bajo la influencia del Espíritu, las palabras de arrepentimiento y confesión se mezclaban con cantos de alabanza por el perdón de los pecados. Se oían palabras de agradecimiento y de profecía. Todo el cielo se inclinó para contemplar y adorar la sabiduría del incomparable e incomprensible amor. Extasiados de asombro, los apóstoles exclamaron: "En esto consiste el amor". Se asieron del don impartido. ¿Y qué siguió? La espada del Espíritu, recién afilada con el poder y bañada en los rayos del cielo, se abrió paso a través de la incredulidad. Miles se convirtieron en un día.

"Os conviene que yo me vaya —había dicho Cristo a sus discípulos—; porque si no me fuese, el Consolador no vendría a vosotros; mas si me fuere, os lo enviaré". "Pero cuando venga el Espíritu de verdad, él os guiará a toda la verdad; porque no hablará por su propia cuenta, sino que hablará todo lo que oyere, y os hará saber las cosas que habrán de venir" (S. Juan 16: 7, 13).

La ascensión de Cristo al cielo fue la señal de que sus seguidores iban a recibir la bendición prometida. Habían de esperarla antes de empezar a hacer su obra. Cuando Cristo entró por los portales celestiales, fue entronizado en medio de la adoración de los ángeles. Tan pronto como esta ceremonia hubo terminado, el Espíritu Santo descendió sobre los discípulos en abundantes raudales, y Cristo fue de veras glorificado con la misma gloria que había tenido con el Padre, desde toda la eternidad. El derramamiento pentecostal era la comunicación del cielo de que el Redentor había iniciado su ministerio celestial. De acuerdo con su promesa, había enviado el Espíritu Santo del cielo a sus seguidores como prueba de que, como sacerdote y rey, había recibido toda autoridad en el cielo y en la tierra, y era el Ungido sobre su pueblo.

"Y se les aparecieron lenguas repartidas, como de fuego,

asentándose sobre cada uno de ellos. Y fueron todos llenos del Espíritu Santo, y comenzaron a hablar en otras lenguas, según el Espíritu les daba que hablasen". El Espíritu Santo, asumiendo la forma de lenguas de fuego, descansó sobre los que estaban congregados. Esto era un emblema del don entonces concedido a los discípulos, que los habilitaba para hablar con facilidad idiomas antes desconocidos para ellos. La apariencia de fuego significaba el celo ferviente con que los apóstoles iban a trabajar, y el poder que iba a acompañar su obra.

"Moraban entonces en Jerusalén judíos, varones piadosos, de todas las naciones bajo el cielo". Durante la dispersión, los judíos habían sido esparcidos a casi todos los lugares del mundo habitado, y en su destierro habían aprendido a hablar varios idiomas. Muchos de estos judíos estaban en esta ocasión en Jerusalén, asistiendo a las festividades religiosas que se celebraban. Toda lengua conocida estaba representada por la multitud reunida. Esta diversidad de idiomas hubiera representado un gran obstáculo para la proclamación del Evangelio; por lo tanto Dios suplió de una manera milagrosa la deficiencia de los apóstoles. El Espíritu Santo hizo por ellos lo que los discípulos no hubieran podido llevar a cabo en todo el curso de su vida. Ellos podían ahora proclamar las verdades del Evangelio extensamente, pues hablaban con corrección los idiomas de aquellos por quienes trabajaban. Este don milagroso era una evidencia poderosa para el mundo de que la comisión de ellos llevaba el sello del cielo. Desde entonces en adelante, el habla de los discípulos fue pura, sencilla y correcta, ya hablaran en su idioma nativo o en idioma extranjero.

"Y hecho este estruendo, se juntó la multitud; y estaban

confusos, porque cada uno les oía hablar en su propia lengua. Y estaban atónitos y maravillados, diciendo: Mirad, ¿no son galileos todos estos que hablan? ¿Cómo, pues, les oímos nosotros hablar cada uno en nuestra lengua en la que hemos nacido?" Los sacerdotes y gobernantes se enfurecieron grandemente al ver esta manifestación maravillosa, pero no se atrevían a ceder a su malicia, por temor a exponerse a la violencia del pueblo. Habían dado muerte al Nazareno; pero allí estaban sus siervos, hombres indoctos de Galilea, contando en todos los idiomas entonces hablados, la historia de su vida y ministerio. Los sacerdotes, resueltos a explicar de alguna manera natural el poder milagroso de los discípulos, declararon que estaban borrachos, por haber bebido demasiado vino nuevo preparado para la fiesta. Algunos de los más ignorantes del pueblo presente aceptaron como cierta esta sugestión, pero los más inteligentes sabían que era falsa; los que entendían las diferentes lenguas daban testimonio de la corrección con que estas lenguas eran usadas por los discípulos.

En respuesta a la acusación de los sacerdotes, Pedro expuso que esta demostración era el cumplimiento directo de la profecía de Joel, en la cual predijo que tal poder vendría sobre los hombres a fin de capacitarlos para una obra especial. "Varones judíos, y todos los que habitáis en Jerusalén —dijo él—, esto os sea notorio, y oíd mis palabras. Porque éstos no están ebrios, como vosotros suponéis, puesto que es la hora tercera del día. Mas esto es lo dicho por el profeta Joel: Y en los postreros días, dice Dios, derramaré de mi Espíritu sobre toda carne, y vuestros hijos y vuestras hijas profetizarán; vuestros jóvenes verán visiones, y vuestros ancianos soñarán sueños; y de cierto sobre mis siervos y sobre mis siervas en aquellos días derramaré de mi Espíritu, y profetizarán".

Con claridad y poder Pedro dio testimonio de la muerte y resurrección de Cristo: "Varones israelitas, oíd estas palabras: Jesús nazareno, varón aprobado por Dios entre vosotros con las maravillas, prodigios y señales que Dios hizo entre vosotros por medio de él, como vosotros mismos sabéis; a éste, … prendisteis y matasteis por manos de inicuos, crucificándole; al cual Dios levantó, sueltos los dolores de la muerte, por cuanto era imposible que fuese retenido por ella".

Pedro no se refirió a las enseñanzas de Cristo para probar su aserto, porque sabía que el prejuicio de sus oyentes era tan grande que sus palabras a ese respecto no surtirían efecto. En lugar de ello, les habló de David, a quien consideraban los judíos como uno de los patriarcas de su nación. "David dice de él —declaró—: Veía al Señor siempre delante de mí; porque está a mi diestra, no seré conmovido. Por lo cual mi corazón se alegró, y se gozó mi lengua, y

aun mi carne descansará en esperanza; porque no dejarás mi alma en el Hades, ni permitirás que tu Santo vea corrupción...

"Varones hermanos, se os puede decir libremente del patriarca David, que murió y fue sepultado, y su sepulcro está con nosotros hasta el día de hoy". "Habló de la resurrección de Cristo, que su alma no fue dejada en el Hades, ni su carne vio corrupción. A este Jesús resucitó Dios, de lo cual todos nosotros somos testigos".

La escena está llena de interés. El pueblo acude de todas direcciones para oír a los discípulos testificar de la verdad como es en Jesús. Se agolpa, llena el templo. Los sacerdotes y gobernantes están allí, con el oscuro ceño de la malignidad todavía en el rostro, con el corazón aún lleno de odio contra Cristo, con las manos manchadas por la sangre derramada cuando crucificaron al Redentor del mundo. Ellos habían pensado encontrar a los apóstoles acobardados de temor bajo la fuerte mano de la opresión y el asesinato, pero los hallaron por encima de todo temor, llenos del Espíritu, proclamando con poder la divinidad de Jesús de Nazaret. Los oyeron declarar con intrepidez que Aquel que había sido recientemente humillado, escarnecido, herido por manos crueles, y crucificado, era el Príncipe de la vida, exaltado ahora a la diestra de Dios.

Algunos de los que escuchaban a los apóstoles habían tomado parte activa en la condenación y muerte de Cristo. Sus voces se habían mezclado con las del populacho en demanda de su crucifixión. Cuando Jesús y Barrabás fueron colocados delante de ellos en la sala del juicio, y Pilato preguntó: "¿A quién queréis que os suelte?" ellos habían gritado: "No a éste, sino a Barrabás" (S. Mateo 27: 17; S.

Juan 18: 40). Cuando Pilato les entregó a Cristo, diciendo: "Tomadle vosotros, y crucificadle; porque yo no hallo delito en él". "Inocente soy yo de la sangre de este justo", ellos habían gritado: "Su sangre sea sobre nosotros, y sobre nuestros hijos" (S. Juan 19: 6; S. Mateo 27: 24, 25).

Ahora oían a los discípulos declarar que era el Hijo de Dios el que había sido crucificado. Los sacerdotes y gobernantes temblaban. La convicción y la angustia se apoderaron del pueblo. "Al oír esto, se compungieron de corazón, y dijeron a Pedro y a los otros apóstoles: Varones hermanos, ¿qué haremos?" Entre los que escucharon a los discípulos, había judíos devotos, que eran sinceros en su creencia. El poder que acompañaba a las palabras del orador los convenció de que Jesús era en verdad el Mesías.

"Pedro les dijo: Arrepentíos, y bautícese cada uno de vosotros en el nombre de Jesucristo para perdón de los pecados; y recibiréis el don del Espíritu Santo. Porque para vosotros es la promesa, y para vuestros hijos, y para todos los que están lejos; para cuantos el Señor nuestro Dios llamare".

Pedro insistió ante el convicto pueblo en el hecho de que habían rechazado a Cristo porque habían sido engañados por los sacerdotes y gobernantes; y en que si continuaban dependiendo del consejo de esos hombres y esperando que reconocieran a Cristo antes de reconocerlo ellos mismos, jamás le aceptarían. Esos hombres poderosos, aunque hacían profesión de piedad, ambicionaban las glorias y riquezas terrenales. No estaban dispuestos a acudir a Cristo para recibir luz.

Bajo la influencia de esta iluminación celestial, las escrituras que Cristo había explicado a los discípulos resaltaron delante de ellos con el brillo de la verdad perfecta. El velo que les había impedido ver hasta el extremo de lo que había sido abolido, fue quitado ahora, y comprendieron con perfecta claridad el objeto de la misión de Cristo y la naturaleza de su reino. Podían hablar con poder del Salvador; y mientras exponían a sus oyentes el plan de la salvación, muchos quedaron convictos y convencidos. Las tradiciones y supersticiones inculcadas por los sacerdotes fueron barridas de sus mentes, y las enseñanzas del Salvador fueron aceptadas.

"Así que, los que recibieron su palabra fueron bautizados; y se añadieron aquel día como tres mil personas".

Los dirigentes judíos habían supuesto que la obra de Cristo terminaría con su muerte; pero en vez de eso fueron testigos de las maravillosas escenas del día de Pentecostés. Oyeron a los discípulos predicar a Cristo, dotados de un poder y energía hasta entonces desconocidos, y sus palabras confirmadas con señales y prodigios. En Jerusalén, la fortaleza del judaísmo, miles declararon abiertamente su fe en Jesús de Nazaret como el Mesías.

Los discípulos se asombraban y se regocijaban en gran manera por la amplitud de la cosecha de almas. No consideraban esta maravillosa mies como el resultado de sus propios esfuerzos; comprendían que estaban entrando en las labores de otros hombres. Desde la caída de Adán, Cristo había estado confiando a sus siervos escogidos la semilla de su palabra, para que fuese sembrada en los corazones humanos. Durante su vida en la tierra, había sembrado la semilla de la verdad, y la había regado con su sangre. Las conversiones que se produjeron en el día de Pentecostés fueron el resultado de esa siembra, la cosecha de la obra de Cristo, que revelaba el poder de su enseñanza.

Los argumentos de los apóstoles por sí solos, aunque claros y convincentes, no habrían eliminado el prejuicio que había resistido tanta evidencia. Pero el Espíritu Santo hizo penetrar los argumentos en los corazones con poder divino. Las palabras de los apóstoles eran como saetas agudas del Todopoderoso que convencían a los hombres de su terrible culpa por haber rechazado y crucificado al Señor de gloria.

Bajo la instrucción de Cristo, los discípulos habían sido inducidos a sentir su necesidad del Espíritu. Bajo la enseñanza del Espíritu, recibieron la preparación final y salieron a emprender la obra de su vida. Ya no eran ignorantes y sin cultura. Ya no eran una colección de unidades independientes, ni elementos discordantes y antagónicos. Ya no estaban sus esperanzas cifradas en la grandeza mundanal. Eran "unánimes", "de un corazón y un alma" (Hechos 2: 46; 4: 32). Cristo llenaba sus pensamientos; su objeto era el adelantamiento de su reino. En mente y carácter habían llegado a ser como su Maestro, y los hombres "reconocían que habían estado con Jesús" (Hechos 4: 13).

El día de Pentecostés les trajo la iluminación celestial. Las verdades que no podían entender mientras Cristo estaba con ellos quedaron aclaradas ahora. Con una fe y una seguridad que nunca habían conocido antes, aceptaron las enseñanzas de la Palabra sagrada. Ya no era más para ellos un asunto de fe el hecho de que Cristo era el Hijo de Dios. Sabían que, aunque vestido de la humanidad, era en verdad el Mesías, y contaban su experiencia al mundo con una confianza que llevaba consigo la convicción de que Dios estaba con ellos.

Podían pronunciar el nombre de Jesús con seguridad; porque ¿no era él su Amigo y Hermano mayor? Puestos en comunión con Cristo, se sentaron con él en los lugares celestiales. ¡Con qué ardiente lenguaje revestían sus ideas al testificar por él! Sus corazones estaban sobrecargados con una benevolencia tan plena, tan profunda, de tanto alcance, que los impelía a ir hasta los confines de la tierra, para testificar del poder de Cristo. Estaban llenos de un intenso anhelo de llevar adelante la obra que él había comenzado. Comprendían la grandeza de su deuda para con el cielo, y la responsabilidad de su obra. Fortalecidos por la dotación del Espíritu Santo, salieron llenos de celo a extender los triunfos de la cruz. El Espíritu los animaba y hablaba por ellos. La paz de Cristo brillaba en sus rostros. Habían consagrado sus vidas a su servicio, y sus mismas facciones llevaban la evidencia de la entrega que habían hecho.

CAPITULO 5

El Don del Espíritu

CUANDO Cristo dio a sus discípulos la promesa del Espíritu, se estaba acercando al fin de su ministerio terrenal. Estaba a la sombra de la cruz, con una comprensión plena de la carga de culpa que estaba por descansar sobre él como portador del pecado. Antes de ofrecerse a sí mismo como víctima destinada al sacrificio, instruyó a sus discípulos en cuanto a la dádiva más esencial y completa que iba a conceder a sus seguidores: el don que iba a poner al alcance de ellos los recursos inagotables de su gracia. "Y yo rogaré al Padre —dijo él—, y os dará otro Consolador, para que esté con vosotros para siempre: el Espíritu de verdad, al cual el mundo no puede recibir, porque no le ve, ni le conoce; pero vosotros le conocéis, porque mora con vosotros, y estará en vosotros" (S. Juan 14: 16, 17). El Salvador estaba señalando adelante al tiempo cuando el Espíritu Santo vendría para realizar una obra poderosa como su representante. El mal que se había estado acumulando durante siglos, habría de ser resistido por el divino poder del Espíritu Santo.

39

¿Cuál fue el resultado del derramamiento del Espíritu en el día de Pentecostés? Las alegres nuevas de un Salvador resucitado fueron llevadas a las más alejadas partes del mundo habitado. Mientras los discípulos proclamaban el mensaje de la gracia redentora, los corazones se entregaban al poder de su mensaje. La iglesia veía afluir a ella conversos de todas direcciones. Los apóstatas se reconvertían. Los pecadores se unían con los creyentes en busca de la perla de gran precio. Algunos de los que habían sido los más enconados oponentes del Evangelio, llegaron a ser sus campeones. Se cumplió la profecía: "El que entre ellos fuere débil, ... será como David; y la casa de David ... como el ángel de Jehová" (Zacarías 12: 8). Cada cristiano veía en su hermano una revelación del amor y la benevolencia divinos. Un solo interés prevalecía, un solo objeto de emulación hacía olvidar todos los demás. La ambición de los creyentes era revelar la semejanza del carácter de Cristo, y trabajar para el engrandecimiento de su reino.

"Los apóstoles daban testimonio de la resurrección del Señor Jesús, y abundante gracia era sobre todos ellos" (Hechos 4: 33). Gracias a estas labores fueron añadidos a la iglesia hombres escogidos que, al recibir la palabra de verdad, consagraron sus vidas al trabajo de dar a otros la esperanza que llenaba sus corazones de paz y gozo. No podían ser refrenados ni intimidados por amenazas. El Señor hablaba por su medio, y mientras iban de un lugar a otro, predicaban el Evangelio a los pobres, y se efectuaban milagros de la gracia divina.

Tal es el poder con que Dios puede obrar cuando los hombres se entregan al dominio de su Espíritu.

La promesa del Espíritu Santo no se limita a ninguna

edad ni raza. Cristo declaró que la influencia divina de su Espíritu estaría con sus seguidores hasta el fin. Desde el día de Pentecostés hasta ahora, el Consolador ha sido enviado a todos los que se han entregado plenamente al Señor y a su servicio. A todo el que ha aceptado a Cristo como Salvador personal, el Espíritu Santo ha venido como consejero, santificador, guía y testigo. Cuanto más cerca de Dios han andado los creyentes, más clara y poderosamente han testificado del amor de su Redentor y de su gracia salvadora. Los hombres y mujeres que a través de largos siglos de persecución y prueba gozaron de una gran medida de la presencia del Espíritu en sus vidas, se destacaron como señales y prodigios en el mundo. Revelaron ante los ángeles y los hombres el poder transformador del amor redentor.

Aquellos que en Pentecostés fueron dotados con el poder de lo alto, no quedaron desde entonces libres de tentación y prueba. Como testigos de la verdad y la justicia, eran repetidas veces asaltados por el enemigo de toda verdad, que trataba de despojarlos de su experiencia cristiana. Estaban obligados a luchar con todas las facultades dadas por Dios para alcanzar la medida de la estatura de hombres y mujeres en Cristo Jesús. Oraban diariamente en procura de nuevas provisiones de gracia para poder elevarse más y más hacia la perfección. Bajo la obra del Espíritu Santo, aun los más débiles, ejerciendo fe en Dios, aprendían a desarrollar las facultades que les habían sido confiadas y llegaron a ser santificados, refinados y ennoblecidos. Mientras se sometían con humildad a la influencia modeladora del Espíritu Santo, recibían de la plenitud de la Deidad y eran amoldados a la semejanza divina.

El transcurso del tiempo no ha cambiado en nada la

41

promesa de despedida de Cristo de enviar el Espíritu Santo como su representante. No es por causa de alguna restricción de parte de Dios por lo que las riquezas de su gracia no fluyen a los hombres sobre la tierra. Si la promesa no se cumple como debiera, se debe a que no es apreciada debidamente. Si todos lo quisieran, todos serían llenados del Espíritu. Dondequiera la necesidad del Espíritu Santo sea un asunto en el cual se piense poco, se ve sequía espiritual, oscuridad espiritual, decadencia y muerte espirituales. Cuandoquiera los asuntos menores ocupen la atención, el poder divino que se necesita para el crecimiento y la prosperidad de la iglesia, y que traería todas las demás bendiciones en su estela, falta, aunque se ofrece en infinita plenitud.

Puesto que éste es el medio por el cual hemos de recibir poder, ¿por qué no tener más hambre y sed del don del Espíritu? ¿Por qué no hablamos de él, oramos por él y predicamos respecto a él? El Señor está más dispuesto a dar el Espíritu Santo a los que le sirven, que los padres a dar buenas dádivas a sus hijos. Cada obrero debiera elevar su petición a Dios por el bautismo diario del Espíritu. Debieran reunirse grupos de obreros cristianos para solicitar ayuda especial y sabiduría celestial para hacer planes y ejecutarlos sabiamente. Debieran orar especialmente porque Dios bautice a sus embajadores escogidos en los campos misioneros con una rica medida de su Espíritu. La presencia del Espíritu en los obreros de Dios dará a la proclamación de la verdad un poder que todo el honor y la gloria del mundo no podrían conferirle.

El Espíritu Santo mora con el obrero consagrado de Dios dondequiera que esté. Las palabras habladas a los discípulos son también para nosotros. El Consolador es tanto nuestro

El Espíritu Santo imparte poder a personas de todas las razas para que proclamen las verdades de la Palabra de Dios.

JOHN STEEL © PPPA

como de ellos. El Espíritu provee la fuerza que sostiene en toda emergencia a las almas que luchan y batallan en medio del odio del mundo y de la comprensión de sus propios fracasos y errores. En la tristeza y la aflicción, cuando la perspectiva parece oscura y el futuro perturbador, y nos sentimos desamparados y solos: éstas son las veces cuando, en respuesta a la oración de fe, el Espíritu Santo proporciona consuelo al corazón.

No es una evidencia concluyente de que un hombre sea cristiano el que manifieste éxtasis espiritual en circunstancias extraordinarias. La santidad no es arrobamiento: es una entrega completa de la voluntad a Dios; es vivir de toda palabra que sale de la boca de Dios; es hacer la voluntad de nuestro Padre celestial; es confiar en Dios en las pruebas y en la oscuridad tanto como en la luz; es caminar por fe y no por vista; confiar en Dios sin vacilación y descansar en su amor.

No es esencial para nosotros ser capaces de definir con precisión qué es el Espíritu Santo. Cristo nos dice que el Espíritu es el Consolador, "el Espíritu de verdad, el cual procede del Padre" (S. Juan 15: 26). Se asevera claramente tocante al Espíritu Santo, que en su obra de guiar a los hombres a toda verdad, "no hablará por su propia cuenta" (S. Juan 16: 13).

La naturaleza del Espíritu Santo es un misterio. Los hombres no pueden explicarla, porque el Señor no se la ha revelado. Los hombres de conceptos fantásticos pueden reunir pasajes de las Escrituras y darles interpretación humana; pero la aceptación de esos conceptos no fortalecerá a la iglesia. En cuanto a estos misterios, demasiado profundos para el entendimiento humano, el silencio es oro.

El oficio del Espíritu Santo se especifica claramente en las palabras de Cristo: "Cuando él venga, convencerá al mundo de pecado, de justicia y de juicio" (S. Juan 16: 8). Es el Espíritu Santo el que convence de pecado. Si el pecador responde a la influencia vivificadora del Espíritu, será inducido a arrepentirse y a comprender la importancia de obedecer los requerimientos divinos.

Al pecador arrepentido, que tiene hambre y sed de justicia, el Espíritu Santo le revela el Cordero de Dios que quita el pecado del mundo. "Tomará de lo mío, y os lo hará saber", dijo Cristo. "El os enseñará todas las cosas, y os recordará todo lo que yo os he dicho" (S. Juan 16: 14; 14: 26).

El Espíritu Santo se da como agente regenerador, para hacer efectiva la salvación obrada por la muerte de nuestro Redentor. El Espíritu Santo está tratando constantemente de llamar la atención de los hombres a la gran ofrenda hecha en la cruz del Calvario, de exponer al mundo el amor de Dios, y abrir al alma arrepentida las cosas preciosas de las Escrituras.

Después de convencer de pecado, y de presentar ante la mente la norma de justicia, el Espíritu Santo quita los afectos de las cosas de esta tierra, y llena el alma con un deseo de santidad. "El os guiará a toda la verdad" (S. Juan 16: 13), declaró el Salvador. Si los hombres están dispuestos a ser amoldados, se efectuará la santificación de todo el ser. El Espíritu tomará las cosas de Dios y las imprimirá en el alma. Mediante su poder, el camino de la vida será hecho tan claro que nadie necesite errar.

Desde el principio Dios ha estado obrando por su Espíritu Santo mediante instrumentos humanos para el cumplimiento de su propósito en favor de la raza caída. Esto se manifestó en la vida de los patriarcas. A la iglesia del desierto también, en los días de Moisés, Dios le dio su "espíritu para enseñarle" (Nehemías 9: 20). Y en los días de los apóstoles obró poderosamente en favor de su iglesia por medio del Espíritu Santo. El mismo poder que sostuvo a los patriarcas, que dio fe y ánimo a Caleb y Josué, y que hizo eficaz la obra de la iglesia apostólica, sostuvo a los fieles hijos de Dios en cada siglo sucesivo. Fue el poder del Espíritu Santo lo que durante la época del oscurantismo permitió a los cristianos valdenses contribuir a la preparación del terreno para la Reforma. Fue el mismo poder lo que hizo eficaces los esfuerzos de muchos nobles hombres y mujeres que abrieron el camino para el establecimiento de las misiones modernas, y para la traducción de la Biblia a los idiomas y dialectos de todas las naciones y pueblos.

Y hoy, Dios sigue usando su iglesia para dar a conocer su propósito en la tierra. Hoy los heraldos de la cruz van de ciudad en ciudad, y de país en país para preparar el camino para la segunda venida de Cristo. Se exalta la norma de la ley de Dios. El Espíritu del Todopoderoso conmueve el corazón de los hombres, y los que responden a su influencia llegan a ser testigos de Dios y de su verdad. Pueden verse en muchos lugares hombres y mujeres consagrados comunicando a otros la luz que les aclaró el camino de la salvación por Cristo. Y mientras continúan haciendo brillar su luz, como aquellos que fueron bautizados con el Espíritu en el día de Pentecostés, reciben más y aun más del poder del Espíritu. Así la tierra ha de ser iluminada con la gloria de Dios.

Por otra parte, hay algunos que, en lugar de aprovechar sabiamente las oportunidades presentes, están esperando ociosamente que alguna ocasión especial de refrigerio espiritual aumente grandemente su capacidad de iluminar a otros. Descuidan sus deberes y privilegios actuales y permiten que su luz se empañe a la espera de un tiempo futuro en el cual, sin ningún esfuerzo de su parte, sean hechos los recipientes de bendiciones especiales que los transformen y capaciten para servir.

Es cierto que en el tiempo del fin, cuando la obra de Dios en la tierra esté por terminar, los fervientes esfuerzos realizados por los consagrados creyentes bajo la dirección del Espíritu Santo irán acompañados por manifestaciones especiales del favor divino. Bajo la figura de la lluvia temprana y tardía que cae en los países orientales al tiempo de la siembra y la cosecha, los profetas hebreos predijeron el derramamiento de la gracia espiritual en una medida extraordinaria sobre la iglesia de Dios. El derramamiento del Espíritu en los días de los apóstoles fue el comienzo de la lluvia temprana, y gloriosos fueron los resultados. Hasta el fin del tiempo, la presencia del Espíritu ha de morar con la iglesia fiel.

Pero acerca del fin de la siega de la tierra, se promete una concesión especial de gracia espiritual, para preparar a la iglesia para la venida del Hijo del hombre. Este derramamiento del Espíritu se compara con la caída de la lluvia tardía; y en procura de este poder adicional, los cristianos han de elevar sus peticiones al Señor de la mies "en la estación tardía" (Zacarías 10: 1). En respuesta, "Jehová hará relámpagos, y os dará lluvia abundante". "Hará descender sobre vosotros lluvia temprana y tardía" (Joel 2: 23).

Pero a menos que los miembros de la iglesia de Dios hoy tengan una relación viva con la fuente de todo crecimiento espiritual, no estarán listos para el tiempo de la siega. A menos que mantengan sus lámparas aparejadas y ardiendo, no recibirán la gracia adicional en tiempo de necesidad especial.

Unicamente los que estén recibiendo constantemente nueva provisión de gracia, tendrán una fuerza proporcional a su necesidad diaria y a su capacidad de emplearla. En vez de esperar algún tiempo futuro en que, mediante el otorgamiento de un poder espiritual especial, sean milagrosamente hechos idóneos para ganar almas, se entregan diariamente a Dios, para que los haga vasos dignos de ser empleados por él. Diariamente están aprovechando las oportunidades de servir que están a su alcance. Diariamente están testificando por el Maestro dondequiera que estén, ora sea en alguna humilde esfera de trabajo o en el hogar, o en un ramo público de utilidad.

Para el obrero consagrado es una maravillosa fuente de consuelo el saber que aun Cristo durante su vida terrenal buscaba a su Padre diariamente en procura de nuevas provisiones de gracia necesaria; y de esta comunión con Dios salía para fortalecer y bendecir a otros. ¡Contemplad al Hijo de Dios postrado en oración ante su Padre! Aunque es el Hijo de Dios, fortalece su fe por la oración, y por la comunión con el cielo acumula en sí poder para resistir el mal y para ministrar las necesidades de los hombres. Como Hermano Mayor de nuestra especie, conoce las necesidades de aquellos que, rodeados de flaquezas y viviendo en un mundo de pecado y de tentación, desean todavía servir a Dios. Sabe que los mensajeros a quienes considera dignos de enviar son hombres débiles y expuestos a errar; pero a todos aquellos que se entregan enteramente a su servicio les promete ayuda divina. Su propio ejemplo es una garantía de que la súplica ferviente y perseverante a Dios con fe —la fe que induce a depender enteramente de Dios y a consagrarse sin reservas a su obra— podrá proporcionar a los hombres la ayuda del Espíritu Santo en la batalla contra el pecado.

Todo obrero que sigue el ejemplo de Cristo será preparado para recibir y usar el poder que Dios ha prometido a su iglesia para la maduración de la mies de la tierra. Mañana tras mañana, cuando los heraldos del Evangelio se arrodillan delante del Señor y renuevan sus votos de consagración, él les concede la presencia de su Espíritu con su poder vivificante y santificador. Y al salir para dedicarse a los deberes diarios, tienen la seguridad de que el agente invisible del Espíritu Santo los capacita para ser colaboradores juntamente con Dios.

CAPITULO 6

Este capítulo está basado en Hechos 3; 4: 1-31.

A la Puerta del Templo

LOS discípulos de Cristo tenían un profundo sentimiento de su propia falta de eficiencia, y con humillación y oración unían su debilidad a la fuerza de Cristo, su ignorancia a la sabiduría de él, su indignidad a la justicia de él, su pobreza a la inagotable riqueza de él. Fortalecidos y equipados así, no vacilaron en avanzar en el servicio del Señor.

Poco tiempo después del descenso del Espíritu Santo, e inmediatamente después de una temporada de fervorosa oración, Pedro y Juan subieron al templo para adorar, y vieron en la puerta la Hermosa un cojo de cuarenta años de edad, que desde su nacimiento había estado afligido por el dolor y la enfermedad. Este desdichado había deseado durante largo tiempo ver a Jesús para que lo curase; pero estaba impedido y muy alejado del escenario en donde operaba el gran Médico. Sus ruegos movieron por fin a algunos amigos a llevarlo a la puerta del templo, y al llegar allí supo que Aquel en quien había puesto sus esperanzas había sido muerto cruelmente.

51

Pedro y Juan ordenaron al cojo en
el nombre de Jesús, en la puerta
del templo, que se levantara y caminara.

Su desconsuelo excitó las simpatías de quienes sabían cuán anhelosamente había esperado que Jesús lo curase, y diariamente lo llevaban al templo con el objeto de que los transeúntes le diesen una limosna para aliviar sus necesidades. Al entrar Pedro y Juan, les pidió una limosna. Los discípulos lo miraron compasivamente, y Pedro le dijo: "Míranos. Entonces él les estuvo atento, esperando recibir de ellos algo. Mas Pedro dijo: No tengo plata ni oro". Al manifestar así Pedro su pobreza, decayó el semblante del cojo; pero se iluminó de esperanza cuando el apóstol prosiguió diciendo: "Pero lo que tengo te doy; en el nombre de Jesucristo de Nazaret, levántate y anda.

"Y tomándole por la mano derecha le levantó; y al momento se le afirmaron los pies y tobillos; y saltando, se puso en pie y anduvo; y entró con ellos en el templo, andando, y saltando, y alabando a Dios. Y todo el pueblo le vio andar y alabar a Dios. Y le reconocían que era el que se sentaba a pedir limosna a la puerta del templo, la Hermosa; y se llenaron de asombro y espanto por lo que le había sucedido.

"Y teniendo asidos a Pedro y a Juan el cojo que había sido sanado, todo el pueblo, atónito, concurrió a ellos al pórtico que se llama de Salomón". Se asombraban de que los discípulos pudiesen obrar milagros análogos a los que había obrado Jesús. Sin embargo, allí estaba aquel hombre, cojo e impedido durante cuarenta años, ahora con pleno uso de sus miembros, libre de dolor y dichoso de creer en Jesús.

Cuando los discípulos vieron el asombro del pueblo, Pedro preguntó: "¿Por qué os maravilláis de esto? ¿o por qué ponéis los ojos en nosotros, como si por nuestro poder o piedad hubiésemos hecho andar a éste?" Les aseguró que la curación se había efectuado en el nombre y por los méritos de Jesús de Nazaret, a quien Dios había resucitado de entre los muertos. Declaró el apóstol: "Y por la fe en su nombre, a éste, que vosotros veis y conocéis, le ha confirmado su nombre; y la fe que es por él ha dado a éste esta completa sanidad en presencia de todos vosotros".

Los apóstoles hablaron claramente del gran pecado cometido por los judíos al rechazar y dar muerte al Príncipe de la vida; pero tuvieron cuidado de no sumir a sus oyentes en la desesperación. "Mas vosotros negasteis al Santo y al Justo —dijo Pedro—, y pedisteis que se os diese un homicida, y matasteis al Autor de la vida, a quien Dios ha resucitado de los muertos, de lo cual nosotros somos testigos". "Mas ahora, hermanos, sé que por ignorancia lo habéis hecho, como también vuestros gobernantes. Pero Dios ha cumplido así lo que había antes anunciado por boca de todos sus profetas, que su Cristo había de padecer". Declaró que el Espíritu Santo los estaba llamando a arrepentirse y convertirse, y les aseguró que no había esperanza de salvación sino por la misericordia de Aquel a quien ellos habían crucificado. Solamente mediante la fe en él podían ser perdonados sus pecados.

"Así que, arrepentíos y convertíos —exclamó—, para que sean borrados vuestros pecados; para que vengan de la presencia del Señor tiempos de refrigerio".

"Vosotros sois los hijos de los profetas, y del pacto que Dios hizo con nuestros padres, diciendo a Abrahán: En tu simiente serán benditas todas las familias de la tierra. A vosotros primeramente, Dios, habiendo levantado a su Hijo, lo envió para que os bendijese, a fin de que cada uno se convierta de su maldad".

Así los discípulos predicaron la resurrección de Cristo.

Muchos de los oyentes estaban aguardando este testimonio, y cuando lo oyeron, creyeron. Les recordó las palabras que Cristo había hablado, y se unieron a las filas de los que aceptaron el Evangelio. La semilla que el Salvador había sembrado nació y dio fruto.

Mientras los discípulos estaban hablando al pueblo, "vinieron sobre ellos los sacerdotes con el jefe de la guardia del templo, y los saduceos, resentidos de que enseñasen al pueblo, y anunciasen en Jesús la resurrección de entre los muertos".

Después de la resurrección de Cristo, los sacerdotes habían difundido lejos y cerca el falso informe de que su cuerpo había sido robado por los discípulos mientras la guardia romana dormía. No es sorprendente que se disgustaran cuando oyeron a Pedro y Juan predicando la resurrección de Aquel a quien ellos habían asesinado. Especialmente los saduceos se excitaron muchísimo. Sentían que su más arraigada doctrina estaba en peligro, y que su reputación estaba comprometida.

Rápidamente crecía el número de los convertidos a la nueva fe, y tanto los fariseos como los saduceos convinieron en que si no ponían restricciones a estos nuevos instructores, su propia influencia peligraría aun más que cuando Jesús estaba en la tierra. Por lo tanto, el magistrado del templo, con la ayuda de algunos saduceos, prendió a Pedro y a Juan, y los encerró en la cárcel, pues ya era muy tarde el día para someterlos a interrogatorio.

Los enemigos de los discípulos no pudieron menos que convencerse de que Jesús había resucitado de entre los muertos. La prueba era demasiado concluyente para dar lugar a dudas. Sin embargo, endurecieron sus corazones y rehusaron arrepentirse de la terrible acción perpetrada al condenar a Jesús a muerte. A los gobernantes judíos se les había dado abundante evidencia de que los apóstoles estaban hablando y obrando bajo la inspiración divina, pero resistieron firmemente el mensaje de verdad. Cristo no había venido en la manera que esperaban, y aunque a veces se habían convencido de que él era el Hijo de Dios, habían ahogado la convicción, y le habían crucificado. En su misericordia Dios les dio todavía evidencia adicional, y ahora se les concedía otra oportunidad para que se volvieran a él. Les envió los discípulos para que les dijeran que ellos habían matado al Príncipe de la vida, y esta terrible acusación constituía ahora otro llamamiento al arrepentimiento. Pero, confiados en su presumida rectitud, los maestros judíos no quisieron admitir que quienes les inculpaban de haber crucificado a Jesús hablasen por inspiración del Espíritu Santo.

Habiéndose entregado a una conducta de oposición a Cristo, todo acto de resistencia llegaba a ser para los sacerdotes un incentivo adicional a persistir en la misma conducta. Su obstinación llegó a ser más y más determinada. No se trataba de que no pudiesen ceder; podían hacerlo, pero no querían. No era sólo porque eran culpables y dignos de muerte, ni sólo porque habían dado muerte al Hijo de Dios, por lo que fueron privados de la salvación; era porque se habían empeñado en oponerse a Dios. Rechazaron persistentemente la luz, y ahogaron las convicciones del Espíritu. La influencia que domina a los hijos de desobediencia obraba en ellos, induciéndolos a maltratar a los hombres por medio de los cuales Dios obraba. La malignidad de su rebelión fue intensificada por cada acto sucesivo de resistencia contra Dios y el mensaje que él había encomendado a sus siervos que declarasen. Cada día, al rehusar arrepentirse, los dirigentes judíos renovaron su rebelión, preparándose para segar lo que habían sembrado.

La ira de Dios no se declara contra los pecadores impenitentes meramente por causa de los pecados que han cometido, sino por causa de que, cuando son llamados al arrepentimiento, escogen continuar resistiendo, y repiten los pecados del pasado con desprecio de la luz que se les ha dado. Si los caudillos judíos se hubiesen sometido al poder convincente del Espíritu Santo, hubieran sido perdonados; pero estaban resueltos a no ceder. De la misma manera, el pecador que se obstina en continua resistencia se coloca fuera del alcance del Espíritu Santo.

El día siguiente al de la curación del cojo, Anás y Caifás, con los otros dignatarios del templo, se reunieron para juzgar la causa, y los presos fueron traídos delante de ellos.

En aquel mismo lugar, y en presencia de algunos de aquellos hombres, Pedro había negado vergonzosamente a su Señor. De esto se acordó muy bien al comparecer en juicio. Entonces se le deparaba ocasión de redimir su cobardía.

Los presentes que recordaban el papel que Pedro había desempeñado en el juicio de su Maestro, se lisonjeaban de que se lo podría intimidar por la amenaza de encarcelarlo y darle muerte. Pero el Pedro que negó a Cristo en la hora de su más apremiante necesidad era impulsivo y confiado en sí mismo, muy diferente del Pedro que comparecía en juicio ante el Sanedrín. Desde su caída se había convertido. Ya no era orgulloso y arrogante, sino modesto y desconfiado de sí mismo. Estaba lleno del Espíritu Santo, y con la ayuda de este poder resolvió lavar la mancha de su apostasía honrando el Nombre que una vez había negado.

Hasta entonces los sacerdotes habían evitado mencionar la crucifixión o la resurrección de Jesús. Pero ahora, para cumplir su propósito, se veían obligados a interrogar a los acusados acerca de cómo se había efectuado la curación del inválido. Así que preguntaron: "¿Con qué potestad, o en qué nombre, habéis hecho vosotros esto?"

Con santa audacia y amparado por el poder del Espíritu, Pedro respondió valientemente: "Sea notorio a todos vosotros, y a todo el pueblo de Israel, que en el nombre de Jesucristo de Nazaret, a quien vosotros crucificasteis y a quien Dios resucitó de los muertos, por él este hombre está en vuestra presencia sano. Este Jesús es la piedra reprobada por vosotros los edificadores, la cual ha venido a ser cabeza del ángulo. Y en ningún otro hay salvación; porque no hay otro nombre bajo el cielo, dado a los hombres, en que podamos ser salvos".

Esta valerosa defensa espantó a los caudillos judíos. Se habían figurado que los discípulos quedarían abrumados por el temor y la confusión al comparecer ante el Sanedrín. Pero por el contrario, estos testigos hablaron como Cristo había hablado, con un poder convincente que hizo callar a sus adversarios. La voz de Pedro no daba indicios de temor al decir: "Este Jesús es la piedra reprobada por vosotros los edificadores, la cual ha venido a ser cabeza del ángulo".

Pedro usó aquí una figura de lenguaje familiar para los sacerdotes. Los profetas habían hablado de la piedra rechazada; y Cristo mismo, hablando en una ocasión a los sacerdotes y ancianos, dijo: "¿Nunca leísteis en las Escrituras: La piedra que desecharon los edificadores, ha venido a ser cabeza del ángulo. El Señor ha hecho esto, y es cosa maravillosa a nuestros ojos? Por tanto os digo, que el reino de Dios será quitado de vosotros, y será dado a gente que produzca los frutos de él. Y el que cayere sobre esta piedra será quebrantado; y sobre quien ella cayere, le desmenuzará" (S. Mateo 21: 42-44).

Mientras los sacerdotes escuchaban las valerosas palabras de los apóstoles, "les reconocían que habían estado con Jesús".

De los discípulos, después de la transfiguración de Cristo, leemos que al terminar la maravillosa escena, "a nadie vieron, sino a Jesús solo" (S. Mateo 17: 8). "A Jesús solo" —en estas palabras está el secreto de la vida y el poder que señaló la historia de la iglesia primitiva. Cuando los discípulos oyeron por primera vez las palabras de Cristo, sintieron necesidad de él. Le buscaron, le hallaron, y le siguieron. Estuvieron con él en el templo, a la mesa, en la ladera de la montaña, en el campo. Eran como alumnos con un maestro, y recibían diariamente de él lecciones de verdad eterna.

Después de la ascensión del Salvador, el sentido de la presencia divina, lleno de amor y luz, permaneció todavía con ellos. Era una presencia personal. Jesús, el Salvador, que había caminado, hablado y orado con ellos, que había hablado palabras de esperanza y consuelo a sus corazones, mientras el mensaje de paz estaba en sus labios, había sido tomado de ellos al cielo. Mientras el carro de ángeles le recibía, los discípulos oyeron sus palabras: "He aquí yo estoy con vosotros todos los días, hasta el fin del mundo". El había ascendido al cielo con forma humana. Sabían que estaba delante del trono de Dios, y que todavía era su amigo y Salvador; que sus simpatías eran invariables; que estaría identificado para siempre con la humanidad doliente. Sabían que estaba presentando delante de Dios los méritos de su sangre, mostrando sus manos y pies heridos, como recuerdo del precio que había pagado por sus redimidos; y este pensamiento los fortalecía para soportar vituperio por su causa. Su unión con él era más fuerte ahora que cuando estaba con ellos en persona. La luz y el amor y el poder de

un Cristo que moraba en ellos irradiaba de ellos, de modo que los hombres, al contemplarlos, se maravillaban.

Cristo puso su sello en las palabras que Pedro pronunció en su defensa. Junto al discípulo, como testigo convincente, estaba el hombre que tan maravillosamente había sido curado. La presencia de este hombre, pocas horas antes cojo inválido, y ahora perfectamente sano, añadía un testimonio de peso a las palabras de Pedro. Los sacerdotes y dignatarios permanecían callados. No podían rebatir la afirmación de Pedro, pero no estaban menos determinados a poner fin a las enseñanzas de los discípulos.

El milagro culminante de Cristo, la resurrección de Lázaro, había sellado la determinación de los sacerdotes de quitar del mundo a Jesús y sus maravillosas obras, que estaban destruyendo la influencia que ellos tenían sobre el pueblo. Lo habían crucificado; pero aquí había una prueba convincente de que no habían puesto fin a la operación de milagros en su nombre, ni a la proclamación de la verdad que él enseñaba. Ya la curación del paralítico y la predicación de los apóstoles habían llenado de excitación a Jerusalén.

A fin de encubrir su perplejidad y deliberar entre sí, los sacerdotes y dignatarios ordenaron que se sacara a los apóstoles del concilio. Todos convinieron en que sería inútil negar la curación del cojo. Gustosos hubieran encubierto el milagro con falsedades; pero esto era imposible; porque había ocurrido a la plena luz del día ante multitud de gente, y ya lo sabían millares de personas. Sentían que la obra de los discípulos debía ser detenida, o Jesús ganaría muchos seguidores. Esto les acarrearía ignominia, porque serían considerados culpables del asesinato del Hijo de Dios.

A pesar de su deseo de destruir a los discípulos, los

sacerdotes sólo se atrevieron a amenazarlos con riguroso castigo si seguían hablando u obrando en el nombre de Jesús. Nuevamente los llamaron ante el Sanedrín, y les intimaron que no hablasen ni enseñasen en el nombre de Jesús. Pero Pedro y Juan respondieron: "Juzgad si es justo delante de Dios obedecer a vosotros antes que a Dios; porque no podemos dejar de decir lo que hemos visto y oído".

De buena gana hubieran los sacerdotes castigado a esos hombres por su inquebrantable fidelidad a su sagrada vocación; pero temían al pueblo, "porque todos glorificaban a Dios por lo que se había hecho". De manera que, después que se les hubieron dirigido reiteradas amenazas y órdenes, los apóstoles fueron puestos en libertad.

Mientras Pedro y Juan estaban presos, los otros discípulos, conociendo la malignidad de los judíos, habían orado incesantemente por sus hermanos, temiendo que la crueldad mostrada para con Cristo pudiera repetirse. Tan pronto como los apóstoles fueron soltados, buscaron al resto de los discípulos, y los informaron del resultado del juicio. Grande fue el gozo de los creyentes. "Alzaron unánimes la voz a Dios, y dijeron: Soberano Señor, tú eres el Dios que hiciste el cielo y la tierra, el mar y todo lo que en ellos hay; que por boca de David tu siervo dijiste: ¿Por qué se amotinan las gentes, y los pueblos piensan cosas vanas? Se reunieron los reyes de la tierra, y los príncipes se juntaron en uno contra el Señor, y contra su Cristo. Porque verdaderamente se unieron en esta ciudad contra tu santo Hijo Jesús, a quien ungiste, Herodes y Poncio Pilato, con los gentiles y el pueblo de Israel, para hacer cuanto tu mano y tu consejo habían antes determinado que sucediera.

"Y ahora, Señor, mira sus amenazas, y concede a tus

siervos que con todo denuedo hablen tu palabra, mientras extiendes tu mano para que se hagan sanidades y señales y prodigios mediante el nombre de tu santo Hijo Jesús".

Los discípulos pidieron en oración que se les impartiera mayor fuerza en la obra del ministerio, porque veían que habrían de afrontar la misma resuelta oposición que Cristo había afrontado cuando estuvo en la tierra. Mientras sus unánimes oraciones ascendían por la fe al cielo, vino la respuesta. El lugar donde estaban congregados se estremeció, y ellos fueron dotados de nuevo con el Espíritu Santo. Con el corazón lleno de valor, salieron de nuevo a proclamar la palabra de Dios en Jerusalén. "Y con gran poder los apóstoles daban testimonio de la resurrección del Señor Jesús", y Dios bendijo maravillosamente ese esfuerzo.

El principio que los discípulos sostuvieron valientemente cuando, en respuesta a la orden de no hablar más en el nombre de Jesús, decararon: "Juzgad si es justo delante de Dios obedecer a vosotros antes que a Dios", es el mismo que los adherentes del Evangelio lucharon por mantener en los días de la Reforma. Cuando en 1529 los príncipes alemanes se reunieron en la Dieta de Espira, se presentó allí el decreto del emperador que restringía la libertad religiosa, y que prohibía toda diseminación ulterior de las doctrinas reformadas. Parecía que toda la esperanza del mundo estaba a punto de ser destrozada. ¿Iban a aceptar los príncipes el decreto? ¿Debía privarse de la luz del Evangelio a las multitudes que estaban todavía en las tinieblas? Importantes intereses para el mundo estaban en peligro. Los que habían aceptado la fe reformada se reunieron, y su unánime decisión fue: "Rechacemos este decreto. En asunto de conciencia la mayoría no tiene autoridad". (Véase D'Aubigné, *His-*

tory of the Reformation, libro 13, cap. 5.)

En nuestros días debemos sostener firmemente este principio. El estandarte de la verdad y de la libertad religiosa sostenido en alto por los fundadores de la iglesia evangélica y por los testigos de Dios durante los siglos que desde entonces han pasado, ha sido, para este último conflicto, confiado a nuestras manos. La responsabilidad de este gran don descansa sobre aquellos a quienes Dios ha bendecido con un conocimiento de su Palabra. Hemos de recibir esta palabra como autoridad suprema. Hemos de reconocer los gobiernos humanos como instituciones ordenadas por Dios mismo, y enseñar la obediencia a ellos como un deber sagrado, dentro de su legítima esfera. Pero cuando sus demandas estén en pugna con las de Dios, hemos de obedecer a Dios antes que a los hombres. La palabra de Dios debe ser reconocida sobre toda otra legislación humana. Un "Así dice Jehová" no ha de ser puesto a un lado por un "Así dice la iglesia" o un "Así dice el Estado". La corona de Cristo ha de ser elevada por sobre las diademas de los potentados terrenales.

No se nos pide que desafiemos a las autoridades. Nuestras palabras, sean habladas o escritas, deben ser consideradas cuidadosamente, no sea que por nuestras delaraciones parezcamos estar en contra de la ley y del orden y dejemos constancia de ello. No debemos decir ni hacer ninguna cosa que pudiera cerrarnos innecesariamente el camino. Debemos avanzar en el nombre de Cristo, defendiendo las verdades que se nos encomendaron. Si los hombres nos prohíben hacer esta obra, entonces podemos decir, como los apóstoles: "Juzgad si es justo delante de Dios obedecer a vosotros antes que a Dios; porque no podemos dejar de decir lo que hemos visto y oído".

CAPITULO 7

Una Amonestación Contra la Hipocresía

MIENTRAS los discípulos proclamaban las verdades del Evangelio en Jerusalén, Dios añadió su testimonio a las palabras de ellos, y una multitud creyó. Muchos de esos creyentes primitivos se vieron inmediatamente separados de su familia y sus amigos por el celoso fanatismo de los judíos, y fue necesario proveerlos de alimentos y hogar.

El relato declara: "No había entre ellos ningún necesitado", y dice cómo se suplía la necesidad. Los creyentes que tenían dinero y posesiones los sacrificaban gozosamente para hacer frente a la emergencia. Vendiendo sus casas o sus tierras, traían el dinero y lo ponían a los pies de los apóstoles, "y se repartía a cada uno según su necesidad".

Esta generosidad de parte de los creyentes era el resultado del derramamiento del Espíritu. Los conversos al

65

El espíritu codicioso de Ananías y Safira estaba en agudo contraste con el espíritu generoso de los primeros cristianos.

Evangelio eran "de un corazón y un alma". Un interés común los dominaba, a saber el éxito de la misión a ellos confiada; y la codicia no tenía cabida en su vida. Su amor por los hermanos y por la causa que habían abrazado superaba a su amor por el dinero y sus bienes. Sus obras testificaban de que tenían a las almas de los hombres por más preciosas que las riquezas terrenales.

Así será siempre que el Espíritu de Dios tome posesión de la vida. Aquellos cuyo corazón está lleno del amor de Cristo, seguirán el ejemplo de Aquel que por amor a nosotros se hizo pobre a fin de que por su pobreza fuésemos enriquecidos. El dinero, el tiempo, la influencia, todos los dones que han recibido de la mano de Dios, los estimarán solamente como un medio de promover la obra del Evangelio. Así sucedía en la iglesia primitiva; y cuando en la iglesia de hoy se vea que por el poder del Espíritu los miembros han apartado sus afectos de las cosas del mundo, y que están dispuestos a hacer sacrificios a fin de que sus semejantes puedan oír el Evangelio, las verdades proclamadas tendrán una influencia poderosa sobre los oyentes.

Frente al ejemplo de benevolencia mostrado por los creyentes, contrastaba notablemente la conducta de Ananías y Safira, cuyo caso registrado por la pluma de la inspiración dejó una mancha oscura en la historia de la iglesia primitiva. Juntamente con otros, estos profesos discípulos habían compartido el privilegio de oír el Evangelio predicado por los apóstoles. Habían estado presentes con otros creyentes cuando, después que los apóstoles hubieron orado, "el lugar en que estaban congregados tembló; y todos fueron llenos del Espíritu Santo". Todos los presentes habían sentido una profunda convicción, y bajo la influencia directa del Espíritu de Dios, Ananías y Safira habían hecho una promesa de dar al Señor el importe de la venta de cierta propiedad. Más tarde, Ananías y Safira agraviaron al Espíritu Santo cediendo a sentimientos de codicia. Empezaron a lamentar su promesa, y pronto perdieron la dulce influencia de la bendición que había encendido sus corazones con el deseo de hacer grandes cosas en favor de la causa de Cristo. Pensaban que habían sido demasiado apresurados, que debían considerar nuevamente su decisión. Discutieron el asunto, y decidieron no cumplir su voto. Notaron, sin embargo, que aquellos que se despojaban de sus posesiones a fin de suplir las necesidades de sus hermanos más pobres, eran tenidos en alta estima entre los creyentes; y sintiendo vergüenza de que sus hermanos supieran que sus almas egoístas les hacían dar de mala gana lo que habían dedicado solemnemente a Dios, decidieron deliberadamente vender la propiedad, y pretender dar todo el producto al fondo general, cuando en realidad se guardarían una buena parte para sí mismos. Así se asegurarían el derecho de vivir del fondo común, y al mismo tiempo ganarían alta estima entre sus hermanos.

Pero Dios odia la hipocresía y la falsedad. Ananías y Safira practicaron el fraude en su trato con Dios; mintieron al Espíritu Santo, y su pecado fue castigado con un juicio rápido y terrible. Cuando Ananías vino con su ofrenda, Pedro le dijo: "Ananías, ¿por qué llenó Satanás tu corazón para que mintieses al Espíritu Santo, y sustrajeses del precio de la heredad? Reteniéndola, ¿no se te quedaba a ti? y vendida, ¿no estaba en tu poder? ¿Por qué pusiste esto en tu corazón? No has mentido a los hombres sino a Dios".

"Al oír Ananías estas palabras, cayó y expiró. Y vino un gran temor sobre todos los que lo oyeron".

"Reteniéndola, ¿no se te quedaba a ti?" preguntó Pedro. No se había ejercido ninguna influencia indebida en Ananías para compelerle a sacrificar sus posesiones para el bien general. El había procedido por su propia elección. Pero al tratar de engañar a los discípulos, había mentido al Altísimo.

"Pasado un lapso como de tres horas, sucedió que entró su mujer, no sabiendo lo que había acontecido. Entonces Pedro le dijo: Dime: ¿vendisteis en tanto la heredad? Y ella dijo: Sí, en tanto. Y Pedro le dijo: ¿Por qué convinisteis en tentar al Espíritu del Señor? He aquí a la puerta los pies de los que han sepultado a tu marido, y te sacarán a ti. Al instante cayó a los pies de él, y expiró; y cuando entraron los jóvenes la hallaron muerta; y la sacaron, y la sepultaron junto a su marido. Y vino un gran temor sobre toda la iglesia, y sobre todos los que oyeron estas cosas".

La sabiduría infinita vio que esta manifestación señalada de la ira de Dios era necesaria para impedir que la joven iglesia se desmoralizara. El número de sus miembros aumentaba rápidamente. La iglesia se vería en peligro si, en el rápido aumento de conversos, se añadían hombres y mujeres que, mientras profesaban servir a Dios, adoraban a Mammón. Este castigo testificó que los hombres no pueden engañar a Dios, que él descubre el pecado oculto del corazón, y que no puede ser burlado. Estaba destinado a ser para la iglesia una advertencia que la indujese a evitar la falsedad y la hipocresía, y a precaverse contra el robar a Dios.

Este ejemplo del aborrecimiento de Dios por la codicia, el fraude y la hipocresía, no fue dado como señal de peligro solamente para la iglesia primitiva, sino para todas las generaciones futuras. Era codicia lo que Ananías y Safira habían acariciado primeramente. El deseo de retener para sí mismos una parte de lo que habían prometido al Señor, los llevó al fraude y la hipocresía.

Dios ha dispuesto que la proclamación del Evangelio dependa de las labores y dádivas de su pueblo. Las ofrendas voluntarias y el diezmo constituyen los ingresos de la obra del Señor. De los medios confiados al hombre, Dios reclama cierta porción: la décima parte. Los deja libres a todos de decir si han de dar o no más que esto. Pero cuando el corazón se conmueve por la influencia del Espíritu Santo, y se hace un voto de dar cierta cantidad, el que ha hecho el voto no tiene ya ningún derecho a la porción consagrada. Las promesas de esta clase hechas a los hombres serían consideradas como obligación; ¿y no son más obligatorias las que se hacen a Dios? ¿Son las promesas consideradas en el tribunal de la conciencia menos obligatorias que los acuerdos escritos de los hombres?

Cuando la luz divina brilla en el corazón con inusitada claridad y poder, el egoísmo habitual afloja su asidero, y hay disposición para dar a la causa de Dios. Pero nadie piense que podrá cumplir sus promesas hechas entonces, sin una protesta de Satanás. A él no le agrada ver edificarse el reino del Redentor en la tierra. El sugiere que la promesa hecha es demasiado grande, que puede malograr los esfuerzos por adquirir propiedades o complacer los deseos de la familia.

Es Dios quien bendice a los hombres con propiedades, y lo hace a fin de que puedan dar para el avance de su causa. El envía la luz del sol y la lluvia. El hace crecer la vegetación. El da la salud y la habilidad de adquirir medios. Todas nuestras bendiciones proceden de su generosa mano. A su vez, quiere que los hombres y mujeres manifiesten su gratitud devolviéndole una parte como diezmos y ofrendas,

ofrendas de agradecimiento, ofrendas voluntarias, ofrendas por la culpa. Si los medios afluyeran a la tesorería de acuerdo con este plan divinamente señalado, a saber, la décima parte de todos los ingresos, y ofrendas liberales, habría abundancia para el adelantamiento de la obra del Señor.

Pero el corazón de los hombres se endurece por el egoísmo, y, como Ananías y Safira, son tentados a retener parte del precio, mientras pretenden cumplir los requerimientos de Dios. Muchos gastan dinero pródigamente en la complacencia propia. Los hombres y mujeres consultan su deseo y satisfacen su gusto, mientras traen a Dios, casi contra su voluntad, una ofrenda mezquina. Olvidan que un día Dios demandará estricta cuenta de la manera en que se han usado sus bienes, y que la pitanza que entregan a la tesorería no será más aceptable que la ofrenda de Ananías y Safira.

Del severo castigo impuesto a estos perjuros, Dios quiere que aprendamos también cuán profundo es su aborrecimiento y desprecio de toda hipocresía y engaño. Al pretender que lo habían dado todo Ananías y Safira mintieron al Espíritu Santo, y como resultado, perdieron esta vida y la venidera. El mismo Dios que los castigó condena hoy toda mentira. Los labios mentirosos le son abominación. Declara que en la santa ciudad "no entrará... ninguna cosa inmunda, o que hace abominación y mentira" (Apocalipsis 21: 27). Aferrémonos a la veracidad con mano firme, y sea ella parte de nuestra vida. Practicar el disimulo y jugar al tira y afloja con la verdad, para acomodar los planes egoístas de uno, significa provocar el naufragio de la fe. "Estad, pues, firmes, ceñidos vuestros lomos con la verdad" (Efesios 6: 14). El que declara falsedades, vende su alma a bajo precio.

Sus mentiras pueden parecerle útiles en casos de apuro; de esta manera le parecerá que adelanta en sus negocios como no podría hacerlo mediante un proceder correcto, pero llega finalmente al punto en que no puede confiar en nadie. Al ser él mismo un falsario, no tiene confianza en la palabra de otros.

En el caso de Ananías y Safira, el pecado del fraude contra Dios fue castigado inmediatamente. El mismo pecado se repitió a menudo en la historia ulterior de la iglesia, y muchos lo cometen en nuestro tiempo. Pero aunque no sea acompañado de una manifestación visible del desagrado de Dios, no es menos horrible a su vista ahora que en el tiempo de los apóstoles. La amonestación se ha dado; Dios ha manifestado claramente su aborrecimiento por este pecado; y todos los que se entregan a la hipocresía y a la codicia pueden estar seguros de que están destruyendo sus propias almas.

6—H.M.C.A., ACTS Span.

CAPITULO 8

Ante el Sanedrín

FUE la cruz, instrumento de vergüenza y tortura, la que trajo esperanza y salvación al mundo. Los discípulos no eran sino hombres humildes, sin riquezas, y sin otra arma que la palabra de Dios; sin embargo en la fuerza de Cristo salieron para contar la maravillosa historia del pesebre y la cruz y triunfar sobre toda oposición. Aunque sin honor ni reconocimiento terrenales, eran héroes de la fe. De sus labios salían palabras de elocuencia divina que hacían temblar al mundo.

En Jerusalén, donde dominaban los más arraigados prejuicios y las más confusas ideas acerca de Aquel que fuera crucificado como malhechor, los discípulos predicaban valientemente las palabras de vida y exponían a los judíos la obra y la misión de Cristo, su crucifixión, resurrección y ascensión. Los sacerdotes y magistrados se admiraban del claro e intrépido testimonio de los apóstoles. El poder del Salvador resucitado investía a los discípulos, cuya obra era

73

Los sacerdotes, indignados por la predicación acerca de Cristo, arrestaron a Pedro y a Juan.

acompañada de señales y milagros que diariamente acrecentaban el número de creyentes. A lo largo de las calles por donde pasaban los discípulos, el pueblo colocaba a sus enfermos "en camas y lechos, para que al pasar Pedro, a lo menos su sombra cayese sobre alguno de ellos". También eran traídos los afligidos por espíritus inmundos. Las multitudes acudían a los discípulos y los sanados proclamaban las alabanzas de Dios y glorificaban el nombre del Redentor.

Los sacerdotes y gobernantes veían que Cristo era más ensalzado que ellos. Como los saduceos no creían en la resurrección, se encolerizaban al oír a los discípulos afirmar que Cristo había resucitado de entre los muertos, pues comprendían que si se dejaba a los apóstoles predicar a un Salvador resucitado y obrar milagros en su nombre, todos rechazarían la doctrina de que no habrá resurrección y pronto se extinguiría la secta de los saduceos. Por su parte, los fariseos se enojaban al notar que las enseñanzas de los discípulos propendían a eliminar las ceremonias judaicas e invalidar los sacrificios.

Vanos fueron todos los esfuerzos hechos hasta entonces para suprimir la nueva doctrina; pero los saduceos y fariseos resolvieron conjuntamente hacer cesar la obra de los discípulos, pues demostraban su culpabilidad en la muerte de Jesús. Poseídos de indignación, los sacerdotes echaron violentamente mano a Pedro y Juan y los pusieron en la cárcel pública.

Los dirigentes de la nación judía manifiestamente no cumplían el propósito de Dios para con su pueblo escogido. Aquellos a quienes Dios había hecho los depositarios de la verdad se mostraron indignos de su cometido, y Dios escogió a otros para que hicieran su obra. En su ceguera, dichos dirigentes dieron ahora rienda suelta a lo que llamaban justa indignación contra los que rechazaban sus doctrinas favoritas. Ni siquiera admitían la posibilidad de que ellos mismos no entendieran correctamente la Palabra, o que hubieran interpretado o aplicado mal las Escrituras. Actuaron como hombres que hubiesen perdido la razón. Decían: ¿Qué derecho tienen esos maestros, algunos de los cuales son simples pescadores, de presentar ideas contrarias a las doctrinas que hemos enseñado al pueblo? Estando resueltos a suprimirlas, encarcelaron a los que las predicaban.

No se intimidaron ni se abatieron los discípulos por semejante trato. El Espíritu Santo les recordó las palabras de Cristo: "El siervo no es mayor que su señor. Si a mí me han perseguido, también a vosotros os perseguirán; si han guardado mi palabra, también guardarán la vuestra. Mas todo esto os harán por causa de mi nombre, porque no conocen al que me ha enviado". "Os expulsarán de las sinagogas; y aun viene la hora cuando cualquiera que os mate, pensará que rinde servicio a Dios". "Mas os he dicho estas cosas, para que cuando llegue la hora, os acordéis de que ya os lo había dicho" (S. Juan 15: 20, 21; 16: 2, 4).

El Dios del cielo, el poderoso Gobernador del universo, tomó por su cuenta el asunto del encarcelamiento de los discípulos, porque los hombres guerreaban contra su obra. Por la noche, el ángel del Señor abrió las puertas de la cárcel y dijo a los discípulos: "Id, y puestos en pie en el templo, anunciad al pueblo todas las palabras de esta vida".

Este mandato era directamente contrario a la orden dada por los gobernantes judíos; pero ¿dijeron los apóstoles: No podemos hacerlo hasta que consultemos a los magistrados, y recibamos su permiso? No; Dios había dicho: "Id", y ellos obedecieron. "Entraron de mañana en el templo, y enseñaban".

Cuando Pedro y Juan se presentaron ante los fieles y les refirieron cómo el ángel los había guiado por entre la tropa de soldados que guardaban la cárcel, ordenándoles que reanudaran la obra interrumpida, los hermanos se llenaron de admiración y de gozo.

Entretanto, el príncipe de los sacerdotes y los que estaban con él "convocaron al concilio y a todos los ancianos de los hijos de Israel". Los sacerdotes y magistrados decidieron acusar a los discípulos de insurrección, de haber asesinado a Ananías y Safira, y de conspirar para desposeer a los sacerdotes de su autoridad. Con ello esperaban excitar a las turbas para que interviniesen en el asunto y tratar a los discípulos como habían tratado a Jesús. Sabían que muchos de los que no aceptaron las enseñanzas de Cristo, cansados del gobierno arbitrario de las autoridades judías, deseaban algún cambio. Los sacerdotes temían que, si estos desconformes aceptaban las verdades proclamadas por los apóstoles y, por lo tanto, a Jesús como el Mesías, la ira de todo el pueblo se levantaría contra ellos y se les haría entonces rendir cuenta del asesinato de Cristo. Decidieron tomar vigorosas medidas para evitar esto.

Cuando enviaron por los presos para que comparecieran ante su presencia, grande fue el asombro general al recibirse la noticia de que se habían hallado las puertas de la cárcel cerradas con toda seguridad y a los guardas delante de ellas, pero que los presos no parecían por ninguna parte.

Pronto llegó este sorprendente informe: "He aquí, los varones que pusisteis en la cárcel están en el templo, y enseñan al pueblo. Entonces fue el jefe de la guardia con los alguaciles, y los trajo sin violencia, porque temían ser apedreados por el pueblo".

Aunque los apóstoles fueron milagrosamente libertados de la cárcel, no se libraron de la indagatoria y el castigo. Cristo les había dicho, estando con ellos: "Mirad por vosotros mismos; porque os entregarán a los concilios" (S. Marcos 13: 9). Al enviarles un ángel para libertarlos, Dios les dio una muestra de su amor y una seguridad de su presencia. Ahora les tocaba a ellos, por su parte, sufrir por causa de Aquel cuyo Evangelio predicaban.

La historia de los profetas y apóstoles nos ofrece muchos nobles ejemplos de lealtad a Dios. Los testigos de Cristo han sufrido cárcel, tormento y la misma muerte antes de quebrantar los mandamientos de Dios. El ejemplo de Pedro y Juan es heroico cual ninguno en la dispensación evangélica. Al presentarse por segunda vez ante los hombres que parecían resueltos a destruirlos, no se advirtió señal alguna de temor ni vacilación en sus palabras o actitud. Y cuando el pontífice les dijo: "¿No os mandamos estrictamente que no enseñaseis en ese nombre? Y ahora habéis llenado a Jerusalén de vuestra doctrina, y queréis echar sobre nosotros la sangre de ese hombre". Pedro respondió: "Es necesario obedecer a Dios antes que a los hombres". Un ángel del cielo los había librado de la cárcel y les ordenó que enseñaran en el templo. Al seguir sus instrucciones, obedecían el divino mandato, y así debían proseguir haciéndolo a pesar de cuantos impedimentos encontraran para ello.

Entonces el espíritu de la inspiración descendió sobre los discípulos. Los acusados se convirtieron en acusadores, inculpando de la muerte de Cristo a quienes componían el concilio. Pedro declaró: "El Dios de nuestros padres levantó a Jesús, a quien vosotros matasteis colgándole en un madero. A éste, Dios ha exaltado con su diestra por Príncipe y Salvador, para dar a Israel arrepentimiento y perdón de pecados. Y nosotros somos testigos suyos de estas cosas, y también el Espíritu Santo, el cual ha dado Dios a los que le obedecen".

Tan airados se pusieron los judíos al oír estas palabras, que resolvieron juzgar por sí mismos y, sin más proceso ni consentimiento de los magistrados romanos condenar a muerte a los reos. Culpables ya de la sangre de Cristo, ansiaban ahora mancharse las manos con la sangre de los discípulos.

Pero había en el concilio un varón que reconoció la voz de Dios en las palabras de los discípulos. Era Gamaliel, un fariseo de buena reputación, hombre erudito y de elevada categoría social. Su claro criterio comprendió que la violenta medida propuesta por los sacerdotes tendría terribles consecuencias. Antes de hablar a sus compañeros de concilio, pidió Gamaliel que se hiciese salir a los presos, pues sabía con quienes trataba y que los que habían matado a Cristo no vacilarían en cumplir su propósito.

Con mucha mesura y serenidad, Gamaliel dijo entonces: "Varones israelitas, mirad por vosotros lo que vais a hacer respecto a estos hombres. Porque antes de estos días se levantó Teudas, diciendo que era alguien. A éste se unió un número como de cuatrocientos hombres; pero él fue muerto, y todos los que le obedecían fueron dispersados y reducidos a nada. Después de éste, se levantó Judas el galileo, en los días del censo, y llevó en pos de sí a mucho pueblo. Pereció también él, y todos los que le obedecían fueron dispersados. Y ahora os digo: Apartaos de estos hombres, y dejadlos;

porque si este consejo o esta obra es de los hombres, se desvanecerá; mas si es de Dios, no la podréis destruir; no seáis tal vez hallados luchando contra Dios".

Los sacerdotes comprendieron lo razonable de esta opinión, y no pudieron menos que convenir con Gamaliel. Sin embargo, no les fue posible dominar sus odios y prejuicios, y de muy mala gana, después de mandar que azotasen a los discípulos e intimarlos so pena de muerte a que no volviesen a predicar en el nombre de Jesús, los soltaron. "Y ellos salieron de la presencia del concilio, gozosos de haber sido tenidos por dignos de padecer afrenta por causa del Nombre. Y todos los días, en el templo y por las casas, no cesaban de enseñar y predicar a Jesucristo".

Poco antes de su crucifixión, Cristo había dejado a sus discípulos un legado de paz: "La paz os dejo —dijo—, mi paz os doy; yo no os la doy como el mundo la da. No se turbe vuestro corazón, ni tenga miedo" (S. Juan 14: 27). Esta paz

no es la paz que proviene de la conformiad con el mundo. Cristo nunca procuró paz transigiendo con el mal. La que Cristo dejó a sus discípulos es interior más bien que exterior, y había de permanecer para siempre con sus testigos a través de las luchas y contiendas. Cristo dijo de sí mismo: "No penséis que he venido para traer paz a la tierra; no he venido para traer paz, sino espada" (S. Mateo 10: 34). Aunque es el Príncipe de paz, es sin embargo causa de división. El que vino a proclamar alegres nuevas y a crear esperanza y gozo en los corazones de los hijos de los hombres, originó una controversia que arde profundamente y suscita intensa pasión en el corazón humano. Y advierte a sus seguidores: "En el mundo tendréis aflicción". "Os echarán mano, y os perseguirán, y os entregarán a las sinagogas y a las cárceles, y seréis llevados ante reyes y ante gobernadores por causa de mi nombre". "Mas seréis entregados aun por vuestros padres, y hermanos, y parientes, y amigos; y matarán a algunos de vosotros" (S. Juan 16: 33; S. Lucas 21: 12, 16).

Esta profecía se ha cumplido de manera notable. Todo ultraje, vituperio y crueldad que Satanás pudo inventar e instigar a los corazones humanos se ha dirigido contra los seguidores de Jesús. Y esto se cumplirá de nuevo de un modo notable; porque el corazón carnal está todavía enemistado contra la ley de Dios y no quiere sujetarse a sus mandamientos. El mundo no está más en armonía hoy con los principios de Cristo de lo que lo estaba en los días de los apóstoles. El mismo odio que inspiró el grito: "¡Crucifícale, crucifícale!", el mismo odio que condujo a la persecución de los discípulos, obra todavía en los hijos de desobediencia. El mismo espíritu que en la Edad Media condenó a hombres y mujeres a la cárcel, al destierro y a la muerte; que concibió la aguda tortura de la Inquisición; que planeó y ejecutó la matanza de San Bartolomé, y los autos de fe de Smithfield, está todavía obrando con maligna energía en los corazones no regenerados. La historia de la verdad ha sido siempre el relato de una lucha entre el bien y el mal. La proclamación del Evangelio se ha realizado siempre en este mundo haciendo frente a la oposición, los peligros, las pérdidas y el sufrimiento.

¿Cuál fue la fortaleza de los que en tiempos pasados padecieron persecución por causa de Cristo? Consistió en su unión con Dios, con el Espíritu Santo y con Cristo. El vituperio y la persecución han separado a muchos de sus amigos terrenales, pero nunca del amor de Cristo. Nunca es tan amada de su Salvador el alma combatida por las tormentas de la prueba como cuando padece afrenta por la verdad. "Yo le amaré, y me manifestaré a él", dijo Cristo (S. Juan 14: 21). Cuando el creyente se sienta en el banquillo de los acusados ante los tribunales terrenales por causa de la verdad, está Cristo a su lado. Cuando se ve recluido entre las paredes de una cárcel, Cristo se le manifiesta y le consuela con su amor. Cuando padece la muerte por causa de Cristo, el Salvador le dice: Podrán matar el cuerpo, pero no podrán dañar el alma. "Confiad, yo he vencido al mundo" (S. Juan 16: 33). "No temas, porque yo estoy contigo; no desmayes, porque yo soy tu Dios que te esfuerzo; siempre te ayudaré, siempre te sustentaré con la diestra de mi justicia" (Isaías 41: 10).

"Los que confían en Jehová son como el monte de Sion, que no se mueve, sino que permanece para siempre. Como Jerusalén tiene montes alrededor de ella, así Jehová está alrededor de su pueblo desde ahora y para siempre". "De engaño y de violencia redimirá sus almas; y la sangre de ellos será preciosa ante sus ojos" (Salmo 125: 1, 2; 72: 14).

"Jehová de los ejércitos los amparará,... y los salvará en aquel día Jehová su Dios como rebaño de su pueblo; porque como piedras de diadema serán enaltecidos en su tierra" (Zacarías 9: 15, 16).

CAPITULO 9

Los Siete Diáconos

"EN AQUELLOS días, como creciera el número de los discípulos, hubo murmuración de los griegos contra los hebreos, de que las viudas de aquéllos eran desatendidas en la distribución diaria" (Hechos 6: 1).

En la iglesia primitiva había gente de diversas clases sociales y distintas nacionalidades. Cuando vino el Espíritu Santo en Pentecostés, "moraban entonces en Jerusalén judíos, varones piadosos, de todas las naciones bajo el cielo" (Hechos 2: 5). Entre los de la fe hebrea reunidos en Jerusalén había también algunos que eran conocidos generalmente como griegos, cuya desconfianza y aun enemistad con los judíos de Palestina databan de largo tiempo.

Los que se habían convertido por la labor de los apóstoles estaban afectuosamente unidos por el amor cristiano. A pesar de sus anteriores prejuicios, hallábanse en recíproca concordia. Sabía Satanás que mientras durase aquella unión no podría impedir el progreso de la verdad evangélica, y procuró prevalerse de los antiguos modos de pensar, con la esperanza de introducir así en la iglesia elementos de discordia.

Sucedió que habiendo crecido el número de discípulos, logró Satanás despertar las sospechas de algunos que anteriormente habían tenido la costumbre de mirar con envidia a sus correligionarios y de señalar faltas en sus jefes espirituales. Así "hubo murmuración de los griegos contra los hebreos". El motivo de la queja fue un supuesto descuido de las viudas griegas en el reparto diario de socorros. Toda desigualdad habría sido contraria al espíritu del Evangelio; pero Satanás había logrado provocar recelos. Por lo tanto, era indispensable tomar medidas inmediatas que quitasen todo motivo de descontento, so pena de que el enemigo triunfara en sus esfuerzos y determinase una división entre los fieles.

Los discípulos de Jesús habían llegado a una crisis. Bajo la sabia dirección de los apóstoles, que habían trabajado unidos en el poder del Espíritu Santo, la obra encomendada a los mensajeros del Evangelio se había desarrollado rápidamente. La iglesia estaba ensanchándose de continuo, y este aumento de miembros acrecentaba las pesadas cargas de los que ocupaban puestos de responsabilidad. Ningún hombre, ni grupo de hombres, podría continuar llevando esas cargas solo, sin poner en peligro la futura prosperidad de la iglesia. Se necesitaba una distribución adicional de las responsabilidades que habían sido llevadas tan fielmente por unos pocos durante los primeros días de la iglesia. Los apóstoles debían dar ahora un paso importante en el perfeccionamiento del orden evangélico en la iglesia, colocando sobre otros algunas de las cargas llevadas hasta ahora por ellos.

Los apóstoles reunieron a los fieles en asamblea, e inspirados por el Espíritu Santo, expusieron un plan para la mejor organización de todas las fuerzas vivas de la iglesia. Dijeron los apóstoles que había llegado el tiempo en que los jefes espirituales debían ser relevados de la tarea de socorrer directamente a los pobres, y de cargas semejantes, pues debían quedar libres para proseguir con la obra de predicar el Evangelio. Así que dijeron: "Buscad, pues, hermanos, de entre vosotros a siete varones de buen testimonio, llenos del Espíritu Santo y de sabiduría, a quienes encarguemos de este trabajo. Y nosotros persistiremos en la oración y en el ministerio de la palabra". Siguieron los fieles este consejo, y por oración e imposición de manos fueron escogidos solemnemente siete hombres para el oficio de diáconos.

El nombramiento de los siete para tomar a su cargo determinada modalidad de trabajo fue muy beneficioso a la iglesia. Estos oficiales cuidaban especialmente de las necesidades de los miembros así como de los intereses económi-

cos de la iglesia; y con su prudente administración y piadoso ejemplo, prestaban importante ayuda a sus colegas para armonizar en unidad de conjunto los diversos intereses de la iglesia.

Esta medida estaba de acuerdo con el plan de Dios, como lo demostraron los inmediatos resultados que en bien de la iglesia produjo. "Y crecía la palabra del Señor, y el número de los discípulos se multiplicaba grandemente en Jerusalén; también muchos de los sacerdotes obedecían a la fe". Esta cosecha de almas se debió igualmente a la mayor libertad de que gozaban los apóstoles y al celo y virtud demostrados por los siete diáconos. El hecho de que estos hermanos habían sido ordenados para la obra especial de mirar por las necesidades de los pobres, no les impedía enseñar también la fe, sino que, por el contrario, tenían plena capacidad para instruir a otros en la verdad, lo cual hicieron con grandísimo fervor y éxito feliz.

A la iglesia primitiva se le había encomendado una obra de crecimiento constante: el establecer centros de luz y bendición dondequiera hubiese almas honestas dispuestas a entregarse al servicio de Cristo. La proclamación del Evangelio había de tener alcance mundial, y los mensajeros de la cruz no podían esperar cumplir su importante misión a menos que permanecieran unidos con los vínculos de la unidad cristiana, y revelaran así al mundo que eran uno con Cristo en Dios. ¿No había orado al Padre su divino Director: "Guárdalos en tu nombre, para que sean uno, así como nosotros"? ¿Y no había declarado él de sus discípulos: "El mundo los aborreció, porque no son del mundo"? ¿No había suplicado al Padre que ellos fueran "perfectos en unidad", "para que el mundo crea que tú me enviaste"? (S. Juan 17:

11, 14, 23, 21). Su vida y poder espirituales dependían de una estrecha comunión con Aquel por quien habían sido comisionados a predicar el Evangelio.

Solamente en la medida en que estuvieran unidos con Cristo, podían esperar los discípulos que los acompañara el poder del Espíritu Santo y la cooperación de los ángeles del cielo. Con la ayuda de estos agentes divinos, podrían presentar ante el mundo un frente unido, y obtener la victoria en la lucha que estaban obligados a sostener incesantemente contra las potestades de las tinieblas. Mientras continuaran trabajando unidos, los mensajeros celestiales irían delante de ellos abriendo el camino; los corazones serían preparados para la recepción de la verdad y muchos serían ganados para Cristo. Mientras permanecieran unidos, la iglesia avanzaría "hermosa como la luna, esclarecida como el sol, imponente como ejércitos en orden" (Cantares 6: 10). Nada podría detener su progreso. Avanzando de victoria en victoria, cumpliría gloriosamente su divina misión de proclamar el Evangelio al mundo.

La organización de la iglesia de Jerusalén debía servir de modelo para la de las iglesias que se establecieran en muchos otros puntos donde los mensajeros de la verdad trabajasen para ganar conversos al Evangelio. Los que tenían la responsabilidad del gobierno general de la iglesia, no habían de enseñorearse de la heredad de Dios, sino que, como prudentes pastores, habían de apacentar "la grey de Dios ... siendo ejemplos de la grey" (1 S. Pedro 5: 2, 3), y los diáconos debían ser "varones de buen testimonio, llenos del Espíritu Santo y de sabiduría". Estos hombres debían colocarse unidamente de parte de la justicia y mantenerse firmes y decididos. Así tendrían unificadora influencia en la grey entera.

Más adelante en la historia de la iglesia primitiva, una vez constituidos en iglesias muchos grupos de creyentes en diversas partes del mundo, se perfeccionó aun más la organización a fin de mantener el orden y la acción concertada. Se exhortaba a cada uno de los miembros a que desempeñase bien su cometido, empleando útilmente los talentos que se le hubiesen confiado. Algunos estaban dotados por el Espíritu Santo con dones especiales: "Primeramente apóstoles, luego profetas, lo tercero maestros, luego los que hacen milagros, después los que sanan, los que ayudan, los que administran, los que tienen don de lenguas" (1 Corintios 12: 28). Pero todas estas clases de obreros tenían que trabajar concertadamente.

"Hay diversidad de dones, pero el Espíritu es el mismo. Y hay diversidad de ministerios, pero el Señor es el mismo. Y hay diversidad de operaciones, pero Dios, que hace todas las cosas en todos, es el mismo. Pero a cada uno le es dada la manifestación del Espíritu para provecho. Porque a éste es dada por el Espíritu palabra de sabiduría; a otro, palabra de ciencia según el mismo Espíritu; a otro, fe por el mismo Espíritu; y a otro, dones de sanidades por el mismo Espíritu. A otro, el hacer milagros; a otro, profecía; a otro, discernimiento de espíritus; a otro, diversos géneros de lenguas; y a otro, interpretación de lenguas. Pero todas estas cosas las hace uno y el mismo Espíritu, repartiendo a cada uno en particular como él quiere. Porque así como el cuerpo es uno, y tiene muchos miembros, pero todos los miembros del cuerpo, siendo muchos, son un solo cuerpo, así también Cristo" (1 Corintios 12: 4-12).

Son solemnes las responsabilidades que descansan sobre aquellos que son llamados a actuar como dirigentes de la iglesia de Dios en la tierra. En los días de la teocracia, cuando Moisés estaba empeñado en llevar solo cargas tan gravosas que pronto lo agotarían bajo su peso, Jetro le aconsejó que planeara una sabia distribución de las responsabilidades. "Está tú por el pueblo delante de Dios —le aconsejó Jetro—, y somete tú los asuntos a Dios. Y enseña a ellos las ordenanzas y las leyes, y muéstrales el camino por donde deben andar, y lo que han de hacer". Jetro aconsejó además que se escogieran hombres para que actuaran como "jefes de millares, de centenas, de cincuenta y de diez". Estos habían de ser "varones de virtud, temerosos de Dios, varones de verdad, que aborrezcan la avaricia". Ellos habían de juzgar "al pueblo en todo tiempo", aliviando así a Moisés de la agotadora responsabilidad de prestar atención a muchos asuntos menores que podían ser tratados con sabiduría por ayudantes consagrados.

El tiempo y la fuerza de aquellos que en la Providencia de Dios han sido colocados en los principales puestos de responsabilidad en la iglesia deben dedicarse a tratar los asuntos más graves que demandan especial sabiduría y grandeza de ánimo. No es plan de Dios que a tales hombres se les pida que resuelvan los asuntos menores que otros están bien capacitados para tratar. "Todo asunto grave lo traerán a ti —le propuso Jetro a Moisés—, y ellos juzgarán todo asunto pequeño. Así aliviarás la carga de sobre ti, y la llevarán ellos contigo. Si esto hicieres, y Dios te lo mandare, tú podrás sostenerte, y también todo este pueblo irá en paz a su lugar".

De acuerdo con este plan, "escogió Moisés varones de virtud de entre todo Israel, y los puso por jefes sobre el pueblo, sobre mil, sobre ciento, sobre cincuenta, y sobre diez. Y juzgaban al pueblo en todo tiempo; el asunto difícil lo traían a Moisés, y ellos juzgaban todo asunto pequeño" (Exodo 18: 19-26).

Más tarde, al escoger setenta ancianos para que compartieran con él las responsabilidades de la dirección, Moisés tuvo cuidado de escoger como ayudantes suyos hombres de dignidad, de sano juicio y de experiencia. En su encargo a estos ancianos en ocasión de su ordenación, expuso algunas de las cualidades que capacitan a un hombre para ser un sabio director de la iglesia. "Oíd entre vuestros hermanos —dijo Moisés—, y juzgad justamente entre el hombre y su hermano, y el extranjero. No hagáis distinción de persona en el juicio; así al pequeño como al grande oiréis; no tendréis temor de ninguno, porque el juicio es de Dios" (Deuteronomio 1: 16, 17).

El rey David, hacia el fin de su reinado, hizo un solemne encargo a aquellos que dirigían la obra de Dios en su tiempo. Convocando en Jerusalén "a todos los principales de Israel, los jefes de las tribus, los jefes de las divisiones que servían al rey, los jefes de millares y de centenas, los administradores de toda la hacienda y posesión del rey y de sus hijos, y los oficiales y los más poderosos y valientes de sus hombres", el anciano rey les ordenó solemnemente, "ante los ojos de todo Israel, congregación de Jehová, y en oídos de nuestro Dios": "Guardad e inquirid todos los preceptos de Jehová vuestro Dios" (1 Crónicas 28: 1, 8).

A Salomón, como uno que estaba llamado a ocupar un puesto de la mayor responsabilidad, David le hizo un encargo especial: "Y tú, Salomón, hijo mío, reconoce al Dios de tu padre, y sírvele con corazón perfecto y con ánimo voluntario; porque Jehová escudriña los corazones de todos, y entiende todo intento de los pensamientos. Si tú le buscares, lo hallarás; mas si lo dejares, él te desechará para siempre. Mira, pues, ahora, que Jehová te ha elegido... Esfuérzate" (1 Crónicas 28: 9, 10).

Los mismos principios de piedad y justicia que debían guiar a los gobernantes del pueblo de Dios en el tiempo de Moisés y de David, habían de seguir también aquellos a quienes se les encomendó la vigilancia de la recién organizada iglesia de Dios en la dispensación evangélica. En la obra de poner en orden las cosas en todas las iglesias, y de consagrar hombres capaces para que actuaran como oficiales, los apóstoles mantenían las altas normas de dirección bosquejadas en los escritos del Antiguo Testamento. Sostenían que aquel que es llamado a ocupar un puesto de gran responsabilidad en la iglesia, debe ser "irreprensible, como administrador de Dios; no soberbio, no iracundo, no dado al vino, no pendenciero, no codicioso de ganancias deshonestas, sino hospedador, amante de lo bueno, sobrio, justo, santo, dueño de sí mismo, retenedor de la palabra fiel tal como ha sido enseñada, para que también pueda exhortar con sana enseñanza y convencer a los que contradicen" (Tito 1: 7-9).

El orden mantenido en la primitiva iglesia cristiana, la habilitó para seguir firmemente adelante como disciplinado ejército revestido de la armadura de Dios. Aunque las compañías o grupos de fieles estaban esparcidos en un dilatado territorio, eran todos miembros de un solo cuerpo y actuaban de concierto y en mutua armonía. Cuando se suscitaban disensiones en alguna iglesia local, como ocurrió después en Antioquía y otras partes, y los fieles no lograban avenirse, no se consentía en que la cuestión dividiese a la iglesia, sino que se la sometía a un concilio general de todos los fieles, constituido por delegados de las diversas iglesias locales con los apóstoles y ancianos en funciones de gran responsabilidad. Así por la concertada acción de todos se desbarataban los esfuerzos que Satanás hacía para atacar a las iglesias aisladas, y quedaban deshechos los planes de quebranto y destrucción que forjaba el enemigo.

"Dios no es Dios de confusión, sino de paz. Como en todas las iglesias de los santos" (1 Corintios 14: 33), y quiere que hoy día se observe orden y sistema en la conducta de la iglesia, lo mismo que en tiempos antiguos. Desea que su obra se lleve adelante con perfección y exactitud, a fin de sellarla con su aprobación. Los cristianos han de estar unidos con los cristianos y las iglesias con las iglesias, de suerte que los instrumentos humanos cooperen con los divinos, subordinándose todo agente al Espíritu Santo y combinándose todos en dar al mundo las buenas nuevas de la gracia de Dios.

CAPITULO 10

Este capítulo está basado en Hechos 6: 5-15 y cap. 7.

El Primer Mártir Cristiano

ESTEBAN, el más destacado de los siete diáconos, era varón de profunda piedad y gran fe. Aunque judío de nacimiento, hablaba griego y estaba familiarizado con los usos y costumbres de los griegos, por lo que tuvo ocasión de predicar el Evangelio en ias sinagogas de los judíos griegos. Era muy activo en la causa de Cristo y proclamaba osadamente su fe. Eruditos rabinos y doctores de la ley entablaron con él discusiones públicas, confiados en obtener fácil victoria. Pero "no podían resistir a la sabiduría y al Espíritu con que hablaba". No sólo hablaba con la virtud del Espíritu Santo, sino que era evidente que había estudiado las profecías y estaba versado en todas las cuestiones de la ley. Hábilmente defendía las verdades por que abogaba, y venció por completo a sus adversarios. En él se cumplió la promesa: "Proponed en vuestros corazones no

93

pensar antes cómo habéis de responder en vuestra defensa; porque yo os daré palabra y sabiduría, la cual no podrán resistir ni contradecir todos los que se opongan" (S. Lucas 21: 14, 15).

Al ver los sacerdotes y magistrados el poder que acompañaba a la predicación de Esteban, le cobraron acerbo odio, y en vez de rendirse a las pruebas que presentaba resolvieron acallar su voz matándolo. En varias ocasiones sobornaron a las autoridades romanas para que pasasen por alto sin comentario casos en que los judíos habían hecho justicia por sus propias manos, juzgando, condenando y ejecutando presos de acuerdo con su costumbre nacional. Los enemigos de Esteban no dudaron de que también en este caso podrían seguir esta conducta sin peligro para sí mismos. Decidieron correr el riesgo, así que echaron mano de Esteban y lo llevaron ante el consejo del Sanedrín para juzgarlo.

Llamaron a eruditos judíos de los países comarcanos para que refutasen los argumentos del preso. Saulo de Tarso estaba presente y tomó muy activa parte contra Esteban, aportando todo el peso de su elocuencia y la lógica de los rabinos a fin de convencer a las gentes de que Esteban predicaba falsas y perniciosas doctrinas. Pero Saulo encontró en Esteban un varón que comprendía plenamente los designios de Dios en la difusión del Evangelio por las demás naciones.

En vista de que no podían rebatir la clara y serena sabiduría de Esteban, los sacerdotes y magistrados resolvieron hacer con él un escarmiento, de modo que a la par de satisfacer su odio vengativo impidiesen por el miedo que otros aceptaran sus creencias. Sobornaron a unos cuantos testigos para que levantaran el falso testimonio de que le habían oído blasfemar contra el templo y la ley. Los testigos declararon: "Le hemos oído decir que ese Jesús de Nazaret destruirá este lugar, y cambiará las costumbres que nos dio Moisés".

Mientras Esteban se hallaba frente a frente con sus jueces para responder a la acusación de blasfemia, brillaba sobre su semblante un santo fulgor de luz, y "todos los que estaban sentados en el concilio, al fijar los ojos en él, vieron su rostro como el rostro de un ángel". Muchos de los que contemplaron esa luz, temblaron y encubrieron su rostro; pero la obstinada incredulidad y los prejuicios de los magistrados no vacilaron.

Cuando interrogaron a Esteban respecto de si eran ciertas las acusaciones formuladas contra él, defendióse con clara y penetrante voz que resonó en toda la sala del concilio. Con palabras que cautivaron al auditorio, procedió a repasar la historia del pueblo escogido de Dios, demostrando completo conocimiento de la dispensación judaica y de su interpretación espiritual, ya manifestada por Cristo. Repitió las palabras de Moisés referentes al Mesías: "Profeta os levantará el Señor vuestro Dios de entre vuestros hermanos, como a mí; a él oiréis". Evidenció su lealtad para con Dios y la fe judaica, aunque demostrando que la ley en que confiaban los judíos para su salvación no había podido salvar a Israel de la idolatría. Relacionó a Jesucristo con toda la historia del pueblo judío. Refirióse a la edificación del templo por Salomón, y a las palabras de Salomón e Isaías: "Si bien el Altísimo no habita en templos hechos de mano, como dice el profeta: "El cielo es mi trono, y la tierra el estrado de mis pies. ¿Qué casa me edificaréis? dice el Señor; ¿o cuál es el lugar de mi reposo? ¿No hizo mi mano todas estas cosas?"

Al llegar Esteban a este punto, se produjo un tumulto entre los oyentes. Cuando relacionó a Cristo con las profecías, y habló de aquel modo del templo, el sacerdote rasgó sus vestiduras, fingiéndose horrorizado. Esto fue para Esteban un indicio de que su voz iba pronto a ser acallada para siempre. Vio la resistencia que encontraban sus palabras y comprendió que estaba dando su postrer testimonio. Aunque no había llegado más que a la mitad de su discurso, lo terminó abruptamente.

De pronto, interrumpiendo el relato histórico que proseguía, y volviéndose hacia sus enfurecidos jueces, exclamó: "¡Duros de cerviz, e incircuncisos de corazón y de oídos! Vosotros resistís siempre al Espíritu Santo; como vuestros padres, así también vosotros. ¿A cuál de los profetas no persiguieron vuestros padres? Y mataron a los que anunciaron de antemano la venida del Justo, de quien vosotros ahora habéis sido entregadores y matadores; vosotros que recibisteis la ley por disposición de ángeles, y no la guardasteis".

Al oír esto, la ira puso fuera de sí a los sacerdotes y magistrados. Obrando más bien como fieras que como seres humanos, se abalanzaron contra Esteban crujiendo los dientes. El preso leyó su destino en los crueles rostros que le cercaban, pero no se inmutó. No temía la muerte ni le aterrorizaban los furiosos sacerdotes ni las excitadas turbas. Perdió de vista el espectáculo que se ofrecía a sus ojos, se le entreabrieron las puertas del cielo, y vio la gloria de los atrios de Dios y a Cristo que se levantaba de su trono como para sostener a su siervo. Con voz de triunfo exclamó Esteban: "He aquí, veo los cielos abiertos, y al Hijo del hombre que está a la diestra de Dios".

Al describir Esteban la gloriosa escena que sus ojos

El martirio de Esteban —una dolorosa experiencia para la iglesia— resultó finalmente en la conversión de Saulo.

contemplaban, ya no pudieron aguantar más sus perseguidores. Se taparon los oídos para no oírlo, y dando grandes voces, arremetieron unánimes contra él, lo echaron "fuera de la ciudad" "y apedreaban a Esteban, mientras él invocaba y decía: Señor Jesús, recibe mi espíritu. Y puesto de rodillas, clamó a gran voz: Señor, no les tomes en cuenta este pecado. Y habiendo dicho esto, durmió".

No se había sentenciado legalmente a Esteban; pero las autoridades romanas fueron sobornadas con gruesas sumas de dinero, para que no investigasen el caso.

El martirio de Esteban impresionó profundamente a cuantos lo presenciaron. El recuerdo de la señal de Dios en su rostro; sus palabras, que conmovieron hasta el alma a cuantos las escucharon, quedaron en las mentes de los circunstantes y atestiguaron la verdad de lo que él había proclamado. Su muerte fue una dura prueba para la iglesia; pero en cambio produjo convicción en Saulo, quien no podía borrar de su memoria la fe y la constancia del mártir y el resplandor que había iluminado su semblante.

En el proceso y muerte de Esteban, denotó Saulo estar imbuido de un celo frenético. Después se irritó por su secreto convencimiento de que Esteban había sido honrado por Dios en el mismo momento en que los hombres le infamaban. Saulo continuó persiguiendo a la iglesia de Dios, acosando a los cristianos, prendiéndolos en sus casas y entregándolos a los sacerdotes y magistrados para encarcelarlos y matarlos. Su celo en llevar a cabo esta persecución llenó de terror a los cristianos de Jerusalén. Las autoridades romanas no hicieron mayor esfuerzo para detener esta cruel obra, sino que ayudaban secretamente a los judíos con el objeto de reconciliarse con ellos y asegurarse sus simpatías.

Después de la muerte de Esteban, Saulo fue elegido miembro del Sanedrín en premio a la parte que había tomado en aquella ocasión. Durante algún tiempo fue un poderoso instrumento en manos de Satanás para proseguir su rebelión contra el Hijo de Dios. Pero pronto este implacable perseguidor iba a ser empleado para edificar la iglesia que estaba a la sazón demoliendo. Alguien más poderoso que Satanás había escogido a Saulo para ocupar el sitio del martirizado Esteban, para predicar y sufrir por el Nombre y difundir extensamente las nuevas de salvación por medio de su sangre.

CAPITULO 11

El Evangelio en Samaria

DESPUES de la muerte de Esteban, se levantó contra los creyentes de Jerusalén una persecución tan violenta que "todos fueron esparcidos por las tierras de Judea y de Samaria". Saulo "asolaba la iglesia, y entrando casa por casa, arrastraba a hombres y a mujeres, y los entregaba en la cárcel". En cuanto a su celo en esta cruel obra, él dijo ulteriormente: "Yo ciertamente había creído mi deber hacer muchas cosas contra el nombre de Jesús de Nazaret; lo cual también hice en Jerusalén. Yo encerré en cárceles a muchos de los santos... Y muchas veces, castigándolos en todas las sinagogas, los forcé a blasfemar; y enfurecido sobremanera contra ellos, los perseguí hasta en las ciudades extranjeras". Por las palabras de Saulo: "Cuando los mataron, yo di mi voto", puede verse que Esteban no era el único que sufrió la muerte (Hechos 26: 9-11).

En este tiempo de peligro, Nicodemo confesó sin temor

su fe en el Salvador crucificado. Nicodemo era miembro del Sanedrín, y con otros había sido conmovido por la enseñanza de Jesús. Al presenciar las maravillosas obras de Cristo, se había apoderado de él la convicción de que ése era el enviado de Dios. Por cuanto era demasiado orgulloso para reconocer abiertamente su simpatía por el Maestro galileo, había procurado tener una entrevista secreta. En esa entrevista, Jesús le había expuesto el plan de la salvación y su misión en el mundo; sin embargo Nicodemo había seguido vacilante. Ocultó la verdad en su corazón, y por tres años hubo poco fruto aparente. Pero aunque Nicodemo no había reconocido públicamente a Cristo, repetidas veces había desbaratado en el Sanedrín las maquinaciones de los sacerdotes de destruirlo. Cuando al fin Cristo fue crucificado, Nicodemo recordó las palabras que le había hablado en la entrevista nocturna en el monte de los Olivos: "Como Moisés levantó la serpiente en el desierto, así es necesario que el Hijo del hombre sea levantado" (S. Juan 3: 14); y vio en Jesús al Redentor del mundo.

En compañía de José de Arimatea, Nicodemo había sufragado los gastos de la sepultura de Jesús. Los discípulos habían temido mostrarse abiertamente como seguidores de Cristo, pero Nicodemo y José habían acudido osadamente en su auxilio. La ayuda de estos hombres ricos y honrados era grandemente necesaria en esta hora de tinieblas. Ellos habían podido hacer por su Señor muerto lo que hubiera sido imposible para los pobres discípulos; y su riqueza e influencia los habían protegido, en gran medida, de la malicia de los sacerdotes y gobernantes.

Cuando los judíos trataron de destruir la naciente iglesia, Nicodemo salió en su defensa. Libre ya de la cautela y dudas anteriores, estimuló la fe de los discípulos y empleó su riqueza en ayudar a sostener la iglesia de Jerusalén, y en llevar adelante la obra del Evangelio. Aquellos que en otros días le habían rendido homenaje, ahora le despreciaban y perseguían; y llegó a ser pobre en los bienes de este mundo; no obstante, no vaciló en la defensa de su fe.

La persecución que sobrevino a la iglesia de Jerusalén dio gran impulso a la obra del Evangelio. El éxito había acompañado la ministración de la palabra en ese lugar, y había peligro de que los discípulos permanecieran demasiado tiempo allí, desatendiendo la comisión del Salvador de ir a todo el mundo. Olvidando que la fuerza para resistir al mal se obtiene mejor mediante el servicio agresivo, comenzaron a pensar que no tenían ninguna obra tan importante como la de proteger a la iglesia de Jerusalén de los ataques del enemigo. En vez de enseñar a los nuevos conversos a llevar el Evangelio a aquellos que no lo habían oído, corrían el peligro de adoptar una actitud que indujera a todos a sentirse satisfechos con lo que habían realizado. Para dispersar a sus representantes, donde pudieran trabajar para otros, Dios permitió que fueran perseguidos. Ahuyentados de Jerusalén, los creyentes "iban por todas partes anunciando el Evangelio".

Entre aquellos a quienes el Salvador había dado la comisión: "Id, y haced discípulos a todas las naciones" (S. Mateo 28: 19), se contaban muchos de clase social humilde, hombres y mujeres que habían aprendido a amar a su Señor, y resuelto seguir su ejemplo de abnegado servicio. A estos humildes hermanos, así como a los discípulos que estuvieron con el Salvador durante su ministerio terrenal, se les había entregado un precioso cometido. Debían proclamar al

103

mundo la alegre nueva de la salvación por Cristo.

Al ser esparcidos por la persecución, salieron llenos de celo misionero. Comprendían la responsabilidad de su misión. Sabían que en sus manos llevaban el pan de vida para un mundo famélico; y el amor de Cristo los movía a compartir este pan con todos los necesitados. El Señor obró por medio de ellos. Doquiera iban, sanaban los enfermos y los pobres oían la predicación del Evangelio.

Felipe, uno de los siete diáconos, fue de los expulsados de Jerusalén. "Felipe, descendiendo a la ciudad de Samaria, les predicaba a Cristo. Y la gente, unánime, escuchaba atentamente las cosas que decía Felipe, oyendo y viendo las señales que hacía. Porque de muchos que tenían espíritus inmundos, salían éstos...; y muchos paralíticos y cojos eran sanados; así que había gran gozo en aquella ciudad".

El mensaje de Cristo a la samaritana con la cual había hablado junto al pozo de Jacob, había producido fruto. Después de escuchar sus palabras, la mujer había ido a los hombres de la ciudad, y les había dicho: "Venid, ved a un hombre que me ha dicho todo cuanto he hecho. ¿No será éste el Cristo?" Ellos fueron con ella, oyeron a Jesús, y creyeron en él. Ansiosos de oír más, le rogaron a Jesús que se quedase con ellos. Por dos días él se detuvo allí, "y creyeron muchos más por la palabra de él" (S. Juan 4: 29, 41).

Y cuando sus discípulos fueron expulsados de Jerusalén, algunos hallaron seguro asilo en Samaria. Los samaritanos dieron la bienvenida a estos mensajeros del Evangelio, y los judíos convertidos recogieron una preciosa mies entre aquellos que habían sido antes sus más acerbos enemigos.

La obra de Felipe en Samaria tuvo gran éxito, y alentado por ello, solicitó ayuda de Jerusalén. Los apóstoles comprendieron entonces más plenamente el significado de las palabras de Cristo: "Y me seréis testigos en Jerusalén, en toda Judea, en Samaria, y hasta lo último de la tierra" (Hechos 1: 8).

Mientras Felipe estaba todavía en Samaria, un mensajero celestial le mandó que fuera "hacia el sur, por el camino que desciende de Jerusalén a Gaza… Entonces él se levantó y fue". No puso en duda el llamamiento ni vaciló en obedecer, porque había aprendido a conformarse con la voluntad de Dios.

"Y sucedió que un etíope, eunuco, funcionario de Candace reina de los etíopes, el cual estaba sobre todos sus tesoros, y había venido a Jerusalén para adorar, volvía sentado en su carro, y leyendo al profeta Isaías". Este etíope era hombre de buena posición y amplia influencia. Dios vio que, una vez convertido, comunicaría a otros la luz recibida, y ejercería poderoso influjo en favor del Evangelio. Los ángeles asistían a este hombre que buscaba luz, y le atraían al Salvador. Por el ministerio del Espíritu Santo, el Señor lo puso en relación con quien podía conducirlo a la luz.

A Felipe se le mandó que fuese al encuentro del etíope y le explicase la profecía que iba leyendo. El Espíritu dijo: "Acércate, y júntate a ese carro". Una vez cerca, preguntó Felipe al eunuco: "¿Entiendes lo que lees? Y él dijo: ¿Y cómo podré, si alguno no me enseñare? Y rogó a Felipe que subiese y se sentara con él". El etíope leía la profecía de Isaías referente a Cristo, que dice: "Como oveja a la muerte fue llevado; y como cordero mudo delante del que lo trasquila, así no abrió su boca. En su humillación no se le hizo justicia; mas su generación, ¿quién la contará? Porque fue quitada de la tierra su vida".

El eunuco preguntó: "¿De quién dice el profeta esto; de sí mismo, o de algún otro?" Entonces Felipe le declaró la gran verdad de la redención. Comenzando desde dicho pasaje de la Escritura, "le anunció el Evangelio de Jesús".

El corazón del etíope se conmovió de interés cuando Felipe le explicó las Escrituras, y al terminar el discípulo, el hombre se mostró dispuesto a aceptar la luz que se le daba. No alegó su alta posición mundana como excusa para rechazar el Evangelio. "Y yendo por el camino, llegaron a cierta agua, y dijo el eunuco: Aquí hay agua; ¿qué impide que yo sea bautizado? Felipe dijo: Si crees de todo corazón, bien puedes. Y respondiendo, dijo: Creo que Jesucristo es el Hijo de Dios. Y mandó parar el carro: y descendieron ambos al agua, Felipe y el eunuco, y le bautizó.

"Cuando subieron del agua, el Espíritu del Señor arrebató a Felipe; y el eunuco no le vio más, y siguió gozoso su camino. Pero Felipe se encontró en Azoto; y pasando, anunciaba el Evangelio en todas las ciudades, hasta que llegó a Cesarea".

Este etíope simboliza una numerosa clase de personas

que necesita ser enseñada por misioneros como Felipe, esto es por hombres que escuchen la voz de Dios y vayan adonde él los envíe. Muchos leen las Escrituras sin comprender su verdadero sentido. En todo el mundo, hay hombres y mujeres que miran fijamente al cielo. Oraciones, lágrimas e interrogaciones brotan de las almas anhelosas de luz en súplica de gracia y de la recepción del Espíritu Santo. Muchos están en el umbral del reino esperando únicamente ser incorporados en él.

Un ángel guió a Felipe a uno que anhelaba luz y estaba dispuesto a recibir el Evangelio. Hoy también los ángeles guiarán los pasos de aquellos obreros que consientan en que el Espíritu Santo santifique sus lenguas y refine y ennoblezca sus corazones. El ángel enviado a Felipe podría haber efectuado por sí mismo la obra en favor del etíope; pero no es tal el modo que Dios tiene de obrar. Su plan es que los hombres trabajen en beneficio de sus prójimos.

En la comisión dada a los primeros discípulos, se hallan incluidos los creyentes de todas las edades. Todo el que aceptó el Evangelio, recibió una verdad sagrada para impartirla al mundo. El pueblo fiel de Dios fue siempre constituido por misioneros activos, que consagraban sus recursos al honor de su nombre y usaban sabiamente sus talentos en su servicio.

La abnegada labor de los cristianos del pasado debería ser para nosotros una lección objetiva y una inspiración. Los miembros de la iglesia de Dios deben ser celosos de buenas obras, renunciar a las ambiciones mundanales, y caminar en los pasos de Aquel que anduvo haciendo bienes. Con corazones llenos de simpatía y compasión, han de ministrar a los que necesitan ayuda, y comunicar a los pecadores el conocimiento del amor del Salvador. Semejante trabajo requiere empeñoso esfuerzo, pero produce una rica recompensa. Los que se dedican a él con sinceridad de propósito verán almas ganadas al Salvador; porque la influencia que acompaña al cumplimiento práctico de la comisión divina es irresistible.

Tampoco recae únicamente sobre el pastor ordenado la responsabilidad de salir a realizar la comisión evangélica. Todo el que ha recibido a Cristo está llamado a trabajar por la salvación de sus prójimos. "Y el Espíritu y la Esposa dicen: Ven. Y el que oye, diga: Ven" (Apocalipsis 22: 17). A toda la iglesia incumbe el deber de dar esta invitación. Todo el que la ha oído ha de hacer repercutir este mensaje: "Ven".

Es un error fatal suponer que la obra de salvar almas depende solamente del ministerio. El humilde y consagrado creyente a quien el Señor de la viña le ha dado preocupación por las almas, debe ser animado por los hombres a quienes Dios ha confiado mayores responsabilidades. Los dirigentes de la iglesia de Dios han de comprender que la comisión del Salvador se da a todo el que cree en su nombre. Dios enviará a su viña a muchos que no han sido dedicados al ministerio por la imposición de las manos.

Cientos, sí, miles que han oído el mensaje de salvación, están todavía ociosos en la plaza, cuando podrían estar empleados en algún ramo de servicio activo. A los tales Cristo les dice: "¿Por qué estáis aquí todo el día desocupados?" y añade: "Id también vosotros a la viña" (S. Mateo 20: 6, 7). ¿Por qué muchos más no responden al llamado? ¿Es porque se consideran excusados por el hecho de no predicar desde el púlpito? Ojalá entiendan que hay una gran obra que debe hacerse fuera del púlpito, por miles de consagrados miembros laicos.

Largo tiempo ha esperado Dios que el espíritu de servicio se posesione de la iglesia entera, de suerte que cada miembro trabaje por él según su capacidad. Cuando los miembros de la iglesia de Dios efectúen su labor señalada en los campos menesterosos de su país y del extranjero, en cumplimiento de la comisión evangélica, pronto será amonestado el mundo entero, y el Señor Jesús volverá a la tierra con poder y grande gloria. "Y será predicado este Evangelio del reino en todo el mundo, para testimonio a todas las naciones; y entonces vendrá el fin" (S. Mateo 24: 14).

CAPITULO 12

De Perseguidor a Discípulo

SAULO de Tarso sobresalía entre los dignatarios judíos que se habían excitado por el éxito de la proclamación del Evangelio. Aunque ciudadano romano por nacimiento, era Saulo de linaje judío, y había sido educado en Jerusalén por los más eminentes rabinos. Era Saulo "del linaje de Israel, de la tribu de Benjamín, hebreo de hebreos; en cuanto a la ley, fariseo; en cuanto a celo, perseguidor de la iglesia; en cuanto a la justicia que es en la ley, irreprensible" (Filipenses 3: 5, 6). Los rabinos lo consideraban como un joven muy promisorio, y acariciaban grandes esperanzas respecto a él como capaz y celoso defensor de la antigua fe. Su elevación a miembro del Sanedrín lo colocó en una posición de poder.

Saulo había tomado una parte destacada en el juicio y la condena de Esteban; y las impresionantes evidencias de la presencia de Dios con el mártir le habían inducido a dudar de la justicia de la causa que defendía contra los seguidores de Jesús. Su mente estaba profundamente impresionada. En su perplejidad, se dirigió a aquellos en cuya sabiduría y juicio tenía plena confianza. Los argumentos de los sacerdotes y príncipes lo convencieron finalmente de que Esteban era un blasfemo, de que el Cristo a quien el discípulo martirizado había predicado era un impostor, y de que los que desempeñaban cargos sagrados tenían razón.

No llegó Saulo sin luchas graves a esta conclusión. Pero al fin, su educación y sus prejuicios, su respeto por sus antiguos maestros y el orgullo motivado por su popularidad, le fortalecieron para rebelarse contra la voz de la conciencia y la gracia de Dios. Y habiendo decidido plenamente que los sacerdotes y escribas tenían razón, Saulo se volvió acérrimo en su oposición a las doctrinas enseñadas por los discípulos de Jesús. La actividad de Saulo en lograr que los santos hombres y mujeres fueran arrastrados a los tribunales, donde los condenaban a la cárcel y aun a la muerte, por el solo hecho de creer en Jesús, llenó de tristeza y lobreguez a la recién organizada iglesia, e indujo a muchos a buscar seguridad en la huida.

Los que fueron arrojados de Jerusalén por esta persecución "iban por todas partes anunciando el Evangelio" (Hechos 8: 4). Una de las ciudades donde se refugiaron fue Damasco, donde la nueva fe ganó muchos conversos.

Los sacerdotes y magistrados esperaban que con vigilante esfuerzo y acerba persecución podría extirparse la herejía. Por entonces creyeron necesario extender a otros lugares las resueltas medidas tomadas en Jerusalén contra las nuevas enseñanzas. Para esta labor especial, que desea-

ban realizar en Damasco, ofreció Saulo sus servicios. "Respirando aún amenazas y muerte contra los discípulos del Señor, vino al sumo sacerdote, y le pidió cartas para las sinagogas de Damasco, a fin de que si hallase algunos hombres o mujeres de este Camino, los trajese presos a Jerusalén". Así, "con poderes y en comisión de los principales sacerdotes" (Hechos 26: 12), Saulo de Tarso, en la fuerza de su edad viril e inflamado de un celo equivocado, emprendió el memorable viaje en que iba a ocurrirle el singular suceso que cambiaría por completo el curso de su vida.

El último día del viaje, "a mediodía", los fatigados caminantes, al acercarse a Damasco, vieron las amplias extensiones de tierra fértil, los hermosos jardines y los fructíferos huertos, regados por las frescas corrientes de las montañas circundantes. Después del largo viaje a través de desolados desiertos, tales escenas eran en verdad refrigerantes. Mientras Saulo con sus compañeros contemplaban con admiración la fértil llanura y la hermosa ciudad que se hallaba abajo, "repentinamente" vieron una luz del cielo, "la cual —según él declaró después— me rodeó a mí y a los que iban conmigo"; "una luz del cielo que sobrepasaba el resplandor del sol" (Hechos 26: 13, 14), demasiado esplendente para que la soportaran ojos humanos. Ofuscado y aturdido, cayó Saulo postrado en tierra.

Mientras la luz brillaba en derredor de ellos, Saulo oyó "una voz que le decía" "en lengua hebrea": "Saulo, Saulo, ¿por qué me persigues? El dijo: ¿Quién eres, Señor? Y le dijo: Yo soy Jesús, a quien tú persigues; dura cosa te es dar coces contra el aguijón".

Temerosos y casi cegados por la intensidad de la luz, los compañeros de Saulo oían la voz, pero no veían a nadie. Sin

113

En su viaje a Damasco, Pablo y sus compañeros fueron sorprendidos por una luz deslumbradora del cielo.

embargo, Saulo comprendió lo que se le decía, y se le reveló claramente que quien hablaba era el Hijo de Dios. En el glorioso Ser que estaba ante él, reconoció al Crucificado. La imagen del Salvador quedó para siempre grabada en el alma del humillado judío. Las palabras oídas conmovieron su corazón con irresistible fuerza. Su mente se iluminó con un torrente de luz que esclareció la ignorancia y el error de su pasada vida, y le demostró la necesidad que tenía de la iluminación del Espíritu Santo.

Saulo vio ahora que al perseguir a los seguidores de Jesús, había estado en realidad haciendo la obra de Satanás. Vio que sus convicciones de lo recto y de su propio deber se habían basado mayormente en su implícita confianza en los sacerdotes y los magistrados. Les había creído cuando le dijeron que el relato de la resurrección era una ingeniosa creación de los discípulos. Cuando Jesús mismo se reveló, Saulo se convenció de la veracidad de las aseveraciones de los discípulos.

En aquel momento de celestial iluminación, la mente de Saulo actuó con notable rapidez. Las profecías de la Sagrada Escritura se abrieron a su comprensión. Vio que el rechazamiento de Jesús por los judíos, su crucifixión, resurrección y ascensión habían sido predichos por los profetas y le demostraron que era el Mesías prometido. El discurso de Esteban en ocasión de su martirio le vino vívidamente a la memoria, y Saulo comprendió que el mártir había contemplado en verdad "la gloria de Dios" cuando dijo: "He aquí, veo los cielos abiertos, y al Hijo del hombre que está a la diestra de Dios" (Hechos 7: 55, 56). Los sacerdotes habían declarado blasfemas esas palabras, pero ahora Saulo sabía que eran verdad.

¡Qué revelación fue todo esto para el perseguidor! Ahora Saulo sabía con toda seguridad que el prometido Mesías había venido a la tierra en la persona de Jesús de Nazaret, y que aquellos a quienes había venido a salvar le habían rechazado y crucificado. También sabía que el Salvador había resucitado triunfante de la tumba y ascendido a los cielos. En aquel momento de divina revelación, recordó Saulo, aterrorizado, que con su consentimiento había sido sacrificado Esteban por dar testimonio del Salvador crucificado y resucitado, y que después fue instrumento para que muchos otros dignos discípulos de Jesús encontrasen la muerte por cruel persecución.

El Salvador había hablado a Saulo mediante Esteban, cuyo claro razonamiento no podía ser refutado. El erudito judío vio el rostro del mártir reflejando la luz de la gloria de Cristo, de modo que parecía "como el rostro de un ángel" (Hechos 6: 15). Presenció la longanimidad de Esteban para con sus enemigos y el perdón que les concedió. Presenció también la fortaleza y la alegre resignación de muchos a quienes él había hecho atormentar y afligir. Hasta vio a algunos entregar la vida con regocijo por causa de su fe.

Todas estas cosas impresionaron mucho a Saulo, y a veces casi abrumaron su mente con la convicción de que Jesús era el Mesías prometido. En esas ocasiones luchó noches enteras contra esa convicción, y siempre terminó por creer que Jesús no era el Mesías, y que sus seguidores eran ilusos fanáticos.

Ahora Cristo le hablaba con su propia voz, diciendo: "Saulo, Saulo, ¿por qué me persigues?" Y la pregunta: "¿Quién eres, Señor?" fue contestada por la misma voz: "Yo soy Jesús, a quien tú persigues". Cristo se identifica aquí con su pueblo. Al perseguir a los seguidores de Jesús, Saulo había atacado directamente al Señor del cielo. Al acusarlos y al testificar falsamente contra ellos, lo hacía también contra el Salvador del mundo.

No dudó Saulo de que quien le hablaba era Jesús de Nazaret, el Mesías por tanto tiempo esperado, la Consolación y el Redentor de Israel. Saulo, "temblando y temeroso, dijo: Señor, ¿qué quieres que yo haga? Y el Señor le dijo: Levántate y entra en la ciudad, y se te dirá lo que debes hacer".

Cuando se desvaneció el resplandor, y Saulo se levantó del suelo, se halló totalmente privado de la vista. La refulgencia de la gloria de Cristo había sido demasiado intensa para sus ojos mortales; y cuando desapareció, las tinieblas de la noche se asentaron sobre sus ojos. Creyó que esta ceguera era el castigo de Dios por su cruel persecución de los seguidores de Jesús. En terribles tinieblas palpaba en derredor y sus compañeros, con temor y asombro, "llevándole por la mano, le metieron en Damasco".

En la mañana de aquel día memorable, Saulo se había acercado a Damasco con sentimiento de satisfacción propia debido a la confianza que habían depositado en él los príncipes de los sacerdotes. Se le habían confiado graves responsabilidades. Se le había dado la comisión de que promoviese los intereses de la religión judía ponieno coto, si fuera posible, a la extensión de la nueva fe en Damasco. Estaba resuelto a ver coronada de éxito su misión, y había contemplado con ansiosa expectación los sucesos que aguardaba.

¡Cuán diferente de lo anticipado fue su entrada en la ciudad! Herido de ceguera, impotente, torturado por el remordimiento, sin saber qué juicio adicional pudiese estarle reservado, buscó el hogar del discípulo Judas, donde en la soledad tuvo amplia oportunidad de reflexionar y orar.

Por tres días Saulo estuvo "sin ver, y no comió ni bebió". Esos días de agonía de alma le parecieron años. Vez tras vez recordó, con angustia de espíritu, la parte que había tomado en el martirio de Esteban. Con horror pensaba en la culpa en que había incurrido al dejarse dominar por la malicia y el prejuicio de los sacerdotes y gobernantes, aun cuando el rostro de Esteban había sido iluminado con el brillo del cielo. Con tristeza y contrición de espíritu repasó las muchas ocasiones en que había cerrado sus ojos y oídos a las más impresionantes evidencias, y había insistido implacablemente en la persecución de los creyentes en Jesús de Nazaret.

Estos días de riguroso examen propio y humillación de espíritu, los pasó en solitaria reclusión. Los creyentes, advertidos del propósito del viaje de Saulo a Damasco, temían que pudiera estar simulando a fin de engañarlos más fácilmente. Y se mantuvieron lejos, rehusándole su simpatía. El no deseaba recurrir a los judíos inconversos, con quienes había planeado unirse en destrucción de los creyentes; porque sabía que ni siquiera escucharían el relato de su caso. Así parecía estar privado de toda simpatía humana. Toda su esperanza de ayuda se cifraba en un Dios misericordioso, y a él recurrió con corazón contrito.

Durante las largas horas en que Saulo estuvo encerrado a solas con Dios, recordó muchos de los pasajes de las Escrituras que se referían al primer advenimiento de Cristo. Cuidadosamente, rastreó las profecías, con una memoria aguzada por la convicción que se había apoderado de su mente. Al reflexionar en el significado de esas profecías, se

117

asombraba de su anterior ceguera de entendimiento, y de la ceguera de los judíos en general, que los había inducido a rechazar a Jesús como el Mesías prometido. A su entendimiento iluminado, todo parecía claro ahora. Sabía que su anterior prejuicio e incredulidad habían oscurecido su percepción espiritual, y le habían impedido discernir en Jesús de Nazaret el Mesías de las profecías.

Al entregarse Saulo completamente al poder convincente del Espíritu Santo, vio los errores de su vida, y reconoció los abarcantes requerimientos de la ley de Dios. El que había sido un orgulloso fariseo, confiado en que lo justificaban sus buenas obras, se postró ahora delante de Dios con la humildad y la sencillez de un niñito, confesando su propia indignidad, e invocando los méritos de un Salvador crucificado y resucitado. Saulo anhelaba ponerse en completa armonía y comunión con el Padre y el Hijo; y en la intensidad de su deseo de obtener perdón y aceptación, elevó fervientes súplicas al trono de la gracia.

Las oraciones del penitente fariseo no fueron inútiles. Sus recónditos pensamientos y emociones fueron transfor-

mados por la gracia divina; y sus facultades más nobles fueron puestas en armonía con los propósitos eternos de Dios. Cristo y su justicia llegaron a ser para Saulo más que todo el mundo.

La conversión de Saulo es una impresionante evidencia del poder milagroso del Espíritu Santo para convencer de pecado a los hombres. El había creído en verdad que Jesús de Nazaret menospreció la ley de Dios, y que enseñó a sus discípulos que ella no estaba en vigor. Pero después de su conversión, Saulo reconoció a Jesús como Aquel que había venido al mundo con el expreso propósito de vindicar la ley de su Padre. Estaba convencido de que Jesús era el originador de todo el sistema judío de los sacrificios. Vio en la crucifixión el tipo, que se había encontrado con la realidad simbolizada; que Jesús había cumplido las profecías del Antiguo Testamento concernientes al Redentor de Israel.

En el relato de la conversión de Saulo se nos dan importantes principios que deberíamos tener siempre presentes. Saulo fue puesto directamente en presencia de Cristo. Era uno a quien Cristo había destinado a una obra importantísima, uno que había de ser "instrumento escogido"; sin embargo, el Señor no le habló ni una sola vez de la obra que el había señalado. Lo detuvo en su carrera y lo convenció de pecado; pero cuando Saulo preguntó: "¿Qué quieres que yo haga?" el Salvador colocó al inquiridor judío en relación con su iglesia, para que conociera allí la voluntad de Dios concerniente a él.

La maravillosa luz que iluminó las tinieblas de Saulo era obra del Señor; pero había también una obra que tenían que hacer por él los discípulos. Cristo realizó la obra de revelación y convicción; y ahora el penitente estaba en condición

119

de aprender de aquellos a quienes Dios ordenó para que enseñaran su verdad.

Mientras Saulo continuaba solo orando y suplicando en la casa de Judas, el Señor le apareció en visión a "un discípulo" en Damasco "llamado Ananías", y le dijo que Saulo de Tarso estaba orando y que necesitaba ayuda. "Levántate, y ve a la calle que se llama Derecha —dijo el mensajero celestial—, y busca en casa de Judas a uno llamado Saulo, de Tarso; porque he aquí, él ora, y ha visto en visión a un varón llamado Ananías, que entra y le pone las manos encima para que recobre la vista".

Apenas podía creer Ananías las palabras del ángel; porque los informes de la acerba persecución de Saulo contra los santos de Jerusalén se habían esparcido extensamente. Se aventuró a protestar: "Señor, he oído de muchos acerca de este hombre, cuántos males ha hecho a tus santos en Jerusalén; y aun aquí tiene autoridad de los principales sacerdotes para prender a todos los que invocan tu nombre". Pero la orden fue imperativa: "Ve, porque instrumento escogido me es éste, para llevar mi nombre en presencia de los gentiles, y de reyes, y de los hijos de Israel".

Obediente a la indicación del ángel, Ananías buscó al hombre que hacía sólo poco respiraba amenazas contra todos los que creían en el nombre de Jesús; y poniendo sus manos sobre la cabeza del dolorido penitente, dijo: "Hermano Saulo, el Señor Jesús, que se te apareció en el camino por donde venías, me ha enviado para que recibas la vista y seas lleno del Espíritu Santo.

"Y al momento le cayeron de los ojos como escamas, y recibió al instante la vista; y levantándose, fue bautizado". Así sancionó Jesús la autoridad de su iglesia organizada, y puso a Saulo en relación con los agentes que había designado en la tierra. Cristo tenía ahora una iglesia como su representante en la tierra, y a ella incumbía la obra de dirigir al pecador arrepentido en el camino de la vida.

Muchos tienen la idea de que son responsables ante Cristo solo por la luz y experiencia, y que no dependen de sus seguidores reconocidos en la tierra. Jesús es el amigo de los pecadores, y su corazón simpatiza con el dolor de ellos. Tiene toda potestad, tanto en el cielo como en la tierra; pero respeta los medios que ha dispuesto para la iluminación y salvación de los hombres; dirige a los pecadores a la iglesia, que él ha puesto como un medio de comunicar luz al mundo.

Cuando, en medio de su ciego error y prejuicio, se le dio a Saulo una revelación del Cristo a quien perseguía, se lo colocó en directa comunicación con la iglesia, que es la luz del mundo. En este caso, Ananías representa a Cristo, y también representa a los ministros de Cristo en la tierra, asignados para que actúen por él. En lugar de Cristo, Ananías toca los ojos de Saulo, para que reciba la vista, coloca sus manos sobre él, y mientras ora en el nombre de Cristo, Saulo recibe el Espíritu Santo. Todo se hace en el nombre y por la autoridad de Cristo. Cristo es la fuente; la iglesia es el medio de comunicación.

CAPITULO 13

Este capítulo está basado en Hechos 9: 19-30.

Días de Preparación

DESPUES de su bautismo, Pablo dejó de ayunar y permaneció "por algunos días con los discípulos que estaban en Damasco. En seguida predicaba a Cristo en las sinagogas, diciendo que éste era el Hijo de Dios". Osadamente declaraba que Jesús de Nazaret era el Mesías por mucho tiempo esperado, que "murió por nuestros pecados, conforme a las Escrituras; ... fue sepultado, y ... resucitó al tercer día", después de lo cual fue visto por los doce, y por otros. "Y al último de todos", añadió Pablo, "como a un abortivo, me apareció a mí" (1 Corintios 15: 3, 4, 8). Sus argumentos de las profecías eran tan concluyentes, y sus esfuerzos estaban tan manifiestamente asistidos por el poder de Dios, que los judíos se confundían y eran incapaces de contestarle.

Las noticias de la conversión de Pablo llegaron a los judíos produciendo una gran sorpresa. El que había ido a Damasco "con poderes y en comisión de los principales sacerdotes" (Hechos 26: 12), para aprehender y perseguir a

123

Cuando Pablo predicó a Cristo en Jerusalén, encontró una acerba oposición de los dirigentes judíos.

JOHN STEEL © PPPA

los creyentes, estaba ahora predicando el Evangelio de un Salvador crucificado y resucitado, fortaleciendo las manos de los que eran ya sus discípulos, y trayendo continuamente nuevos conversos a la fe que una vez combatió acerbamente.

Pablo había sido conocido anteriormente como un celoso defensor de la religión judía, y un incansable perseguidor de los seguidores de Jesús. Era valeroso, independiente, perseverante, y sus talentos y preparación le capacitaban para presentar casi cualquier servicio. Razonaba con extraordinaria claridad, y mediante su aplastador sarcasmo podía colocar a un oponente en situación nada envidiable. Y ahora los judíos veían a ese joven de posibilidades extraordinarias unido a los que anteriormente había perseguido, y predicando sin temor en el nombre de Jesús.

Un general muerto en la batalla es una pérdida para su ejército, pero su muerte no da fuerza adicional al enemigo. Más cuando un hombre eminente se une al adversario, no solamente se pierden sus servicios, sino que aquellos a quienes él se une obtienen una decidida ventaja. Saulo de Tarso, en el camino a Damasco, podría fácilmente haber sido muerto por el Señor, y se hubiera restado mucha fuerza al poder perseguidor. Pero Dios en su providencia no sólo le perdonó la vida, sino que lo convirtió, transfiriendo así un campeón del bando del enemigo al bando de Cristo. Como elocuente orador y crítico severo, Pablo, con su firme propósito y denodado valor, poseía precisamente las cualidades que se necesitaban en la iglesia primitiva.

Mientras Pablo predicaba a Cristo en Damasco, todos los que lo oían se asombraban, y decían: "¿No es éste el que asolaba en Jerusalén a los que invocaban este nombre, y a eso vino acá, para llevarlos presos ante los principales sacerdotes?" Pablo declaraba que su cambio de fe no había sido provocado por impulso o fanatismo, sino por una evidencia abrumadora. Al presentar el Evangelio, trataba de exponer con claridad las profecías relativas al primer advenimiento de Cristo. Mostraba concluyentemente que esas profecías se habían cumplido literalmente en Jesús de Nazaret. El fundamento de su fe era la segura palabra profética.

A medida que Pablo continuaba instando a sus asombrados oyentes a "que se arrepintiesen y se convirtiesen a Dios, haciendo obras dignas de arrepentimiento" (Hechos 26: 20), "mucho más se esforzaba, y confundía a los judíos que moraban en Damasco, demostrando que Jesús era el Cristo". Pero muchos endurecieron sus corazones y rehusaron responder a su mensaje; y pronto su asombro por la conversión de Saulo se trocó en intenso odio, como el que habían manifestado para con Jesús.

La oposición se tornó tan fiera que no se le permitió a Pablo continuar sus labores en Damasco. Un mensajero del cielo le ordenó que dejara el lugar por un tiempo; y fue "a Arabia" (Gálatas 1: 17), donde halló un refugio seguro.

Allí, en la soledad del desierto, Pablo tenía amplia oportunidad para estudiar y meditar con quietud. Repasó serenamente su experiencia pasada, y se arrepintió cabalmente. Buscó a Dios con todo su corazón, sin descansar hasta saber con certeza que su arrepentimiento fue aceptado y sus pecados perdonados. Anhelaba tener la seguridad de que Jesús estaría con él en su ministerio futuro. Vació su alma de los prejuicios y tradiciones que hasta entonces habían amoldado su vida, y recibió instrucción de la Fuente de la verdad. Jesús se comunicó con él, y lo estableció en la fe concediéndole una rica medida de sabiduría y gracia.

Cuando la mente del hombre se pone en comunión con la mente de Dios, el ser finito con el Infinito, el efecto sobre el cuerpo, la mente y el alma es superior a todo cálculo. En esa comunión se halla la más elevada educación. Es el método de Dios para desarrollar a los hombres. "Vuelve ahora en amistad con él" (Job 22: 21), es su mensaje a la humanidad.

El solemne cometido que se dio a Pablo en ocasión de su entrevista con Ananías pesaba de modo creciente sobre su corazón. Cuando, en respuesta a las palabras: "Hermano Saulo, recibe la vista", Pablo había mirado por primera vez el rostro de este hombre devoto, Ananías, bajo la inspiración del Espíritu Santo, le dijo: "El Dios de nuestros padres te ha escogido para que conozcas su voluntad, y veas al Justo, y oigas la voz de su boca. Porque serás testigo suyo a todos los hombres, de lo que has visto y oído. Ahora, pues, ¿por qué te detienes? Levántate y bautízate, y lava tus pecados, invocando su nombre" (Hechos 22: 13-16).

Estas palabras estaban en armonía con las de Jesús mismo, quien, cuando detuvo a Saulo en el camino a Damasco, declaró: "Para esto he aparecido a ti, para ponerte por ministro y testigo de las cosas que has visto, y de aquellas en que me apareceré a ti, librándote de tu pueblo, y de los gentiles, a quienes ahora te envío, para que abras sus ojos, para que se conviertan de las tinieblas a la luz, y de la potestad de Satanás a Dios; para que reciban, por la fe que es en mí, perdón de pecados y herencia entre los santificados" (Hechos 26: 16-18).

Mientras consideraba estas cosas en su corazón, Pablo entendía más y más claramente el significado de su llamamiento "a ser apóstol de Jesucristo por la voluntad de Dios" (1 Corintios 1: 1). Su llamamiento había provenido, "no de hombres ni por hombre, sino por Jesucristo y por Dios el Padre" (Gálatas 1: 1). La magnitud de la obra que le aguardaba le indujo a estudiar mucho las Sagradas Escrituras, a fin de poder predicar el Evangelio "no con sabiduría de palabras, para que no se haga vana la cruz de Cristo", "sino con demostración del Espíritu y de poder", para que la fe de todos los que lo oyeran "no esté fundada en la sabiduría de los hombres, sino en el poder de Dios" (1 Corintios 1: 17; 2: 4, 5).

Mientras Pablo escudriñaba las Escrituras, descubrió que a través de los siglos, "no ... muchos sabios según la carne, ni muchos poderosos, ni muchos nobles; sino que lo necio del mundo escogió Dios, para avergonzar a los sabios; y lo débil del mundo escogió Dios, para avergonzar a lo fuerte; y lo vil del mundo y lo menospreciado escogió Dios, y lo que no es, para deshacer lo que es, a fin de que nadie se jacte en su presencia" (1 Corintios 1: 26-29). Y así, viendo la sabiduría del mundo a la luz de la cruz, Pablo se propuso "no saber... cosa alguna sino a Jesucristo, y a éste crucificado" (1 Corintios 2: 2).

En el curso de su ministerio ulterior, Pablo nunca perdió de vista la fuente de su sabiduría y fuerza. Oídlo años más tarde declarar todavía: "Para mí el vivir es Cristo" (Filipenses 1: 21). Y otra vez: "Y ciertamente, aun estimo todas las cosas como pérdida por la excelencia del conocimiento de Cristo Jesús, mi Señor, por amor del cual lo he perdido todo,... para ganar a Cristo, y ser hallado en él, no teniendo mi propia justicia, que es por la ley, sino la que es por la fe de Cristo, la justicia que es de Dios por la fe; a fin de conocerle, y el poder de su resurrección, y la participación de sus padecimientos" (Filipenses 3: 8-10).

De Arabia volvió Pablo "de nuevo a Damasco" (Gálatas 1: 17), "y hablaba valerosamente en el nombre de Jesús". Incapaces los judíos de rebatir la sabiduría de sus argumentos, "resolvieron en consejo matarle". Día y noche guardaron diligentemente las puertas de la ciudad para que no escapara. Esta crisis movió a los discípulos a buscar a Dios ardientemente, y al fin, "tomándole de noche, le bajaron por el muro descolgándole en una canasta".

Después de haber huido de Damasco, fue Pablo a Jerusalén a los tres años de su conversión, con el principal objeto de "ver a Pedro", según él mismo declaró después. Al llegar a la ciudad donde tan conocido fuera un tiempo como Saulo el perseguidor, "trataba de juntarse con los discípulos; pero todos le tenían miedo, no creyendo que fuese discípulo". Era difícil para ellos creer que ese fanático fariseo, que tanto había hecho para destruir la iglesia, pudiese llegar a ser un sincero seguidor de Jesús. "Entonces Bernabé, tomándole, lo trajo a los apóstoles, y les contó cómo Saulo había visto en el camino al Señor, el cual le había hablado, y cómo en Damasco había hablado valerosamente en el nombre de Jesús".

Al oír esto, los discípulos lo admitieron en su medio, y muy luego tuvieron abundantes pruebas de la sinceridad de su experiencia cristiana. El futuro apóstol de los gentiles estaba a la sazón en la ciudad donde residían muchos de sus antiguos colegas, y anhelaba explicar a estos dirigentes judíos las profecías referentes al Mesías, que se habían cumplido con el advenimiento del Salvador. Tenía Pablo la seguridad de que los doctores de Israel con quienes tan bien relacionado estuvo, eran igualmente sinceros y honrados como había sido él; pero no tuvo Pablo en cuenta el ánimo de sus colegas judíos, y se trocaron en amargo desengaño las esperanzas que había puesto en su rápida conversión. Aunque "hablaba denodadamente en el nombre del Señor, y disputaba con los griegos", los dignatarios de la iglesia judaica no quisieron creer, y "procuraban matarle". Entristecióse el corazón de Pablo. De bonísima gana hubiera dado su vida, si con ello trajera a alguien al conocimiento de la verdad. Avergonzado, pensaba en la activa parte que había tomado en el martirio de Esteban; y en su ansiedad de lavar la mancha arrojada sobre el calumniado mártir, quería vindicar la verdad por la cual había entregado Esteban su vida.

Afligido por la ceguera de los incrédulos, estaba Pablo orando en el templo, según él mismo atestiguó después, cuando cayó en éxtasis, y aparecióse un mensajero celestial que le dijo: "Date prisa, y sal prontamente de Jerusalén; porque no recibirán tu testimonio acerca de mí" (Hechos 22: 18).

Pablo estaba inclinado a quedarse en Jerusalén, donde podría arrostrar la oposición. Le parecía un acto cobarde la huida, si quedándose podía convencer a algunos de los obstinados judíos de la verdad del mensaje evangélico, aunque el quedarse le costara la vida. Así que respondió: "Señor, ellos saben que yo encarcelaba y azotaba en todas las sinagogas a los que creían en ti; y cuando se derramaba la sangre de Esteban tu testigo, yo mismo también estaba presente, y consentía en su muerte, y guardaba las ropas de los que le mataban". Pero no estaba de acuerdo con los designios de Dios que su siervo expusiera inútilmente su vida; y el mensajero celestial replicó: "Vé, porque yo te enviaré lejos a los gentiles" (versículos 19-21).

Al enterarse de esta visión, los hermanos se apresuraron

a facilitar a Pablo la fuga, en secreto, de Jerusalén, por temor de que lo asesinaran, y "le llevaron hasta Cesarea, y le enviaron a Tarso". La partida de Pablo suspendió por algún tiempo la violenta oposición de los judíos, y la iglesia disfrutó de un período de sosiego, durante el cual se multiplicó el número de creyentes.

CAPITULO 14

Un Investigador de la Verdad

EN EL curso de su ministerio, el apóstol Pedro visitó a los creyentes en Lida. Allí sanó a Eneas, que durante ocho años había estado postrado en cama con parálisis. "Y le dijo Pedro: Eneas, Jesucristo te sana; levántate, y haz tu cama. Y en seguida se levantó. Y le vieron todos los que habitaban en Lida y en Sarón, los cuales se convirtieron al Señor".

En Jope, ciudad que estaba cercana a Lida, vivía una mujer llamada Dorcas, cuyas buenas obras le habían conquistado extenso afecto. Era una digna discípula de Jesús, y su vida estaba llena de actos de bondad. Ella sabía quiénes necesitaban ropas abrigadas y quiénes simpatía, y servía generosamente a los pobres y afligidos. Sus hábiles dedos estaban más atareados que su lengua.

"Y aconteció que en aquellos días enfermó y murió". La

iglesia de Jope sintió su pérdida; y oyendo que Pedro estaba en Lida, los creyentes le mandaron mensajeros "rogándole: No tardes en venir a nosotros. Levantándose entonces Pedro, fue con ellos; y cuando llegó, le llevaron a la sala, donde le rodearon todas las viudas, llorando y mostrando las túnicas y los vestidos que Dorcas hacía cuando estaba con ellas". A juzgar por la vida de servicio que Dorcas había vivido, no es extraño que llorasen, y que sus cálidas lágrimas cayesen sobre el cuerpo inanimado.

El corazón del apóstol fue movido a simpatía al ver su tristeza. Luego, ordenando que los llorosos deudos salieran de la pieza, se arrodilló y oró fervorosamente a Dios para que devolviese la vida y la salud a Dorcas. Volviéndose hacia el cuerpo, dijo: "Tabita, levántate. Y ella abrió los ojos, y al ver a Pedro, se incorporó". Dorcas había prestado grandes servicios a la iglesia, y a Dios le pareció bueno traerla de vuelta del país del enemigo, para que su habilidad y energía siguieran beneficiando a otros y tambén para que por esta manifestación de su poder, la causa de Cristo fuese fortalecida.

Mientras Pedro estaba todavía en Jope, fue llamado a llevar el Evangelio a Cornelio en Cesarea.

Cornelio era un centurión romano, hombre rico y de noble linaje, y ocupaba una posición de responsabilidad y honor. Aunque pagano de nacimiento y educación, por su contacto con los judíos había adquirido cierto conocimiento de Dios, y le adoraba con corazón veraz, demostrando la sinceridad de su fe por su compasión hacia los pobres. Era muy conocido por su beneficencia, y su rectitud le daba buen renombre tanto entre los judíos como entre los gentiles. Su influencia era una bendición para todos aquellos con quienes se relacionaba. El Libro inspirado le describe como "un hombre piadoso y temeroso de Dios con toda su casa, y que hacía muchas limosnas al pueblo, y oraba a Dios siempre".

Considerando a Dios como Creador de los cielos y la tierra, Cornelio le reverenciaba, reconocía su autoridad, y buscaba su consejo en todos los asuntos de la vida. Era fiel a Jehová tanto en su vida familiar como en sus deberes oficiales. Había erigido altar a Dios en su hogar, pues no se atrevía a intentar llevar a cabo sus planes ni desempeñar sus responsabilidades sin ayuda divina.

Aunque creía en las profecías y esperaba la venida del Mesías, Cornelio no tenía conocimiento del Evangelio según se revelaba en la vida y muerte de Cristo. No era miembro de la congregación judía, y habría sido considerado por los rabinos como pagano e inmundo. Pero el mismo santo Vigía que dijo de Abrahán: "Le conozco", conocía también a Cornelio, y le mandó un mensaje directo del cielo.

El ángel se le apareció a Cornelio mientras estaba orando. Al oír el centurión que se lo llamaba por nombre, tuvo miedo. Sin embargo, sabía que el mensajero había venido de Dios, y dijo: "¿Qué es, Señor?" El ángel contestó: "Tus oraciones y tus limosnas han subido para memoria delante de Dios. Envía, pues, ahora hombres a Jope, y haz venir a Simón, el que tiene por sobrenombre Pedro. Este posa en casa de cierto Simón curtidor, que tiene su casa junto al mar".

El carácter explícito de estas indicaciones, en las que se nombraba hasta la ocupación del hombre en cuya casa posaba Pedro, demuestra que el cielo conoce la historia y los quehaceres de los hombres en toda circunstancia de la vida. Dios está familiarizado con la experiencia y el trabajo del más humilde obrero tanto como con los del rey en su trono.

"Envía, pues, ahora hombres a Jope, y haz venir a Simón". Con esta orden, Dios dio evidencia de su consideración por el ministerio evangélico y por su iglesia organizada. El ángel no fue enviado a relatar a Cornelio la historia de la cruz. Un hombre, sujeto como el centurión mismo a las flaquezas y tentaciones humanas, había de ser quien le hablase del Salvador crucificado y resucitado.

Dios no escoge, para que sean sus representantes entre los hombres, a ángeles que nunca cayeron, sino a seres humanos, a hombres de pasiones semejantes a las de aquellos a quienes tratan de salvar. Cristo se humanó a fin de poder alcanzar a la humanidad. Se necesitaba un Salvador a la vez divino y humano para traer salvación al mundo. Y a los hombres y mujeres ha sido confiado el sagrado cometido de dar a conocer "las inescrutables riquezas de Cristo" (Efesios 3: 8). En su sabiduría, el Señor pone a los que buscan la verdad en relación con semejantes suyos que conocen la verdad. Es plan del cielo que los que han recibido la luz la impartan a los que están todavía en tinieblas. La humanidad, sacando eficiencia de la gran Fuente de la sabiduría, es convertida en instrumento, agente activo, por medio del cual el Evangelio ejerce su poder transformador sobre la mente y el corazón.

Cornelio obedeció gustosamente la orden recibida en visión. Cuando el ángel se hubo ido, el centurión "llamó a dos de sus criados, y a un devoto soldado de los que le asistían; a los cuales envió a Jope, después de haberles contado todo".

El ángel, después de su entrevista con Cornelio, se fue a Pedro en Jope. En ese momento, el apóstol se hallaba orando

Dios reveló a Pedro en una visión que no debía llamar a ninguna persona no judía común o inmunda

en la azotea de la casa donde posaba, y leemos que "tuvo gran hambre, y quiso comer; pero mientras le preparaban algo, le sobrevino un éxtasis". No era sólo de alimento físico del que Pedro sentía hambre. Mientras que desde la azotea contemplaba la ciudad de Jope y la región comarcana, sintió hambre por la salvación de sus compatriotas. Sintió el intenso deseo de mostrarles en las Sagradas Escrituras las profecías relativas a los sufrimientos y la muerte de Cristo.

En la visión, Pedro "vio el cielo abierto, y que descendía algo semejante a un gran lienzo, que atado de las cuatro puntas era bajado a la tierra; en el cual había de todos los cuadrúpedos terrestres y reptiles y aves del cielo. Y le vino una voz: Levántate, Pedro, mata y come. Entonces Pedro dijo: Señor, no; porque ninguna cosa común o inmunda he comido jamás. Volvió la voz a él la segunda vez: Lo que Dios limpió, no lo llames tú común. Esto se hizo tres veces; y aquel lienzo volvió a ser recogido en el cielo".

Esta visión reprendía a Pedro a la vez que le instruía. Le reveló el propósito de Dios, que por la muerte de Cristo los gentiles fueran hechos herederos con los judíos de las bendiciones de la salvación. Todavía ninguno de los discípulos había predicado el Evangelio a los gentiles. En su mente, la pared de separación, derribada por la muerte de Cristo, existía todavía, y sus labores se habían limitado a los judíos; porque habían considerado a los gentiles excluidos de las bendiciones del Evangelio. Ahora el Señor trataba de enseñarle a Pedro el alcance mundial del plan divino.

Muchos gentiles habían oído con interés la predicación de Pedro y de los otros apóstoles, y muchos judíos griegos habían creído en Cristo, pero la conversión de Cornelio había de ser la primera de importancia entre los gentiles.

136

Había llegado el tiempo en que la iglesia de Cristo debía emprender una fase enteramente nueva de su obra. Debía abrirse la puerta que muchos de los judíos conversos habían cerrado a los gentiles. Y de entre éstos los que aceptaran el Evangelio habían de ser considerados iguales a los discípulos judíos, sin necesidad de observar el rito de la circuncisión.

¡Cuán cuidadosamente obró el Señor para vencer los prejuicios contra los gentiles, que tan firmemente había inculcado en la mente de Pedro su educación judaica! Por la visión del lienzo y de su contenido, trató de despojar la mente del apóstol de esos prejuicios, y de enseñarle la importante verdad de que en el cielo no hay acepción de personas; que los judíos y los gentiles son igualmente preciosos a la vista de Dios; que por medio de Cristo los paganos pueden ser hechos partícipes de las bendiciones y privilegios del Evangelio.

Mientras Pedro meditaba en el significado de la visión, llegaron a Jope los hombres enviados por Cornelio, y se hallaban delante de la puerta de la casa en que posaba. Entonces el Espíritu le dijo: "He aquí, tres hombres te buscan. Levántate, pues, y desciende, y no dudes de ir con ellos, porque yo los he enviado".

Para Pedro esa orden era penosa, y debía hacer violencia a su voluntad a cada paso que daba mientras emprendía el deber que se le imponía; pero no se atrevía a desobedecer. Así que, "descendiendo a donde estaban los hombres que fueron enviados por Cornelio, les dijo: He aquí, yo soy el que buscáis; ¿cuál es la causa por la que habéis venido?" Ellos le refirieron su singular misión, diciendo: "Cornelio el centurión, varón justo y temeroso de Dios, y que tiene buen testimonio en toda la nación de los judíos, ha recibido instrucciones de un santo ángel, de hacerte venir a su casa para oír tus palabras".

En obediencia a las indicaciones que acababa de recibir de Dios, el apóstol prometió ir con ellos. A la mañana siguiente salió para Cesarea acompañado de seis de sus hermanos. Estos habían de ser testigos de todo lo que dijera o hiciera mientras visitaba a los gentiles; porque Pedro sabía que sería llamado a dar cuenta de tan directa violación de las enseñanzas judaicas.

Al entrar Pedro en la casa del gentil, Cornelio no lo saludó como a un visitante común, sino como a un ser honrado del cielo y enviado a él por Dios. Es costumbre oriental postrarse ante un príncipe u otro alto dignatario, y que los niños se inclinen ante sus padres; pero Cornelio, embargado por la reverencia hacia el que Dios le había enviado para enseñarle, cayó en adoración a los pies del apóstol. Pedro se quedó horrorizado, y levantó al centurión, diciendo: "Levántate, pues yo mismo también soy hombre".

Mientras los mensajeros de Cornelio se hallaban cumpliendo su misión, el centurión "los estaba esperando, habiendo convocado a sus parientes y amigos más íntimos", para que juntamente con él pudiesen oír la predicación del Evangelio. Cuando Pedro llegó, halló a una gran compañía que aguardaba ansiosa de oír sus palabras.

Pedro habló primero a los congregados de la costumbre de los judíos, diciendo que ellos tenían por ilícito el trato social con gentiles, y que el practicarlo entrañaba contaminación ceremonial. "Vosotros sabéis —dijo— cuán abominable es para un varón judío juntarse o acercarse a un extranjero; pero a mí me ha mostrado Dios que a ningún hombre llame común o inmundo; por lo cual, al ser llamado,

138

vine sin replicar. Así que pregunto: ¿Por qué causa me habéis hecho venir?"

Cornelio refirió entonces lo que le había sucedido y las palabras del ángel, diciendo en conclusión: "Así que luego envié por ti; y tú has hecho bien en venir. Ahora, pues, todos nosotros estamos aquí en la presencia de Dios, para oír todo lo que Dios te ha mandado".

Pedro dijo: "En verdad comprendo que Dios no hace acepción de personas, sino que en toda nación se agrada del que le teme y hace justicia".

Y luego, a esa compañía de atentos oyentes predicó el apóstol a Cristo, su vida, sus milagros, su entrega y crucifixión, su resurrección y ascensión y su obra en el cielo como representante y defensor del hombre. Mientras señalaba a los presentes a Jesús como única esperanza del pecador, Pedro mismo comprendió más plenamente el significado de la visión que había tenido, y en su corazón ardía el espíritu de la verdad que estaba presentando.

De repente, el discurso fue interrumpido por el descenso del Espíritu Santo. "Mientras aún hablaba Pedro estas palabras, el Espíritu Santo cayó sobre todos los que oían el discurso. Y los fieles de la circuncisión que habían venido con Pedro se quedaron atónitos de que también sobre los gentiles se derramase el don del Espíritu Santo. Porque los oían que hablaban en lenguas, y que magnificaban a Dios.

"Entonces respondió Pedro: ¿Puede acaso alguno impedir el agua, para que no sean bautizados éstos que han recibido el Espíritu Santo también como nosotros? Y mandó bautizarles en el nombre del Señor Jesús".

Así fue comunicado el Evangelio a los que habían sido extraños, haciéndolos conciudadanos de los santos y miembros de la familia de Dios. La conversión de Cornelio y su familia no fue sino las primicias de una mies que se había de cosechar. Comenzando con esta familia, se llevó a cabo una extensa obra de gracia en esa ciudad pagana.

Hoy día Dios está buscando almas tanto entre los encumbrados como entre los humildes. Hay muchos hombres como Cornelio a quienes el Señor desea vincular con su obra en el mundo. Sus simpatías están con el pueblo del Señor, pero los vínculos que los atan al mundo los retienen firmemente. Decidirse por Cristo exige valor moral de su parte. Debieran hacerse esfuerzos especiales por esas almas cuyas responsabilidades y asociaciones les hacen correr tan gran peligro.

Dios busca obreros fervientes y humildes, que lleven el Evangelio a las clases encumbradas. Se han de obrar milagros de genuinas conversiones, milagros que actualmente no se ven. Los mayores hombres de esta tierra no están fuera del alcance del poder de un Dios que obra maravillas. Si aquellos que son obreros juntamente con él aprovechan las oportunidades, cumpliendo fiel y valientemente su deber, Dios convertirá a hombres que ocupan puestos de responsabilidad, hombres de intelecto e influencia. Mediante el poder del Espíritu Santo, muchos aceptarán los principios divinos. Convertidos a la verdad, llegarán a ser agentes en las manos de Dios para comunicar la luz. Sentirán una preocupación especial por otras almas de esta clase descuidada. Consagrarán tiempo y dinero a la obra del Señor, y se añadirán nueva eficiencia y nuevo poder a la iglesia.

Por cuanto Cornelio vivía en obediencia a toda la instrucción que había recibido, Dios ordenó los acontecimientos de modo que se le diese más de la verdad. Se envió un mensajero de las cortes del cielo al oficial romano y a Pedro, a fin de que Cornelio pudiera ser puesto en relación con uno que podía guiarlo a una luz mayor.

Hay en nuestro mundo muchos que están más cerca del reino de Dios de lo que suponemos. En este oscuro mundo de pecado, el Señor tiene muchas joyas preciosas, hacia las que él guiará a sus mensajeros. Por doquiera hay quienes se decidirán por Cristo. Muchos apreciarán la sabiduría de Dios más que cualquier ventaja terrenal, y llegarán a ser fieles portaluces. Constreñidos por el amor de Cristo, constreñirán a otros a ir a él.

Cuando los hermanos de Judea oyeron decir que Pedro había ido a la casa de un gentil y predicado a los que en ella estaban congregados, se sorprendieron y escandalizaron. Temían que semejante conducta, que les parecía presuntuosa, hubiese de contrarrestar sus propias enseñanzas. En cuanto vieron a Pedro después de esto, le recibieron con severas censuras, diciendo: "¿Por qué has entrado en casa de hombres incircuncisos, y has comido con ellos?"

Pedro les presentó todo el asunto. Relató su visión, e insistió en que ella le amonestaba a no observar más la distinción ceremonial de la circuncisión e incircuncisión, y a no considerar a los gentiles como inmundos. Les habló de la orden que le había sido dada de ir a los gentiles, de la llegada de los mensajeros, de su viaje a Cesarea y de la reunión con Cornelio. Relató el resumen de su entrevista con el centurión, en la que este último le había referido la visión donde se le indicaba que mandase llamar a Pedro.

"Y cuando comencé a hablar —dijo, relatando el incidente—, cayó el Espíritu Santo sobre ellos también, como sobre nosotros al principio. Entonces me acordé de lo dicho por el Señor, cuando dijo: Juan ciertamente bautizó en agua, mas vosotros seréis bautizados con el Espíritu Santo. Si Dios, pues, les concedió también el mismo don que a nosotros que hemos creído en el Señor Jesucristo, ¿quién era yo que pudiese estorbar a Dios?"

Al oír esta explicación, los hermanos callaron. Convencidos de que la conducta de Pedro estaba de acuerdo con el cumplimiento directo del plan de Dios, y que sus prejuicios y espíritu exclusivo eran totalmente contrarios al espíritu del Evangelio, glorificaron a Dios, diciendo: "¡De manera que también a los gentiles ha dado Dios arrepentimiento para vida!"

Así, sin discusión, los prejuicios fueron quebrantados, se abandonó el espíritu exclusivista establecido por la costumbre secular, y quedó expedito el camino para la proclamación del Evangelio a los gentiles.

CAPITULO 15

Librado de la Cárcel

"EN AQUEL mismo tiempo el rey Herodes echó mano a algunos de la iglesia para maltratarles".

El gobierno de Judea estaba entonces en manos de Herodes Agripa, bajo Claudio, emperador romano. Herodes ocupaba también el puesto de tetrarca de Galilea. Profesaba ser prosélito de la fe judaica, y aparentaba mucho celo por seguir las ceremonias de la ley judaica. Deseoso de obtener el favor de los judíos, y con la esperanza de asegurarse así sus cargos y honores, procedió a llevar a cabo los deseos de ellos persiguiendo a la iglesia de Cristo, despojando de casas y bienes a los creyentes, y encarcelando a los principales miembros de la iglesia. Encarceló a Jacobo, hermano de Juan, y mandó al verdugo matarlo a espada, como otro Herodes lo había hecho con el profeta Juan. Viendo que tales esfuerzos agradaban a los judíos, encarceló también a Pedro.

Estas crueldades se practicaron durante la Pascua.

143

Mientras los judíos estaban celebrando su liberación de Egipto, y aparentando gran celo por la ley de Dios, estaban al mismo tiempo transgrediendo todos los principios de esa ley, persiguiendo y asesinando a los creyentes en Cristo.

La muerte de Jacobo causó gran pesar y consternación entre los creyentes. Cuando Pedro también fue encarcelado, toda la iglesia se puso a orar y ayunar.

El acto de Herodes al dar muerte a Jacobo fue aplaudido por los judíos, aunque algunos se quejaron de la manera privada en que se había llevado a cabo, aseverando que una ejecución pública habría intimidado más cabalmente a los creyentes y a quienes simpatizaban con ellos. Herodes, por lo tanto, siguió custodiando a Pedro con la intención de complacer aún más a los judíos con el espectáculo público de su muerte. Pero hubo quienes sugirieron que no sería cosa segura sacar al veterano apóstol para ejecutarlo públicamente en Jerusalén. Temían que al verlo ir a la muerte, la multitud se compadeciese de él.

Los sacerdotes y ancianos temían también que Pedro hiciese uno de esos poderosos llamamientos que con frecuencia habían incitado al pueblo a estudiar la vida y el carácter de Jesús, llamamientos que ellos no habían podido rebatir con todos sus argumentos. El celo de Pedro en defensa de la causa de Cristo había inducido a muchos a decidirse por el Evangelio, y los magistrados temían que si le daba oportunidad de defender su fe en presencia de la multitud que había acudido a la ciudad para adorar, su liberación sería exigida al rey.

Mientras que por diversos pretextos la ejecución de Pedro fue postergada hasta después de la Pascua, los miembros de la iglesia tuvieron tiempo para examinar profundamente sus corazones y orar con fervor. Oraban sin cesar por Pedro; porque les parecía que la causa no podría pasar sin él. Se daban cuenta de que habían llegado a un punto en que sin la ayuda especial de Dios, la iglesia de Cristo sería destruida.

Mientras tanto, los adoradores de todas las naciones buscaban el templo que había sido dedicado al culto de Dios. Resplandeciente con oro y piedras preciosas, ofrecía una vista de belleza y magnificencia. Pero Jehová no se hallaba más en ese hermoso palacio. Israel como nación se había divorciado de Dios. Cuando Cristo, casi al fin de su ministerio terrenal, miró por última vez el interior del templo, dijo: "He aquí vuestra casa os es dejada desierta" (S. Mateo 23: 38). Hasta entonces había llamado al templo la casa de su Padre, pero cuando el Hijo de Dios salió de sus muros, la presencia de Dios fue quitada para siempre del templo edificado a su gloria.

Finalmente fue señalado el día de la ejecución de Pedro, pero las oraciones de los creyentes siguieron ascendiendo al cielo; y mientras que todas sus energías y simpatías se expresaban en fervientes pedidos de ayuda los ángeles de Dios velaban sobre el encarcelado apóstol.

Recordando cómo en ocasión anterior los apóstoles habían escapado de la cárcel, Herodes había tomado esta vez dobles precauciones. Para evitar toda posibilidad de que se lo libertase, se había puesto a Pedro bajo la custodia de dieciséis soldados que, en diversas guardias, cuidaban de él día y noche. En su celda, había sido colocado entre dos soldados, y estaba ligado por dos cadenas, aseguradas a la muñeca de ambos soldados. No podía moverse sin que ellos lo supieran. Manteniendo las puertas cerradas con toda seguridad y delante de ellas una fuerte guardia, se había eliminado toda oportunidad de escapar por medios humanos. Pero la situación extrema del hombre es la oportunidad de Dios.

Pedro estaba encerrado en una celda cortada en la peña viva, cuyas puertas se hallaban atrancadas con fuertes cerrojos y barras; y los soldados de guardia eran responsables de la custodia de su preso. Pero los cerrojos y las barras y la guardia romana, que eliminaban eficazmente toda posibilidad de ayuda humana, estaban destinados a hacer más completo el triunfo de Dios en la liberación de Pedro. Herodes estaba alzando la mano contra el Omnipotente, y había de resultar totalmente derrotado. Por la manifestación de su poder, Dios iba a salvar la preciosa vida que los judíos se proponían quitar.

Llega la noche precedente a la propuesta ejecución. Un poderoso ángel es enviado del cielo para rescatar a Pedro. Las pesadas puertas que guardan al santo de Dios se abren sin ayuda de manos humanas. Pasa el ángel del Altísimo, y las puertas se cierran sin ruido tras él. Entra en la celda, donde yace Pedro, durmiendo el apacible sueño de la confianza perfecta.

La luz que rodea al ángel llena la celda, pero no despierta al apóstol. Antes de sentir el toque de la mano angélica y oír una voz que le dice: "Levántate pronto", no se despierta lo suficiente para ver su celda iluminada por la luz del cielo, y a un ángel de gran gloria de pie delante de él. Mecánicamente obedece a lo que se le dice, y mientras se levanta y alza las manos, se da vagamente cuenta de que las cadenas han caído de sus muñecas.

La voz del mensajero celestial le vuelve a decir: "Cíñete, y átate las sandalias", y Pedro vuelve a obedecer mecánicamente, con la asombrada mirada fija en el visitante, y cre-

La noche antes de que Pedro
fuera ejecutado fue liberado
por un ángel.

JOHN STEEL © PPPA

yendo estar soñando o en visión. Una vez más el ángel ordena: "Envuélvete en tu manto, y sígueme". Se dirige hacia la puerta, seguido por Pedro, tan locuaz de costumbre, ahora mudo de asombro. Pasan por encima de la guardia, y llegan a la pesada puerta cerrada con cerrojos, la cual se abre de por sí, y vuelve a cerrarse inmediatamente, mientras que los guardias de adentro y afuera están inmóviles en sus puestos.

Llegan a la segunda puerta, también guardada de adentro y de afuera. Se abre como la primera, sin chirrido de goznes, ni ruido de cerrojos. Ellos pasan, y vuelve a cerrarse silenciosamente. De la misma manera pasan por la tercera puerta, y se encuentran en la calle abierta. Ni una palabra es pronunciada; ni se oyen pisadas. El ángel se desliza adelante, rodeado de un deslumbrante esplendor, y Pedro, aturdido, y creyendo aun que está soñando, sigue a su libertador. Así pasan por una calle, y luego, cumplida la misión del ángel, éste desaparece súbitamente.

La luz celestial se desvanece, y Pedro se encuentra en profundas tinieblas; pero a medida que sus ojos se acostumbran a ellas, éstas parecen disminuir gradualmente, y descubre que se halla solo en la calle silenciosa, recibiendo el fresco soplo del aire nocturno en la frente. Se da cuenta de que está libre, en una parte conocida de la ciudad; reconoce el lugar que a menudo ha frecuentado, y por el que esperaba pasar por última vez a la mañana siguiente.

Entonces trató de recordar los sucesos de los pocos momentos pasados. Recordó que se había dormido, atado entre dos soldados, despojado de sus sandalias y ropa exterior. Examinó su persona, y vio que estaba completamente vestido y ceñido. Sus muñecas hinchadas por efecto de los crueles hierros, estaban libres de cadenas. Se percató de que su libertad no era un engaño, ni un sueño ni una visión, sino una bendita realidad. Por la mañana iba a ser llevado a la ejecución; pero he aquí que un ángel lo había librado de la cárcel y de la muerte. "Entonces Pedro, volviendo en sí, dijo: Ahora entiendo verdaderamente que el Señor ha enviado su ángel, y me ha librado de la mano de Herodes, y de todo lo que el pueblo de los judíos esperaba".

El apóstol se dirigió en seguida a la casa donde estaban reunidos sus hermanos, y donde en ese mismo momento estaban orando fervientemente por él. "Cuando llamó Pedro a la puerta del patio, salió a escuchar una muchacha llamada Rode, la cual, cuando reconoció la voz de Pedro, de gozo no abrió la puerta, sino que corriendo adentro, dio la nueva de que Pedro estaba a la puerta. Y ellos le dijeron: Estás loca. Pero ella aseguraba que así era. Entonces ellos decían: ¡Es su ángel!

"Mas Pedro persistía en llamar; y cuando abrieron y le vieron, se quedaron atónitos. Pero él, haciéndoles con la mano señal de que callasen, les contó cómo el Señor le había sacado de la cárcel". Y Pedro "salió, y se fue a otro lugar". El gozo y la alabanza llenaron los corazones de los creyentes, porque Dios había oído y contestado sus oraciones, y había librado a Pedro de las manos de Herodes.

Por la mañana un gran número de gente se congregó para presenciar la ejecución del apóstol. Herodes envió a algunos oficiales a la prisión en busca de Pedro, quien había de ser traído con un gran despliegue de armas y guardias, no sólo a fin de asegurar que no se fugase, sino para intimidar a los simpatizantes, y mostrar el poder del rey.

Cuando los guardias que velaban a la puerta descubrieron que Pedro se había escapado, se llenaron de terror. Se les había dicho expresamente que sus vidas serían demandadas por la vida de aquel a quien cuidaban. Y por eso, habían sido especialmente vigilantes. Cuando los oficiales llegaron en busca de Pedro, los soldados estaban todavía a la puerta de la cárcel, los cerrojos y las barras quedaban firmes, y las cadenas estaban todavía aseguradas a las muñecas de los dos soldados; pero el preso se había ido.

Cuando tuvo noticia del libramiento de Pedro, Herodes se exasperó y enfureció. Acusando de infidelidad a los guardias de la cárcel ordenó que se les diese muerte. Herodes sabía que ningún poder humano había rescatado a Pedro, pero estaba resuelto a no reconocer que un poder divino había frustrado su designio, y desafió insolentemente a Dios.

Poco después que Pedro fuera librado de la cárcel, Herodes fue a Cesarea. Mientras estaba allí, dio una gran fiesta, con el fin de suscitar la admiración y conquistar el aplauso del pueblo. A esta fiesta asistieron los amantes de placeres de muchos lugares, y se banqueteó mucho y se bebió mucho vino. Con gran pompa y ceremonia se presentó Herodes ante el pueblo, y se dirigió a él en un elocuente discurso. Vestido con un manto resplandeciente de plata y oro, que reflejaba los rayos del sol en sus relumbrantes pliegues y deslumbraba los ojos de los espectadores, era de imponente figura. La majestad de su aspecto y la fuerza de sus palabras bien escogidas ejercieron poderoso influjo sobre la asamblea. Sus sentidos estaban ya pervertidos por la gula y el vino, y se quedaron deslumbrados por los atavíos de Herodes y encantados por su porte y oratoria; de manera que con frenético entusiasmo le tributaron adulación, declarando que ningún mortal podía presentar tal aspecto y disponer de tan sorprendente elocuencia. Dijeron, además, que aunque siempre lo habían respetado como gobernante, de ahora en adelante lo adorarían como dios.

Algunos de aquellos cuya voz estaba ahora glorificando a un vil pecador, habían elevado, tan sólo pocos años antes, el clamor frenético: ¡Quita a Jesús! ¡Crucifícale, crucifícale! Los judíos se habían negado a recibir a Jesús, cuyas burdas vestiduras, a menudo sucias del viajar, cubrían un corazón lleno de amor divino. Sus ojos no podían discernir, bajo el exterior humilde, al Señor de la vida y la gloria, aun cuando el poder de Cristo se había revelado ante ellos en obras que ningún hombre podía hacer. Pero estaban dispuestos a adorar como dios al rey altanero, cuyos magníficos vestidos de plata y oro cubrían un corazón corrompido y cruel.

Herodes sabía que no merecía ninguna de las alabanzas y homenajes que se le tributaban, y sin embargo aceptó la

idolatría del pueblo como si le fuera debida. Su corazón saltaba de triunfo, y una expresión de orgullo satisfecho se notaba en su semblante mientras oía el clamor: "¡Voz de Dios, y no de hombre!"

Pero de repente lo sobrecogió un cambio espantoso. Su rostro se puso pálido como la muerte y convulsionado por la agonía. Gruesas gotas de sudor brotaron de sus poros. Quedó un momento de pie como transido de dolor y terror; luego, volviendo su semblante lívido hacia sus horrorizados amigos, exclamó en tono hueco de desesperación: Aquel que ensalzasteis como dios está herido de muerte.

Se lo sacó de la escena de orgía y pompa sufriendo la angustia más torturante. Momentos antes había recibido alabanzas y culto de una vasta muchedumbre; ahora se daba cuenta de que se hallaba en las manos de un Gobernante mayor que él. Se sintió invadido por el remordimiento: recordó su implacable persecución de los discípulos de Cristo; su cruel orden de matar al inocente Jacobo, y su propósito de dar muerte al apóstol Pedro; recordó cómo en su mortificación e ira frustrada había ejercido una venganza irrazonable contra los guardias de la cárcel. Sintió que él, el perseguidor implacable, había caído ahora en las manos de Dios. No hallaba alivio del dolor corporal ni de la angustia mental, ni tampoco tenía esperanza de obtenerlo.

Herodes conocía la ley de Dios que dice: "No tendrás dioses ajenos delante de mí" (Exodo 20: 3); y sabía que al aceptar la adoración del pueblo, había llenado la medida de su iniquidad, y atraído sobre sí la justa ira de Jehová.

El mismo ángel que había bajado de los atrios celestiales para librar a Pedro, había sido mensajero de ira y juicio para Herodes. El ángel hirió a Pedro para despertarlo de su sueño; pero fue con un golpe diferente como hirió al perverso rey, humillando su orgullo y haciendo caer sobre él el castigo del Todopoderoso. Herodes murió en gran agonía mental y corporal bajo el justo castigo de Dios.

Esta demostración de la justicia divina tuvo una poderosa influencia sobre el pueblo. Fueron propagadas por todos los países las nuevas de que el apóstol de Cristo había sido librado milagrosamente de la cárcel y de la muerte mientras que su perseguidor había sido herido por la maldición de Dios, y esas nuevas constituyeron el medio de inducir a muchos a creer en Cristo.

La experiencia de Felipe, dirigido por un ángel del cielo para que fuese adonde había de encontrarse con uno que buscaba la verdad; la de Cornelio, visitado por un ángel que le llevó un mensaje de Dios; la de Pedro, que, encarcelado y condenado a muerte, fue sacado a un lugar seguro por un ángel; todos estos casos demuestran cuán íntima es la relación que existe entre el cielo y la tierra.

El relato de estas visitas angélicas debe proporcionar fuerza y valor a aquel que trabaja por Dios. Hoy día, tan ciertamente como en el tiempo de los apóstoles, los mensajeros celestiales recorren toda la anchura y longitud de la tierra, tratando de consolar a los tristes, proteger a los impenitentes, ganar los corazones de los hombres a Cristo. No podemos verlos personalmente; pero no obstante, ellos están constantemente con nosotros para dirigirnos, guiarnos y protegernos.

El cielo se acerca a la tierra por esa escalera mística, cuya base está firmemente plantada en la tierra, mientras que su parte superior llega al trono del Infinito. Los ángeles están constantemente ascendiendo y descendiendo por esta escalera de deslumbrante resplandor, llevando las oraciones de los menesterosos y angustiados al Padre celestial, y trayendo bendición y esperanza, valor y ayuda, a los hijos de los hombres. Esos ángeles de luz crean una atmósfera celestial en derredor del alma, elevándonos hacia lo invisible y eterno. No podemos contemplar sus formas con nuestra vista natural; solamente mediante una visión espiritual podemos discernir las cosas celestiales. Solamente el oído espiritual puede oír la armonía de las voces celestiales.

"El ángel de Jehová acampa alrededor de los que le temen, y los defiende" (Salmo 34: 7). Dios envía a sus ángeles a salvar a sus escogidos de la calamidad, a protegerlos de "pestilencia que ande en oscuridad", y de "mortandad que en medio del día destruya" (Salmo 91: 6). Repetidas veces los ángeles han hablado con los hombres como un hombre habla con su amigo, y los han guiado a lugares seguros. Vez tras vez las palabras alentadoras de los ángeles han renovado los espíritus abatidos de los fieles, elevando sus mentes por encima de las cosas de la tierra, y los han inducido a contemplar por la fe las ropas blancas, las coronas y las palmas de victoria, que los vencedores recibirán cuando circunden el gran trono blanco.

La obra de los ángeles consiste en acercarse a los probados, dolientes o tentados. Trabajan incansablemente en favor de aquellos por quienes Cristo murió. Cuando los pecadores son inducidos a entregarse al Salvador, los ángeles llevan las nuevas al cielo, y hay gran regocijo entre la hueste celestial. "Habrá más gozo en el cielo por un pecador que se arrepiente, que por noventa y nueve justos que no necesitan de arrepentimiento" (S. Lucas 15: 7). De todo esfuerzo de nuestra parte por disipar las tinieblas y difundir el conocimiento de Cristo, se lleva un informe al cielo. Y al referirse la acción ante el Padre, el gozo conmueve todas las huestes celestiales.

Los principados y las potestades de los cielos están contemplando la guerra que, en circunstancias aparentemente desalentadoras, están riñendo los siervos de Dios. Se verifican nuevas conquistas, se ganan nuevos honores a medida que los cristianos, congregándose en derredor del estandarte de su Redentor, salen a pelear la buena batalla de la fe. Todos los ángeles celestiales están al servicio de los humildes y creyentes hijos de Dios; y cuando el ejército de obreros canta aquí en la tierra sus himnos de alabanza, el coro celestial se une a él para tributar loor á Dios y a su Hijo.

Necesitamos comprender más plenamente la misión de los ángeles. Sería bueno recordar que cada verdadero hijo de Dios cuenta con la cooperación de los seres celestiales. Ejércitos invisibles de luz y poder acompañan a los mansos y humildes que creen y aceptan las promesas de Dios; hay a la diestra de Dios querubes y serafines, y ángeles poderosos en fortaleza, "son todos espíritus ministradores, enviados para servicio a favor de los que serán herederos de la salvación" (Hebreos 1: 14).

CAPITULO 16

El Evangelio en Antioquía

DESPUES que los discípulos fueron expulsados de Jerusalén por la persecución, el mensaje evangélico se difundió rápidamente por las comarcas limítrofes de Palestina, y en importantes poblaciones se constituyeron pequeñas compañías de creyentes. Algunos de los discípulos "fueron hasta Fenicia, y Chipre, y Antioquía, predicando la palabra" (VM). Sus labores se limitaban por lo general a los judíos hebreos y griegos, de los cuales había entonces grandes colonias en casi todas las ciudades del mundo.

Entre los lugares mencionados donde el Evangelio fue recibido con regocijo, está Antioquía, entonces capital de Siria. El extenso comercio de aquel populoso centro atraía mucha gente de diversas nacionalidades. Al mismo tiempo, Antioquía era favorablemente conocida como punto de reu-

157

Bernabé trajo a Pablo de Tarso
para que ayudara en el desarrollo
de la iglesia de Antioquía.

nión para los amantes de la comodidad y el placer, por causa de su situación saludable, de hermosos alrededores, y de la riqueza, la cultura y el refinamiento que allí se hallaban. En los días de los apóstoles, había llegado a ser una ciudad de lujo y vicio.

El Evangelio fue públicamente enseñado en Antioquía por ciertos discípulos de Chipre y Cirene, quienes entraron "anunciando el Evangelio del Señor Jesús. Y la mano del Señor estaba con ellos", su fervorosa labor producía fruto, pues "gran número creyó y se convirtió al Señor".

"Llegó la noticia de estas cosas a oídos de la iglesia que estaba en Jerusalén; y enviaron a Bernabé que fuese hasta Antioquía". Al llegar a su nuevo campo de labor, Bernabé vio la obra hecha allí por la gracia divina, y "se regocijó, y exhortó a todos a que con propósito de corazón permaneciesen fieles al Señor".

La obra de Bernabé en Antioquía fue copiosamente bendecida y aumentó allí muchísimo el número de fieles. Al prosperar la obra, sintió Bernabé la necesidad de ayuda conveniente a fin de avanzar por las puertas abiertas por la providencia de Dios; y así se fue a Tarso en busca de Pablo quien, después de salir de Jerusalén algún tiempo antes, había estado trabajando en las comarcas de "Siria y de Cilicia", anunciando "la fe que en otro tiempo asolaba" (Gálatas 1: 21, 23). Bernabé encontró a Pablo y le persuadió a que volviese con él como su compañero en el ministerio.

En la populosa ciudad de Antioquía, halló Pablo un excelente campo de labor. Su erudición, sabiduría y celo influyeron poderosamente en los vecinos y forasteros de aquella culta ciudad, de manera que Pablo proporcionó precisamente la ayuda que Bernabé necesitaba. Durante un año trabajaron ambos discípulos unidos en fiel ministerio, comunicando a muchos el salvador conocimiento de Jesús de Nazaret, el Redentor del mundo.

Fue en Antioquía donde los discípulos fueron llamados por primera vez cristianos. El nombre les fue dado porque Cristo era el tema principal de su predicación, su enseñanza y su conversación. Continuamente volvían a contar los incidentes que habían ocurrido durante los días de su ministerio terrenal, cuando los discípulos eran bendecidos con su presencia personal. Se explayaban incansablemente en sus enseñanzas y en sus milagros de sanidad. Con labios temblorosos y ojos llenos de lágrimas hablaban de su agonía en el jardín, su traición, su juicio, y su ejecución, de la paciencia y humildad con que había soportado el ultraje y la tortura que le habían impuesto sus enemigos, y la piedad divina con que había orado por aquellos que lo perseguían. Su resurrección y ascensión, su obra en el cielo como el mediador del hombre caído, eran temas en los cuales se gozaban en explayarse. Bien podían los paganos llamarlos cristianos, siendo que predicaban a Cristo, y dirigían sus oraciones al Padre por medio de él. Fue Dios el que les dio el nombre de cristianos. Este es un nombre real, que se da a todos los que se unen con Cristo. En cuanto a este nombre Santiago escribió más tarde: "¿No os oprimen los ricos, y no son ellos los mismos que os arrastran a los tribunales? ¿No blasfeman ellos el buen nombre que fue invocado sobre vosotros?" (Santiago 2: 6, 7). Y Pedro declaró: "Si alguno padece como cristiano, no se avergüence, sino glorifique a Dios por ello". "Si sois vituperados por el nombre de Cristo, sois bienaventurados, porque el glorioso Espíritu de Dios reposa sobre vosotros" (1 S. Pedro 4: 16, 14).

Los creyentes de Antioquía comprendían que Dios estaba dispuesto a obrar en sus vidas "el querer como el hacer, por su buena voluntad" (Filipenses 2: 13). Mientras vivían en medio de un pueblo que parecía preocuparse poco por las cosas de valor eterno, trataban de dirigir la atención de los de corazón sincero, y dar testimonio positivo de Aquel a quien amaban y servían. En su humilde ministerio, aprendieron a depender del poder del Espíritu Santo para hacer eficaz la palabra de vida. Y así, en las diversas ocupaciones de la vida, daban testimonio diariamente de su fe en Cristo.

El ejemplo de los seguidores de Cristo en Antioquía debería constituir una inspiración para todo creyente que vive en las grandes ciudades del mundo hoy. Aunque es plan de Dios que escogidos y consagrados obreros de talento se establezcan en los centros importantes de población para dirigir esfuerzos públicos, es también su propósito que los miembros de la iglesia que viven en esas ciudades usen los talentos que Dios les ha dado trabajando por las almas. Hay en reserva ricas bendiciones para los que se entreguen plenamente al llamamiento de Dios. Mientras esos obreros se esfuercen por ganar almas para Jesús, hallarán que muchos que nunca hubieran sido alcanzados de otra manera están listos para responder al esfuerzo personal inteligente.

La causa de Dios en la tierra necesita hoy día representantes vivos de la verdad bíblica. Los ministros ordenados solos no pueden hacer frente a la tarea de amonestar a las grandes ciudades. Dios llama no solamente a ministros, sino también a médicos, enfermeros, colportores, obreros bíblicos, y a otros laicos consagrados de diversos talentos que conocen la Palabra de Dios y el poder de su gracia, y los invita a considerar las necesidades de las ciudades sin amonestar. El tiempo pasa rápidamente, y hay mucho que hacer. Deben usarse todos los agentes, para que puedan ser sabiamente aprovechadas las oportunidades actuales.

Las labores de Pablo en Antioquía, en unión con Bernabé, le fortalecieron en su convicción de que el Señor le había llamado a hacer una obra especial en el mundo gentil. En ocasión de la conversión de Pablo, el Señor había declarado que había de ser ministro a los gentiles, para abrir "sus ojos, para que se conviertan de las tinieblas a la luz, y de la potestad de Satanás a Dios; para que reciban, por la fe que es en mí, perdón de pecados y herencia entre los santificados" (Hechos 26: 18). El ángel que le apareció a Ananías le había dicho de Pablo: "Instrumento escogido me es éste, para llevar mi nombre en presencia de los gentiles, y de reyes, y de los hijos de Israel" (Hechos 9: 15). Y Pablo mismo, más tarde en su vida cristiana, mientras oraba en el templo de Jerusalén, había sido visitado por un ángel del cielo, que le ordenó: "Ve, porque yo te enviaré lejos a los gentiles" (Hechos 22: 21).

Así el Señor había mandado a Pablo que entrase en el vasto campo misionero del mundo gentil. A fin de prepararlo para esta extensa y difícil tarea, Dios le había atraído en estrecha comunión consigo y había abierto ante su arrobada visión las bellezas y glorias del cielo. Se le había confiado el ministerio de hacer conocer el "misterio" que había estado "oculto desde tiempos eternos", "el misterio de su voluntad", "misterio que en otras generaciones no se dio a conocer a los hijos de los hombres, como ahora es revelado a sus santos apóstoles y profetas por el Espíritu: que los gentiles son coherederos y miembros del mismo cuerpo, y copartícipes de la promesa en Cristo Jesús por medio del Evangelio, del cual —declara Pablo— yo fui hecho ministro... A mí, que soy menos que el más pequeño de todos los santos, me fue dada esta gracia de anunciar entre los gentiles el Evangelio de las inescrutables riquezas de Cristo, y de aclarar a todos cuál sea la dispensación del misterio escondido desde los siglos en Dios, que creó todas las cosas; para que la multiforme sabiduría de Dios sea ahora dada a conocer por medio de la iglesia a los principados y potestades en los lugares celestiales, conforme al propósito eterno que hizo en Cristo Jesús nuestro Señor" (Romanos 16: 25; Efesios 1: 9; 3: 5-11).

Dios había bendecido abundantemente las labores de Pablo y Bernabé durante el año que permanecieron en Antioquía. Pero ni uno ni otro había sido ordenado todavía formalmente para el ministerio evangélico. Habían llegado a un punto en su experiencia cristiana cuando Dios estaba por encomendarles el cumplimiento de una empresa misionera difícil en cuya prosecución necesitarían todos los beneficios que pudieran obtenerse por medio de la iglesia.

"Había entonces en la iglesia que estaba en Antioquía, profetas y maestros: Bernabé, Simón el que se llamaba Niger, Lucio de Cirene, Manaén... y Saulo. Ministrando éstos al Señor, y ayunando, dijo el Espíritu Santo: Apartadme a Bernabé y a Saulo para la obra a que los he llamado". Antes de ser enviados como misioneros al mundo pagano, estos apóstoles fueron dedicados solemnemente a Dios con ayuno y oración por la imposición de las manos. Así fueron autorizados por la iglesia, no solamente para enseñar la verdad, sino para cumplir el rito del bautismo, y para organizar iglesias, siendo investidos con plena autoridad eclesiástica.

La iglesia cristiana estaba entrando entonces en una era importante. La obra de proclamar el mensaje evangélico a los gentiles había de proseguirse ahora con vigor; y como resultado la iglesia iba a ser fortalecida por una gran cosecha de almas. Los apóstoles que habían sido designados para dirigir esta obra iban a exponerse a la suspicacia, los prejuicios y los celos. Sus enseñanzas concernientes al derribamiento de "la pared intermedia de separación" (Efesios 2: 14), que tanto tiempo había separado al mundo judío del gentil, iba a hacerlos objeto naturalmente de la acusación de herejía; y su autoridad como ministros del Evangelio iba a ser puesta en duda por muchos celosos creyentes judíos. Dios previó las dificultades que sus siervos estarían llamados a afrontar; y a fin de que su trabajo pudiera estar por encima de toda crítica, indicó a la iglesia por revelación que se los apartara públicamente para la obra del ministerio. Su ordenación fue un reconocimiento público de su elección divina para llevar a los gentiles las alegres nuevas del Evangelio.

Tanto Pablo como Bernabé habían recibido ya su comisión de Dios mismo, y la ceremonia de la imposición de las

manos no añadía ninguna gracia o cualidad virtual. Era una forma reconocida de designación para un cargo señalado, y un reconocimiento de la autoridad de uno para ese cargo. Por ella se colocaba el sello de la iglesia sobre la obra de Dios. Para los judíos, esta forma era significativa. Cuando un padre judío bendecía a sus hijos, colocaba sus manos reverentemente sobre su cabeza. Cuando se dedicaba un animal al sacrificio, uno investido de autoridad sacerdotal colocaba su mano sobre la cabeza de la víctima. Y cuando los ministros de la iglesia de Antioquía colocaron sus manos sobre Pablo y Bernabé, pidieron a Dios, por ese acto, que concediera su bendición a los apóstoles escogidos, en la devoción de éstos a la obra para la cual habían sido designados.

Ulteriormente, el rito de la ordenación por la imposición de las manos fue grandemente profanado; se le atribuía al acto una importancia infundada, como si sobre aquellos que recibían esa ordenación descendiera un poder que los calificaba inmediatamente para todo trabajo ministerial. Pero en el relato del apartamiento de esos dos apóstoles no hay indicación de que ninguna virtud les fue impartida por el mero acto de imponerles las manos. Se menciona simplemente su ordenación y la relación que ésta tenía con su futura obra.

Las circunstancias relacionadas con la separación de Pablo y Bernabé por el Espíritu Santo para una clase definida de servicio, muestran claramente que el Señor obra por medio de los agentes señalados en su iglesia organizada. Años antes, cuando el Salvador mismo reveló a Pablo el propósito divino para con él, lo puso inmediatamente en relación con los miembros de la recién organizada iglesia de Damasco. Además, la iglesia de ese lugar no fue dejada mucho tiempo a oscuras respecto a la experiencia personal del fariseo convertido. Y ahora, cuando la comisión divina dada en aquel tiempo había de realizarse más plenamente, el Espíritu Santo, dando testimonio de nuevo concerniente a Pablo como vaso escogido para llevar el Evangelio a los gentiles, confió a la iglesia la obra de ordenarlo a él y a su colaborador. Mientras los dirigentes de la iglesia de Antioquía estaban "ministrando... al Señor, y ayunando, dijo el Espíritu Santo: Apartadme a Bernabé y a Saulo para la obra a que los he llamado".

Dios ha constituido a su iglesia en la tierra en un canal de luz, y por su medio comunica sus propósitos y su voluntad. El no dará a uno de sus siervos una experiencia independiente de la iglesia y contraria a la experiencia de ella. No da a conocer a un hombre su voluntad para toda la iglesia, mientras la iglesia —el cuerpo de Cristo— sea dejada en tinieblas. En su providencia, coloca a sus siervos en estrecha relación con su iglesia, a fin de que tengan menos confianza en sí mismos y mayor confianza en otros a quienes él está guiando para hacer adelantar su obra.

Siempre ha habido en la iglesia quienes se inclinan constantemente a la independencia individual. Parecen incapaces de comprender que la independencia de espíritu puede inducir al agente humano a tener demasiada confianza en sí mismo, y a confiar en su propio juicio más bien que respetar el consejo y estimar debidamente el juicio de sus hermanos, especialmenten de aquellos que ocupan los puestos que Dios ha señalado para la dirección de su pueblo. Dios ha investido a su iglesia con especial autoridad y poder, que nadie tiene derecho de desatender y despreciar; porque el que lo hace desprecia la voz de Dios.

Los que se inclinan a considerar su juicio individual como supremo están en grave peligro. Es un plan estudiado de Satanás separarlos de aquellos que son canales de luz y por medio de quienes Dios ha obrado para unificar y extender su obra en la tierra. Descuidar o despreciar a aquellos a quienes Dios ha señalado para llevar las responsabilidades de la dirección en relación con el avance de la verdad, es rechazar los medios que ha dispuesto para ayudar, animar y fortalecer a su pueblo. El que cualquier obrero de la causa de Dios pase por alto a los tales y piense que la luz divina no puede venir por ningún otro medio que directamente de Dios, es colocarse en una posición donde está expuesto a ser engañado y vencido por el enemigo. El Señor en su sabiduría ha dispuesto que por medio de la estrecha relación que deberían mantener entre sí todos los creyentes, un cristiano esté unido a otro cristiano, y una iglesia a otra iglesia. Así el instrumento humano será capacitado para cooperar con el divino. Todo agente ha de estar subordinado al Espíritu Santo, y todos los creyentes han de estar unidos en un esfuerzo organizado y bien dirigido para dar al mundo las alegres nuevas de la gracia de Dios.

Pablo consideró la ocasión de su ordenación formal como el punto de partida que marcaba una nueva e importante época de su vida. Y desde esa ocasión hizo arrancar más tarde el comienzo de su apostolado en la iglesia cristiana.

Mientras la luz del Evangelio brillaba con esplendor en Antioquía, los apóstoles que habían quedado en Jerusalén continuaban haciendo una obra importante. Cada año, en el tiempo de las fiestas, muchos judíos de todos los países iban a Jerusalén para adorar en el templo. Algunos de esos peregrinos eran hombres de piedad ferviente y fervorosos estudiantes de las profecías. Estaban aguardando y ansiando el advenimiento del Mesías prometido, la esperanza de Israel. Mientras Jerusalén estaba llena de esos forasteros, los apóstoles predicaban a Cristo con denodado valor, aunque sabían que al hacerlo estaban arriesgando constantemente la vida. El Espíritu de Dios puso su sello sobre sus labores; se obtuvieron muchos conversos a la fe; y éstos, al volver a sus hogares en diversas partes del mundo, diseminaban las semillas de verdad en todas las naciones, y entre todas las clases de la sociedad.

Entre los apóstoles que se ocupaban en esta obra, se destacaban Pedro, Santiago y Juan, quienes creían que Dios los había señalado para predicar a Cristo entre sus paisanos. Trabajaban fiel y sabiamente, dando testimonio de las cosas que habían visto y oído; y apelando a la "palabra profética más segura" (2 S. Pedro 1: 19), esforzábanse por persuadir a "la casa de Israel, que a este Jesús" que los judíos habían rechazado, Dios había "hecho Señor y Cristo" (Hechos 2: 36).

12—H.M.C.A., ACTS Span.

CAPITULO 17

Este capítulo está basado en Hechos 13: 4-52.

Heraldos del Evangelio

ENVIADOS así por el Espíritu Santo, Pablo y Bernabé, después de su ordenación por los hermanos de Antioquía, "descendieron a Seleucia, y de allí navegaron a Chipre". Así empezaron los apóstoles su primera gira misionera.

Chipre era uno de los lugares a los cuales los creyentes habían huido de Jerusalén por causa de la persecución que siguió a la muerte de Esteban. Y era desde Chipre de donde habían ido ciertos hombres a Antioquía, "anunciando el Evangelio del Señor Jesús" (Hechos 11: 20). Bernabé mismo era "natural de Chipre"(Hechos 4: 36); y ahora él y Pablo, acompañados por Juan Marcos, un pariente de Bernabé, visitaron ese país isleño.

La madre de Marcos se había convertido a la religión cristiana, y su casa en Jerusalén era un asilo para los discípulos. Allí estaban siempre seguros de ser bienvenidos y de gozar de un período de descanso. Fue en una de esas visitas de los apóstoles a la casa de su madre, cuando Marcos

169

Un hechicero de Salamina que se oponía a la predicación del evangelio fue herido con ceguera.

propuso a Pablo y Bernabé acompañarlos en su viaje misionero. Sentía la gracia de Dios en su corazón, y anhelaba dedicarse enteramente a la obra del ministerio evangélico.

Al llegar a Salamina, los apóstoles "anunciaban la palabra de Dios en las sinagogas de los judíos... Y habiendo atravesado toda la isla hasta Pafos, hallaron a cierto mago, falso profeta, judío, llamado Barjesús, que estaba con el procónsul Sergio Paulo, varón prudente. Este, llamando a Bernabé y a Saulo, deseaba oír la palabra de Dios. Pero les resistía Elimas, el mago (pues así se traduce su nombre), procurando apartar de la fe al procóncul".

Satanás no permite sin lucha que el reino de Dios se edifique en la tierra. Las huestes del mal están empeñadas en incesante guerra contra los agentes designados para la predicación del Evangelio; y estas potestades de las tinieblas están especialmente activas cuando se proclama la verdad ante hombres de reputación y genuina integridad. Así sucedió cuando Sergio Paulo, el procónsul de Chipre, escuchaba el mensaje evangélico. El procónsul había hecho llamar a los apóstoles para que se le enseñara el mensaje que habían venido a dar; y ahora las fuerzas del mal, obrando por medio del hechicero Elimas, trataron, con sus funestas sugestiones, de apartarlo de la fe y frustrar así el propósito de Dios.

Así el enemigo caído trabaja siempre por conservar en sus filas a los hombres de influencia que, si se convirtieran, podrían prestar eficaz servicio en la causa de Dios. Pero el fiel obrero evangélico no necesita temer ser derrotado por el enemigo; porque es su privilegio ser dotado de poder celestial para resistir toda influencia satánica.

Aunque penosamente acosado por Satanás, Pablo tuvo valor para increpar a aquel por quien el enemigo estaba trabajando. "Lleno del Espíritu Santo", el apóstol, "fijando en él los ojos, dijo: ¡Oh, lleno de todo engaño y de toda maldad, hijo del diablo, enemigo de toda justicia! ¿No cesarás de trastornar los caminos rectos del Señor? Ahora, pues, he aquí la mano del Señor está contra ti, y serás ciego, y no verás el sol por algún tiempo. E inmediatamente cayeron sobre él oscuridad y tinieblas; y andando alrededor, buscaba quien le condujese de la mano. Entonces el procónsul, viendo lo que había sucedido creyó, maravillado de la doctrina del Señor".

El adivino había cerrado los ojos a las evidencias de la verdad evangélica; y el Señor, con justo enojo, cegó sus ojos naturales, privándolo de la luz del día. La ceguera no fue permanente, sino temporal, a fin de que le indujese a arrepentirse y a procurar perdón del Dios a quien había ofendido tan gravemente. La confusión en la cual se vio sumido anuló sus sutiles artes contra las doctrinas de Cristo. El hecho de que se viera obligado a andar a tientas en su ceguera demostró a todos que los milagros que los apóstoles habían realizado, y que Elimas había denunciado como prestidigitación, eran producidos por el poder de Dios. El procónsul, convencido de la verdad de la doctrina que enseñaban los apóstoles aceptó el Evangelio.

Elimas no era un hombre instruido; sin embargo era singularmente apto para hacer la obra de Satanás. Aquellos que predican la verdad de Dios encontrarán al astuto enemigo en muchas formas diferentes. A veces será en la persona de los instruidos, pero más a menudo en la de ignorantes a quienes Satanás adiestró como instrumentos eficaces para engañar a las almas. Es el deber del ministro de Cristo permanecer fiel en su puesto, en el temor de Dios y en el poder de su fortaleza. Así puede confundir a las huestes de Satanás y triunfar en el nombre del Señor.

Pablo y sus compañeros continuaron viaje a Perge de Panfilia. Su camino era penoso; afrontaban adversidades y privaciones, y estaban acosados por peligros por doquiera. En los pueblos y ciudades por los cuales pasaban y a lo largo de los caminos solitarios, estaban rodeados de peligros visibles e invisibles. Pero Pablo y Bernabé habían aprendido a confiar en el poder libertador de Dios. Sus corazones estaban llenos de ferviente amor por las almas que perecían. Como fieles pastores que buscaban las ovejas perdidas, no pensaban en su propia comodidad y conveniencia. Olvidándose de sí mismos, no vacilaban frente al cansancio, el hambre y el frío. No tenían sino un objeto en vista: la salvación de aquellos que se habían apartado lejos del redil.

Allí fue donde Marcos, abrumado por el temor y el desaliento, vaciló por un tiempo en su propósito de entregarse de todo corazón a la obra del Señor. No acostumbrado a las penurias, se desalentó por los peligros y las privaciones del camino. Había trabajado con éxito en circunstancias favorables; pero ahora, en medio de la oposición y los peligros que con tanta frecuencia asedian al obrero de avanzada, no supo soportar las durezas como buen soldado de la cruz. Tenía todavía que aprender a arrostrar el peligro, la persecución y la adversidad con corazón valiente. Al avanzar los apóstoles, y al sentir la aprensión de dificultades aun mayores, Marcos se intimidó, y perdiendo todo valor, se negó a avanzar, y volvió a Jerusalén.

Esta deserción indujo a Pablo a juzgar desfavorable y aun severamente por un tiempo a Marcos. Bernabé, por otro lado, se inclinaba a excusarlo por causa de su inexperiencia.

Anhelaba que Marcos no abandonase el ministerio, porque veía en él cualidades que le habilitarían para ser un obrero útil para Cristo. En años ulteriores su solicitud por Marcos fue ricamente recompensada; porque el joven se entregó sin reservas al Señor y a la obra de predicar el mensaje evangélico en campos difíciles. Bajo la bendición de Dios y la sabia enseñanza de Bernabé, se transformó en un valioso obrero.

Pablo se reconcilió más tarde con Marcos, y le recibió como su colaborador. También lo recomendó a los colosenses como colaborador "en el reino de Dios", y uno que me ha "sido... consuelo" (Colosenses 4: 11). De nuevo, no mucho antes de su muerte, habló de Marcos como uno que le era "útil para el ministerio" (2 Timoteo 4: 11).

Después de la partida de Marcos, Pablo y Bernabé visitaron Antioquía de Pisidia, y el sábado fueron a la sinagoga de los judíos, y se sentaron. "Después de la lectura de la ley y de los profetas, los principales de la sinagoga mandaron a decirles: Varones hermanos, si tenéis alguna palabra de exhorta-

ción para el pueblo, hablad". Al ser inuitado así a hablar, "Pablo, levantándose, hecha señal de silencio con la mano, dijo: Varones israelitas, y los que teméis a Dios, oíd". Entonces pronunció un maravilloso discurso. Historió la manera en que el Señor había tratado con los judíos desde el tiempo de la liberación de la esclavitud egipcia, y cómo se había prometido un Salvador, de la simiente de David; y osadamente declaró que "de la descendencia de éste, y conforme a la promesa, Dios levantó a Jesús por Salvador a Israel. Antes de su venida, predicó Juan el bautismo de arrepentimiento a todo el pueblo de Israel. Mas cuando Juan terminaba su carrera, dijo: ¿Quién pensáis que soy? No soy yo él; mas he aquí viene tras mí uno de quien no soy digno de desatar el calzado de los pies". Así predicó con poder a Jesús como el Salvador de los hombres, el Mesías de la profecía.

Habiendo hecho esta declaración Pablo dijo: "Varones hermanos, hijos del linaje de Abrahán, y los que entre vosotros teméis a Dios, a vosotros es enviada la palabra de esta salvación. Porque los habitantes de Jerusalén y sus gobernantes, no conociendo a Jesús, ni las palabras de los profetas que se leen todos los días de reposo, las cumplieron al condenarle".

Pablo no vaciló en decir claramente la verdad acerca del rechazamiento del Salvador por los dirigentes judíos. "Y sin hallar en él causa digna de muerte —declaró el apóstol—, pidieron a Pilato que se le matase. Y habiendo cumplido todas las cosas que de él estaban escritas, quitándolo del madero, lo pusieron en el sepulcro. Mas Dios le levantó de los muertos. Y él se apareció durante muchos días a los que habían subido juntamente con él de Galilea a Jerusalén, los cuales ahora son sus testigos ante el pueblo.

"Y nosotros también os anunciamos el Evangelio —continuó el apóstol— de aquella promesa hecha a nuestros padres, la cual Dios ha cumplido a los hijos de ellos, a nosotros, resucitando a Jesús; como está escrito también en el salmo segundo: Mi hijo eres tú, yo te he engendrado hoy. Y en cuanto a que le levantó de los muertos para nunca más volver a corrupción, lo dijo así: Os daré las misericordias fieles de David. Por eso dice también en otro salmo: No permitirás que tu Santo vea corrupción. Porque a la verdad David, habiendo servido a su propia generación según la voluntad de Dios, durmió, y fue reunido con sus padres, y vio corrupción. Mas aquel a quien Dios levantó, no vio corrupción".

Y luego, habiendo hablado claramente del cumplimiento de profecías familiares concernientes al Mesías, Pablo les predicó el arrepentimiento y la remisión del pecado por los méritos de Jesús su Salvador. "Sabed, pues, esto, varones hermanos —dijo—: que por medio de él se os anuncia perdón de pecados, y que de todo aquello de que por la ley de Moisés no pudisteis ser justificados, en él es justificado todo aquel que cree".

El Espíritu de Dios acompañó las palabras que fueron habladas, y fueron tocados los corazones. El apóstol apeló a las profecías del Antiguo Testamento, y su declaración de que éstas se habían cumplido en el ministerio de Jesús de Nazaret, convenció a muchos, que anhelaban el advenimiento del Mesías prometido. Y las palabras de seguridad del orador de que "el Evangelio" de la salvación era para judíos y gentiles por igual, infundió esperanza y gozo a aquellos que no se contaban entre los hijos de Abrahán según la carne.

"Cuando salieron ellos de la sinagoga de los judíos, los gentiles les rogaron que el siguiente día de reposo les hablasen de estas cosas". Habiéndose disuelto finalmente la congregación, "muchos de los judíos y de los presélitos piadosos", que habían aceptado las buenas nuevas que se les dieron ese día, "siguieron a Pablo y a Bernabé, quienes hablándoles, les persuadían a que perseverasen en la gracia de Dios".

El interés que despertó en Antioquía de Pisidia el discurso de Pablo, reunió, el sábado siguiente, "casi toda la ciudad para oír la palabra de Dios. Pero viendo los judíos la muchedumbre, se llenaron de celos, y rebatían lo que Pablo decía, contradiciendo y blasfemando.

"Entonces Pablo y Bernabé, hablando con denuedo, dijeron: A vosotros a la verdad era necesario que se os hablase primero la palabra de Dios; mas puesto que la desecháis, y no os juzgáis dignos de la vida eterna, he aquí, nos volvemos a los gentiles. Porque así nos ha mandado el Señor, diciendo: Te he puesto para luz de los gentiles, a fin de que seas para salvación hasta lo último de la tierra.

"Los gentiles, oyendo esto, se regocijaban y glorificaban la palabra del Señor, y creyeron todos los que estaban ordenados para vida eterna". Se regocijaron sobremanera porque Cristo los reconocía como hijos de Dios, y con corazones agradecidos escucharon la palabra predicada. Los que creyeron fueron celosos en comunicar a otros el mensaje evangélico, y así "la palabra del Señor se difundía por toda aquella provincia".

Siglos antes, la pluma de la inspiración había descrito esta cosecha de los gentiles; pero esas declaraciones proféticas se habían entendido sólo oscuramente. Oseas había dicho: "Sin embargo ..., el número de los hijos de Israel será como las arenas del mar, que no pueden ser medidas ni contadas: y acontecerá que en el lugar donde les fue dicho: No sois mi pueblo, les será dicho: ¡Hijos sois del Dios vivo!" Y en otro lugar: "Te sembraré para mí mismo en la tierra; y me compadeceré de la no compadecida, y al que dije que no era mi pueblo, le diré: ¡Pueblo mío eres! y él me dirá a mí: ¡Tú eres mi Dios!" (Oseas 1: 10; 2: 23, VM).

El Salvador mismo, durante su ministerio terrenal, predijo la difusión del Evangelio entre los gentiles. En la parábola de la viña, declaró a los impenitentes judíos: "El reino de Dios será quitado de vosotros, y será dado a gente que produzca los frutos de él" (S. Mateo 21: 43). Y después de su resurrección, comisionó a sus discípulos a ir "por todo el mundo", y doctrinar "a todas las naciones". No debían dejar a nadie sin amonestar, sino que habían de predicar "el Evangelio a toda criatura" (S. Mateo 28: 19; S. Marcos 16: 15).

Al volverse a los gentiles en Antioquía de Pisidia, Pablo y Bernabé no dejaron de trabajar por los judíos dondequiera que tuviesen oportunidad de hacerse oír. Más tarde, en Tesalónica, en Corinto, en Efeso y en otros centros importantes, Pablo y sus compañeros de labor predicaron el Evangelio tanto a los judíos como a los gentiles. Pero sus mejores energías se dirigieron desde entonces a la edificación del reino de Dios en territorio pagano, entre pueblos que no tenían sino poco o ningún conocimiento del verdadero Dios y de su Hijo.

El corazón de Pablo y de sus colaboradores suspiraba por aquellos que estaban "sin Cristo, alejados de la ciudadanía de Israel y ajenos a los pactos de la promesa, sin esperanza y sin Dios en el mundo". Mediante el incansable ministerio de los apóstoles de los gentiles, los "extranjeros" y "advenedizos", que "en otro tiempo" estaban "lejos", supieron que habían "sido hechos cercanos por la sangre de Cristo", y que por la fe en su sacrificio expiatorio, podían llegar a ser "conciudadanos de los santos, y miembros de la familia de Dios" (Efesios 2: 12, 13, 19).

Avanzando por la fe, Pablo trabajaba incesantemente por la edificación del reino de Dios entre aquellos que habían sido descuidados por los maestros de Israel. Exaltaba constantemente a Cristo Jesús como "Rey de reyes, y Señor de señores", y exhortaba a los que creían a ser "arraigados y sobreedificados en él, y confirmados en la fe" (1 Timoteo 6: 15; Colosenses 2: 7).

Para los que creen, Cristo es un fundamento seguro. Sobre esta piedra viva, pueden edificar igualmente judíos y gentiles. Es bastante ancho para todos, y bastante fuerte para sostener el peso y la carga de todo el mundo. Este es un hecho claramente reconocido por Pablo mismo. En los días finales de su ministerio, cuando al dirigirse a un grupo de gentiles creyentes que habían permanecido firmes en su amor a la verdad del Evangelio, el apóstol escribió que estaban "edificados sobre el fundamento de los apóstoles y profetas, siendo la principal piedra del ángulo Jesucristo mismo" (Efesios 2: 20).

Cuando el mensaje evangélico se extendió en Pisidia, los judíos incrédulos de Antioquía, cegados por el prejuicio, "instigaron a mujeres piadosas y distinguidas, y a los principales de la ciudad, y levantaron persecución contra Pablo y Bernabé, y los expulsaron" de aquel distrito.

Los apóstoles no se desanimaron por este trato; recordaron las palabras del Señor: "Bienaventurados sois cuando por mi causa os vituperen y os persigan, y digan toda clase de mal contra vosotros, mintiendo. Gozaos y alegraos, porque vuestro galardón es grande en los cielos; porque así persiguieron a los profetas que fueron antes de vosotros" (S. Mateo 5: 11, 12).

El mensaje evangélico avanzaba, y los apóstoles tenían plena razón para sentirse animados. Sus labores habían sido ricamente bendecidas entre los de Pisidia que vivían en Antioquía, y los creyentes a quienes habían dejado solos para continuar la obra durante un tiempo, "estaban llenos de gozo y del Espíritu Santo".

CAPITULO 18

Este capítulo está basado en Hechos 14: 1-26.

La Predicación
Entre los Paganos

DE ANTIOQUIA de Pisidia, Pablo y Bernabé fueron a Iconio. En ese lugar, como en Antioquía, comenzaron sus labores en la sinagoga de su propio pueblo. Tuvieron un éxito notable; "creyó una gran multitud de judíos, y asimismo de griegos". Pero en Iconio, como en otros lugares donde los apóstoles trabajaron, "los judíos que no creían excitaron y corrompieron los ánimos de los gentiles contra los hermanos".

Los apóstoles, sin embargo, no se dejaron desviar de su misión; porque muchos aceptaban el Evangelio de Cristo. Frente a la oposición, la envidia y el prejuicio, continuaron su trabajo, "hablando con denuedo, confiados en el Señor", y Dios "daba testimonio a la palabra de su gracia, concediendo que se hiciesen por las manos de ellos señales y prodigios". Estas evidencias de la aprobación divina tenían

181

Pablo fue apedreado por una turba
en Listra; pero se recuperó
milagrosamente y regresó a la ciudad.

una poderosa influencia sobre aquellos cuyas mentes estaban abiertas a la convicción, y los conversos al Evangelio se multiplicaban.

La creciente popularidad del mensaje predicado por los apóstoles llenó de envidia y odio a los judíos incrédulos, y resolvieron éstos poner coto de una vez a las labores de Pablo y Bernabé. Mediante falsos y exagerados informes, indujeron a las autoridades a temer que toda la ciudad fuera incitada a la insurrección. Declararon que muchos se estaban adhiriendo a los apóstoles, y sugirieron que lo hacían con secretos y peligrosos designios.

Como resultado de estas acusaciones, los discípulos fueron conducidos repetidas veces ante las autoridades; pero su defensa era tan clara y sensata, y su exposición de lo que enseñaban era tan serena y amplia, que se ejerció una poderosa influencia en favor de ellos. Aunque los magistrados tenían prejuicios contra ellos debido a las falsas declaraciones que habían oído, no se atrevieron a condenarlos. No podían menos que reconocer que las enseñanzas de Pablo y Bernabé tendían a formar hombres virtuosos, ciudadanos obedientes de la ley, y que la moral y el orden de la ciudad se fortalecerían si fueran aceptadas las verdades enseñadas por los apóstoles.

A causa de la oposición que afrontaban los discípulos, se le dio mucha publicidad al mensaje de la verdad; los judíos veían que sus esfuerzos por desbaratar la obra de los nuevos maestros no hacían sino añadir gran número de personas a la nueva fe. "La gente de la ciudad estaba dividida: unos estaban con los judíos, y otros con los apóstoles".

Tan enfurecidos estaban los jefes de los judíos por el giro que las cosas tomaban, que decidieron lograr sus fines por la violencia. Despertando las peores pasiones de la ignorante y turbulenta multitud, lograron crear un tumulto, que atribuyeron a las enseñanzas de los discípulos. Mediante esta falsa acusación esperaban que los magistrados les ayudasen a realizar su propósito. Resolvieron que los apóstoles no tuviesen oportunidad de justificarse, y que la multitud interviniese apedreando a Pablo y Bernabé, poniendo así fin a sus labores.

Algunos amigos de los apóstoles, que no eran creyentes, les advirtieron de los maliciosos designios de los judíos, y los instaron a no exponerse innecesariamente a la furia de la turba, sino a escapar por su vida. De consiguiente, Pablo y Bernabé salieron en secreto de Iconio, dejando que los creyentes continuaran solos por algún tiempo el trabajo. Pero su despedida no era de ninguna manera definitiva; se proponían volver, después que hubiera pasado la excitación, y completar la obra comenzada.

En todo tiempo y en todos los países, los mensajeros de Dios han sido llamados a afrontar acerba oposición de parte de aquellos que deliberadamente escogían rechazar la luz del cielo. A menudo, mediante la tergiversación y la mentira, los enemigos del Evangelio han triunfado aparentemente, cerrando las puertas por las cuales los mensajeros de Dios podían tener acceso al pueblo. Pero esas puertas no pueden permanecer cerradas para siempre; y a menudo, al volver los siervos de Dios después de un tiempo para reanudar sus labores, el Señor ha obrado poderosamente en su favor y los ha habilitado para establecer monumentos destinados a glorificar su nombre.

Expulsados de Iconio por la persecución, los apóstoles fueron a Listra y Derbe, en Licaonia. Estas ciudades esta-

183

ban habitadas mayormente por gente pagana y supersticiosa, pero había entre ellos algunos que estaban dispuestos a oír y aceptar el mensaje evangélico. En estos lugares y en la campiña circundante decidieron trabajar los apóstoles, esperando evitar el prejuicio y la persecución de los judíos.

En Listra no había sinagoga judía, aunque vivían en la ciudad unos pocos judíos. Muchos de los habitantes de Listra adoraban en un templo dedicado a Júpiter. Cuando Pablo y Bernabé aparecieron en la ciudad y, reuniendo a su alrededor a los listrenses, explicaron las verdades sencillas del Evangelio, muchos trataron de relacionar esas doctrinas con su propia creencia supersticiosa en el culto de Júpiter.

Los apóstoles se esforzaron por impartir a estos idólatras un conocimiento del Dios Creador y de su Hijo, el Salvador de la especie humana. Primero atrajeron su atención a las obras admirables de Dios, que son el sol, la luna y las estrellas, el hermoso orden de las estaciones sucesivas, las altas montañas y otras varias maravillas de la naturaleza, que demostraban una habilidad que superaba la comprensión humana. Por medio de estas obras del Todopoderoso, los apóstoles dirigieron la mente de los paganos a la contemplación del gran Gobernante del universo.

Habiendo presentado estas verdades fundamentales concernientes al Creador, los apóstoles hablaron a los listrenses del Hijo de Dios, que vino del cielo a nuestro mundo porque amaba a los hijos de los hombres. Hablaron de su vida y ministerio, su rechazamiento por aquellos a quienes vino a salvar, su juicio y crucificción, su resurrección y su ascensión al cielo, para actuar allí como abogado del hombre. Así, con el Espíritu y el poder de Dios, Pablo y Bernabé predicaron el Evangelio en Listra.

En una oportunidad, mientras Pablo estaba hablando a la gente de la obra de Cristo como sanador de los enfermos y afligidos, vio entre sus oyentes un lisiado, cuyos ojos estaban fijos en él, y que recibía y creía sus palabras. El corazón de Pablo se conmovió de simpatía hacia el hombre afligido, en quien discernía a uno que "tenía fe para ser sanado". En presencia de la asamblea idólatra, Pablo ordenó al lisiado que se pusiera de pie. Hasta entonces el enfermo no había podido más que sentarse, pero ahora, obedeció instantáneamente a la orden de Pablo, y por primera vez en su vida se puso de pie. Al ejercer así su fe, recibió fuerzas, y el que había sido lisiado "saltó, y anduvo".

"Entonces la gente, visto lo que Pablo había hecho, alzó la voz, diciendo en lengua licaónica: Dioses bajo la semejanza de hombres han descendido a nosotros". Esta declaración estaba de acuerdo con una tradición suya según la cual los dioses visitaban ocasionalmente la tierra. A Bernabé le llamaron Júpiter, el padre de los dioses, debido a su venerable apariencia, su digno porte, y la suavidad y benevolencia expresadas en su rostro. Creyeron que Pablo era Mercurio,

"porque éste era el que llevaba la palabra", fervoroso y activo, y era elocuente en sus palabras de amonestación y exhortación.

Los listrenses, ansiosos de mostrar su gratitud, persuadieron al sacerdote de Júpiter que honrara a los apóstoles, y él, "trajo toros y guirnaldas delante de las puertas, y juntamente con la muchedumbre quería ofrecer sacrificios". Pablo y Bernabé, que habían buscado recogimiento y descanso, no estaban enterados de los preparativos. Pronto, sin embargo, les llamó la atención el sonido de la música y el vocerío entusiasta de una gran multitud que había venido a la casa donde ellos se alojaban.

Cuando los apóstoles descubrieron la causa de esta visita y su acompañante excitación, "rasgaron sus ropas, y se lanzaron entre la multitud, dando voces", con la esperanza de evitar que siguieran con sus planes. En voz alta y resonante, que se sobrepuso al vocerío de la gente, Pablo requirió su atención; y cuando el tumulto cesó repentinamente, dijo: "Varones, ¿por qué hacéis esto? Nosotros también somos hombres semejantes a vosotros, que os anunciamos que de estas vanidades os convirtáis al Dios vivo, que hizo el cielo y la tierra, el mar, y todo lo que en ellos hay. En las edades pasadas él ha dejado a todas las gentes andar en sus caminos; si bien no se dejó a sí mismo sin testimonio, haciendo bien, dándonos lluvias del cielo y tiempos fructíferos, llenando de sustento y de alegría nuestros corazones".

No obstante la categórica negación de los apóstoles de que ellos fueran divinos y no obstante los esfuerzos de Pablo por dirigir la mente de la gente al verdadero Dios como el único objeto digno de adoración, fue casi imposible disuadir a los paganos de su intención de ofrecer sacrificio. Habían creído tan firmemente que esos hombres eran en verdad dioses, y era tan grande su entusiasmo, que estaban poco dispuestos a reconocer su error. El relato dice que "apenas apaciguaron el pueblo" (versión Reina-Valera, 1909).

Los listrenses razonaban que habían contemplado con sus propios ojos el milagroso poder ejercido por los apóstoles. Habían visto regocijarse con perfecta salud y fuerza a un lisiado que nunca antes había podido caminar. Sólo después de mucha persuasión de parte de Pablo, y de explicar cuidadosamente su misión y la de Bernabé como representantes del Dios del cielo y de su Hijo, el gran Sanador, el pueblo fue persuadido a abandonar su propósito. Las labores de Pablo y Bernabé en Listra fueron repentinamente reprimidas por la malicia de "unos judíos de Antioquía y de Iconio", que, al enterarse del éxito del trabajo de los apóstoles entre los licaonianos, habían resuelto ir tras ellos y perseguirlos. Al llegar a Listra, los judíos lograron pronto inspirar a la gente la misma amargura de espíritu que los dominaba. Por falsedades y calumnias, aquellos que poco antes habían considerado a Pablo y Bernabé como seres divinos, quedaron convencidos de que en realidad los apóstoles eran peores que criminales y eran dignos de muerte.

El chasco que los listrenses habían sufrido al negárseles el privilegio de ofrecer sacrificio a los apóstoles los preparó para volverse contra Pablo y Bernabé con un entusiasmo parecido a aquel con el cual los habían aclamado como dioses. Incitados por los judíos, se propusieron atacar a los apóstoles por la fuerza. Los judíos les encomendaron que no le diesen a Pablo la oportunidad de hablar, arguyendo que si le concedían ese privilegio, embrujaría al pueblo.

Pronto fueron cumplidos los criminales designios de los

enemigos del Evangelio. Entregándose a la influencia del mal, los listrenses quedaron poseídos de una furia satánica, y echando mano de Pablo, le apedrearon. El apóstol pensó que su fin había llegado. Recordó vívidamente el martirio de Esteban, y la cruel parte que él mismo había desempeñado en aquella ocasión. Cubierto de magulladuras y desmayando de dolor, cayó al suelo, y la enfurecida multitud, lo sacó "fuera de la ciudad, pensando que estaba muerto".

En esa hora de oscuridad y prueba, los creyentes de Listra, que mediante el ministerio de Pablo y Bernabé se habían convertido a la fe de Jesús, permanecieron leales y fieles. La irrazonable oposición y cruel persecución de sus enemigos sirvieron solamente para confirmar la fe de estos devotos hermanos; y ahora, frente al peligro y el escarnio, mostraron su lealtad reuniéndose con tristeza alrededor del cuerpo de aquel que creían muerto.

Cuál no fue su sorpresa cuando, en medio de sus lamentos, el apóstol levantó repentinamente la cabeza, y se puso en pie, con alabanza de Dios en sus labios. Esta inesperada restauración del siervo de Dios fue considerada por los creyentes como un milagro del poder divino, y pareció poner el sello del cielo sobre su cambio de creencia. Se regocijaron con indecible alegría, y alabaron a Dios con renovada fe.

Entre los que se convirtieron en Listra, y que fueron testigos oculares de los sufrimientos de Pablo, se contaba uno que había de llegar a ser más tarde un obrero eminente de Cristo, quien había de participar con el apóstol en las pruebas y los goces del servicio de avanzada en campos difíciles. Era un joven llamado Timoteo. Cuando Pablo fue arrastrado fuera de la ciudad, este joven discípulo se hallaba entre aquellos que se quedaron al lado de su cuerpo aparentemente sin vida, y que le vieron levantarse magullado y cubierto de sangre, pero con alabanzas en los labios, porque se le había permitido sufrir por Cristo.

Al día siguiente de la lapidación de Pablo, los apóstoles partieron para Derbe, donde sus labores fueron bendecidas, y muchas almas fueron inducidas a recibir a Cristo como el Salvador. Pero "después de anunciar el Evangelio a aquella ciudad y de hacer muchos discípulos", ni Pablo ni Bernabé estaban contentos con emprender obra en cualquier otra parte sin confirmar la fe de los conversos que se habían visto obligados a dejar solos por un tiempo en los lugares donde habían trabajado recientemente. Y así, sin amedrentarse frente al peligro, "volvieron a Listra, a Iconio y a Antioquía, confirmando los ánimos de los discípulos, exhortándoles a que permaneciesen en la fe". Muchos habían aceptado las buenas nuevas del Evangelio, y se habían expuesto así al vituperio y la oposición. A éstos trataron los apóstoles de establecerlos en la fe, a fin de que el trabajo hecho pudiera subsistir.

Como factor importante del crecimiento espiritual de los nuevos conversos, los apóstoles se esforzaron por rodearlos con las salvaguardias del orden evangélico. Organizaron iglesias en todos los lugares de Licaonia y Pisidia donde había creyentes. En cada iglesia elegían directores y establecían el debido orden y sistema para la conducción de todos los asuntos pertenecientes al bienestar espiritual de los creyentes.

Esto estaba en armonía con el plan evangélico de unir en un solo cuerpo a todos los creyentes en Cristo, y Pablo tuvo mucho cuidado de seguir este plan en todo su ministerio. Los que en cualquier lugar eran inducidos por sus labores a aceptar a Cristo como su Salvador, eran, al debido tiempo, organizados en iglesia. Se hacía esto aun cuando los creyentes no fueran sino pocos. Así se les enseñaba a los cristianos a ayudarse unos a otros, recordando la promesa: "Donde están dos o tres congregados en mi nombre, allí estoy yo en medio de ellos" (S. Mateo 18: 20).

Y Pablo no olvidaba a las iglesias así establecidas. El cuidado de esas iglesias pesaba sobre su ánimo como una carga siempre creciente. Por pequeño que fuera el grupo, era no obstante objeto de su constante solicitud. Velaba tiernamente por las iglesias más pequeñas, comprendiendo que necesitaban especial cuidado, a fin de que los miembros pudieran ser cabalmente establecidos en la verdad, y enseñados a realizar esfuerzos fervientes y abnegados por aquellos que los rodeaban.

En todos sus esfuerzos misioneros, Pablo y Bernabé procuraban seguir el ejemplo de Cristo de voluntario sacrificio y fiel y fervorosa labor en bien de las almas. Siempre despiertos, celosos e infatigables, no tomaban en cuenta su personal inclinación y comodidad, sino que en incesante actividad y orando anhelosamente sembraban la semilla de verdad. Al propio tiempo tenían mucho cuidado de dar valiosísimas instrucciones prácticas a cuantos se decidían en favor del Evangelio. Este fervor y piadoso temor producían en los nuevos discípulos una duradera impresión acerca de la importancia del Evangelio.

Cuando se convertían hombres promisorios y capaces como en el caso de Timoteo, procuraban Pablo y Bernabé presentarles vívidamente la necesidad de trabajar en la viña del Señor. Y cuando los apóstoles se iban a otra ciudad, la fe de esos conversos no disminuía, sino que se acrecentaba.

Habían sido fielmente instruidos en el camino del Señor y enseñados a trabajar abnegada, fervorosa y perseverantemente por la salvación de sus prójimos. Esta solícita educación de los neófitos era un importante factor del notable éxito que obtuvieron Pablo y Bernabé al predicar el Evangelio en tierras paganas.

El primer viaje misionero se acercaba rápidamente a su fin. Encomendando al Señor las iglesias recién organizadas, los apóstoles fueron a Panfilia, "y habiendo predicado la palabra en Perge, descendieron a Atalia. De allí navegaron a Antioquía".

CAPITULO 19

Judíos y Gentiles

AL LLEGAR a Antioquía de Siria, desde donde habían sido enviados para emprender su misión, Pablo y Bernabé aprovecharon pronto una oportunidad para reunir a los creyentes, y "refirieron cuán grandes cosas había hecho Dios con ellos, y cómo había abierto la puerta de la fe a los gentiles" (Hechos 14: 27). La iglesia de Antioquía era grande y seguía creciendo. Por ser un centro de acividad misionera, era uno de los más importantes grupos de creyentes cristianos. Entre sus miembros había muchas clases de gente, tanto judíos como gentiles.

Mientras los apóstoles participaban con los ministros y miembros laicos de Antioquía en un ferviente esfuerzo por ganar muchas almas para Cristo, ciertos creyentes judíos de Judea, "de la secta de los fariseos", lograron introducir una cuestión que pronto produjo una amplia controversia en la iglesia e infundió consternación a los creyentes gentiles. Con gran aplomo, estos maestros judaizantes aseveraban

193

Un concilio se reunió en Jerusalén
para decidir si los cristianos
gentiles debían observar los ritos judíos.

que a fin de ser salvo, uno debía ser circuncidado y guardar toda la ley ceremonial.

Pablo y Bernabé hicieron frente a esta falsa doctrina con prontitud, y se opusieron a que se presentara el asunto a los gentiles. Por otra parte, muchos de los judíos creyentes de Antioquía favorecían la tesis de los hermanos recién venidos de Judea.

Los conversos judíos no estaban generalmente inclinados a avanzar tan rápidamente como la providencia de Dios les abría el camino. Por el resultado de las labores de los apóstoles entre los gentiles, era evidente que los conversos entre éstos serían muchos más que los conversos judíos. Los judíos temían que si no se imponían las restricciones y ceremonias de su ley a los gentiles como condición de entrada en la iglesia, las peculiaridades nacionales de los judíos, que hasta entonces los habían distinguido de todos los demás pueblos, desaparecerían finalmente de entre aquellos que recibían el mensaje evangélico.

Los judíos se habían enorgullecido siempre de sus cultos divinamente señalados; y muchos de aquellos que se habían convertido a la fe de Cristo, sentían todavía que, puesto que Dios había bosquejado una vez claramente la forma hebrea del culto, era improbable que autorizara alguna vez un cambio en cualquiera de sus detalles. Insistían en que las leyes y ceremonias judías debían incorporarse en los ritos de la religión cristiana. Eran lentos en discernir que todas las ofrendas de los sacrificios no habían sino prefigurado la muerte del Hijo de Dios, en la cual el símbolo se había cumplido, y después de la cual los ritos y ceremonias de la dispensación mosaica no estaban más en vigor.

Antes de su conversión, Pablo se había considerado,

194

"cuanto a la justicia que es en la ley, irreprensible" (Filipenses 3: 6). Pero desde que cambiara de corazón, había adquirido un claro concepto de la misión del Salvador como Redentor de toda la especie, gentiles tanto como judíos, y había aprendido la diferencia entre una fe viva y un muerto formalismo. A la luz del Evangelio, los antiguos ritos y ceremonias confiados a Israel habían adquirido un nuevo y más profundo significado. Las cosas prefiguradas por ellos se habían producido, y los que vivían bajo la dispensación evangélica habían sido relevados de su observancia. Sin embargo, Pablo todavía guardaba tanto en el espíritu como en la letra, la inalterable ley divina de los Diez Mandamientos.

En la iglesia de Antioquía, la consideración del asunto de la circuncisión provocó mucha discusión y contienda. Finalmente, los miembros de la iglesia, temiendo que si la discusión continuaba se provocaría una división entre ellos, decidieron enviar a Pablo y Bernabé, con algunos hombres responsables de la iglesia, hasta Jerusalén, a fin de presentar el asunto a los apóstoles y ancianos. Habían de encontrarse allí con delegados de las diferentes iglesias, y con aquellos que habían venido a Jerusalén para asistir a las próximas fiestas. Mientras tanto, había de cesar toda controversia hasta que fuese dada una decisión final en el concilio general. Esta decisión sería entonces aceptada universalmente por las diversas iglesias en todo el país.

En camino a Jerusalén, los apóstoles visitaron a los creyentes de las ciudades por las cuales pasaron, y los animaron relatándoles lo que les había sucedido en la obra de Dios y la conversión de los gentiles.

En Jerusalén, los delegados de Antioquía se encontraron con los hermanos de las diversas iglesias, que se habían reunido para asistir a un concilio general; y les relataron el éxito que había tenido su ministerio entre los gentiles. Expusieron entonces la confusión provocada por el hecho de que ciertos conversos fariseos habían ido a Antioquía y declarado que para salvarse, los conversos gentiles debían circuncidarse y guardar la ley de Moisés.

Esta cuestión se discutió calurosamente en la asamblea. Intimamente relacionados con el asunto de la circuncisión, había varios otros que demandaban cuidadoso estudio. Uno era el problema de la actitud que debía adoptarse hacia el uso de alimentos ofrecidos a los ídolos. Muchos de los conversos gentiles vivían entre gentes ignorantes y supersticiosas, que hacían frecuentes sacrificios y ofrendas a los ídolos. Los sacerdotes de este culto pagano realizaban un extenso comercio con las ofrendas que les llevaban; y los judíos temían que los conversos gentiles deshonraran el cristianismo comprando lo que había sido ofrecido a los ídolos, y sancionaran así, en cierta medida, las costumbres idólatras.

Además, los gentiles estaban acostumbrados a comer la carne de animales estrangulados, mientras que a los judíos se les había enseñado divinamente que cuando se mataban bestias para el consumo, se debía ejercer un cuidado particular de que se desangrara bien el cuerpo; de otra manera, la carne no se consideraría saludable. Dios había ordenado esto a los judíos para la conservación de su salud. Los judíos consideraban pecaminoso usar sangre como alimento. Sostenían que la sangre era la vida, y que el derramamiento de la sangre era consecuencia del pecado.

Los gentiles, por el contrario, acostumbraban recoger la sangre de las víctimas de los sacrificios, y usarla en la preparación de alimentos. Los judíos no creían que debieran cambiar las costumbres que habían adoptado bajo la dirección especial de Dios. Por lo tanto, como estaban entonces las cosas, si un judío y un gentil intentaran comer a la misma mesa, el primero sería ofendido y escandalizado por el último.

Los gentiles, y especialmente los griegos, eran extremadamente licenciosos, y había peligro de que algunos, de corazón inconverso, profesaran la fe sin renunciar a sus malas prácticas. Los cristianos judíos no podían tolerar la inmoralidad que no era considerada criminal por los paganos. Los judíos, por lo tanto, consideraban muy conveniente que se impusiesen a los conversos gentiles la circuncisión y la observancia de la ley ceremonial, como prueba de su sinceridad y devoción. Creían que esto impediría que se añadieran a la iglesia personas que, adoptando la fe sin la verdadera conversión del corazón, pudieran después deshonrar la causa por la inmoralidad y los excesos.

Los diversos puntos envueltos en el arreglo del principal asunto en disputa parecían presentar ante el concilio dificultades insuperables. Pero en realidad el Espíritu Santo había resuelto ya este asunto, de cuya decisión parecía depender la prosperidad, si no la existencia misma, de la iglesia cristiana.

"Después de mucha discusión, Pedro se levantó y les dijo: Varones hermanos, vosotros sabéis cómo ya hace algún tiempo que Dios escogió que los gentiles oyesen por mi boca la palabra del Evangelio y creyesen". Arguyó que el Espíritu Santo había decidido el asunto en disputa descendiendo con igual poder sobre los incircuncisos gentiles y los circuncisos judíos. Relató de nuevo su visión, en la cual Dios le había presentado un lienzo lleno de toda clase de cuadrúpedos, y le había ordenado que matara y comiese. Cuando rehusó hacerlo, afirmando que nunca había comido nada común o inmundo, se le había contestado: "Lo que Dios limpió, no lo llames tú común" (Hechos 10: 15).

Pedro relató la sencilla interpretación de estas palabras, que se le dio casi inmediatamente en la intimación a ir al centurión e instruirlo en la fe de Cristo. Este mensaje probaba que Dios no hace acepción de personas, sino que acepta y reconoce a todos los que le temen. Pedro refirió su asombro cuando, al hablar las palabras de verdad a esa asamblea reunida en la casa de Cornelio, fue testigo de que el Espíritu Santo tomó posesión de sus oyentes, tanto gentiles como judíos. La misma luz y gloria que se reflejó en los circuncisos judíos brilló también en los rostros de los incircuncisos gentiles. Con esto Dios advertía a Pedro que no considerase a unos inferiores a otros; porque la sangre de Cristo podía limpiar de toda inmundicia.

En una ocasión anterior, Pedro había razonado con sus hermanos concerniente a la conversión de Cornelio y sus amigos, y a su trato con ellos. Cuando relató en aquella ocasión cómo el Espíritu Santo descendió sobre los gentiles, declaró: "Si Dios, pues, les concedió también el mismo don que a nosotros que hemos creído en el Señor Jesucristo, ¿quién era yo que pudiese estorbar a Dios?" (Hechos 11: 17). Ahora, con igual fervor y fuerza, dijo: "Dios, que conoce los corazones, les dio testimonio, dándoles el Espíritu Santo lo mismo que a nosotros; y ninguna diferencia hizo entre nosotros y ellos, purificando por la fe sus corazones. Ahora, pues, ¿por qué tentáis a Dios, poniendo sobre la cerviz de los discípulos un yugo que ni nuestros padres ni nosotros hemos podido llevar?" Este yugo no era la ley de los Diez Mandamientos, como aseveran algunos que se oponen a la vigencia de la ley; Pedro se refería a la ley de las ceremonias, que fue anulada e invalidada por la crucifixión de Cristo.

El discurso de Pedro dispuso a la asamblea para escuchar con paciencia a Pablo y Bernabé, quienes relataron lo que habían experimentado al trabajar por los gentiles. "Toda la multitud calló, y oyeron a Bernabé y a Pablo, que contaban cuán grandes señales y maravillas había hecho Dios por medio de ellos entre los gentiles".

Santiago también dio testimonio con decisión, declarando que era el propósito de Dios conceder a los gentiles los mismos privilegios y bendiciones que se habían otorgado a los judíos.

Plugo al Espíritu Santo no imponer la ley ceremonial a los conversos gentiles, y el sentir de los apóstoles en cuanto a este asunto era como el sentir del Espíritu de Dios. Santiago presidía el concilio, y su decisión final fue: "Yo juzgo que no se inquiete a los gentiles que se convierten a Dios".

Esto puso fin a la discusión. El caso refuta la doctrina que sostiene la iglesia católica romana, de que Pedro era la cabeza de la iglesia. Aquellos que, como papas, han pretendido ser sus sucesores, no pueden fundar sus pretensiones en las Escrituras. Nada en la vida de Pedro sanciona la pretensión de que fue elevado por encima de sus hermanos como el vicerregente del Altísimo. Si aquellos que se declaran ser los sucesores de Pedro hubieran seguido su ejemplo, habrían estado siempre contentos con mantenerse iguales a sus hermanos.

En este caso, Santiago parece haber sido escogido para anunciar la decisión a la cual había llegado el concilio. Su sentencia fue que la ley ceremonial, y especialmente el rito de la circuncisión, no debía imponerse a los gentiles, ni aun recomendarse. Santiago trató de grabar en la mente de sus hermanos el hecho de que, al convertirse a Dios, los gentiles habían hecho un gran cambio en sus vidas, y que debía ejercerse mucha prudencia para no molestarlos con dudosas y confusas cuestiones de menor importancia, no fuera que se desanimaran en seguir a Cristo.

Los conversos gentiles, sin embargo, debían abandonar las costumbres inconsecuentes con los principios del cristianismo. Los apóstoles y ancianos convinieron por lo tanto en pedir a los gentiles por carta que se abstuvieran de los alimentos ofrecidos a los ídolos, de fornicación, de lo estrangulado, y de sangre. Debía instárselos a guardar los mandamientos, y a vivir una vida santa. Debía asegurárseles también que los que habían declarado obligatoria la circuncisión no estaban autorizados por los apóstoles para hacerlo.

Pablo y Bernabé les fueron recomendados como hombres que habían expuesto sus vidas por el Señor. Judas y Silas fueron enviados con estos apóstoles para que declarasen de viva voz a los gentiles la decisión del concilio: "Ha parecido bien al Espíritu Santo, y a nosotros, no imponeros ninguna carga más que estas cosas necesarias: que os abstengáis de lo sacrificado a ídolos, de sangre, de ahogado y de fornicación; de las cuales cosas si os guardareis, bien haréis". Los cuatro siervos de Dios fueron enviados a Antioquía con la epístola y el mensaje que debían poner fin a toda controversia; porque eran la voz de la más alta autoridad en la tierra.

El concilio que decidió este caso estaba compuesto por los apóstoles y maestros que se habían destacado en levantar iglesias cristianas entre judíos y gentiles, con delegados escogidos de diversos lugares. Estaban presentes los ancianos de Jerusalén y los diputados de Antioquía, y estaban representadas las iglesias de más influencia. El concilio procedió de acuerdo con los dictados de un juicio iluminado, y con la dignidad de una iglesia establecida por la voluntad divina. Como resultado de sus deliberaciones, todos vieron que Dios mismo había resuelto la cuestión en disputa concediendo a los gentiles el Espíritu Santo; y comprendieron que a ellos les correspondía seguir la dirección del Espíritu.

Todo el cuerpo de cristianos no fue llamado a votar sobre el asunto. Los "apóstoles y los ancianos", hombres de influencia y juicio, redactaron y promulgaron el decreto, que fue luego aceptado generalmente por las iglesias cristianas. No todos, sin embargo, estaban satisfechos con la decisión; había un bando de hermanos ambiciosos y confiados en sí mismos que estaban en desacuerdo con ella. Estos hombres estaban decididos a ocuparse en la obra bajo su propia responsabilidad. Se tomaban la libertad de murmurar y hallar faltas, de proponer nuevos planes y tratar de derribar la obra de los hombres a quienes Dios había escogido para que enseñaran el mensaje evangélico. Desde el principio la iglesia ha tenido que afrontar tales obstáculos, y tendrá que hacerlo hasta el fin del siglo.

Jerusalén era la metrópoli de los judíos, y era allí donde se encontraban la intolerancia y el exclusivismo mayores. Los cristianos judíos, que vivían a la sombra del templo permitían, como era natural, que sus mentes se volvieran a los privilegios peculiares de los judíos como nación. Cuando vieron que la iglesia cristiana se apartaba de las ceremonias y tradiciones del judaísmo, y percibieron que la santidad peculiar con la cual las costumbres judías habían estado investidas pronto serían perdidas de vista a la luz de la nueva fe, muchos se indignaron con Pablo como el que había en gran medida causado este cambio. Aun los discípulos no estaban todos preparados para aceptar de buen grado la decisión del concilio. Algunos eran celosos por la ley ceremonial; y miraban a Pablo con desagrado, porque pensaban que sus principios respecto a las obligaciones de la ley judía eran flojos.

Las decisiones amplias y de largo alcance del concilio general produjeron confianza en las filas de los creyentes gentiles, y la causa de Dios prosperó. En Antioquía, la iglesia fue favorecida con la presencia de Judas y Silas, los mensajeros especiales que habían vuelto con los apóstoles de la reunión de Jerusalén. "Como ellos también eran profetas", Judas y Silas "consolaron y confirmaron a los hermanos con abundancia de palabras". Estos hombres piadosos permanecieron en Antioquía un tiempo. "Pablo y Bernabé continuaron en Antioquía, enseñando la palabra del Señor y anunciando el Evangelio con otros muchos".

Cuando Pedro visitó más tarde a Antioquía, ganó la

confianza de muchos por su prudente conducta hacia los conversos gentiles. Por un tiempo procedió de acuerdo con la luz procedente del cielo. Se sobrepuso a su natural prejuicio hasta el punto de sentarse a la mesa con los conversos gentiles. Pero cuando ciertos judíos celosos de la ley ceremonial vinieron de Jerusalén, Pedro cambió imprudentemente su actitud hacia los conversos del paganismo. "Y en su simulación participaban también los otros judíos, de tal manera que aun Bernabé fue también arrastrado por la hipocresía de ellos" (Gálatas 2: 13). Esta manifestación de debilidad de parte de aquellos que habían sido respetados y amados como dirigentes, hizo la más penosa impresión en la mente de los creyentes gentiles. La iglesia estaba amenazada por un cisma, pero Pablo, que vio la subversiva influencia del mal hecho a la iglesia por el doble papel desempeñado por Pedro, le reprendió abiertamente por disimular así sus verdaderos sentimientos. En presencia de la iglesia, le preguntó: "Si tú, siendo judío, vives como los gentiles y no como judío, ¿por qué obligas a los gentiles a judaizar?" (vers. 14).

Pedro vio el error en que había caído, y se puso a reparar inmediatamente el mal que había hecho, hasta donde pudo. Dios, que conoce el fin desde el principio, permitió que Pedro revelara esta debilidad de carácter, a fin de que el probado apóstol pudiera ver que no había nada en sí mismo por lo cual pudiera enorgullecerse. Aun los mejores hombres, abandonados a sí mismos, se equivocan. Dios vio también que en lo venidero algunos se engañarían hasta el punto de atribuir a Pedro y sus presuntos sucesores las exaltadas prerrogativas que pertenecen a Dios solo. Y este informe de la debilidad del apóstol subsistiría como prueba de que no era infalible ni superior a los otros apóstoles.

La historia de este apartamiento de los buenos principios permanece como una solemne amonestación para los hombres que ocupan puestos de confianza en la causa de Dios, para que no carezcan de integridad, sino que se adhieran firmemente a los principios. Cuanto mayores son las responsabilidades colocadas sobre el agente humano, y mayores sus oportunidades para mandar y dirigir, mayor daño hará con toda seguridad si no sigue cuidadosamente el camino del Señor y trabaja de acuerdo con las decisiones del cuerpo general de los creyentes en consejo unánime.

Después de todos los fracasos de Pedro; después de su caída y restauración, su largo servicio, su íntima relación con Cristo, su conocimiento de la integridad con que el Salvador practicaba los principios correctos, después de toda la instrucción que había recibido, todos los dones, conocimiento e influencia que había obtenido predicando y enseñando la Palabra, ¿no es extraño que disimulase, y eludiese los principios del Evangelio por temor al hombre, o a fin de granjearse estima? ¿No es extraño que vacilara en su adhesión a lo recto? Dios dé a cada uno la comprensión de su impotencia, de su incapacidad para guiar debidamente su propio navío sano y salvo al puerto.

En su ministerio, Pablo se veía obligado a menudo a estar solo. Era especialmente enseñado por Dios, y no se atrevía a hacer concesiones que comprometieran los principios. A veces la carga era pesada, pero Pablo se mantenía firme de parte de lo recto. Comprendía que la iglesia no debía ser puesta nunca bajo el dominio del poder humano. Las tradiciones y máximas de los hombres no debían tomar el lugar de la verdad revelada. El avance del mensaje evangélico no debía ser estorbado por los prejuicios y las preferencias de los hombres, cualquiera fuese su posición en la iglesia.

Pablo se había consagrado con todas sus facultades al servicio de Dios. Había recibido las verdades del Evangelio directamente del cielo, y en todo su ministerio mantuvo una relación vital con los agentes celestiales. Había sido enseñado por Dios en cuanto a la imposición de cargas innecesarias a los cristianos gentiles; así cuando los creyentes judaizantes introdujeron en la iglesia de Antioquía el asunto de la circuncisión, Pablo conocía el sentir del Espíritu de Dios concerniente a esa enseñanza, y tomó una posición firme e inflexible que libró a las iglesias de las ceremonias y los ritos judíos.

No obstante el hecho de que Pablo era enseñado personalmente por Dios, no tenía ideas exageradas de la responsabilidad personal. Aunque esperaba que Dios lo guiara directamente, estaba siempre listo a reconocer la autoridad impartida al cuerpo de creyentes unidos como iglesia. Sentía la necesidad de consejo; y cuando se levantaban asuntos de importancia, se complacía en presentarlos a la iglesia, y se unía con sus hermanos para buscar a Dios en procura de sabiduría para hacer decisiones correctas. Aun "los espíritus de los profetas —decía— sujetos están a los profetas: porque Dios no es Dios de confusión, sino de paz, como sucede en todas las iglesias de los santos" (1 Corintios 14: 32, 33, VM). Con Pedro, enseñaba que todos los que están unidos como miembros de iglesia deben estar "sumisos unos a otros" (1 S. Pedro 5: 5).

CAPITULO 20

Este capítulo está basado en Hechos 15: 36-41; 16: 1-6.

Pablo Exalta la Cruz

DESPUES de trabajar algún tiempo en Antioquía, Pablo propuso a su colaborador que emprendieran otro viaje misionero. "Volvamos a visitar —le dijo a Bernabé— a los hermanos en todas las ciudades en que hemos anunciado la palabra del Señor, para ver cómo están".

Pablo y Bernabé recordaban con ternura a aquellos que recientemente habían aceptado el mensaje evangélico bajo su ministerio, y anhelaban verlos una vez más. Pablo nunca perdió esta solicitud. Aun cuando se hallaba en distantes campos misioneros, lejos del escenario de sus labores anteriores, conservaba en el corazón la preocupación de instar a esos conversos a permanecer fieles, "perfeccionando la santificación en el temor de Dios" (2 Corintios 7: 1). Constantemente trataba de ayudarles a ser cristianos que tuvieran confianza propia y creciesen, a ser fuertes en la fe, ardientes en celo, y cabales en su consagración a Dios y a la tarea de hacer progresar su reino.

207

Bernabé estaba dispuesto a ir con Pablo, pero deseaba llevar consigo a Marcos, quien había decidido de nuevo consagrarse al ministerio. Pablo se opuso a esto. "No le parecía bien llevar consigo" a uno que durante su primer viaje misionero los había abandonado en tiempo de necesidad. No estaba inclinado a excusar la debilidad manifestada por Marcos al abandonar la obra en procura de la seguridad y las comodidades del hogar. Recalcaba que uno con tan poca fibra era inapto para un trabajo que requería paciencia, abnegación, valor, devoción, fe y disposición a sacrificar, si fuera necesario, hasta la vida misma. Tan áspera fue la disputa, que Pablo y Bernabé se separaron, siguiendo el último sus convicciones y llevando consigo a Marcos. "Bernabé, tomando a Marcos, navegó a Chipre, y Pablo, escogiendo a Silas, salió encomendado por los hermanos a la gracia del Señor".

Viajando a través de Siria y Cilicia, donde corroboraron las iglesias, Pablo y Silas llegaron al fin a Derbe y Listra en la provincia de Licaonia. Era en Listra donde Pablo había sido apedreado; sin embargo, lo encontramos de nuevo en el escenario de su anterior peligro. Estaba ansioso de ver cómo soportaban las pruebas aquellos que habían aceptado el Evangelio mediante sus labores. No se chasqueó; porque descubrió que los creyentes de Listra habían permanecido firmes frente a una violenta oposición.

Allí Pablo se encontró de nuevo con Timoteo, quien había sido testigo de sus sufrimientos al fin de su primera visita a Listra, y en cuya mente la impresión hecha entonces se había ahondado con el correr del tiempo hasta convencerlo de que era su deber entregarse plenamente a la obra del ministerio. Su corazón estaba unido al de Pablo, y anhelaba

Pablo descubrió el secreto de la devoción de Timoteo cuando habló con la madre y la abuela del joven.

JOHN STEEL © PPPA

compartir las labores del apóstol ayudando como pudiera.

Silas, el compañero de labor de Pablo, era un obrero probado, dotado con el espíritu de profecía; pero la obra que debía hacerse era tan grande, que se necesitaba preparar más obreros para el servicio activo. En Timoteo, Pablo vio uno que comprendía la santidad de la obra del ministerio; uno que no desmayaba frente al sufrimiento y la persecución; y que estaba dispuesto a ser enseñado. Sin embargo, el apóstol no se atrevió a asumir la responsabilidad de darle a Timoteo, un joven inexperto, una preparación en el ministerio evangélico, sin satisfacerse antes plenamente respecto a su carácter y su vida.

El padre de Timoteo era griego y su madre judía. Desde la niñez había conocido las Escrituras. La piedad que vio en su vida de hogar era sana y cuerda. La fe de su madre y de su abuela en los oráculos sagrados era para él un constante recuerdo de la bendición que acarrea el hacer la voluntad de Dios. La Palabra de Dios era la regla por la cual esas dos piadosas mujeres habían guiado a Timoteo. El poder espiritual de las lecciones que había recibido de ellas conservó puro su lenguaje y evitó que le contaminaran las malas influencias que le rodeaban. Así las que le instruyeron en el hogar habían cooperado con Dios en prepararlo para llevar responsabilidades.

Pablo vio a Timoteo fiel, firme y sincero, y le escogió como compañero de labor y de viaje. Las que habían enseñado a Timoteo en su infancia fueron recompensadas viendo al hijo de su cuidado unido en estrecho compañerismo con el gran apóstol. Timoteo era sólo un joven cuando fue escogido por Dios como maestro; pero sus principios habían sido tan bien establecidos por su primera educación que era digno del puesto de ayudante de Pablo. Y aunque joven, llevó sus responsabilidades con mansedumbre cristiana.

Como medida de precaución, Pablo aconsejó prudentemente a Timoteo que se circuncidase, no porque Dios lo requiriese, sino para eliminar del pensamiento de los judíos algo que pudiera llegar a ser una objeción contra el ministerio de Timoteo. En su obra, Pablo había de viajar de ciudad en ciudad, en muchas tierras, y con frecuencia tenía oportunidad de predicar a Cristo en las sinagogas de los judíos, como también en otros lugares de reunión. Si llegaban a saber que uno de sus compañeros era incircunciso, su obra quedaría grandemente estorbada por los prejuicios y el fanatismo de los judíos. Por doquiera el apóstol afrontaba resuelta oposición y severa persecución. Deseaba impartir a sus hermanos judíos, tanto como a los gentiles, el conocimiento del Evangelio; y por eso procuraba, en la medida consecuente con su fe, quitar todo pretexto de oposición. Sin embargo, mientras condescendía así con el prejuicio

judío, creía y enseñaba que la circuncisión y la incircuncisión nada eran, y que el Evangelio de Cristo era todo.

Pablo amaba a Timoteo, su "hijo en la fe" (1 Timoteo 1: 2). El gran apóstol sondeaba a menudo al discípulo más joven, preguntándole en cuanto a la historia bíblica; y al viajar de lugar en lugar, le enseñaba cuidadosamente cómo trabajar con éxito. Pablo y Silas, en toda su asociación con Timoteo, trataban de ahondar la impresión ya hecha en su mente, de la sagrada y seria naturaleza de la obra del ministro evangélico.

En su trabajo, Timoteo buscaba constantemente el consejo y la instrucción de Pablo. No actuaba por impulso, sino con reflexión y serenidad, preguntando a cada paso: ¿Es éste el camino del Señor? El Espíritu Santo encontraba en él uno que podía ser amoldado y modelado como un templo para la morada de la divina Presencia.

Las lecciones de la Biblia, al entretejerse en la vida diaria, tienen una profunda y perdurable influencia en el carácter. Estas lecciones las aprendía y practicaba Timoteo. No tenía talentos especialmente brillantes; pero su trabajo era valioso porque usaba en el servicio del Señor las capacidades que Dios le daba. Su conocimiento de la piedad experimental le distinguía de otros creyentes, y le daba influencia.

Los que trabajan por las almas deben obtener un conocimiento más profundo, más pleno y más claro de Dios que el que se puede adquirir mediante un esfuerzo ordinario. Deben poner todas sus energías en la obra del Señor. Están ocupados en una alta y sagrada vocación, y si ganan almas como salario, deben asirse firmemente de Dios, y recibir diariamente gracia y poder de la Fuente de toda bendición.

"Porque la gracia de Dios se ha manifestado para salvación a todos los hombres, enseñándonos que, renunciando a la impiedad y a los deseos mundanos, vivamos en este siglo sobria, justa y piadosamente, aguardando la esperanza bienaventurada y la manifestación gloriosa de nuestro gran Dios y Salvador Jesucristo, quien se dio a sí mismo por nosotros para redimirnos de toda iniquidad y purificar para sí un pueblo propio, celoso de buenas obras" (Tito 2: 11-14).

Antes de penetrar en nuevos territorios, Pablo y sus compañeros visitaron las iglesias que habían sido establecidas en Pisidia y en lasregiones circundantes. "Y al pasar por las ciudades, les entregaban las ordenanzas que habían acordado los apóstoles y los ancianos que estaban en Jerusalén, para que las guardasen. Así que las iglesias eran confirmadas en la fe, y aumentaban en número cada día".

El apóstol Pablo sentía una profunda responsabilidad por los que se convertían por sus labores. Por encima de todas las cosas, anhelaba que fueran fieles, "para que en el día de Cristo —decía—, yo pueda gloriarme de que no he corrido en vano, ni en vano he trabajado" (Filipenses 2: 16). Temblaba por el resultado de su ministerio. Sentía que hasta su propia salvación podría estar en peligro si no cumpliera su deber y la iglesia no cooperase con él en la obra de salvar almas. Sabía que la sola predicación no bastaba para enseñar a los creyentes a proclamar la palabra de vida. Sabía que línea sobre línea, precepto sobre precepto, un poquito aquí y otro poquito allí, debían ser enseñados a progresar en la obra de Cristo.

Es un principio universal que cuando quiera que uno se niegue a usar las facultades que Dios le da, éstas decaen y mueren. La verdad que no se vive, que no se imparte, pierde su poder vivificante, su virtud sanadora. De ahí el temor del apóstol Pablo de fracasar en su intento de presentar a todo hombre perfecto en Cristo. La esperanza de Pablo de entrar en el cielo se empañaba cuando contemplaba cualquier fracaso suyo que diera a la iglesia el molde humano en lugar del divino. Su conocimiento, su elocuencia, sus milagros, su visión de las escenas eternas obtenidas en el tercer cielo, todo sería inútil si por la infidelidad en su obra aquellos por quienes trabajaba cayeran de la gracia de Dios. Y así, de viva voz y por carta, rogaba a aquellos que habían aceptado a Cristo que siguiesen una conducta que los habilitara para ser "irreprensibles y sencillos, hijos de Dios sin mancha en medio de una generación maligna y perversa, ... como luminares en el mundo; asidos de la palabra de vida" (Filipenses 2: 15, 16).

Todo verdadero ministro siente una pesada responsabilidad por el progreso espiritual de los creyentes confiados a su cuidado, un anhelante deseo de que sean colaboradores de Dios. Comprende que del fiel cumplimiento del trabajo que Dios le da depende en gran medida el bienestar de la iglesia. Trata ardiente e incansablemente de inspirar en los creyentes el deseo de ganar almas para Cristo, recordando que todo el que se añade a la iglesia debería ser un agente más para el cumplimiento del plan de la redención.

Habiendo visitado las iglesias de Pisidia y de la región vecina, Pablo y Silas, con Timoteo, penetraron en "Frigia y la provincia de Galacia", donde proclamaron con gran poder las buenas nuevas de la salvación. Los gálatas eran idólatras, pero cuando los apóstoles les predicaron, se gozaron en el mensaje que les prometía libertad de la servidumbre del pecado. Pablo y sus colaboradores proclamaron la doctrina de la justicia por la fe en el sacrificio expiatorio de Cristo. Presentaban a Cristo como Aquel que, al ver la impotente condición de la especie caída, vino a redimir a los hombres y mujeres viviendo una vida de obediencia a la ley de Dios y pagando la penalidad de la desobediencia. Y a la luz de la cruz, muchos que nunca habían conocido antes al Dios verdadero empezaron a comprender la grandeza del amor del Padre.

Así se les enseñaron a los gálatas las verdades fundamentales concernientes a "Dios el Padre", y a "nuestro Señor Jesucristo, el cual se dio a sí mismo por nuestros pecados para librarnos del presente siglo malo, conforme a la voluntad de nuestro Dios y Padre". "Por el oír con fe", recibieron el Espíritu de Dios, y llegaron a ser "hijos de Dios por la fe en Cristo" (Gálatas 1: 3, 4; 3: 2, 26).

Pablo vivió de tal manera entre los gálatas que pudo decir más tarde: "Os ruego, ... que os hagáis como yo" (Gálatas 4: 12). Sus labios habían sido tocados con un carbón encendido del altar, y fue habilitado para sobreponerse a las debilidades corporales y presentar a Jesús como la única esperanza del pecador. Los que lo oían sabían que había estado con Jesús. Dotado de poder de lo alto, era capaz de comparar lo espiritual con lo espiritual, y derribar las fortalezas de Satanás. Los corazones eran quebrantados por la presentación del amor de Dios, como estaba revelado en el sacrificio de su Hijo unigénito, y muchos eran inducidos a preguntar: ¿Qué debo hacer para ser salvo?

Este método de presentar el Evangelio caracterizaba las labores del apóstol en el curso de todo su ministerio entre los gentiles. Siempre conservaba ante ellos la cruz del Calvario. "No nos predicamos a nosotros mismos —declaró en los

215

últimos años de su vida—, sino a Jesucristo como Señor, y a nosotros como vuestros siervos por amor de Jesús. Porque Dios, que mandó que de las tinieblas resplandeciese la luz, es el que resplandeció en nuestros corazones, para iluminación del conocimiento de la gloria de Dios en la faz de Jesucristo" (2 Corintios 4: 5, 6).

Los consagrados mensajeros que en los primeros días del cristianismo llevaron a un mundo moribundo las alegres nuevas de la salvación, no permitían que ningún pensamiento de exaltación propia echara a perder su presentación de Cristo el crucificado. No codiciaban ninguna autoridad ni preeminencia. Escondiéndose en el Salvador, exaltaban el gran plan de la salvación, y la vida de Cristo, el autor y consumador de este plan, Cristo, el mismo ayer, hoy, y para siempre, era la nota tónica de su enseñanza.

Si los que hoy enseñan la Palabra de Dios elevaran más y más la cruz de Cristo, su ministerio tendría mucho más éxito. Si los pecadores pudieran ser inducidos a dirigir una ferviente mirada a la cruz, y pudieran obtener una visión plena del Salvador crucificado, comprenderían la profundidad de la compasión de Dios y la pecaminosidad del pecado.

La muerte de Cristo demuestra el gran amor de Dios por el hombre. Es nuestra garantía de salvación. Quitarle al cristiano la cruz sería como borrar del cielo el sol. La cruz nos acerca a Dios, y nos reconcilia con él. Con la perdonadora compasión del amor de un padre, Jehová contempla los sufrimientos que su Hijo soportó con el fin de salvar de la muerte eterna a la familia humana, y nos acepta en el Amado.

Sin la cruz, el hombre no podría unirse con el Padre. De ella depende toda nuestra esperanza. De ella emana la luz del amor del Salvador; y cuando al pie de la cruz el pecador mira al que murió para salvarle, puede regocijarse con pleno gozo; porque sus pecados son perdonados. Al postrarse con fe junto a la cruz, alcanza el más alto lugar que pueda lograr el hombre.

Mediante la cruz podemos saber que el Padre celestial nos ama con un amor infinito. ¿Debemos maravillarnos de que Pablo exclamara: "Lejos esté de mí gloriarme, sino en la cruz de nuestro Señor Jesucristo"? (Gálatas 6: 14). Es también nuestro privilegio gloriarnos en la cruz, entregarnos completamente a Aquel que se entregó por nosotros. Entonces, con la luz que irradia del Calvario brillando en nuestros rostros, podemos salir para revelar esta luz a los que están en tinieblas.

CAPITULO 21

Este capítulo está basado en Hechos 16: 7-40.

En las Regiones Lejanas

HABIA llegado el tiempo para que el Evangelio se predicase más allá de los confines del Asia Menor. Se estaba preparando el camino para que Pablo y sus colaboradores penetrasen en Europa. En Troas, en las márgenes del mar Mediterráneo, "se le mostró a Pablo una visión de noche: un varón macedonio estaba en pie, rogándole y diciendo: Pasa a Macedonia y ayúdanos".

El llamamiento era imperativo y no admitía dilación. "Cuando vio la visión —declara Lucas, que acompañó a Pablo y Silas y Timoteo en el viaje a Europa—, en seguida procuramos partir para Macedonia, dando por cierto que Dios nos llamaba para que les anunciásemos el Evangelio. Zarpando, pues, de Troas, vinimos con rumbo directo a Samotracia, y el día siguiente a Neápolis; y de allí a Filipos, que es la primera ciudad de la provincia de Macedonia, y una colonia...

"Y un día de reposo —continúa Lucas— salimos fuera

Pablo vio en visión a un hombre que le rogaba y le decía: "Pasa a Macedonia y ayúdanos".

de la puerta, junto al río, donde solía hacerse la oración; y sentándonos, hablamos a las mujeres que se habían reunido. Entonces una mujer llamada Lidia, vendedora de púrpura, de la ciudad de Tiatira, que adoraba a Dios, estaba oyendo; y el Señor abrió el corazón de ella". Lidia recibió alegremente la verdad. Ella y su familia se convirtieron y bautizaron, y rogó a los apóstoles que se hospedaran en su casa.

Cuando los mensajeros de la cruz salieron a enseñar, una mujer poseída de un espíritu pitónico los siguió gritando: "Estos hombres son siervos del Dios Altísimo, quienes os anuncian el camino de salvación. Y esto lo hacía por muchos días".

Esta mujer era un agente especial de Satanás, y había dado mucha ganancia a sus amos adivinando. Su influencia había ayudado a fortalecer la idolatría. Satanás sabía que se estaba invadiendo su reino, y recurrió a este medio de oponerse a la obra de Dios, esperando mezclar su sofistería con las verdades enseñadas por aquellos que proclamaban el mensaje evangélico. Las palabras de recomendación pronunciadas por esta mujer eran un perjuicio para la causa de la verdad, pues distraían la mente de la gente de las enseñanzas de los apóstoles. Deshonraban el Evangelio; y por ellas muchos eran inducidos a creer que los hombres que hablaban con el Espíritu y poder de Dios estaban movidos por el mismo espíritu que esa emisaria de Satanás.

Durante algún tiempo, los apóstoles soportaron esta oposición; luego, bajo la inspiración del Espíritu Santo, Pablo ordenó al mal espíritu que abandonase a la mujer. Su silencio inmediato testificó de que los apóstoles eran siervos de Dios, y que el demonio los había reconocido como tales y había obedecido su orden.

Librada del mal espíritu y restaurada a su sano juicio, la mujer escogió seguir a Cristo. Entonces sus amos se alarmaron por su negocio. Vieron que toda la esperanza de recibir dinero mediante sus adivinaciones había terminado, y que su fuente de ingreso pronto desaparecería completamente si se permitía a los apóstoles continuar la obra del Evangelio.

Muchos otros de la ciudad tenía interés en ganar dinero mediante engaños satánicos; y éstos, temiendo la influencia de un poder capaz de poner fin tan eficazmente a su trabajo, levantaron un poderoso clamor contra los siervos de Dios. Llevaron a los apóstoles ante los magistrados con la acusación: "Estos hombres, siendo judíos, alborotan nuestra ciudad, y enseñan costumbres que no nos es lícito recibir ni hacer, pues somos romanos".

Movida por un frenesí de excitación, la multitud se levantó contra los discípulos. El espíritu del populacho prevaleció, y fue sancionado por las autoridades, quienes desgarraron los vestidos exteriores de los apóstoles y ordenaron que fueran azotados. "Después de haberles azotado mucho, los echaron en la cárcel, mandando al carcelero que los guardase con seguridad. El cual, recibido este mandato, los metió en el calabozo de más adentro, y les aseguró los pies en el cepo".

Los apóstoles sufrieron extrema tortura por causa de la penosa posición en que fueron dejados, pero no murmuraron. En vez de eso, en la completa oscuridad y desolación de la mazmorra, se animaron el uno al otro con palabras de oración, y cantaban alabanzas a Dios por haber sido hallados dignos de sufrir oprobio por su causa. Sus corazones estaban alentados por un profundo y ferviente amor hacia la causa de su Redentor. Pablo pensaba en la persecución que había hecho sufrir a los discípulos de Cristo, y se regocijaba porque sus ojos habían sido abiertos para ver, y su corazón para sentir el poder de las gloriosas verdades que una vez despreciaba.

Con asombro, los otros presos oyeron las oraciones y los cantos que salían de la cárcel interior. Habían estado acostumbrados a oír gritos y gemidos, maldiciones y juramentos, que rompían el silencio de la noche, pero nunca antes habían oído palabras de oración y alabanza subir de aquella lóbrega celda. Los guardianes y los presos se maravillaban, y se preguntaban quiénes podían ser estos hombres que, sufriendo frío, hambre y tortura, podían, sin embargo, regocijarse.

Entre tanto, los magistrados volvían a sus casas felicitándose porque mediante medidas rápidas y decisivas habían sofocado el tumulto. Pero por el camino oyeron detalles adicionales sobre el carácter y la obra de los hombres que habían condenado a la flagelación y el encarcelamiento. Vieron a la mujer que había sido librada de la influencia satánica, y se sorprendieron por el cambio de su semblante y conducta. En lo pasado había provocado mucha dificultad a la ciudad; ahora era tranquila y pacífica. Cuando comprendieron que con toda probabilidad habían aplicado a dos inocentes el riguroso castigo de la ley romana, se indignaron consigo mismos, y decidieron ordenar por la mañana que los apóstoles fueran secretamente puestos en libertad y acompañados fuera de la ciudad, donde no estuvieran expuestos a la violencia de la turba.

Pero mientras los hombres eran crueles y vengativos, o criminalmente descuidados con las responsabilidades a ellos confiadas, Dios no se había olvidado de ser misericordioso con sus siervos. Todo el cielo estaba interesado en los hombres que estaban sufriendo por amor a Cristo, y los ángeles fueron enviados a visitar la cárcel. A su paso la tierra tembló. Las puertas de la cárcel, totalmente aseguradas, se abrieron de par en par; las cadenas y grillos cayeron de las manos y pies de los presos; y una luz inundó la prisión.

El carcelero había oído con asombro las oraciones y cantos de los encarcelados apóstoles. Cuando los trajeron vio sus hinchadas y sangrientas heridas, y él mismo hizo asegurar sus pies en los cepos. Había esperado oír de ellos amargos gemidos e imprecaciones; pero oyó en cambio cantos de gozo y alabanza. Con estos sonidos en sus oídos el carcelero había caído en un sueño del cual fue despertado por el terremoto y el sacudimiento de las paredes de la cárcel.

Levantándose precipitadamente con alarma, vio con espanto que todas las puertas de la cárcel estaban abiertas, y fue sobrecogido por el repentino temor de que los presos se hubiesen escapado. Recordó el explícito encargo con que se le había confiado el cuidado de Pablo y Silas la noche anterior, y estaba seguro que la muerte sería el castigo de su aparente infidelidad. En la amargura de su espíritu, pensó que era mejor quitarse él mismo la vida que someterse a una vergonzosa ejecución. Tomando su espada, estaba por matarse, cuando oyó las alentadoras palabras de Pablo: "No te hagas ningún mal, pues todos estamos aquí". Todos los hombres estaban en su sitio, contenidos por el poder de Dios ejercido por uno de los presos.

La severidad con que el carcelero había tratado a los apóstoles no había despertado su resentimiento. Pablo y Silas tenían el espíritu de Cristo, no el espíritu de venganza. Sus corazones, llenos del amor del Salvador, no daban cabi-

da a la malicia contra sus inmisericordes perseguidores.

El carcelero dejó caer su espada y pidiendo luz, se apresuró a ir a la mazmorra interior. Quería ver qué clase de hombres eran éstos que retribuían con bondad la crueldad con que habían sido tratados. Al llegar donde estaban los apóstoles, postrándose ante ellos, les pidió que le perdonaran. Entonces, sacándolos al patio, les preguntó: "Señores, ¿qué debo hacer para ser salvo?"

El carcelero había temblado al ver la ira de Dios manifestada en el terremoto; cuando pensó que los presos se habían escapado, había estado dispuesto a suicidarse; pero ahora todas estas cosas le parecían insignificantes en comparación con el nuevo y extraño terror que agitaba su mente, y con el deseo de tener la tranquilidad y alegría manifestadas por los apóstoles bajo el sufrimiento y el ultraje. Vio en sus rostros la luz del cielo; sabía que Dios había intervenido milagrosamente para salvar sus vidas, y se revistieron de extraordinaria fuerza las palabras de la endemoniada: "Estos hombres son siervos del Dios Altísimo, quienes os anuncian el camino de salvación".

Con profunda humildad pidió a los apóstoles que le mostraran el camino de la vida. "Cree en el Señor Jesucristo, y serás salvo, tú y tu casa —contestaron ellos—. Y le hablaron la palabra del Señor a él y a todos los que estaban en su casa". El carcelero lavó entonces las heridas de los apóstoles, y les sirvió, después de lo cual fue bautizado por ellos, con toda su casa. Una influencia santificadora se difundió entre los presos, y todos estaban dispuestos a escuchar las verdades habladas por los apóstoles. Estaban convencidos que el Dios a quien estos hombres servían los había librado milagrosamente de sus cadenas.

Un terremoto a medianoche sacudió la cárcel hasta sus cimientos. Las puertas fueron abiertas y las cadenas se desprendieron.

JOHN STEEL © PPPA

Los habitantes de Filipos se habían aterrado grandemente por el terremoto; y cuando, por la mañana, los oficiales de la cárcel les dijeron a los magistrados lo que había ocurrido durante la noche, se alarmaron, y enviaron a los alguaciles para soltar a los apóstoles. Pero Pablo declaró: "Después de azotarnos públicamente sin sentencia judicial, siendo ciudadanos romanos, nos echaron en la cárcel, ¿y ahora nos echan encubiertamente? No, por cierto, sino vengan ellos mismos a sacarnos".

Los apóstoles eran ciudadanos romanos, y era ilícito azotar a un romano, a no ser por el crimen más flagrante, o privarlo de su libertad sin un juicio justo. Pablo y Silas habían sido encarcelados públicamente, y se negaron ahora a ser puestos privadamente en libertad sin la debida explicación de parte de los magistrados.

Cuando se comunicaron estas palabras a las autoridades, éstas se alarmaron por temor de que los apóstoles se quejaran al emperador, y yendo en seguida a la cárcel, pidieron disculpas a Pablo y Silas por la injusticia y crueldad que se les había hecho, y los sacaron personalmente de la cárcel y les rogaron que se fueran de la ciudad. Los magistrados temían la influencia de los apóstoles sobre el pueblo, y también el Poder que había intervenido en favor de esos hombres inocentes.

De acuerdo con la instrucción de Cristo, los apóstoles no impusieron su presencia donde no se la deseaba. "Saliendo de la cárcel, entraron en casa de Lidia, y habiendo visto a los hermanos, los consolaron, y se fueron".

Los apóstoles no consideraban inútiles sus labores en Filipos. Habían afrontado mucha oposición y persecución; pero la intervención de la Providencia en su favor, y la conversión del carcelero y de su familia, compensaron con creces la ignominia y el sufrimiento que habían soportado. Las noticias de su injusto encarcelamiento y de su milagrosa liberación se difundieron por toda esa región, y esto dio a conocer la obra de los apóstoles a muchos que de otra manera no habrían sido alcanzados.

Las labores de Pablo en Filipos tuvieron por resultado el establecimiento de una iglesia cuyos miembros aumentaban constantemente. Su celo y devoción, y sobre todo su disposición a sufrir por causa de Cristo, ejercieron una influencia profunda y duradera en los conversos. Apreciaban altamente las preciosas verdades por las cuales los apóstoles se habían sacrificado tanto, y se entregaron con sincera devoción a la causa de su Redentor.

Que esta iglesia no estuvo libre de persecución, lo revela una expresión de la carta que Pablo le escribió. Dice: "A vosotros os es concedido a causa de Cristo, no sólo que creáis en él, sino también que padezcáis por él, teniendo el mismo conflicto que habéis visto en mí". Sin embargo, era tal su firmeza en la fe, que él declara: "Doy gracias a mi Dios siempre que me acuerdo de vosotros, siempre en todas mis oraciones rogando con gozo por todos vosotros, por vuestra comunión en el evangelio, desde el primer día hasta ahora" (Filipenses 1: 29, 30, 3-5).

Es terrible la lucha que se produce entre las fuerzas del bien y las del mal en los centros importantes donde los mensajeros de la verdad están llamados a trabajar. "No tenemos lucha contra sangre y carne —declara Pablo—, sino contra principados, contra potestades, contra los gobernadores de las tinieblas de este siglo" (Efesios 6: 12). Hasta el fin habrá un conflicto entre la iglesia de Dios y los que están bajo el dominio de los ángeles malos.

Los primeros cristianos estaban llamados a menudo a hacer frente cara a cara a las potestades de las tinieblas. Por medio de sofistería y persecución el enemigo se esforzaba por apartarlos de la verdadera fe. Ahora, cuando el fin de las cosas terrenales se acerca rápidamente, Satanás realiza desesperados esfuerzos por entrampar al mundo. Inventa muchos planes para ocupar las mentes y apartar la atención de las verdades esenciales para la salvación. En todas las ciudades sus agentes están organizando empeñosamente en partidos a aquellos que se oponen a la ley de Dios. El gran engañador está tratando de introducir elementos de confusión y rebelión, y los hombres se están enardeciendo con un celo que no está de acuerdo con su conocimiento.

La maldad está llegando a un grado jamás antes alcanzado; no obstante, muchos ministros del Evangelio claman: "Paz y seguridad". Pero los fieles mensajeros de Dios han de seguir rápidamente adelante con su obra. Vestidos con la armadura celestial, han de avanzar intrépida y victoriosamente, sin cejar en su lucha hasta que toda alma que se halle a su alcance haya recibido el mensaje de verdad para este tiempo.

CAPITULO 22

Este capítulo está basado en Hechos 17: 1-10.

Tesalónica

DESPUES de dejar a Filipos, Pablo y Silas fueron a Tesalónica. Allí se les dio la oportunidad de hablar a grandes congregaciones en la sinagoga judía. Su apariencia evidenciaba el vergonzoso trato recién recibido, y requería una explicación de lo que había sucedido. Ellos la dieron sin ensalzarse a sí mismos, sino magnificando a Aquel que los había librado.

Al predicar a los tesalonicenses, Pablo apeló a las profecías del Antiguo Testamento concernientes al Mesías. Cristo había abierto en su ministerio la mente de sus discípulos a estas profecías; pues "comenzando desde Moisés, y siguiendo por todos los profetas, les declaraba en todas las Escrituras lo que de él decían" (S. Lucas 24: 27). Pedro, al predicar a Cristo, había sacado del Antiguo Testamento sus evidencias. Esteban había seguido el mismo plan. Y también Pablo en su ministerio apelaba a las Escrituras que predecían el nacimiento, los sufrimientos, la muerte, resurrección y ascensión de Cristo. Por el inspirado testimonio de Moisés y los profetas, probaba claramente la identidad de Jesús de Nazaret como el Mesías, y mostraba que desde los días de Adán era la voz de Cristo la que había hablado por los patriarcas y profetas.

Se habían dado profecías sencillas y específicas concernientes a la aparición del Prometido. A Adán se le dio la seguridad de la venida del Redentor. La sentencia pronunciada contra Satanás: "Pondré enemistad entre ti y la mujer, y entre tu simiente y la simiente suya; ésta te herirá en la cabeza, y tú le herirás en el calcañar" (Génesis 3: 15), era para nuestros primeros padres la promesa de la redención que iba a obrarse por Cristo.

A Abrahán se le dio la promesa que de su descendencia vendría el Salvador del mundo: "En tu simiente serán benditas todas las naciones de la tierra" (Génesis 22: 18). "No dice: Y a las simientes, como si hablase de muchos, sino como de uno: Y a tu simiente, la cual es Cristo" (Gálatas 3: 16).

Moisés, cerca del fin de su trabajo como jefe y maestro de Israel, profetizó claramente del Mesías venidero. "Profeta de en medio de ti —declaró a las huestes reunidas de Israel—, de tus hermanos, como yo, te levantará Jehová tu Dios; a él oiréis". Y Moisés aseguró a los israelitas que Dios mismo le había revelado esto en el monte de Horeb, diciendo: "Profeta les levantaré de en medio de sus hermanos, como tú; y pondré mis palabras en su boca, y él les hablará todo lo que yo le mandare" (Deuteronomio 18: 15, 18).

El Mesías había de ser del linaje real; porque en la profecía pronunciada por Jacob el Señor dijo: "No será quitado el cetro de Judá, ni el legislador de entre sus pies,

hasta que venga Siloh; y a él se congregarán los pueblos"
(Génesis 49: 10).

Isaías profetizó: "Saldrá una vara del tronco de Isaí, y un
vástago retoñará de sus raíces". "Inclinad vuestro oído, y
venid a mí; oíd, y vivirá vuestra alma; y haré con vosotros
pacto eterno, las misericordias firmes a David. He aquí que
yo lo dí por testigo a los pueblos, por jefe y por maestro a las
naciones. He aquí, llamarás a gente que no conociste, y
gentes que no te conocieron correrán a ti, por causa de
Jehová tu Dios, y del Santo de Israel que te ha honrado"
(Isaías 11: 1; 55: 3-5).

Jeremías también testificó del Redentor venidero como
de un príncipe de la casa de David: "He aquí que vienen
días, dice Jehová, en que levantaré a David renuevo justo, y
reinará como Rey, el cual será dichoso, y hará juicio y
justicia en la tierra. En sus días será salvo Judá, e Israel
habitará confiado; y éste será su nombre con el cual le
llamarán: Jehová, justicia nuestra". Y nuevamente: "Porque así ha dicho Jehová: No faltará a David varón que se
siente sobre el trono de la casa de Israel. Ni a los sacerdotes y
levitas faltará varón que delante de mí ofrezca holocausto, y

encienda ofrenda, y que haga sacrificio todos los días" (Jeremías 23: 5, 6; 33: 17, 18).

Hasta el mismo lugar del nacimiento del Mesías fue predicho así: "Pero tú, Belén Efrata, pequeña para estar entre las familias de Judá, de ti me saldrá el que será Señor en Israel; y sus salidas son desde el principio, desde los días de la eternidad" (Miqueas 5: 2).

La obra que el Salvador haría en la tierra había sido bosquejada plena y claramente: "Y reposará sobre él el Espíritu de Jehová; espíritu de sabiduría y de inteligencia, espíritu de consejo y de poder, espíritu de conocimiento y de temor de Jehová. Y le hará entender diligente en el temor de Jehová". El así ungido vendría "a predicar buenas nuevas a los abatidos, a vendar a los quebrantados de corazón, a publicar libertad a los cautivos, y a los presos apertura de la cárcel; a proclamar el año de la buena voluntad de Jehová, y el día de venganza del Dios nuestro; a consolar a todos los enlutados; a ordenar que a los afligidos de Sion se les dé gloria en lugar de ceniza, óleo de gozo en lugar de luto, manto de alegría en lugar del espíritu angustiado; y serán llamados árboles de justicia, plantío de Jehová, para gloria suya" (Isaías 11: 2, 3; 61: 1-3).

"He aquí mi siervo, yo le sostendré; mi escogido, en quien mi alma tiene contentamiento; he puesto sobre él mi Espíritu; él traerá justicia a las naciones. No gritará, ni alzará su voz, ni la hará oír en las calles. No quebrará la caña cascada, ni apagará el pábilo que humeare; por medio de la verdad traerá justicia. No se cansará ni desmayará, hasta que establezca en la tierra justicia; y las costas esperarán su ley" (Isaías 42: 1-4).

Con convincente poder, Pablo arguyó, fundado en los

escritos del Antiguo Testamento, que "era necesario que el Cristo padeciese, y resucitase de los muertos". ¿No había profetizado Miqueas: "Con vara herirán en la mejilla al juez de Israel"? (Miqueas 5: 1). ¿Y no había profetizado de sí mismo el Prometido, por medio de Isaías: "Dí mi cuerpo a los heridores, y mis mejillas a los que me mesaban la barba; no escondí mi rostro de injurias y de esputos"? (Isaías 50: 6). Mediante el salmista, Cristo había predicho el trato que iba a recibir de los hombres: "Yo soy... oprobio de los hombres, y despreciado del pueblo. Todos los que me ven me escarnecen; estiran la boca, menean la cabeza, diciendo: se encomendó a Jehová; líbrele él; sálvele, puesto que en él se complacía". "Contar puedo todos mis huesos; entre tanto, ellos me miran y me observan. Repartieron entre sí mis vestidos, y sobre mi ropa echaron suertes". "Extraño he sido para mis hermanos, y desconocido para los hijos de mi madre. Porque me consumió el celo de tu casa; y los denuestos de los que te vituperaban cayeron sobre mí". "El escarnio ha quebrantado mi corazón, y estoy acongojado. Esperé quien se compadeciese de mí, y no lo hubo; y consoladores, y ninguno hallé" (Salmos 22: 6-8, 17, 18; 69: 8, 9, 20).

¡Cuán inconfundiblemente claras eran las profecías de Isaías respecto a los sufrimientos y la muerte de Cristo! "¿Quién ha creído a nuestro anuncio? —pregunta el profeta— ¿y sobre quién se ha manifestado el brazo de Jehová? Subirá cual renuevo delante de él, y como raíz de tierra seca; no hay parecer en él, ni hermosura; le veremos mas sin atractivo para que le deseemos. Despreciado y desechado entre los hombres, varón de dolores, experimentado en quebranto; y como que escondimos de él el rostro, fue menospreciado, y no lo estimamos.

"Ciertamente llevó él nuestras enfermedades, y sufrió nuestros dolores; y nosotros le tuvimos por azotado, por herido de Dios y abatido. Mas él herido fue por nuestras rebeliones, molido por nuestro pecados; el castigo de nuestra paz fue sobre él, y por su llaga fuimos nosotros curados.

"Todos nosotros nos descarriamos como ovejas, cada cual se apartó por su camino; mas Jehová cargó en él el pecado de todos nosotros. Angustiado él, y afligido, no abrió su boca; como cordero fue llevado al matadero; y como oveja delante de sus trasquiladores, enmudeció, y no abrió su boca. Por cárcel y por juicio fue quitado; y su generación, ¿quién la contará? Porque fue cortado de la tierra de los vivientes, y por la rebelión de mi pueblo fue herido" (Isaías 53: 1-8).

Aun la forma de su muerte había sido prefigurada. Como la serpiente de metal había sido levantada en el desierto, así iba a ser levantado el Redentor venidero, para que "todo aquel que en él cree, no se pierda, mas tenga vida eterna"(S. Juan 3: 16).

"Y le preguntarán: ¿Qué heridas son éstas en tus manos? Y él responderá: Con ellas fui herido en casa de mis amigos" (Zacarías 13: 6).

"Y se dispuso con los impíos su sepultura, mas con los ricos fue en su muerte; aunque nunca hizo maldad, ni hubo engaño en su boca. Con todo eso, Jehová quiso quebrantarlo, sujetándole a padecimiento" (Isaías 53: 9, 10).

Pero el que iba a sufrir la muerte a manos de hombres impíos, se levantaría de nuevo como un vencedor del pecado y del sepulcro. Bajo la inspiración del Todopoderoso, el dulce cantor de Israel había dado testimonio de las glorias de la mañana de la resurrección. "Mi carne también —proclamó alegremente— reposará confiadamente. Porque no dejarás mi alma en el Seol, ni permitirás que tu santo vea corrupción" (Salmo 16: 9, 10).

Pablo mostró cuán estrechamente había ligado Dios el servicio de los sacrificios con las profecías relativas a Aquel que iba a ser llevado como cordero al matadero. El Mesías iba a dar su vida como "expiación por el pecado". Mirando hacia adelante a través de los siglos las escenas de la expiación del Salvador, el profeta Isaías había testificado que el Cordero de Dios "derramó su vida hasta la muerte, y fue contado con los pecadores, habiendo él llevado el pecado de muchos, y orado por los transgresores" (Isaías 53: 7, 10, 12).

El Salvador profetizado había de venir, no como un rey temporal, para librar a la nación judía de opresores terrenales, sino como hombre entre los hombres, para vivir una vida de pobreza y humildad, y para ser al fin despreciado, rechazado y muerto. El Salvador predicho en las Escrituras del Antiguo Testamento había de ofrecerse a sí mismo como sacrificio en favor de la especie caída, cumpliendo así todos los requerimientos de la ley quebrantada. En él los sacrificios típicos iban a encontrar la realidad prefigurada, y su muerte de cruz iba a darle significado a toda la economía judía.

Pablo habló a los judíos tesalonicenses de su celo anterior por la ley ceremonial, y del asombroso suceso que le había ocurrido junto a las puertas de Damasco. Antes de su conversión había confiado en una piedad heredada, una falsa esperanza. Su fe no había estado anclada en Cristo; en vez de eso, había confiado en formas y ceremonias. Su celo por la ley había estado desvinculado de la fe en Cristo, y no tenía ningún valor. Mientras se vanagloriaba de ser intachable en el cumplimiento de los requerimientos de la ley, había rechazado a Aquel que daba valor a la ley.

Pero al convertirse, todo había cambiado. Jesús de Nazaret, a quien había estado persiguiendo en la persona de sus santos, se le apareció como el Mesías prometido. El perseguidor le vio como el Hijo de Dios que había venido a la tierra en cumplimiento de las profecías, y en cuya vida se cumplían todas las especificaciones registradas en los Escritos Sagrados.

Mientras Pablo proclamaba con santa audacia el Evangelio en la sinagoga de Tesalónica, se derramaron raudales de luz sobre el verdadero significado de los ritos y ceremonias relacionados con el servicio del tabernáculo. Condujo el pensamiento de sus oyentes más allá del servicio terrenal y del ministerio de Cristo en el santuario celestial, al tiempo cuando, habiendo completado su obra mediadora, Cristo volverá con poder y grande gloria y establecerá su reino en la tierra. Pablo creía en la segunda venida de Cristo. Tan clara y vigorosamente presentó las verdades concernientes a este suceso, que ellas hicieron en la mente de muchos que oían una impresión que nunca se borró.

Por tres sábados sucesivos Pablo predicó a los tesalonicenses, razonando con ellos de las Escrituras en cuanto a la vida, muerte, resurrección, mediación, y gloria futura de Cristo, el Cordero "inmolado desde el principio del mundo" (Apocalipsis 13: 8). Ensalzó a Cristo, el debido entendimiento de cuyo ministerio es la llave que abre las Escrituras del Antiguo Testamento y da acceso a sus ricos tesoros.

Cuando se proclamaron así las verdades del Evangelio en Tesalónica con gran poder, se cautivó la atención de grandes congregaciones. "Y algunos de ellos creyeron, y se juntaron con Pablo y con Silas; y de los griegos piadosos gran número, y mujeres nobles no pocas".

Como en los lugares adonde fueron anteriormente, los apóstoles tropezaron aquí con acérrima oposición. "Los judíos que no creían", tuvieron "celos". Estos judíos no contaban entonces con el favor del poder romano, porque no mucho antes habían provocado una insurrección en Roma. Eran mirados con suspicacia, y su libertad era restringida en cierta medida. Vieron ahora una oportunidad para aprovecharse de las circunstancias, a fin de rehabilitarse, y al mismo tiempo arrojar oprobio sobre los apóstoles y sobre los conversos al cristianismo.

Se proponían hacer esto uniéndose con "algunos ociosos, hombres malos", por medio de los cuales lograron alborotar la ciudad. Con la esperanza de encontrar a los apóstoles, asaltaron "la casa de Jasón", pero no hallaron a Pablo ni a Silas. Y "no hallándolos", la turba, en su loco chasco, "trajeron a Jasón y a algunos hermanos ante las autoridades de la ciudad, gritando: Estos que trastornan el mundo entero también han venido acá; a los cuales Jasón ha recibido; y todos éstos contravienen los decretos de César, diciendo que hay otro rey, Jesús".

Como no se halló a Pablo ni a Silas, los magistrados pusieron bajo fianza a los creyentes acusados, para mantener la paz. Temiendo violencias adicionales, "los hermanos enviaron de noche a Pablo y a Silas hasta Berea".

Los que enseñan hoy verdades poco populares no necesitan desanimarse si en ocasiones no son recibidos más favorablemente, aun por los que pretenden ser cristianos, de lo que lo fueron Pablo y sus colaboradores por la gente entre la cual trabajaron. Los mensajeros de la cruz deben velar y

237

orar, y seguir adelante con fe y ánimo, trabajando siempre en el nombre de Jesús. Deben exaltar a Cristo como el mediador del hombre en el santuario celestial, en quien se concentraban todos los sacrificios de la dispensación del Antiguo Testamento, y por cuyo sacrificio expiatorio los transgresores de la ley de Dios pueden hallar paz y perdón.

CAPITULO 23

Berea y Atenas

EN BEREA Pablo encontró judíos que estaban dispuestos a investigar las verdades que enseñaba. El informe de Lucas declara de ellos: "Y éstos eran más nobles que los que estaban en Tesalónica, pues recibieron la palabra con toda solicitud, escudriñando cada día las Escrituras para ver si estas cosas eran así. Así que creyeron muchos de ellos, y mujeres griegas de distinción, y no pocos hombres".

La mente de los bereanos no estaba estrechada por el prejuicio. Estaban dispuestos a investigar la verdad de la doctrina presentada por los apóstoles. Estudiaban la Biblia, no por curiosidad, sino para aprender lo que se había escrito concerniente al Mesías prometido. Investigaban diariamente los relatos inspirados; y al comparar escritura con escritura, los ángeles celestiales estaban junto a ellos, iluminando sus mentes e impresionando sus corazones.

Doquiera se proclaman las verdades del Evangelio, aquellos que desean sinceramente hacer lo recto son inducidos a escudriñar diligentemente las Escrituras. Si en las escenas finales de la historia terrenal, aquellos a quienes se proclaman las verdades probatorias siguieran el ejemplo de los bereanos, escudriñando diariamente las Escrituras, comparando con la Palabra de Dios los mensajes que se les dan, habría un gran número de leales a los preceptos de la ley de Dios donde ahora hay comparativamente pocos. Pero cuando las verdades impopulares de la Biblia se presentan, muchos se niegan a hacer esta investigación. Aunque no pueden contradecir las claras enseñanzas de las Escrituras, manifiestan, sin embargo, extrema indisposición a estudiar las evidencias ofrecidas. Algunos arguyen que aunque estas doctrinas sean en verdad ciertas, importa poco que ellos acepten o no la nueva luz; y se aferran a fábulas agradables por las cuales el enemigo suele extraviar las almas. Así sus mentes son cegadas por el error y ellos se separan del cielo.

Todos serán juzgados de acuerdo con la luz que se les ha dado. El Señor envía sus embajadores con un mensaje de salvación, y a aquellos que lo oyen los hará responsables de la manera en que tratan las palabras de sus siervos. Los que buscan sinceramente la verdad harán una investigación cuidadosa, a la luz de la Palabra de Dios, de las doctrinas que se les presentan.

Los judíos incrédulos de Tesalónica, llenos de celo y odio hacia los apóstoles, y no conformes con haberlos ahuyentado de su ciudad, los siguieron a Berea y despertaron contra ellos las pasiones excitables de la clase inferior. Temiendo que se hiciese violencia a Pablo si permanecía allí, los hermanos le enviaron a Atenas, acompañado por algunos de los bereanos que acababan de aceptar la fe.

De ciudad en ciudad sufrían persecución los maestros de la verdad. Los enemigos de Cristo no podían impedir el progreso del Evangelio; pero sí, lograban dificultar extraordinariamente la obra de los apóstoles. Con todo, frente a la oposición y a los conflictos, Pablo avanzaba firmemente, determinado a realizar el propósito de Dios como se lo había revelado en la visión de Jerusalén: "Ve, porque yo te enviaré lejos a los gentiles" (Hechos 22: 21).

La apresurada partida de Pablo de Berea le privó de la oportunidad que pensaba tener de visitar a los hermanos de Tesalónica.

Al llegar a Atenas, el apóstol envió de vuelta a algunos de los hermanos bereanos para que les dijeran a Silas y Timoteo que se reuniesen con él inmediatamente. Timoteo había ido a Berea antes que Pablo partiera, y había quedado con Silas para continuar la obra tan bien comenzada allí, y para instruir a los nuevos conversos en los principios de la fe.

La ciudad de Atenas era la metrópoli del paganismo. Allí Pablo no se encontró con un populacho ignorante y crédulo como en Listra, sino con gente famosa por su inteligencia y cultura. Por doquiera se veían estatuas de sus dioses y de los héroes deificados de la historia y la poesía, mientras magníficas esculturas y pinturas representaban la gloria nacional y el culto popular de las deidades paganas. Los sentidos de la gente se extasiaban con la belleza y el esplendor del arte. Por doquiera los santuarios y templos, que representaban gastos incalculables, levantaban sus macizas formas. Las victorias de las armas y los hechos de hombres célebres eran conmemorados mediante esculturas, altares e inscripciones. Todo esto convertía a Atenas en una vasta galería de arte.

Cuando Pablo vio la hermosura y grandeza que lo rodeaban, y la ciudad enteramente entregada a la idolatría, su espíritu se llenó de celo por Dios, a quien veía deshonrado por todas partes; y su corazón se llenó de compasión por la gente de Atenas, que, no obstante su cultura intelectual, no conocía al Dios verdadero.

El apóstol no se engañaba por lo que veía en ese centro del saber. Su naturaleza espiritual estaba tan despierta a los atractivos de las cosas celestiales, que el gozo y la gloria de las riquezas que no perecerán nunca, invalidaban a sus ojos la pompa y el esplendor que lo rodeaban. Al ver la magnificencia de Atenas, comprendía su poder seductor para los amantes del arte y de la ciencia, y quedó profundamente impresionada su mente por la importancia de la obra que tenía por delante.

En esta gran ciudad, donde no se adoraba a Dios, Pablo se sentía oprimido por un sentimiento de soledad; y anhelaba la simpatía y la ayuda de sus colaboradores. En cuanto se refería a la amistad humana, se sentía completamente solo. Lo expresa en su Epístola a los Tesalonicenses al decir: "Acordamos quedarnos solos en Atenas" (1 Tesalonicenses 3: 1). Delante de él se presentaban obstáculos que parecían insuperables, haciendo casi desesperada para él la tentativa de alcanzar los corazones de la gente.

Mientras esperaba a Silas y Timoteo, Pablo no estaba ocioso. "Discutía en la sinagoga con los judíos y piadosos, y en la plaza cada día con los que concurrían". Pero su principal labor era proclamar las nuevas de la salvación a aquellos que no tenían un concepto claro de Dios y de su propósito en favor de la especie caída. El apóstol había de encontrarse pronto con el paganismo en su forma más sutil y seductora.

Los grandes hombres de Atenas no tardaron en enterarse de la presencia en su ciudad de un maestro singular, que estaba presentando a las gentes doctrinas nuevas y extrañas. Algunos de esos hombres buscaron a Pablo, y entablaron conversación con él. Pronto una multitud de oyentes se reunió en torno de ellos. Algunos estaban listos para ridiculizar al apóstol como a uno muy inferior a ellos tanto social como intelectualmente, y ésos dijeron con mofa: "¿Qué querrá decir este palabrero?" Otros, "porque les predicaba el Evangelio de Jesús, y de la resurrección", dijeron: "Parece que es predicador de nuevos dioses".

Entre aquellos que se encontraron con Pablo en la plaza, había "algunos filósofos de los epicúreos y de los estoicos"; pero éstos, y todos los demás que trataron con él, vieron pronto que tenía un caudal de conocimiento aun mayor que el de ellos. Sus facultades intelectuales imponían el respeto de los letrados; mientras su fervor, su lógico razonamiento y el poder de su oratoria llamaban la atención de todo su auditorio. Sus oyentes reconocieron el hecho de que no era un novicio, sino un hombre capaz de hacer frente a todas las clases de argumentos convincentes en defensa de la doctrina que enseñaba. Así el apóstol permaneció impávido, haciendo frente a sus opositores en su propio terreno, haciendo frente a la lógica con la lógica, a la filosofía con la filosofía, a la elocuencia con la elocuencia.

Sus oponentes paganos le llamaron la atención a la suerte de Sócrates, quien por haber predicado dioses extraños, había sido condenado a muerte; y aconsejaron a Pablo que no arriesgara su vida de la misma manera. Pero los discursos del apóstol cautivaron la atención del pueblo, y su sabiduría sin afectación les imponía respeto y admiración. No fue reducido al silencio por la ciencia o la ironía de los filósofos; convencidos de que estaba resuelto a cumplir su cometido entre ellos y, bajo cualquier riesgo, dar su mensaje, decidieron darle una justa audiencia.

De consiguiente, lo condujeron al Areópago. Este era uno de los puntos más sagrados de toda Atenas, y sus recuerdos y asociaciones inducían a considerarlo con supersticiosa reverencia que, en la mente de algunos, se convertía en terror. Era en este lugar donde los asuntos relacionados con la religión eran a menudo considerados cuidadosamente por hombres que actuaban como jueces finales en todo lo de mayor importancia moral, tanto como en asuntos civiles.

Aquí, lejos del ruido y la bulla de las atestadas vías públicas, del tumulto de la promiscua discusión, el apóstol podría ser oído sin interrupción. Se reunieron en derredor de él poetas, artistas y filósofos —los doctos y sabios de Atenas—, quienes se dirigieron así a él: "¿Podremos saber qué es esta nueva enseñanza de que hablas? Pues traes a nuestros oídos cosas extrañas. Queremos, pues, saber qué quiere decir esto".

En esta hora de solemne responsabilidad, el apóstol estaba sereno y dueño de sí. Su corazón estaba cargado con un mensaje importante, y las palabras que brotaron de sus labios convencieron a sus oyentes de que no era un ocioso palabrero. "Varones atenienses —dijo—, en todo observo que sois muy religiosos; porque pasando y mirando vuestros santuarios, hallé también un altar en el cual estaba esta inscripción: AL DIOS NO CONOCIDO. Al que vosotros adoráis, pues, sin conocerle, es a quien yo os anuncio". Con toda su inteligencia y conocimiento general, no conocían el Dios que había creado el universo. Sin embargo, algunos de ellos deseaban tener mayor luz. Los tales buscaban el Infinito.

Con la mano extendida hacia el templo cuajado de ídolos, Pablo derramó la carga de su alma y expuso la falacia de la religión de los atenienses. Sus más sabios oyentes estaban asombrados al escuchar su razonamiento. Demostró que estaba familiarizado con sus obras de arte, su literatura y su religión. Señalando sus estatuas e ídolos, declaró que Dios no podía ser asemejado con formas de invención humana. Esas imágenes esculpidas no podían, en el sentido más débil, representar la gloria de Jehová. Les recordó que las imágenes no tenían vida, sino que eran manejadas por el poder humano. Se movían solamente cuando las manos del hombre las movían; por lo tanto, los que las adoraban eran en todo sentido superiores a los objetos de adoración.

Pablo dirigió la mente de sus idólatras oyentes más allá de los límites de su falsa religión a un verdadero concepto de la Deidad, que habían titulado: "Dios no conocido". Este

Ser, a quien ahora les declaraba, no dependía del hombre, ni necesitaba que las manos humanas añadiesen nada a su poder y gloria. La gente se llenó de admiración por el fervor de Pablo y su lógica exposición de los atributos del Dios verdadero: su poder creador y la existencia de su providencia predominante. Con ardiente y férvida elocuencia, el apóstol declaró: "El Dios que hizo el mundo y todas las cosas que en él hay, siendo Señor del cielo y de la tierra, no habita en templos hechos por manos humanas, ni es honrado por manos de hombres, como si necesitase de algo; pues él es quien da a todos vida y aliento y todas las cosas". Los cielos no eran bastante grandes para contener a Dios, cuánto menos los templos hechos por manos humanas.

En aquella época de castas, cuando a menudo no se reconocían los derechos de los hombres, Pablo presentó la gran verdad de la fraternidad humana, declarando que Dios "de una sangre ha hecho todo el linaje de los hombres, para que habiten sobre toda la faz de la tierra". A la vista de Dios, todos son iguales. Cada ser humano debe suprema lealtad al Creador. Luego el apóstol mostró cómo, a través de todo el trato de Dios con el hombre, su propósito de misericordia y gracia corre como un hilo de oro. El "les ha prefijado el orden de los tiempos, y los límites de su habitación; para que busquen a Dios, si en alguna manera, palpando, puedan hallarle, aunque ciertamente no está lejos de cada uno de nosotros".

Señalando a los nobles exponentes de la humanidad que le rodeaban, con palabras tomadas de un poeta suyo pintó al Dios infinito como a un Padre cuyos hijos ellos eran. "En él vivimos, y nos movemos, y somos —declaró—; como algunos de vuestros propios poetas también han dicho: Porque linaje

246

suyo somos. Siendo, pues, linaje de Dios, no debemos pensar que la Divinidad sea semejante a oro, o plata, o piedra, escultura de arte y de imaginación de hombres.

"Pero Dios, habiendo pasado por alto los tiempos de esta ignorancia, ahora manda a todos los hombres en todo lugar, que se arrepientan". En los siglos de oscuridad que habían precedido al advenimiento de Cristo, el Gobernante divino había pasado por alto la idolatría de los paganos; pero ahora, mediante su Hijo, había enviado a los hombres la luz de la verdad; y esperaba que todos se arrepintieran para salvación, no solamente los pobres y humildes, sino también los orgullosos filósofos y príncipes de la tierra. "Por cuanto ha establecido un día en el cual juzgará al mundo con justicia, por aquel varón a quien designó, dando fe a todos con haberle levantado de los muertos". Al hablar Pablo de la resurrección de los muertos, "unos se burlaban, y otros decían: Ya te oiremos acerca de esto otra vez".

Así terminaron las labores del apóstol en Atenas, el centro de la cultura pagana; porque los atenienses, aferrándose insistentemente a su idolatría, se apartaron de la luz de la religión verdadera. Cuando un pueblo está plenamente satisfecho con sus propias realizaciones, poco puede esperarse de él. Aunque se vanagloriaban de su saber y refinamiento, los atenienses se estaban corrompiendo cada vez más, y contentándose cada vez más con los vagos misterios de la idolatría.

Entre los que escucharon las palabras de Pablo había algunos en cuyas mentes produjeron convicción las verdades presentadas; pero no quisieron humillarse para reconocer a Dios y aceptar el plan de la salvación. Ninguna elocuencia de palabras, ni fuerza de argumentos, puede convertir al pecador. Sólo el poder de Dios puede aplicar la verdad al corazón. El que se aparta persistentemente de este poder no puede ser alcanzado. Los griegos buscaban sabiduría; sin embargo, el mensaje de la cruz era locura para ellos porque estimaban su propia sabiduría más que la que viene de lo alto.

En su orgullo de intelectual y humana sabiduría puede hallarse la razón por la cual el mensaje evangélico tuvo comparativamente poco éxito entre los atenienses. Los sabios según el mundo que acudan a Cristo como pobres y perdidos pecadores, llegarán a ser sabios para salvación; pero aquellos que acudan como hombres distinguidos, enalteciendo su propia sabiduría, no recibirán la luz y conocimiento que sólo él puede dar.

Así afrontó Pablo el paganismo de sus días. Sus labores en Atenas no fueron totalmente inútiles. Dionisio, uno de los ciudadanos más eminentes, y algunos otros, aceptaron el mensaje evangélico, y se unieron plenamente con los creyentes.

La inspiración nos ha dado esta vislumbre de la vida de los atenienses, que, con todo su conocimiento, refinamiento y arte, estaban sin embargo sumidos en el vicio, para que pudiera verse cómo Dios, mediante su siervo, reprendió la idolatría y los pecados de un pueblo orgulloso y confiado en sí mismo. Las palabras del apóstol y la descripción de su actitud y del ambiente que lo rodeaba, como los traza la pluma inspirada, habían de transmitirse a todas las generaciones venideras como testimonio de su firme confianza, su valor en la soledad y adversidad, así como de la victoria ganada en favor del cristianismo en el mismo corazón del paganismo.

Las palabras de Pablo contienen un tesoro de conocimiento para la iglesia. Estaba en una posición desde donde hubiera podido fácilmente decir algo que irritara a sus orgullosos oyentes y lo metiera en dificultad. Si su discurso hubiera sido un ataque directo contra sus dioses y los grandes hombres de la ciudad, hubiera estado expuesto a sufrir la suerte de Sócrates. Pero con un tacto nacido del amor divino, apartó cuidadosamente sus mentes de las deidades paganas, y les reveló el Dios verdadero, que era desconocido para ellos.

Hoy día las verdades de las Escrituras deben presentarse a los grandes del mundo, a fin de que puedan escoger entre obedecer a la ley de Dios y servir al príncipe del mal. Dios les presenta la verdad eterna, la verdad que los hará sabios para la salvación; pero no los obliga a aceptarla. Si se apartan de ella, los abandona a sus propios medios, para que se llenen con los frutos de sus propias obras.

"Porque la palabra de la cruz es locura a los que se pierden; pero a los que se salvan, esto es, a nosotros, es poder de Dios. Pues está escrito: Destruiré la sabiduría de los sabios, y desecharé el entendimiento de los entendidos". "Sino que lo necio del mundo escogió Dios, para avergonzar a los sabios; y lo débil del mundo escogió Dios, para avergonzar a lo fuerte; y lo vil del mundo y lo menospreciado escogió Dios, y lo que no es, para deshacer lo que es" (1 Corintios 1: 18, 19, 27, 28). Muchos de los mayores eruditos y estadistas, los más eminentes hombres del mundo, se apartarán en estos últimos días de la luz, porque el mundo con toda su sabiduría no conoce a Dios. No obstante, los siervos de Dios han de aprovechar toda oportunidad para comunicar la verdad a estos hombres. Algunos reconocerán su ignorancia de las cosas divinas y ocuparán un lugar como humildes aprendices a los pies de Jesús, el gran Maestro.

En todo esfuerzo por alcanzar a las clases altas, el obrero de Dios necesita fe firme. Las apariencias pueden ser desalentadoras; pero en la hora más oscura se recibe luz de lo alto. La fuerza de los que aman y sirven a Dios se renovará día tras día. El entendimiento del Infinito se coloca a su servicio, de modo que al realizarse sus propósitos no yerren. Mantengan firme estos obreros el principio de su confianza hasta el fin, recordando que la luz de la verdad de Dios ha de brillar en medio de las tinieblas que envuelven nuestro mundo. No debe haber desaliento en relación con el servicio de Dios. La fe de los obreros consagrados ha de soportar todas las pruebas a que tenga que hacer frente. Dios puede y quiere conceder a sus siervos toda la fuerza que necesitan, y darles la sabiduría que sus variadas necesidades demanden. El hará más que cumplir las más altas expectaciones de los que confían en él.

CAPITULO 24

Este capítulo está basado en Hechos 18: 1-18.

Corinto

DURANTE el primer siglo de la era cristiana, Corinto era una de las ciudades principales, no sólo de Grecia, sino del mundo. Griegos, judíos, romanos y viajeros de todos los países, llenaban las calles, empeñados afanosamente en los negocios y los placeres. Era un gran centro comercial, situado a fácil acceso de todas partes del Imperio Romano, un lugar importante donde establecer monumentos para Dios y su verdad.

Entre los judíos que se habían establecido en Corinto, se contaban Aquila y Priscila, quienes más tarde se distinguieron como fervientes obreros de Cristo. Al reconocer el carácter de esas personas, Pablo "quedó con ellos".

En el mismo comienzo de sus labores en este centro de tránsito, Pablo vio por doquiera serios obstáculos al progreso de su obra. La ciudad estaba casi completamente entregada a la idolatría. Venus era la deidad favorita; y con el culto de Venus se asociaban muchos ritos y ceremonias desmoraliza-

253

Pablo se entristeció en la sinagoga
de Corinto cuando predicó a
Cristo y fue rechazado por los judíos.

dores. Los corintios habían llegado a destacarse, aun entre los paganos, por su grosera inmoralidad. Parecían pensar o preocuparse poco fuera de los placeres y alegrías frívolas de la hora.

Al predicar el Evangelio en Corinto, el apóstol siguió un plan diferente que en Atenas. Mientras estuvo en ese lugar, trató de adaptar su estilo al carácter de su auditorio; trató de hacer frente a la lógica con la lógica, a la ciencia con la ciencia, a la filosofía con la filosofía. Al pensar en el tiempo así usado, y darse cuenta de que su enseñanza en Atenas había producido sólo poco fruto, decidió seguir otro plan de acción en Corinto, en sus esfuerzos por cautivar la atención de los despreocupados e indiferentes. Resolvió evitar todas las discusiones y argumentos complicados, y "no saber ... cosa alguna" entre los corintios, "sino a Jesucristo, y a éste crucificado". Iba a predicarles, no "con palabras persuasivas de humana sabiduría, sino con demostración del Espíritu y de poder" (1 Corintios 2: 2, 4).

Jesús, a quien Pablo estaba por presentar ante los griegos de Corinto como el Cristo, era un judío de humilde origen, criado en una ciudad proverbial por su iniquidad. Había sido rechazado por su propia nación, y crucificado al fin como malhechor. Los griegos creían que se necesitaba elevar al género humano; pero consideraban el estudio de la filosofía y la ciencia como el único medio capaz de lograr la verdadera elevación y honor. ¿Podría Pablo inducirlos a creer que la fe en el poder de este oscuro judío elevaría y ennoblecería toda facultad del ser humano?

En el pensamiento de las multitudes que viven hoy, la cruz del Calvario está rodeada de sagrados recuerdos. Se relacionan con las escenas de la crucifixión sagradas asociaciones. Pero en los días de Pablo, la cruz se consideraba con sentimientos de repulsión y horror. El ensalzar como Salvador de la humanidad a uno que había muerto en la cruz provocaría naturalmente el ridículo y la oposición.

Pablo sabía bien cómo sería considerado su mensaje tanto por los judíos como por los griegos de Corinto. "Nosotros predicamos a Cristo crucificado —confesó él—, para los judíos ciertamente tropezadero, y para los gentiles locura" (1 Corintios 1: 23). Entre sus oyentes judíos había muchos a quienes encolerizaría el mensaje que él estaba por proclamar. Y a juicio de los griegos, sus palabras serían absurda locura. Sería considerado mentalmente débil por tratar de mostrar cómo la cruz podría tener alguna relación con la elevación del género humano o la salvación de la humanidad.

Pero para Pablo, la cruz era el único objeto de supremo interés. Desde que fuera contenido en su carrera de persecución contra los seguidores del crucificado Nazareno, no había cesado de gloriarse en la cruz. En aquel entonces se le había dado una revelación del infinito amor de Dios, según se revelaba en la muerte de Cristo; y se había producido en su vida una maravillosa transformación que había puesto todos sus planes y propósitos en armonía con el cielo. Desde aquella hora había sido un nuevo hombre en Cristo. Sabía por experiencia personal que una vez que un pecador contempla el amor del Padre, como se lo ve en el sacrificio de su Hijo, y se entrega a la influencia divina, se produce un cambio de corazón, y Cristo es desde entonces todo en todo.

En ocasión de su conversión, Pablo se llenó de un vehemente deseo de ayudar a sus semejantes a contemplar a Jesús de Nazaret como el Hijo del Dios vivo, poderoso para transformar y salvar. Desde entonces dedicó enteramente su vida al esfuerzo de pintar el amor y el poder del Crucificado. Su gran corazón simpatizaba con todas las clases sociales. "A griegos y a no griegos —declaraba—, a sabios y a no sabios soy deudor" (Romanos 1: 14). El amor por el Señor de gloria, a quien había perseguido tan implacablemente en la persona de sus santos, era el principio propulsor de su conducta, su fuerza motriz. Si alguna vez su ardor en la senda del deber flaqueaba, una mirada a la cruz y al asombroso amor allí revelado, bastaba para inducirlo a ceñirse los lomos de su entendimiento y avanzar en la senda de la abnegación.

Contemplad al apóstol predicando en la sinagoga de Corinto, razonando de las escrituras de Moisés y los profetas, y conduciendo a sus oyentes al advenimiento del Mesías prometido. Escuchad mientras explica claramente la obra del Redentor como el gran sumo sacerdote de la humanidad: el que por el sacrificio de su propia vida había de expiar el pecado una vez por todas, y emprender entonces su ministerio en el santuario celestial. Se hizo entender a los oyentes de Pablo que el Mesías cuyo advenimiento habían anhelado, había venido ya; que su muerte era la realidad prefigurada por todas las ofrendas de los sacrificios, y que su ministerio en el santuario celestial era el gran objeto que arrojaba su sombra hacia atrás y aclaraba el ministerio del sacerdocio judío.

Pablo testificó "a los judíos que Jesús era el Cristo". Por las Escrituras del Antiguo Testamento, mostró que de acuerdo con las profecías y la expectación universal de los judíos, el Mesías iba a ser del linaje de Abrahán y de David; entonces trazó la descendencia de Jesús desde el patriarca Abrahán a través del real salmista. Leyó el testimonio de los profetas en cuanto al carácter y la obra del Mesías prometido, y su recepción y trato en la tierra. Luego demostró que todas estas predicciones se habían cumplido en la vida, el ministerio y la muerte de Jesús de Nazaret.

Pablo señaló que Cristo había venido a ofrecer la salvación primero a la nación que aguardaba la venida del Mesías como la consumación y gloria de su existencia nacional. Pero esa nación había rechazado a Aquel que le hubiera dado vida, y había escogido otro guía cuyo reino acabaría en la muerte. Se esforzó por presentar a sus oyentes el hecho de que sólo el arrepentimiento podía salvar a la nación de la ruina inminente. Reveló la ignorancia de ésta concerniente al significado de las Escrituras, cuya presunta plena comprensión constituía su principal jactancia y gloria. Reprendió su mundanalidad, su amor a la posición social, a los títulos, a la exhibición, y su desmedido egoísmo.

Con el poder del Espíritu, Pablo relató la historia de su propia milagrosa conversión, y de su confianza en las Escrituras del Antiguo Testamento, que se habían cumplido tan plenamente en Jesús de Nazaret. Habló con solemne fervor, y sus oyentes no pudieron sino percibir que amaba con todo su corazón al crucificado y resucitado Salvador. Vieron que su mente se concentraba en Cristo, y que toda su vida estaba vinculada con su Señor. Tan impresionantes fueron sus

palabras, que solamente aquellos que estaban llenos del más amargo odio contra la religión cristiana pudieron quedar sin conmoverse por ellas.

Pero los judíos de Corinto cerraron sus ojos a la evidencia tan claramente presentada por el apóstol, y rehusaron escuchar sus llamamientos. El mismo espíritu que los había inducido a rechazar a Cristo, los llenó de ira y furia contra su siervo, y si Dios no le hubiera protegido especialmente, para que continuase llevando el mensaje evangélico a los gentiles, le habrían ultimado.

"Pero oponiéndose y blasfemando éstos, les dijo, sacudiéndose los vestidos: Vuestra sangre sea sobre vuestra propia cabeza; yo, limpio; desde ahora me iré a los gentiles. Y saliendo de allí, se fue a la casa de uno llamado Justo, temeroso de Dios, la cual estaba junto a la sinagoga".

Silas y Timoteo "vinieron de Macedonia" para ayudar a Pablo, y juntos trabajaron por los gentiles. A los paganos, tanto como a los judíos, Pablo y sus compañeros predicaron a Cristo como el Salvador de la humanidad caída. Evitando razonamientos complicados y rebuscados, los mensajeros de la cruz se espaciaron en los atributos del Creador del mundo, supremo Gobernante del universo. Con corazones rebosantes de amor hacia Dios y su Hijo, invitaron a los paganos a contemplar el infinito sacrificio hecho en favor del hombre. Sabían que si aquellos que habían andado mucho tiempo a tientas en las tinieblas del paganismo pudieran tan sólo ver la luz que irradiaba de la cruz del Calvario, serían atraídos al Redentor. "Y yo, si fuere levantado de la tierra, a todos atraeré a mí mismo", había declarado el Salvador (S. Juan 12: 32).

Los obreros evangélicos de Corinto comprendían los

terribles peligros que amenazaban a las almas de aquellos por quienes trabajaban; y con conciencia de la responsabilidad que descansaba sobre ellos, presentaban la verdad como es en Jesús. Claro, sencillo y decidido era su mensaje: sabor de vida para vida, o de muerte para muerte. Y no sólo en sus palabras, sino en su vida diaria, se revelaba el Evangelio. Los ángeles cooperaban con ellos, y la gracia y el poder de Dios se manifestaban en la conversión de muchos. "Crispo, el principal de la sinagoga, creyó en el Señor con toda su casa; y muchos de los corintios oyendo, creían y eran bautizados".

El odio con que los judíos habían considerado siempre a los apóstoles se intensificó ahora. La conversión y el bautismo de Crispo tuvo por efecto exasperar en vez de convencer a estos obstinados oponentes. No podían presentar argumentos que refutasen la predicación de Pablo; y por falta de evidencias tales, recurrieron al engaño y al ataque malicioso. Blasfemaron el Evangelio y nombre de Jesús. En su ciega ira, no había para ellos palabras demasiado amargas ni ardid demasiado bajo. No podían negar que Cristo había obrado milagros, pero declaraban que los había realizado por el poder de Satanás, y afirmaban osadamente que las maravillosas obras realizadas por Pablo eran hechas por el mismo agente.

Aunque Pablo tuvo cierto grado de éxito en Corinto, la impiedad que veía y oía en esa corrupta ciudad casi lo descorazonaba. La depravación que presenciaba entre los gentiles, y el desprecio e insulto de los judíos, le causaban gran angustia de espíritu. Dudaba de la prudencia de tratar de edificar una iglesia con el material que encontraba allí.

Y mientras estaba haciendo planes de dejar la ciudad para ir a un campo más promisorio, y tratando fervientemente de entender su deber, el Señor se le apareció en una visión y le dijo: "No temas, sino habla, y no calles; porque yo estoy contigo, y ninguno pondrá sobre ti la mano para hacerte mal, porque yo tengo mucho pueblo en esta ciudad". Pablo entendió que esto era una orden de permanecer en Corinto y una garantía de que el Señor haría crecer la semilla sembrada. Fortalecido y animado, continuó trabajando allí con celo y perseverancia.

Los esfuerzos del apóstol no se limitaban a la predicación pública; había muchos que no podrían ser alcanzados de esa manera. Pasaba mucho tiempo en el trabajo de casa en casa, aprovechando el trato del círculo familiar. Visitaba a los enfermos y tristes, consolaba a los afligidos y animaba a los oprimidos. En todo lo que decía y hacía, magnificaba el nombre de Jesús. Así trabajaba "con debilidad, y mucho temor y temblor" (1 Corintios 2: 3). Temblaba de temor de que su enseñanza llevara el sello humano en lugar del divino.

"Hablamos sabiduría entre los que han alcanzado madurez —declaró más tarde Pablo—; y sabiduría, no de este siglo, ni de los príncipes de este siglo, que perecen. Mas hablamos sabiduría de Dios en misterio, la sabiduría oculta, la cual Dios predestinó antes de los siglos para nuestra gloria, la que ninguno de los príncipes de este siglo conoció; porque si la hubieran conocido, nunca habrían crucificado al Señor de gloria. Antes bien, como está escrito: Cosas que ojo no vio, ni oído oyó, ni han subido en corazón de hombre, son las que Dios ha preparado para los que le aman. Pero Dios nos las reveló a nosotros por el Espíritu; porque el Espíritu todo lo escudriña, aun lo profundo de Dios. Porque ¿quién de los hombres sabe las cosas del hombre, sino el espíritu del hombre que está en él? Así tampoco nadie conoció las cosas de Dios, sino el Espíritu de Dios.

"Y nosotros no hemos recibido el espíritu del mundo, sino el Espíritu que proviene de Dios, para que sepamos lo que Dios nos ha concedido, lo cual también hablamos, no con palabras enseñadas por sabiduría humana, sino con las que enseña el Espíritu, acomodando lo espiritual a lo espiritual" (1 Corintios 2: 6-13).

Pablo comprendía que su suficiencia no estaba en él, sino en la presencia del Espíritu Santo, cuya misericordiosa influencia llenaba su corazón y ponía todo pensamiento en sujeción a Cristo. Hablando de sí mismo, afirmaba que llevaba "en el cuerpo siempre por todas partes la muerte de Jesús, para que también la vida de Jesús se manifieste en nuestros cuerpos" (2 Corintios 4: 10). En las enseñanzas del apóstol, Cristo era la figura central. "Ya no vivo yo —declaraba—, mas vive Cristo en mí" (Gálatas 2: 20). El yo estaba escondido; Cristo era revelado y ensalzado.

Pablo era un orador elocuente. Antes de su conversión, había tratado a menudo de impresionar a sus oyentes con los vuelos de la oratoria. Pero ahora puso todo eso a un lado. En lugar de entregarse a descripciones poéticas y cuadros fantásticos que pudieran complacer los sentidos y alimentar la imaginación, pero que no podrían alcanzar la experiencia diaria, Pablo trataba, mediante el uso de un lenguaje sencillo, de introducir en el corazón las verdades de vital importancia. Las presentaciones fantásticas de la verdad pueden provocar un éxtasis de sentimiento; pero demasiado a menudo las verdades presentadas de esta manera no proporcionan el alimento necesario para fortalecer al creyente para las batallas de la vida. Las necesidades inmediatas, las pruebas

presentes, de las almas que luchan, deberían satisfacerse
con instrucción sana y práctica sobre los principios fundamentales del cristianismo.

Los esfuerzos de Pablo en Corinto no fueron estériles.
Muchos se volvieron del culto de los ídolos para servir al
Dios vivo, y una gran iglesia se alistó bajo la bandera de
Cristo. Algunos fueron rescatados de entre los gentiles más
disipados, y llegaron a ser monumentos de la misericordia de
Dios y la eficacia de la sangre de Cristo para limpiar del
pecado.

El creciente éxito de Pablo en la presentación de Cristo
despertó en los judíos incrédulos una oposición más resuelta. "Se levantaron de común acuerdo contra Pablo, y le
llevaron al tribunal" de Galión, entonces procónsul de
Acaya. Esperaban que las autoridades, como en ocasiones
anteriores, se pusieran de su parte; y en altas y airadas voces
expresaron su disgusto contra el apóstol, diciendo: "Este
persuade a los hombres a honrar a Dios contra la ley".

La religión judía estaba bajo la protección del poder
romano; y los acusadores de Pablo pensaban que si podían
probar que violaba las leyes de su religión, se lo entregarían
probablemente para que lo juzgaran y sentenciaran. Esperaban así lograr su muerte. Pero Galión era hombre íntegro,
y se negó a dejarse engañar por los judíos celosos e intrigan-
tes. Disgustado por su fanatismo y justicia propia, no quiso
hacer lugar a la acusación. Mientras Pablo se preparaba
para hablar en defensa propia, Galión le dijo que no era
necesario. Entonces, dirigiéndose a los airados acusadores,
dijo: "Si fuera algún agravio o algún crimen enorme, oh
judíos, conforme a derecho yo os toleraría. Pero si son
cuestiones de palabras, y de nombres, y de vuestra ley, vedlo

vosotros; porque yo no quiero ser juez de estas cosas. Y los echó del tribunal".

Tanto los judíos como los griegos habían esperado ansiosamente la decisión de Galión; y su inmediato despacho del caso, como asunto que no era de interés público, fue para los judíos la señal de retirarse, desconcertados y airados. La decidida actitud del procónsul abrió los ojos a la muchedumbre clamorosa que había estado ayudando a los judíos. Por primera vez durante las labores de Pablo en Europa la multitud se puso de su parte; en la presencia del procónsul y sin que él lo impidiera, acosaron violentamente a los principales acusadores del apóstol. "Todos los griegos, apoderándose de Sóstenes, principal de la sinagoga, le golpeaban delante del tribunal; pero a Galión nada se le daba de ello". Así el cristianismo obtuvo una señalada victoria.

Pablo se detuvo allí muchos días. Si el apóstol hubiera sido entonces obligado a abandonar a Corinto, los conversos a la fe de Jesús hubieran quedado en situación peligrosa. Los judíos se hubieran esforzado por aprovechar la ventaja lograda hasta el punto de exterminar el cristianismo en esa región.

263

CAPITULO 25

*Este capítulo está basado
en las Epístolas a los Tesalonicenses.*

Las Cartas a los Tesalonicenses

LA LLEGADA de Silas y Timoteo desde Macedonia, durante la permanencia de Pablo en Corinto, había alegrado grandemente al apóstol. Ellos le trajeron buenas nuevas de la "fe y amor" de aquellos que habían aceptado la verdad durante la primera visita de los mensajeros evangélicos a Tesalónica. El corazón de Pablo simpatizaba tiernamente con esos creyentes, que, en medio de la prueba y la adversidad, habían permanecido fieles a Dios. Anhelaba visitarlos en persona, pero como no podía hacerlo entonces, les escribió.

En esta carta a la iglesia de Tesalónica, el apóstol espresa su gratitud a Dios por las alegres nuevas de su aumento de fe. "Hermanos —escribió—, en medio de toda nuestra necesidad y aflicción fuimos consolados de vosotros por medio de vuestra fe; porque ahora vivimos, si vosotros estáis firmes en el Señor. Por lo cual, ¿qué acción de gracias podremos dar

265

a Dios por vosotros, por todo el gozo con que nos gozamos a causa de vosotros delante de nuestro Dios, orando de noche y de día con gran insistencia, para que veamos vuestro rostro, y completemos lo que falte a vuestra fe?"

"Damos siempre gracias a Dios por todos vosotros, haciendo memoria de vosotros en nuestras oraciones, acordándonos sin cesar delante del Dios y Padre nuestro de la obra de vuestra fe, del trabajo de vuestro amor y de vuestra constancia en la esperanza en nuestro Señor Jesucristo".

Muchos de los creyentes de Tesalónica se habían vuelto "de los ídolos ... al Dios vivo y verdadero". Habían recibido "la palabra en medio de gran tribulación"; y sus corazones estaban llenos del "gozo del Espíritu Santo". El apóstol declaró que por su fidelidad en seguir al Señor, eran "ejemplo a todos los de Macedonia y de Acaya que han creído". Estas palabras de alabanza no eran inmerecidas; "porque partiendo de vosotros —escribió— ha sido divulgada la palabra del Señor, no sólo en Macedonia y Acaya, sino que también en todo lugar vuestra fe en Dios se ha extendido".

Los creyentes tesalonicenses eran verdaderos misioneros. Sus corazones ardían de celo por el Salvador que los había librado del temor y "de la ira venidera". Por la gracia de Cristo, se había producido una maravillosa transformación en sus vidas; y la palabra del Señor, hablada por ellos, era acompañada de poder. Los corazones eran ganados por las verdades presentadas, y almas eran añadidas al número de los creyentes.

En esta primera epístola, Pablo se refirió a su manera de trabajar entre los tesalonicenses. Declaró que no había tratado de ganar conversos por medio del engaño o dolo. "Según fuimos aprobados por Dios para que se nos confiase el Evangelio, así hablamos; no como para agradar a los hombres, sino a Dios, que prueba nuestros corazones. Porque nunca usamos de palabras lisonjeras, como sabéis, ni encubrimos avaricia; Dios es testigo; ni buscamos gloria de los hombres; ni de vosotros, ni de otros, aunque podíamos seros carga como apóstoles de Cristo. Antes fuimos tiernos entre vosotros, como la nodriza que cuida con ternura a sus propios hijos. Tan grande es nuestro afecto por vosotros, que hubiéramos querido entregaros no sólo el Evangelio de Dios, sino también nuestras propias vidas; porque habéis llegado a sernos muy queridos".

"Vosotros sois testigos, y Dios también —continúa el apóstol—, de cuán santa, justa e irreprensiblemente nos comportamos con vosotros los creyentes; así como también sabéis de qué modo, como el padre a sus hijos, exhortábamos y consolábamos a cada uno de vosotros, y os encargábamos que anduvieseis como es digno de Dios, que os llamó a su reino y gloria.

"Por lo cual también nosotros sin cesar damos gracias a Dios, de que cuando recibisteis la palabra de Dios que oísteis de nosotros, la recibisteis no como palabra de hombres, sino según es en verdad, la palabra de Dios, la cual actúa en vosotros los creyentes". "Porque ¿cuál es nuestra esperanza, o gozo, o corona de que me glorie? ¿No sois vosotros, delante de nuestro Señor Jesucristo, en su venida? Vosotros sois nuestra gloria y gozo".

En su primera epístola a los creyentes tesalonicenses, Pablo se esforzó por instruirlos respecto al verdadero estado de los muertos. Dijo que los muertos dormían en la inconsciencia: "Tampoco queremos, hermanos, que ignoréis acerca de los que duermen, para que no os entristezcáis como los otros que no tienen esperanza. Porque si creemos que Jesús murió y resucitó, así también traerá Dios con Jesús a los que durmieron en él... Porque el Señor mismo con voz de mando, con voz de arcángel, y con trompeta de Dios, descenderá del cielo; y los muertos en Cristo resucitarán primero. Luego nosotros los que vivimos, los que hayamos quedado, seremos arrebatados juntamente con ellos en las nubes para recibir al Señor en el aire, y así estaremos siempre con el Señor".

Los tesalonicenses se habían aferrado ansiosamente a la idea de que Cristo estaba por venir para transformar a los fieles que vivían, y llevarlos consigo. Habían protegido cuidadosamente la vida de sus amigos, para que no murieran y perdieran la bendición que ellos esperaban recibir al venir su Señor. Pero sus amados, uno tras otro, les habían sido arrebatados; y con angustia los tesalonicenses habían mirado por última vez los rostros de sus muertos, atreviéndose apenas a esperar encontrarlos en la vida futura.

Cuando abrieron y leyeron la epístola de Pablo, las palabras referentes al verdadero estado de los muertos proporcionaron gran gozo y consuelo a la iglesia. Pablo mostró que aquellos que vivieran cuando Cristo viniese no irían antes al encuentro de su Señor que aquellos que hubieran dormido en Jesús. La voz del arcángel y la trompeta de Dios alcanzarían a los que durmieran, y los muertos en Cristo resucitarían primero, antes que el toque de la inmortalidad se concediera a los vivos. "Luego nosotros los que vivimos, los que hayamos quedado, seremos arrebatados juntamente con ellos en las nubes para recibir al Señor en el aire, y así estaremos siempre con el Señor. Por tanto, alentaos los unos a los otros con estas palabras".

Difícilmente podemos apreciar la esperanza y el gozo que esta seguridad proporcionó a la joven iglesia de Tesalónica. Ellos creyeron y atesoraron la carta que les envió su padre en el Evangelio, y sus corazones se llenaron de amor a él. El les había dicho estas cosas antes; pero en aquel entonces sus mentes estaban tratando de asimilar doctrinas que les parecían nuevas y extrañas; y no es sorprendente que la fuerza de algunos puntos no se había impresionado vívidamente en su espíritu. Pero tenían hambre de la verdad, y la epístola de Pablo les dio nueva esperanza y fuerza, y una fe más firme en Aquel cuya muerte había sacado a luz la vida y la inmortalidad, y les dio un afecto más profundo por él.

Ahora se regocijaban en el conocimiento de que sus amados amigos se levantarían de la tumba, para vivir para siempre en el reino de Dios. Las tinieblas que habían envuelto el lugar de descanso de los muertos se disiparon. Un nuevo esplendor coronó la fe cristiana, y vieron una nueva gloria en la vida, la muerte y la resurrección de Cristo.

"También traerá Dios con Jesús a los que durmieron en él", escribió Pablo. Muchos interpretan este pasaje como si significara que los que duermen serán traídos con Cristo desde el cielo, pero según Pablo, como Cristo se levantó de los muertos, así Dios traerá de sus tumbas a los santos que durmieron, y los llevará con él al cielo. ¡Qué precioso consuelo … no sólo para la iglesia de Tesalónica, sino para todos los cristianos dondequiera que estén!

Mientras Pablo trabajaba en Tesalónica, había explicado tan plenamente el asunto de las señales de los tiempos, mostrando qué acontecimientos iban a suceder antes de la manifestación del Hijo del hombre en las nubes del cielo, que no consideró necesario escribirles largamente en cuanto a este asunto. Se refirió, sin embargo, enfáticamente a sus enseñanzas anteriores. "Acerca de los tiempos y de las ocasiones —dijo—, no tenéis necesidad, hermanos, de que yo os escriba. Porque vosotros sabéis perfectamente que el día del Señor vendrá así como ladrón en la noche; que cuando digan: Paz y seguridad, entonces vendrá sobre ellos destrucción repentina".

Son muchos hoy en el mundo los que cierran los ojos a las evidencias que Cristo dio para advertir a los hombres de su advenimiento. Tratan de aquietar toda aprensión, mientras las señales del fin se cumplen rápidamente, y el mundo se precipita hacia el tiempo cuando el Hijo del hombre se manifestará en las nubes del cielo. Pablo enseña que es pecaminoso ser indiferente para con las señales que han de preceder a la segunda venida de Cristo. A los culpables de este descuido, los llama hijos de la noche y de las tinieblas. Anima a los vigilantes y despiertos con estas palabras: "Mas vosotros, hermanos, no estáis en tinieblas, para que aquel día os sorprenda como ladrón. Porque todos vosotros sois hijos de luz e hijos del día… Por tanto, no durmamos como los demás, sino velemos y seamos sobrios".

Son especialmente importantes para la iglesia de nuestro tiempo las enseñanzas del apóstol sobre este punto. Para los que viven tan cerca de la gran consumación, deberían tener notable fuerza las palabras del apóstol: "Pero nosotros, que somos del día, seamos sobrios, habiéndonos vestido con la coraza de fe y de amor, y con la esperanza de salvación como yelmo. Porque no nos ha puesto Dios para ira, sino para alcanzar salvación por medio de nuestro Señor Jesucristo, quien murió por nosotros para que ya sea que velemos, o que durmamos, vivamos juntamente con él".

El cristiano vigilante es el cristiano que trabaja, que procura celosamente hacer todo lo que puede para el adelantamiento del Evangelio. Como crece el amor por su Redentor, así también crece su amor por su prójimo. Tiene severas pruebas, como su Señor; pero no permite que las aflicciones agríen su temperamento y destruyan su paz mental. Sabe que la prueba, si se la soporta bien, le refinará y purificará, y le unirá más con Cristo. Los que son participantes de los sufrimientos de Cristo, serán también participantes de su consolación, y al fin compartirán también su gloria.

"Os rogamos, hermanos —continuó Pablo en su carta a los tesalonicenses—, que reconozcáis a los que trabajan entre vosotros, y os presiden en el Señor, y os amonestan; y que los tengáis en mucha estima y amor por causa de su obra. Tened paz entre vosotros".

Los creyentes tesalonicenses se veían muy molestados por hombres que se levantaban entre ellos con ideas y doctrinas fanáticas. Algunos andaban "desordenadamente, no trabajando en nada, sino entremetiéndose en lo ajeno". La iglesia había sido debidamente organizada, y se habían nombrado dirigentes para que actuaran como ministros y diáco-

nos. Pero había algunos voluntariosos e impetuosos que rehusaban someterse a aquellos que ocupaban puestos de autoridad en la iglesia. Los tales aseveraban tener no solamente derecho a juzgar por su cuenta, sino también a presentar insistentemente sus conceptos a la iglesia. En vista de esto, Pablo llamó la atención de los tesalonicenses al respeto y la deferencia debidos a aquellos que habían sido escogidos para ocupar puestos de autoridad en la iglesia.

En su ansia de que los creyentes de Tesalónica anduvieran en el temor de Dios, el apóstol les suplicó que manifestaran piedad práctica en la vida diaria. "Por lo demás, hermanos —escribió—, os rogamos y exhortamos en el Señor Jesús, que de la manera que aprendisteis de nosotros cómo os conviene conduciros y agradar a Dios, así abundéis más y más. Porque ya sabéis qué instrucciones os dimos por el Señor Jesús; pues la voluntad de Dios es vuestra santificación; que os apartéis de fornicación". "Pues no nos ha llamado Dios a inmundicia, sino a santificación".

El apóstol Pablo sentía que era responsable en gran medida del bienestar espiritual de aquellos que se convertían por sus labores. Deseaba que crecieran en el conocimiento del único Dios verdadero y de Jesucristo, a quien había enviado. A menudo en su ministerio se encontraba con pequeños grupos de hombres y mujeres que amaban a Jesús, y se postraba en oración con ellos para pedir a Dios que les enseñara cómo mantener una relación vital con él. A menudo se reunía en consejo con ellos para estudiar los mejores métodos de dar a otros la luz de la verdad evangélica. Y a menudo, cuando estaba separado de aquellos con quienes había trabajado así, suplicaba a Dios que los guardara del mal, y les ayudara a ser misioneros fervientes y activos.

Una de las mayores evidencias de la verdadera conversión es el amor a Dios y al hombre. Los que aceptan a Jesús como su Redentor tienen un profundo y sincero amor por otros de la misma preciosa fe. Eso pasaba con los creyentes de Tesalónica. "Pero acerca del amor fraternal —escribió el apóstol— no tenéis necesidad de que os escriba, porque vosotros mismos habéis aprendido de Dios que os améis unos a otros; y también lo hacéis así con todos los hermanos que están por toda Macedonia. Pero os rogamos, hermanos, que abundéis en ello más y más; y que procuréis tener tranquilidad, y ocuparos en vuestros negocios, y trabajar con vuestras manos de la manera que os hemos mandado, a fin de que os conduzcáis honradamente para con los de afuera, y no tengáis necesidad de nada".

"Y el Señor os haga crecer y abundar en amor unos para con otros y para con todos, como también lo hacemos nosotros para con vosotros, para que sean afirmados vuestros corazones, irreprensibles en santidad delante de Dios nuestro Padre, en la venida de nuestro Señor Jesucristo con todos sus santos".

"También os rogamos, hermanos, que amonestéis a los ociosos, que alentéis a los de poco ánimo, que sostengáis a los débiles, que seáis pacientes para con todos. Mirad que ninguno pague a otro mal por mal; antes seguid siempre lo bueno unos para con otros, y para con todos. Estad siempre gozosos. Orad sin cesar. Dad gracias en todo, porque esta es la voluntad de Dios para con vosotros en Cristo Jesús".

El apóstol amonestó a los tesalonicenses a no despreciar el don de profecía, y con las palabras: "No apaguéis al Espíritu. No menospreciéis las profecías. Examinadlo todo; retened lo bueno", les ordenó que distinguieran cuidadosamente entre lo falso y lo verdadero. Les mandó que se abstuvieran de "toda especie de mal"; y termina su carta con la oración de que Dios los santifique en todo, para que su "espíritu, alma y cuerpo, sea guardado irreprensible para la venida de nuestro Señor Jesucristo. Fiel es el que os llama —añadió—, el cual también lo hará".

La instrucción que el apóstol envió a los tesalonicenses en su primera carta en cuanto a la segunda venida de Cristo, estaba perfectamente de acuerdo con su enseñanza anterior. Sin embargo, sus palabras fueron mal interpretadas por algunos hermanos tesalonicenses. Entendieron que él expresó la esperanza de que él mismo viviría para presenciar el advenimiento del Salvador. Esto aumentó su entusiasmo y excitación. Aquellos que habían descuidado anteriormente sus responsabilidades y deberes, se volvieron ahora más persistentes en imponer sus conceptos erróneos.

En su segunda carta, Pablo procuró corregir su errónea comprensión de la enseñanza que les había dado, y trató de presentarles lo que en verdad creía. Expresó de nuevo su confianza en la integridad de ellos, así como su gratitud porque la fe de ellos era fuerte y porque abundaban en amor mutuo y para con la causa de su Señor. Les dijo que los presentaba a otras iglesias como ejemplo de la fe paciente y perseverante que soporta valerosamente persecución y tribulación; y dirigió su atención hacia el tiempo de la segunda venida de Cristo, cuando el pueblo de Dios descansará de todos sus cuidados y perplejidades.

"Nosotros mismos —escribió— nos gloriamos de vosotros en las iglesias de Dios, por vuestra paciencia y fe en todas vuestras persecuciones y tribulaciones que soportáis... Y a vosotros que sois atribulados, daros reposo con nosotros, cuando se manifieste el Señor Jesús desde el cielo con los ángeles de su poder, en llama de fuego, para dar retribución a los que no conocieron a Dios, ni obedecen al Evangelio de nuestro Señor Jesucristo; los cuales sufrirán pena de eterna perdición, excluidos de la presencia del Señor y de la gloria de su poder... Por lo cual asimismo oramos siempre por vosotros, para que nuestro Dios os tenga por dignos de su llamamiento, y cumpla todo propósito de bondad y toda obra de fe con su poder, para que el nombre de nuestro Señor Jesucristo sea glorificado en vosotros, y vosotros en él, por la gracia de nuestro Dios y del Señor Jesucristo".

Pero antes de la venida de Cristo, iban a producirse importantes acontecimientos en el mundo religioso, predichos en la profecía. El apóstol declaró: "No os dejéis mover fácilmente de vuestro modo de pensar, ni os conturbéis, ni por espíritu, ni por palabra, ni por carta como si fuera nuestra, en el sentido de que el día del Señor está cerca. Nadie os engañe en ninguna manera; porque no vendrá sin que antes venga la apostasía, y se manifieste el hombre de pecado, el hijo de perdición, el cual se opone y se levanta contra todo lo que se llama Dios o es objeto de culto; tanto que se sienta en el templo de Dios como Dios, haciéndose pasar por Dios".

Las palabras de Pablo no debían ser mal entendidas. No estaban destinadas a enseñar que él, por revelación especial, había anunciado a los tesalonicenses la inmediata venida de Cristo. Esa idea hubiera provocado confusión de fe; porque el desengaño conduce a menudo a la incredulidad. El apóstol, por lo tanto, previno a los hermanos que no recibiesen tal mensaje como si viniera de él; y procedió a recalcar el hecho de que el poder papal, tan claramente descrito por el profeta Daniel, estaba todavía por levantarse y que guerrearía contra el pueblo de Dios. Hasta que ese poder no realizara su obra mortal y blasfema, sería inútil para la iglesia esperar la venida de su Señor. "¿No os acordáis —preguntó Pablo— que cuando yo estaba todavía con vosotros, os decía esto?"

Terribles habrían de ser las pruebas que sobrevendrían a la verdadera iglesia. Ya en el tiempo en que el apóstol Pablo escribía, el "misterio de la iniquidad" había comenzado a obrar. Los sucesos que se iban a producir en lo futuro serían "por obra de Satanás, con gran poder y señales y prodigios mentirosos, y con todo engaño de iniquidad para los que se pierden".

Especialmente solemne es la declaración del apóstol respecto a aquellos que rehusaran recibir "el amor de la verdad". "Por esto —declaró concerniente a todos los que deliberadamente rechazaran los mensajes de verdad— Dios les envía un poder engañoso, para que crean la mentira, a fin de que sean condenados todos los que no creyeron a la verdad, sino que se complacieron en la injusticia". Los hombres no pueden rechazar con impunidad las amonestaciones que Dios les envía en su misericordia. De aquellos que persisten en apartarse de sus amonestaciones, Dios retira su Espíritu y los abandona a los engaños que aman.

Así bosquejó Pablo la nefasta obra de aquel poder del mal que subsistiría durante largos siglos de tinieblas y persecución antes de la segunda venida de Cristo. Los creyentes tesalonicenses habían esperado inmediata liberación; ahora se les alentó a emprender valerosamente, en el temor de Dios, la obra que tenían por delante. El apóstol les recomendó que no descuidaran sus deberes ni se entregaran a la espera ociosa. Después de sus brillantes expectativas de inmediata liberación, la rutina de la vida diaria y la oposición que debían afrontar podían parecerles doblemente penosas. Por lo tanto los exhortó a estar firmes en la fe:

"Estad firmes, y retened la doctrina que habéis aprendido, sea por palabra, o por carta nuestra. Y el mismo Jesucristo Señor nuestro, y Dios nuestro Padre, el cual nos amó y nos dio consolación eterna y buena esperanza por gracia, conforte vuestros corazones, y os confirme en toda buena palabra y obra". "Pero fiel es el Señor, que os afirmará y guardará del mal. Y tenemos confianza respecto a vosotros en el Señor, en que hacéis y haréis lo que os hemos mandado. Y el Señor encamine vuestros corazones al amor de Dios, y a la paciencia de Cristo".

La obra de los creyentes les había sido dada por Dios. Por su fiel adhesión a la verdad habían de dar a otros la luz que habían recibido. El apóstol les recomendó que no se cansaran de hacer el bien, y les señaló su propio ejemplo de diligencia en los asuntos temporales mientras trabajaba con incansable celo en la causa de Cristo. Reprobó a aquellos que se habían entregado a la pereza y a la excitación sin propósito, y les indicó que, "trabajando sosegadamente", comieran "su propio pan". También ordenó a la iglesia que excluyera de su comunión a cualquiera que persistiera en descuidar la instrucción dada por los ministros de Dios. "Mas no lo tengáis por enemigo —añadió—, sino amonestadle como a hermano".

También esta epístola la termina Pablo con una oración, en la que pide que en medio de los afanes y pruebas de la vida, la paz de Dios y la gracia del Señor Jesucristo los consolasen y sostuviesen.

CAPITULO 26

Apolos en Corinto

DESPUES de dejar Corinto, el próximo escenario de la labor de Pablo fue Efeso. Estaba en camino a Jerusalén, para asistir a una fiesta próxima; y su estada en Efeso fue necesariamente breve. Razonó en la sinagoga con los judíos, quienes fueron impresionados tan favorablemente que le rogaron que continuara sus labores entre ellos. Su plan de visitar a Jerusalén le impidió detenerse entonces, mas prometió volver a visitarles, "si Dios quiere". Aquila y Priscila le habían acompañado a Efeso, y los dejó allí para que continuaran la obra que había comenzado.

Sucedió que "llegó entonces a Efeso un judío llamado Apolos, natural de Alejandría, varón elocuente, poderoso en las Escrituras". Había oído la predicación de Juan el Bautista, había recibido el bautismo del arrepentimiento, y era un testigo viviente de que el trabajo del profeta no había sido inútil. El informe de la Escritura respecto a Apolos es que "había sido instruido en el camino del Señor; y siendo de espíritu fervoroso, hablaba y enseñaba diligentemente lo concerniente al Señor, aunque solamente conocía el bautismo de Juan".

Mientras estaba en Efeso, Apolos "comenzó a hablar con denuedo en la sinagoga". Entre los oyentes estaban Aquila y Priscila, quienes, percibiendo que no había recibido todavía toda la luz del Evangelio, "le tomaron aparte y le expusieron más exactamente el camino de Dios". Por su enseñanza adquirió una comprensión más clara de las Escrituras, y llegó a ser uno de los abogados más capaces de la fe cristiana.

Apolos deseaba ir a Acaya, y los hermanos de Efeso "escribieron a los discípulos que le recibiesen" como a un maestro en plena armonía con la iglesia de Cristo. Fue a Corinto, donde, en trabajo público y de casa en casa, "con gran vehemencia refutaba ... a los judíos, demostrando por las Escrituras que Jesús era el Cristo". Pablo había sembrado la semilla de la verdad; Apolos ahora la regaba. El éxito que tuvo Apolos en la predicación del Evangelio indujo a algunos creyentes a exaltar sus labores por encima de las de Pablo. Esta comparación de un hombre con otro produjo en

la iglesia un espíritu partidista que amenazaba impedir grandemente el progreso del Evangelio.

Durante el año y medio que Pablo había pasado en Corinto, había presentado intencionalmente el Evangelio en su sencillez. No "con excelencia de palabras o de sabiduría", había ido a los corintios, sino con temor y temblor, y "con demostración del Espíritu y de poder", había declarado "el testimonio de Dios", para que su fe no estuviese "fundada en la sabiduría de los hombres, sino en el poder de Dios" (1 Corintios 2: 1, 4, 5).

Pablo había adaptado necesariamente su método de enseñanza a la condición de la iglesia. "Yo, hermanos, no pude hablaros como a espirituales —les explicó más tarde—, sino como a carnales, como a niños en Cristo. Os di a beber leche, y no vianda; porque aún no erais capaces, ni sois capaces todavía" (1 Corintios 3: 1, 2). Muchos de los creyentes corintios habían sido lentos para aprender las lecciones que él se había esforzado por enseñarles. Su progreso en el conocimiento espiritual no había estado en proporción con sus privilegios y oportunidades. Cuando hubieran tenido que estar muy adelantados en la vida cristiana, y hubieran debido ser capaces de comprender y practicar las verdades más profundas de la Palabra, estaban donde se hallaban los discípulos cuando Cristo les dijo: "Aún tengo muchas cosas que deciros, pero ahora no las podéis sobrellevar" (S. Juan 16: 12). Los celos, las malas sospechas y la acusación habían cerrado el corazón de muchos de los creyentes corintios a la obra plena del Espíritu Santo, el cual "todo lo escudriña, aun lo profundo de Dios" (1 Corintios 2: 10). Por sabios que pudieran ser en el conocimiento mundano, no eran sino niños en el conocimiento de Cristo.

Había sido la obra de Pablo instruir a los conversos corintios en los rudimentos, el alfabeto mismo, de la fe cristiana. Se había visto obligado a instruirlos como a quienes ignoraban las operaciones del poder divino en el corazón. En aquel tiempo eran incapaces de comprender los misterios de la salvación; porque "el hombre natural no percibe las cosas que son del Espíritu de Dios, porque para él son locura, y no las puede entender, porque se han de discernir espiritualmente" (1 Corintios 2: 14). Pablo se había esforzado por sembrar la semilla, y otros debían regarla. Los que le siguieran debían llevar adelante la obra desde el punto donde él la había dejado, dando luz y conocimiento espirituales al debido tiempo, cuando la iglesia fuera capaz de recibirlos.

Cuando el apóstol emprendió su trabajo en Corinto, comprendió que debía presentar de la manera más cuidadosa las grandes verdades que deseaba enseñar. Sabía que entre sus oyentes habría orgullosos creyentes en las teorías humanas y exponentes de los falsos sistemas de culto, que estaban palpando a ciegas, esperando encontrar en el libro de la naturaleza teorías que contradijeran la realidad de la vida espiritual e inmortal revelada en las Escrituras. Sabía también que habría críticos que se esforzarían por refutar la interpretación cristiana de la palabra revelada, y que los escépticos tratarían al Evangelio de Cristo con escarnio y burla.

Mientras se esforzaba por conducir almas al pie de la cruz, Pablo no se atrevió a reprender directamente a los licenciosos, y a mostrar cuán horrible era su pecado a la vista de un Dios santo. Más bien les presentó el verdadero objeto de la vida, y trató de inculcarles las lecciones del Maestro divino, que, si eran recibidas, los elevarían de la mundanalidad y el pecado a la pureza y la justicia. Se explayó especialmente en la piedad práctica y en la santidad que deben tener aquellos que serán considerados dignos de un lugar en el reino de Dios. Anhelaba ver penetrar la luz del Evangelio de Cristo en las tinieblas de su mente, para que pudieran ver cuán ofensivas a la vista de Dios eran sus prácticas inmorales. Por lo tanto, la nota tónica de su enseñanza entre ellos era Cristo y él crucificado. Trató de mostrarles que su más ferviente estudio y su mayor gozo debía ser la maravillosa verdad de la salvación por el arrepentimiento para con Dios y la fe en el Señor Jesucristo.

El filósofo se aparta de la luz de la salvación, porque ella cubre de vergüenza sus orgullosas teorías; el mundano rehúsa recibirla porque ella lo separaría de sus ídolos terrenales. Pablo vio que el carácter de Cristo debía ser entendido antes que los hombres pudieran amarle, o ver la cruz con los ojos de la fe. Aquí debe comenzar ese estudio que será la ciencia y el canto de los redimidos por toda la eternidad. Solamente a la luz de la cruz puede estimarse el valor del alma humana.

La influencia refinadora de la gracia de Dios cambia el temperamento natural del hombre. El cielo no sería deseable para las personas de ánimo carnal; sus corazones naturales y profanos no serían atraídos por aquel lugar puro y santo; y si se les permitiera entrar, no hallarían allí cosa alguna que les agradase. Las propensiones que dominan el corazón natural deben ser subyugadas por la gracia de Cristo, antes que el hombre caído sea apto para entrar en el cielo y gozar del compañerismo de los ángeles puros y santos. Cuando el hombre muere al pecado y despierta a una nueva vida en Cristo, el amor divino llena su corazón; su entendimiento se santifica; bebe en una fuente inagotable de gozo y conocimiento; y la luz de un día eterno brilla en su senda, porque con él está continuamente la Luz de la vida.

Pablo había tratado de impresionar en la mente de los hermanos corintios el hecho de que él y los ministros que estaban asociado con él no eran sino hombres comisionados por Dios para enseñar la verdad; que todos estaban ocupados en la misma obra; y que dependían igualmente de Dios para tener éxito en sus labores. La discusión que se había levantado en la iglesia en cuanto a los méritos relativos de los diferentes ministros, no estaba de acuerdo con la voluntad de Dios, sino que era el resultado de abrigar los atributos del corazón natural. "Porque diciendo el uno: Yo ciertamente soy de Pablo; y el otro: Yo soy de Apolos, ¿no sois carnales? ¿Qué, pues, es Pablo, y qué es Apolos? Servidores por medio de los cuales habéis creído; y eso según lo que a cada uno concedió el Señor. Yo planté, Apolos regó; pero el crecimiento lo ha dado Dios. Así que ni el que planta es algo, ni el que riega, sino Dios, que da el crecimiento" (1 Corintios 3: 4-7).

Pablo fue quien predicó primero el Evangelio en Corinto y quien había organizado la iglesia allí. Esta era la obra que el Señor le había asignado. Más tarde, por la dirección de Dios, otros obreros fueron enviados allí, para que ocuparan su debido lugar. La semilla sembrada debía regarse, y esto debía hacerlo Apolos. Siguió a Pablo en su obra, para dar instrucción adicional y ayudar al crecimiento de la semilla sembrada. Conquistó los corazones del pueblo, pero era Dios el que daba el crecimiento. No es el poder humano, sino el divino, el que obra la transformación del carácter. Los que plantan y los que riegan, no hacen crecer la semilla; trabajan bajo la dirección de Dios, como sus agentes señalados, y cooperan con él en su obra. Al Artífice maestro pertenecen el honor y la gloria del éxito.

Los siervos de Dios no poseen los mismos dones, pero son todos obreros suyos. Cada uno debe aprender del gran Maestro, y comunicar entonces lo que ha aprendido. Dios ha dado a cada uno de sus mensajeros un trabajo individual. Hay diversidad de dones, pero todos los obreros deben estar unidos armoniosamente, dominados por la influencia santificadora del Espíritu Santo. A medida que den a conocer el Evangelio de la salvación, muchos serán convencidos y convertidos por el poder de Dios. El instrumento humano se esconde con Cristo en Dios, y Cristo aparece como el principal entre diez mil, y todo él codiciable.

"Y el que planta y el que riega son una misma cosa; aunque cada uno recibirá su recompensa conforme a su labor. Porque nosotros somos colaboradores de Dios, y vosotros sois labranza de Dios, edificio de Dios" (1 Corintios 3: 8, 9). En este pasaje el apóstol compara la iglesia a un campo cultivado, en el cual trabajan los viñeros cuidando de la viña del plantío del Señor; y también con un edificio, que debe crecer para convertirse en un templo santo para el Señor. Dios es el Obrero maestro, y él ha señalado a cada uno su obra. Todos han de trabajar bajo su supervisión, permitiéndole obrar en favor de sus siervos y por medio de ellos. Les da tacto y habilidad, y si prestan oído a su instrucción, corona de éxito sus esfuerzos.

Los siervos de Dios han de trabajar juntos, fusionando sus personalidades en una forma bondadosa y cortés, pre-

viniéndose con honra los unos a los otros (Romanos 12: 10).
No debe haber crítica falta de bondad; no debe hacerse trizas
el trabajo de otros, ni ha de haber distintos partidos. Cada
hombre a quien el Señor ha encomendado su mensaje tiene
su trabajo específico. Cada uno tiene su propia individuali-
dad que no debe fundirse en la de ningún otro. Sin embargo,
cada uno debe trabajar en armonía con sus hermanos. En su
servicio, los obreros de Dios han de ser esencialmente uno.
Ninguno ha de erigirse en modelo ni debe hablar despecti-
vamente de sus colaboradores o tratarlos como inferiores.
Bajo Dios, cada uno ha de hacer su trabajo señalado, respetado, amado y animado por los otros obreros. Juntos han de
llevar adelante la obra hasta completarla.

Estos principios se exponen extensamente en la primera
Epístola de Pablo a la iglesia de Corinto. El apóstol se refiere
a los "servidores de Cristo" como "administradores de los
misterios de Dios"; y de su trabajo declara: "Se requiere de
los administradores, que cada uno sea hallado fiel. Yo en
muy poco tengo el ser juzgado por vosotros, o por tribunal
humano; y ni aun yo me juzgo a mí mismo. Porque aunque
de nada tengo mala conciencia, no por eso soy justificado;
pero el que me juzga es el Señor. Así que, no juzguéis nada
antes de tiempo, hasta que venga el Señor, el cual aclarará

también lo oculto de las tinieblas, y manifestará las intenciones de los corazones; y entonces cada uno recibirá su alabanza de Dios" (1 Corintios 4: 1-5).

Ningún ser humano ha sido autorizado para juzgar a los diferentes siervos de Dios. Sólo el Señor es el juez de la obra del hombre, y él dará a cada uno su justa recompensa.

El apóstol, continuando, se refirió directamente a las comparaciones que se habían hecho entre sus labores y las de Apolos: "Pero esto, hermanos, lo he presentado como ejemplo en mí y en Apolos por amor de vosotros, para que en nosotros aprendáis a no pensar más de lo que está escrito, no sea que por causa de uno, os envanezcáis unos contra otros. Porque ¿quién te distingue? ¿o qué tienes que no hayas recibido? Y si lo recibiste, ¿por qué te glorías como si no lo hubieras recibido?" (1 Corintios 4: 6, 7).

Pablo expuso claramente a la iglesia los peligros y las penurias que él y sus asociados habían soportado pacientemente en su servicio por Cristo. "Hasta esta hora —declaró él— padecemos hambre, tenemos sed, estamos desnudos, somos abofeteados, y no tenemos morada fija. Nos fatigamos trabajando con nuestras propias manos; nos maldicen, y bendecimos; padecemos persecución, y la soportamos. Nos difaman, y rogamos; hemos venido a ser hasta ahora como la escoria del mundo, el desecho de todos. No escribo esto para avergonzaros, sino para amonestaros como a hijos míos amados. Porque aunque tengáis diez mil ayos en Cristo, no tendréis muchos padres; pues en Cristo Jesús yo os engendré por medio del Evangelio" (1 Corintios 4: 11-15).

El que envía a los obreros evangélicos como embajadores suyos es deshonrado cuando se manifiesta entre los oidores una fuerte adhesión hacia algunos pastores favoritos, al punto de haber mala voluntad para aceptar las labores de otros maestros. El Señor envía ayuda a sus hijos, no siempre de acuerdo con el agrado de ellos, sino según la necesitan; porque los hombres tienen una visión limitada y no pueden discernir lo que es para su más alto bien. Es muy raro que un ministro posea todas las cualidades necesarias para perfeccionar una iglesia según todos los requerimientos del cristianismo; por lo tanto, Dios a menudo le envía otros pastores, cada uno de los cuales posee algunas cualidades de que carecían los otros.

La iglesia ha de aceptar con agradecimiento a estos siervos de Cristo, tal como aceptaría al Maestro mismo. Ha de tratar de sacar todos los beneficios posibles de la instrucción que de la Palabra de Dios le dé cada ministro. Las verdades que los siervos de Dios presenten han de ser aceptadas y apreciadas con la mansedumbre propia de la humildad, pero ningún ministro ha de ser idolatrado.

Por la gracia de Cristo, los ministros de Dios son hechos mensajeros de luz y bendición. Cuando por oración ferviente y perseverante sean dotados por el Espíritu Santo y avancen cargados con la preocupación de la salvación de las almas, con sus corazones llenos de celo por extender los triunfos de la cruz, verán el fruto de sus labores. Rehusando resueltamente desplegar sabiduría humana o exaltarse a sí mismos, realizarán una obra que soportará los asaltos de Satanás. Muchas almas se volverán de las tinieblas a la luz, y se establecerán muchas iglesias. Los hombres se convertirán, no al instrumento humano, sino a Cristo. El yo se mantendrá oculto; sólo Jesús ... aparecerá.

Aquellos que trabajan por Cristo hoy día pueden revelar las mismas excelencias distintivas reveladas por los que en el tiempo apostólico proclamaron el Evangelio. Dios está tan dispuesto a dar el poder a sus siervos hoy como estaba dispuesto a darlo a Pablo y Apolos, a Silas, a Timoteo, a Pedro, a Santiago y Juan.

En el tiempo de los apóstoles había algunas mal inspiradas almas que pretendían creer en Cristo, pero rehusaban manifestar respeto a sus embajadores. Declaraban que no seguían al maestro humano, sino que eran enseñadas directamente por Cristo, sin la ayuda de los ministros del Evangelio. Eran independientes de espíritu, y no estaban dispuestos a someterse a la voz de la iglesia. Tales hombres estaban en grave peligro de ser engañados.

Dios ha puesto en la iglesia, como sus ayudadores señalados, hombres de diversos talentos, para que por la sabiduría combinada de muchos, pueda cumplirse la voluntad del Espíritu. Los hombres que proceden de acuerdo con sus propios rasgos fuertes de carácter, y rehúsan llevar el yugo con otros que han tenido larga experiencia en la obra de Dios, llegarán a cegarse por la confianza propia y a incapacitarse para discernir entre lo falso y verdadero. No es seguro elegir a los tales como dirigentes de la iglesia; porque seguirían su propio juicio y plan, sin importarles el juicio de sus hermanos. Es fácil para el enemigo trabajar por medio de aquellos que, necesitando consejo ellos mismos a cada paso, asumen el cuidado de las almas por su propia fuerza, sin haber aprendido la humildad de Cristo.

Las impresiones solas no son una guía segura... A menudo el enemigo induce a los hombres a creer que es Dios quien los guía, cuando en realidad están siguiendo sólo el impulso humano. Pero si vigilamos cuidadosamente, si consultamos a nuestros hermanos, se hará comprender la voluntad del Señor; porque la promesa es: "Encaminará a los humildes por el juicio, y enseñará a los mansos su carrera" (Salmo 25: 9).

En la iglesia cristiana primitiva había algunos que rehusaban reconocer a Pablo y a Apolos, y sostenían que Pedro era su jefe. Afirmaban que Pedro había sostenido la más estrecha relación con Cristo cuando el Señor estuvo en la tierra, mientras que Pablo había perseguido a los creyentes. Las opiniones ... de los tales estaban dominadas por el prejuicio. No manifestaban la liberalidad, la generosidad, la ternura, que revelan que Cristo habita en el corazón.

Había peligro de que este espíritu partidista produjera un gran mal en la iglesia cristiana; y el Señor le indicó a Pablo que pronunciara palabras de ferviente amonestación y solemne protesta. A aquellos que decían: "Yo soy de Pablo; y yo de Apolos; y yo de Cefas; y yo de Cristo", el apóstol preguntó: "¿Acaso está dividido Cristo? ¿Fue crucificado Pablo por vosotros? ¿O fuisteis bautizados en el nombre de Pablo?" "Así que, ninguno se gloríe en los hombres —suplicó—; porque todo es vuestro: sea Pablo, sea Apolos, sea Cefas, sea el mundo, sea la vida, sea la muerte, sea lo presente, sea lo por venir, todo es vuestro, y vosotros de Cristo, y Cristo de Dios" (1 Corintios 1: 12, 13; 3: 21-23).

Pablo y Apolos estaban en perfecto acuerdo. El último estaba chasqueado y apenado por la disensión existente en la iglesia de Corinto; no se aprovechó de la preferencia que se le mostraba, ni la estimuló, sino que abandonó rápidamente el campo de lucha. Cuando Pablo, más tarde, le instó a visitar a Corinto, rehusó hacerlo, y no trabajó de nuevo allí hasta mucho tiempo después, cuando la iglesia había alcanzado una condición espiritual mejor.

CAPITULO 27

Este capítulo está basado en Hechos 19: 1-20.

Efeso

MIENTRAS Apolos predicaba en Corinto, Pablo cumplió su promesa de volver a Efeso. Había hecho una breve visita a Jerusalén, y había pasado algún tiempo en Antioquía, el escenario de sus primeras labores. Desde allí viajó a través de Asia Menor, "recorriendo por orden la región de Galacia y de Frigia" (Hechos 18: 23), visitando las iglesias que él mismo había establecido, y fortaleciendo la fe de los creyentes.

En el tiempo de los apóstoles, la porción occidental del Asia Menor se conocía como la provincia romana de Asia. Efeso, la capital, era un gran centro comercial. Su puerto estaba atestado de barcos, y en sus calles se agolpaban gentes de todos los países. Como Corinto, ofrecía un campo promisorio para el esfuerzo misionero.

Los judíos, esparcidos ampliamente ahora en todos los países civilizados, esperaban en general el advenimiento del Mesías. Cuando Juan el Bautista predicaba, muchos, en sus

La diosa Diana era adorada en Efeso. Allí los nuevos cristianos quemaron todos sus libros de hechicería.

JOHN STEEL © PPPA

visitas a Jerusalén en ocasión de las fiestas anuales, habían ido a las orillas del Jordán para escucharle. Allí habían oído a Jesús proclamado como el Prometido, y habían llevado las nuevas a todas partes del mundo. Así había preparado la Providencia el terreno para las labores de los apóstoles.

Al llegar a Efeso, Pablo encontró doce hermanos que, como Apolos, habían sido discípulos de Juan el Bautista, y como él habían adquirido cierto conocimiento de la misión de Cristo. No tenían la capacidad de Apolos, pero con la misma sinceridad y fe estaban tratando de extender el conocimiento que habían recibido.

Estos hermanos no sabían nada de la misión del Espíritu Santo. Cuando Pablo les preguntó si habían recibido el Espíritu, contestaron: "Ni siquiera hemos oído si hay Espíritu Santo". "¿En qué, pues, fuisteis bautizados?" preguntó Pablo, y ellos dijeron: "En el bautismo de Juan".

Entonces el apóstol les expuso las grandes verdades que constituyen el fundamento de la esperanza del cristiano. Les habló de la vida de Cristo en esta tierra, y de su cruel muerte de ignominia. Les dijo cómo el Señor de la vida había roto las barreras de la tumba, y se había levantado triunfante de la muerte. Repitió la comisión del Salvador a sus discípulos: "Toda potestad me es dada en el cielo y en la tierra. Por tanto, id, y haced discípulos a todas las naciones, bautizándolos en el nombre del Padre, y del Hijo, y del Espíritu Santo" (S. Mateo 28: 18, 19). Les habló también de la promesa de Cristo de enviar el Consolador, por cuyo poder se realizarían poderosas señales y prodigios, y describió cuán gloriosamene esta promesa se había cumplido el día de Pentecostés.

Con profundo interés, y agradecido y maravillado gozo,

los hermanos escucharon las palabras de Pablo. Por la fe aceptaron la maravillosa verdad del sacrificio expiatorio de Cristo, y le recibieron como su Redentor. Fueron bautizados entonces en el nombre de Jesús; "y habiéndoles impuesto Pablo las manos", recibieron también el bautismo del Espíritu Santo, por el cual fueron capacitados para hablar los idiomas de otras naciones, y para profetizar. Así fueron habilitados para trabajar como misioneros en Efeso y en su vecindad, y también para salir a proclamar el Evangelio en Asia Menor.

Fue abrigando un espíritu humilde y susceptible a la enseñanza como estos hombres adquirieron la experiencia que los habilitó para salir como obreros al campo de la mies. Su ejemplo presenta a los cristianos una lección de gran valor. Muchos hacen tan sólo poco progreso en la vida divina porque tienen demasiada suficiencia propia para ocupar la posición de alumnos. Se conforman con un conocimiento superficial de la Palabra de Dios. No desean cambiar su fe o práctica, y por ende no hacen esfuerzos por adquirir mayor conocimiento.

Si los seguidores de Cristo buscaran con fervor la sabiduría, serían guiados a terrenos ricos de verdad, que ahora desconocen enteramente. El que se entregue plenamente a Dios, será guiado por la mano divina. Puede ser humilde y sin talentos al parecer; sin embargo, si con corazón amante y confiado obedece toda indicación de la voluntad de Dios, sus facultades se purificarán, ennoblecerán y vigorizarán, y sus capacidades aumentarán. A medida que atesore las lecciones de la sabiduría divina, se le confiará una comisión sagrada; y será capacitado para hacer de su vida un honor para Dios y una bendición para el mundo. "La exposición de tus palabras alumbra; hace entender a los simples" (Salmo 119: 130).

Hoy son demasiados los que ignoran tanto como los creyentes de Efeso la obra del Espíritu Santo en el corazón. Sin embargo, ninguna verdad se enseña más claramente en la Palabra de Dios. Los profetas y apóstoles se han explayado en este tema. Cristo mismo nos llama la atención al crecimiento del mundo vegetal como una ilustración de la operación de su Espíritu en el sostenimiento de la vida espiritual. La savia de la vid, ascendiendo desde la raíz, se difunde por las ramas, y provee al crecimiento y a la producción de flores y fruto. Así el poder vivificador del Espíritu Santo, que procede del Salvador, llena el alma, renueva los motivos y afectos, y pone hasta los pensamientos en obediencia a la voluntad de Dios, capacitando al que lo recibe para llevar los preciosos frutos de acciones santas.

El Autor de esta vida espiritual es invisible, y el método exacto por el cual se imparte y sostiene esta vida está más allá de la facultad explicativa de la filosofía humana. Sin embargo, las operaciones del Espíritu están siempre en armonía con la Palabra escrita. Lo que sucede en el mundo natural, pasa también en el espiritual. La vida natural es conservada momento tras momento por un poder divino; sin embargo, no es sostenida por un milagro directo, sino por el uso de las bendiciones puestas a nuestro alcance. Así la vida espiritual es sostenida por el uso de los medios que la Providencia ha provisto. Para que el seguidor de Cristo crezca hasta convertirse en "un varón perfecto, a la medida de la estatura de la plenitud de Cristo" (Efesios 4: 13), debe comer del pan de vida y beber del agua de la salvación. Debe velar, orar y trabajar, y prestar atención en todas las cosas a las instrucciones de Dios consignadas en su Palabra.

La experiencia de esos conversos judíos tiene todavía otra lección para nosotros. Cuando fueron bautizados por Juan, no comprendieron bien la misión de Jesús como expiador de los pecados. Seguían creyendo graves errores, pero cuando recibieron mayor conocimiento, aceptaron ... a Cristo como su Redentor; y al dar este paso hacia adelante, cambiaron sus obligaciones. Cuando recibieron una fe más pura, hubo un cambio correspondiente en su vida. Como señal de este cambio, y como reconocimiento de su fe en Cristo, fueron bautizados de nuevo, en el nombre de Jesús.

Según su costumbre, Pablo había comenzado su trabajo en Efeso predicando en la sinagoga de los judíos. Continuó trabajando allí por tres meses, "discutiendo y persuadiendo acerca del reino de Dios". Al principio fue recibido favorablemente; pero como en otros países, pronto fue combatido violentamente. "Algunos se endurecieron y rehusaron creer, hablando mal del Camino delante de la multitud" (VM). Como persistían en rechazar el Evangelio, el apóstol dejó de predicar en la sinagoga.

El Espíritu de Dios había obrado con Pablo y por medio de él en sus labores por sus compatriotas. Se había presentado suficiente evidencia para convencer a todo aquel que deseara sinceramente conocer la verdad. Pero muchos se dejaron dominar por el prejuicio y la incredulidad, y rehusaron ceder a la evidencia más concluyente. Temiendo que la fe de los creyentes peligrase por el trato continuo de estos opositores de la verdad, Pablo se separó de ellos y reunió a los discípulos en una entidad distinta, continuando sus instrucciones públicas en la escuela de Tirano, un maestro de cierta distinción.

20—H.M.C.A., ACTS Span.

Pablo vio que se estaba abriendo delante de él una "puerta grande y eficaz", aunque eran muchos "los adversarios" (1 Corintios 16: 9). Efeso era no solamente la más magnífica, sino la más corrupta de las ciudades de Asia. La superstición y los placeres sensuales dominaban en su abundante población. Bajo la sombra de sus templos se amparaban criminales de todas las clases, y florecían los vicios más degradantes.

Efeso era un centro popular del culto de Diana. La fama del magnífico templo de "Diana de los Efesios" se extendía por toda Asia y el mundo. Su sobresaliente esplendor era el orgullo, no solamente de la ciudad, sino de la nación. El ídolo que estaba en el templo había caído del cielo, según la tradición. En él estaban escritos caracteres simbólicos, que se creía poseían gran poder. Los efesios habían escrito libros para explicar el significado y uso de estos símbolos.

Entre los que habían estudiado detenidamente estos costosos libros, había muchos magos, que ejercían una influencia poderosa sobre los supersticiosos adoradores de la imagen que estaba en el templo.

Al apóstol Pablo, en sus trabajos en Efeso, se le dieron señales especiales del favor divino. El poder de Dios acompañaba sus esfuerzos, y muchos eran sanados de enfermedades físicas. "Hacía Dios milagros extraordinarios por mano de Pablo, de tal manera que aun se llevaban a los enfermos los paños o delantales de su cuerpo, y las enfermedades se iban de ellos, y los espíritus malos salían". Estas manifestaciones de poder sobrenatural eran mayores que todas las que se habían visto alguna vez en Efeso, y eran de tal carácter que no podían ser imitadas por la habilidad de los prestidigitadores o los encantamientos de los hechiceros.

Como estos milagros eran hechos en el nombre de Jesús de Nazaret, el pueblo tenía oportunidad de ver que el Dios del cielo era más poderoso que los magos que adoraban a la diosa Diana. Así exaltaba el Señor a su siervo, aun delante de los idólatras mismos, inmensurablemente por encima del más poderoso y favorecido de los magos.

Pero Aquel a quien están sujetos todos los espíritus del mal, quien había dado a su siervo autoridad sobre ellos, había de avergonzar y derrotar aun más a aquellos que despreciaban y profanaban su santo nombre. La hechicería había sido prohibida por la ley de Moisés, bajo pena de muerte; sin embargo, de tiempo en tiempo había sido practicada secretamente por judíos apóstatas. En el tiempo de la visita de Pablo a Efeso, había en la ciudad "algunos de los judíos, exorcistas ambulantes", quienes, al ver las maravillosas obras hechas por él, "intentaron invocar el nombre del Señor Jesús sobre los que tenían espíritus malos". Fue hecha una prueba por "siete hijos de un tal Esceva, judío, jefe de los sacerdotes". Al hallar a un hombre poseído por un demonio, le dijeron: "Os conjuro por Jesús, el que predica Pablo". Pero "respondiendo el espíritu malo, dijo: A Jesús conozco, y sé quién es Pablo; pero vosotros ¿quiénes sois? Y

el hombre en quien estaba el espíritu malo, saltando sobre ellos y dominándolos, pudo más que ellos, de tal manera que huyeron de aquella casa desnudos y heridos".

De este modo se dio una prueba inequívoca de la santidad del nombre de Cristo, y el peligro a que se expone el que lo invoque sin fe en la divinidad de la misión del Salvador. "Y tuvieron temor todos ellos, y era magnificado el nombre del Señor Jesús".

Ahora se revelaron hechos antes escondidos. Al aceptar el cristianismo, algunos de los creyentes no habían renunciado completamente a sus supersticiones. Hasta cierto punto continuaban practicando la magia. Ahora, convencidos de su error, "muchos de los que habían creído venían, confesando y dando cuenta de sus hechos". Aun algunos de los mismos hechiceros fueron alcanzados por esta buena obra; y "muchos de los que habían practicado la magia trajeron los libros y los quemaron delante de todos; y hecha la cuenta de su precio, hallaron que era cincuenta mil piezas de plata. Así crecía y prevalecía poderosamente la palabra del Señor".

Al quemar estos libros de magia, los conversos efesios mostraron que ahora aborrecían las cosas en las cuales se habían deleitado una vez. Era por la magia cómo habían ofendido especialmente a Dios y puesto en peligro sus almas; y contra la magia manifestaron tal indignación. Así dieron evidencia de su verdadera conversión.

Estos tratados sobre adivinación contenían reglas y formas de comunicarse con los malos espíritus. Eran los reglamentos del culto de Satanás, instrucciones para solicitar su ayuda y obtener de él información. Reteniendo estos libros, los discípulos se hubieran expuesto a la tentación; vendiéndolos, hubieran colocado la tentación en el camino de otros. Habían renunciado al reino de las tinieblas; y para destruir su poder, no vacilaron ante ningún sacrificio. Así la verdad triunfó sobre los prejuicios de los hombres, y también sobre su amor al dinero.

Por esta manifestación del poder de Cristo, se ganó una poderosa victoria en favor del cristianismo en la misma fortaleza de la superstición. La influencia que tuvo fue más extensa de lo que aun Pablo comprendía. Desde Efeso las nuevas se extendieron ampliamente, y se dio un poderoso impulso a la causa de Cristo. Mucho después que el apóstol mismo hubo terminado su carrera, estas escenas vivían en la memoria de los hombres, y eran el medio de ganar conversos para el Evangelio.

Algunas personas alientan la creencia de que las supersticiones paganas han desaparecido ante la civilización del siglo veinte. Pero la Palabra de Dios y el duro testimonio de los hechos declaran que se practica la hechicería en nuestro tiempo tan seguramente como en los días de los magos de la antigüedad. El antiguo sistema de la magia es, en realidad, el mismo que ahora se conoce con el nombre de espiritismo moderno. Satanás halla acceso a miles de mentes presentándose bajo el disfraz de amigos desaparecidos. Las Sagradas Escrituras declaran que "los muertos nada saben" (Eclesiastés 9: 5). Sus pensamientos, su amor, su odio, han perecido. Los muertos no se comunican con los vivos. Pero fiel a su antigua astucia, Satanás emplea este recurso a fin de apoderarse de la dirección de la mente.

Por medio del espiritismo, muchos de los enfermos, los enlutados, los curiosos, se están comunicando con los malos espíritus. Todos los que se atreven a hacer esto están en terreno peligroso. La palabra de verdad declara cómo los considera Dios. En los tiempos antiguos él pronunció severo juicio contra un rey que había enviado a pedir consejo a un oráculo pagano: "¿No hay Dios en Israel, que vais a consultar a Baal-zebub dios de Ecrón? Por tanto, así ha dicho Jehová: Del lecho en que estás no te levantarás, sino que ciertamente morirás" (2 Reyes 1: 3, 4).

Los magos de los tiempos paganos tienen su contraparte en los médiums espiritistas, los clarividentes y los adivinos de hoy día. Las místicas voces que hablaban en Endor y en Efeso están todavía extraviando a los hijos de los hombres con sus palabras mentirosas. Si se descorriera el velo ante nuestros ojos, podríamos ver a los ángeles malignos empleando todas sus artes para engañar y destruir. Dondequiera se ejerce una influencia para inducir a los hombres a olvidar a Dios, está Satanás ejerciendo su poder hechicero. Cuando los hombres se entregan a su influencia, antes que se den cuenta, la mente se confunde y el alma se contamina. El pueblo actual de Dios debería prestar atención a la amonestación del apóstol a la iglesia de Efeso: "No participéis en las obras infructuosas de las tinieblas, sino más bien reprendedlas" (Efesios 5: 11).

CAPITULO 28

Este capítulo está basado en Hechos 19: 21-41; 20: 1.

Días de Trabajo y de Prueba

DURANTE más de tres años, Efeso fue el centro de la obra de Pablo. Una iglesia floreciente se había levantado allí, y desde esa ciudad el Evangelio se había extendido por toda la provincia de Asia, tanto entre los habitantes judíos como entre los gentiles.

El apóstol había estado planeando ahora por algún tiempo otro viaje misionero. "Pablo se propuso en espíritu ir a Jerusalén, después de recorrer Macedonia y Acaya, diciendo: Después que haya estado allí, me será necesario ver también a Roma". De acuerdo con este plan, envió "a Macedonia a dos de los que le ayudaban, Timoteo y Erasto"; pero sintiendo que la causa en Efeso demandaba todavía su presencia, decidió permanecer allí hasta después de Pentecostés. Pronto, sin embargo, se produjo un suceso que apresuró su partida.

Una vez al año se celebraban en Efeso ceremonias espe-

301

ciales en honor de la diosa Diana. Con este motivo, venían a la ciudad grandes multitudes de todas partes de la provincia y se efectuaba durante todo este período grandes fiestas con mucha pompa y esplendor.

Este tiempo de fiesta constituía un tiempo de prueba para aquellos que acababan de aceptar la fe. La compañía de los creyentes que se reunían en la escuela de Tirano era una nota discordante en el coro festivo, y se los hacía objeto del ridículo, el reproche y el insulto. Las labores de Pablo habían asestado al culto pagano un golpe eficaz, en consecuencia del cual se notaba un decaimiento perceptible en la asistencia a la fiesta nacional y en el entusiasmo de los adoradores. La influencia de sus enseñanzas se extendía mucho más allá de los conversos efectivos a la fe. Muchos que no habían aceptado abiertamente las nuevas doctrinas, llegaron a iluminarse hasta tal punto que perdieron toda confianza en sus dioses paganos.

Había también otra causa de descontento. Se había convertido en un extenso y lucrativo negocio en Efeso la fabricación y venta de pequeños santuarios e imágenes, modeladas conforme al templo y la imagen de Diana. Los que se interesaban en esta industria descubrieron que sus ganancias disminuían, y todos concordaron en atribuir el desventurado cambio a las labores de Pablo.

Demetrio, un fabricante de templecitos de plata, reuniendo a los que trabajaban en ese oficio, dijo: "Varones, sabéis que de este oficio obtenemos nuestra riqueza; pero veis y oís que este Pablo, no solamente en Efeso, sino en casi toda Asia, ha apartado a muchas gentes con persuasión, diciendo que no son dioses los que se hacen con las manos. Y no solamente hay peligro de que este nuestro negocio venga a

La turba de Efeso arrastró por las calles a dos cristianos; pero el escribano de la ciudad los salvó.

JOHN STEEL © PPPA

desacreditarse, sino también que el templo de la gran diosa Diana sea estimado en nada, y comience a ser destruida la majestad de aquella a quien venera toda Asia, y el mundo entero". Estas palabras despertaron las excitables pasiones del pueblo. "Se llenaron de ira, y gritaron, diciendo: ¡Grande es Diana de los efesios!"

Rápidamente se difundió un informe de este discurso. "Y la ciudad se llenó de confusión". Se buscó a Pablo, pero ... no pudo ser hallado. Sus hermanos, siendo advertidos del peligro, le hicieron salir apresuradamente del lugar. Fueron enviados ángeles de Dios para guardar al apóstol; el tiempo en que había de morir como mártir todavía no había llegado.

Ya que no podía encontrar el objeto de su ira, la turba se apoderó de "Gayo y ... Aristarco, macedonios, compañeros de Pablo", y con éstos, "a una se lanzaron al teatro".

El lugar en que Pablo había sido ocultado no estaba muy distante, y pronto se enteró él del peligro en que se hallaban sus amados hermanos. Olvidando su propia seguridad, quiso ir al teatro para hablar a los que causaban el tumulto. Pero "los discípulos no le dejaron". Gayo y Aristarco no eran la presa que el pueblo buscaba; de modo que no había de temerse que se les hiciese mucho daño. Pero a la vista del pálido y agobiado rostro del apóstol, se hubieran despertado las peores pasiones de la turba, y no habría habido la menor posibilidad humana de salvar su vida.

Pablo estaba todavía ansioso de defender la verdad ante la multitud; pero fue al fin disuadido por un mensaje de amonestación enviado desde el teatro. "Algunas de las autoridades de Asia, que eran sus amigos, le enviaron recado, rogándole que no se presentase en el teatro".

El tumulto del teatro iba creciendo. Algunos gritaban

una cosa "y otros otra; porque la concurrencia estaba confusa, y los más no sabían por qué se habían reunido". El hecho de que Pablo y algunos de sus compañeros fuesen de sangre hebrea, llenó a los judíos del deseo de mostrar claramente que no simpatizaban con él ni con su obra. Por lo tanto, presentaron a uno de los suyos para que expusiese el asunto ante el populacho. El orador elegido fue Alejandro, uno de los artesanos, un calderero, a quien Pablo se refirió más adelante como a uno que le había hecho mucho daño (2 Timoteo 4: 14). Alejandro era un hombre de considerable habilidad, y concentró todas sus energías para dirigir la ira de la gente exclusivamente contra Pablo y sus compañeros. Pero la turba, dándose cuenta de que Alejandro era judío, lo hizo a un lado; y "todos a una voz gritaron casi por dos horas: ¡Grande es Diana de los efesios!"

Al fin, completamente exhaustos, pararon, y hubo un silencio momentáneo. Entonces el escribano de la ciudad llamó la atención de la turba, y en virtud de su cargo consiguió que le escucharan. Hizo frente al pueblo en su propio terreno, y le mostró que no había motivo para ese tumulto. Apeló a su razón: "Varones efesios —dijo—, ¿y quién es el hombre que no sabe que la ciudad de los efesios es guardiana del templo de la gran diosa Diana, y de la imagen venida de Júpiter? Puesto que esto no puede contradecirse, es necesario que os apacigüéis, y que nada hagáis precipitadamente. Porque habéis traído a estos hombres, sin ser sacrílegos ni blasfemadores de vuestra diosa. Que si Demetrio y los artífices que están con él tienen pleito contra alguno, audiencias se conceden, y procónsules hay; acúsense los unos a los otros. Y si demandáis alguna otra cosa, en legítima asamblea se puede decidir. Porque peligro hay de que seamos acusados de sedición por esto de hoy, no habiendo ninguna causa por la cual podamos dar razón de este concurso. Y habiendo dicho esto, despidió la asamblea".

En su discurso Demetrio había indicado que su oficio estaba en peligro. Estas palabras revelan la verdadera causa del tumulto de Efeso, y también la causa de mucha de la persecución que afrontaron los apóstoles. Demetrio y sus compañeros de oficio vieron que por la enseñanza y la extensión del Evangelio, el negocio de la fabricación de imágenes estaba en peligro. Los ingresos de los sacerdotes y artesanos paganos estaban comprometidos y por esta razón levantaron contra Pablo la más acerba oposición.

La decisión del escribano y de otros que ocupaban puestos de honor en la ciudad, había puesto a Pablo delante del pueblo como una persona inocente de acto ilegal alguno. Este fue otro triunfo del cristianismo sobre el error y la superstición. Dios había levantado a un gran magistrado para vindicar a su apóstol y detener a la turba tumultuosa. El corazón de Pablo se llenó de gratitud a Dios porque su vida había sido conservada y el cristianismo no había cobrado mala fama a causa del tumulto de Efeso.

"Después que cesó el alboroto, llamó Pablo a los discípulos, y habiéndolos exhortado y abrazado, se despidió y salió para ir a Macedonia". En este viaje fue acompañado por dos fieles hermanos efesios, Tíquico y Trófimo.

Las labores de Pablo en Efeso terminaron. Su ministerio había sido una época de labor incesante, de muchas pruebas y profunda angustia. El había enseñado a la gente en público y de casa en casa, instruyéndola y amonestándola con muchas lágrimas. Había tenido que hacer frente continuamente a la oposición de los judíos, quienes no perdían oportunidad para excitar el sentimiento popular contra él.

Mientras batallaba así contra la oposición, impulsando con celo incansable la obra del Evangelio y velando por los intereses de una iglesia todavía nueva en la fe, Pablo sentía en su alma una preocupación por todas las iglesias.

Las noticias de que había apostasía en algunas de las iglesias levantadas por él, le causaban profunda tristeza. Temía que sus esfuerzos en favor de ellas pudieran resultar inútiles. Pasaba muchas noches de desvelo en oración y ferviente meditación al conocer los métodos que se empleaban para contrarrestar su trabajo. Cuando tenía oportunidad y la condición de ellas lo demandaba, escribía a las iglesias para reprenderlas, aconsejarlas, amonestarlas y animarlas. En estas cartas, el apóstol no se explaya en sus propias pruebas; sin embargo, ocasionalmente se vislumbran sus labores y sufrimientos en la causa de Cristo. Por amor al Evangelio soportó azotes y prisiones, frío, hambre y sed, peligros en tierra y mar, en la ciudad y en el desierto, de sus propios compatriotas y de los paganos y los falsos hermanos. Fue difamado, maldecido, considerado como el desecho de todos, angustiado, perseguido, atribulado en todo, estuvo en peligros a toda hora, siempre entregado a la muerte por causa de Jesús.

En medio de la constante tempestad de oposición, el clamor de los enemigos y la deserción de los amigos, el intrépido apóstol casi se descorazonaba. Pero miraba hacia atrás al Calvario, y con nuevo ardor se empeñaba en extender el conocimiento del Crucificado. No estaba sino hollando la senda manchada de sangre que Cristo había hollado antes. No quería desistir de la guerra hasta que pudiera arrojar su armadura a los pies de su Redentor.

CAPITULO 29

Amonestación y Súplica

LA PRIMERA Epístola a la iglesia de Corinto fue escrita por el apóstol Pablo durante la última parte de su estada en Efeso. Por nadie había sentido él más profundo interés o realizado más incansables esfuerzos que por los creyentes de Corinto. Por un año y medio había trabajado entre ellos, señalándoles un Salvador crucificado y resucitado como el único medio de salvación, e instándolos a confiar implícitamente en el poder transformador de su gracia. Antes de aceptar en la comunión de la iglesia a los que profesaban el cristianismo, había tenido cuidado de darles instrucción especial en cuanto a los privilegios y deberes del creyente cristiano; y se había esforzado fervorosamente por ayudarles a ser fieles a sus votos bautismales.

Pablo tenía un agudo sentido del conflicto que toda alma debía sostener con los agentes del mal que tratan continuamente de engañar y entrampar; y había trabajado incansablemente por fortalecer y confirmar a los nuevos en la fe. Les había rogado que se entregaran completamente a Dios; porque sabía que cuando el alma no hace esta entrega, no abandona el pecado, los apetitos y pasiones todavía luchan por el dominio, y las tentaciones confunden la conciencia.

La entrega debe ser completa. Toda alma débil que, rodeada de dudas y luchas, se entrega completamente al Señor, se coloca en contacto directo con agentes que la capacitan para vencer. El cielo está cerca de ella, y tiene el sostén y la ayuda de los ángeles misericordiosos en todo tiempo de prueba y necesidad.

Los miembros de la iglesia de Corinto estaban rodeados de idolatría y sensualidad en la forma más seductora. Mientras el apóstol estaba con ellos, estas influencias no habían tenido sino poco poder sobre ellos. La firme fe de Pablo, sus fervientes oraciones y ardientes palabras de instrucción, y sobre todo, su vida piadosa, les habían ayudado a negarse a sí mismos por amor a Cristo, antes que gozar los placeres del pecado.

Después de la partida de Pablo, sin embargo, surgieron condiciones desfavorables; la cizaña que había sido sembrada por el enemigo apareció entre el trigo, y antes de mucho comenzó a producir su mal fruto. Ese fue un tiempo de severa prueba para la iglesia de Corinto. El apóstol no estaba más con ellos, para avivar su celo y ayudarles en sus esfuerzos por vivir en armonía con Dios; y poco a poco muchos llegaron a ser descuidados e indiferentes, y permitieron que los gustos y las inclinaciones naturales los dominaran. El que tan a menudo los había instado a alcanzar altos ideales de pureza y justicia, no estaba más con ellos; y no pocos de los que, al convertirse, habían abandonado sus malos hábitos, volvieron a los degradantes pecados del paganismo.

Pablo había escrito a la iglesia, y los había amonestado a no asociarse con los miembros que persistieran en la disolución; pero muchos de los creyentes pervirtieron el significado de las palabras del apóstol, sutilizaron respecto a ellas, y se excusaron por desatender su instrucción.

La iglesia le envió a Pablo una carta, en la que le pedía consejo respecto a varios asuntos, pero no decía nada de los graves pecados que existían entre ellos. Sin embargo, el Espíritu Santo impresionó fuertemente al apóstol en el sentido de que se le ocultaba la verdadera condición de la iglesia, y que con esa carta se intentaba arrancarle declaraciones que los que la habían escrito pudieran interpretar de modo que sirvieran a sus propósitos personales.

Por entonces llegaron a Efeso algunos miembros de la casa de Cloé, familia cristiana de excelente reputación en Corinto. Pablo les preguntó en cuanto al estado de las cosas, y ellos le dijeron que la iglesia estaba desgarrada por divisiones. Las disensiones que habían prevalecido en el tiempo de la visita de Apolos habían aumentado grandemente. Algunos falsos maestros estaban induciendo a los miembros a despreciar las instrucciones de Pablo. Las doctrinas y los ritos del Evangelio habían sido pervertidos. El orgullo, la idolatría, y la sensualidad estaban creciendo constantemente entre aquellos que habían sido una vez celosos en la vida cristiana.

Cuando se le presentó este cuadro, Pablo vio que sus peores temores se realizaban con creces. Pero no por eso dio rienda suelta al pensamiento de que su trabajo había sido un fracaso. Con "angustia del corazón" y "con muchas lágrimas", pidió consejo a Dios. De buena gana hubiera visitado en seguida a Corinto, si éste hubiera sido el proceder más sabio. Pero sabía que en la condición en que estaban entonces, los creyentes no serían beneficiados por sus labores, y por lo tanto envió a Tito a fin de que preparara el terreno para una visita suya ulterior. Entonces, dejando de lado todo sentimiento personal sobre el proceder de aquellos cuya conducta revelaba tan extraña perversidad, y conservando su alma apoyada en Dios, el apóstol escribió a la iglesia de Corinto una de las más ricas, más instructivas, más poderosas de todas sus cartas.

Con notable claridad procedió a contestar las diversas preguntas que le hizo la iglesia, y a sentar principios generales que, si los seguían, los conducirían a un plano espiritual más elevado. Ellos estaban en peligro, y él no podía soportar el pensamiento de que dejara de alcanzar sus corazones en ese tiempo crítico. Les advirtió fielmente de sus peligros y los reprendió por sus pecados. Les señaló de nuevo a Cristo, y trató de despertar nuevamente el fervor de su primera devoción.

El gran amor del apóstol a los creyentes corintios se reveló en su tierno saludo a la iglesia. Se refirió a lo que habían experimentado al volverse de la idolatría al culto y servicio del Dios verdadero. Les recordó los dones del Espí-

ritu Santo que habían recibido, y les mostró que era privilegio de ellos progresar ... en la vida cristiana hasta alcanzar la pureza y la santidad de Cristo. "En todas las cosas fuisteis enriquecidos en él, en toda palabra y en toda ciencia; así como el testimonio acerca de Cristo ha sido confirmado en vosotros, de tal manera que nada os falta en ningún don, esperando la manifestación de nuestro Señor Jesucristo; el cual también os confirmará hasta el fin, para que seáis irreprensibles en el día de nuestro Señor Jesucristo".

Pablo habló francamente de las disensiones que se habían levantado en la iglesia de Corinto, y exhortó a los miembros a dejar las contiendas. "Os ruego pues, hermanos —escribió—, por el nombre de nuestro Señor Jesucristo, que habléis todos una misma cosa, y que no haya entre vosotros divisiones, sino que estéis perfectamente unidos en una misma mente y en un mismo parecer".

El apóstol se sintió libre para mencionar cómo y por quiénes había sido informado de las divisiones de la iglesia. "He sido informado acerca de vosotros, hermanos míos, por los de Cloé, que hay entre vosotros contiendas".

Pablo era un apóstol inspirado. Las verdades que enseñara a otros las había recibido "por revelación", sin embargo, el Señor no le revelaba directamente todas las veces la precisa condición de su pueblo. En esta ocasión, aquellos que tenían interés en la prosperidad de la iglesia de Corinto, y que habían visto penetrar males en ella, habían presentado el asunto al apóstol; y en virtud de las revelaciones anteriormente recibidas, él estaba preparado para juzgar el carácter de esos fenómenos. No obstante el hecho de que el Señor no le dio una nueva revelación para esa ocasión especial, los que estaban buscando realmente la luz aceptaron su mensaje como expresión del pensamiento de Cristo. El Señor le había mostrado las dificultades y peligros que se levantarían en las iglesias, y cuando estos males se desarrollaron, el apóstol reconoció su significado. Había sido puesto para defender a la iglesia. Había de velar por las almas como quien debía dar cuenta a Dios; ¿y no era consecuente y correcto que hiciera caso de los informes concernientes a la anarquía y las divisiones entre ellas? Con toda seguridad; y la represión que envió fue tan ciertamente escrita bajo la inspiración del Espíritu de Dios como cualquiera de sus otras epístolas.

El apóstol no mencionó a los falsos maestros que estaban tratando de destruir el fruto de su labor. Por causa de la oscuridad y división que había en la iglesia, se abstuvo prudentemente de irritar a los corintios con tales referencias, por temor de apartar a algunos enteramente de la verdad. Llamó la atención a su propio trabajo entre ellos como al de un "perito arquitecto", que había puesto el fundamento sobre el cual otros habían edificado. Pero no se ensalzó por eso; porque declaró: "Nosotros somos colaboradores de Dios". No presumía de tener sabiduría propia, sino que reconocía que sólo el poder divino lo había capacitado para presentar la verdad de una manera agradable a Dios. Unido con Cristo, el más grande de todos los maestros, Pablo había sido capacitado para impartir lecciones de sabiduría divina, que satisfacían las necesidades de todas las clases, y que habían de aplicarse a todos los tiempos, en todos los lugares, y bajo todas las condiciones.

Entre los peores males que se habían desarrollado entre los creyentes corintios, figuraba el retorno a muchas de las degradantes costumbres del paganismo. Un ex converso había vuelto tanto a sus andadas que su conducta licenciosa

313

era una violación aun de la baja norma de moralidad mantenida por el mundo gentil. El apóstol rogó a la iglesia que quitara de su seno "a ese perverso". "¿No sabéis —advirtió— que un poco de levadura leuda toda la masa? Limpiaos, pues, de la vieja levadura, para que seáis nueva masa, sin levadura como sois".

Otro grave mal que se había levantado en la iglesia era que los hermanos recurrían a la ley unos contra otros. Se había hecho abundante provisión para el arreglo de las dificultades entre creyentes. Cristo mismo había dado instrucción clara en cuanto a cómo debían ser resueltos esos asuntos. "Si tu hermano peca contra ti —había aconsejado el Salvador—, ve y repréndele estando tú y él solos; si te oyere, has ganado a tu hermano. Mas si no te oyere, toma aún contigo a uno o dos, para que en boca de dos o tres testigos conste toda palabra. Si no los oyere a ellos, dilo a la iglesia; y si no oyere a la iglesia, tenle por gentil y publicano. De cierto os digo que todo lo que atéis en la tierra, será atado en el cielo; y todo lo que desatéis en la tierra, será desatado en el cielo" (S. Mateo 18: 15-18).

A los creyentes corintios que habían perdido de vista este claro consejo, Pablo les escribió en términos precisos de amonestación y reproche. "¿Osa alguno de vosotros —preguntó—, cuando tiene algo contra otro, ir a juicio delante de los injustos, y no delante de los santos? ¿O no sabéis que los santos han de juzgar al mundo? Y si el mundo ha de ser juzgado por vosotros, ¿sois indignos de juzgar cosas muy pequeñas? ¿O no sabéis que hemos de juzgar a los ángeles? ¿Cuánto más las cosas de esta vida? Si, pues, tenéis juicios sobre cosas de esta vida, ¿ponéis para juzgar a los que son de menor estima en la iglesia? Para avergonzaros lo digo. ¿Pues qué, no hay entre vosotros sabio, ni aun uno, que pueda juzgar entre sus hermanos, sino que el hermano con el hermano pleitea en juicio, y esto ante los incrédulos? Así que, por cierto es ya una falta en vosotros que tengáis pleitos entre vosotros mismos. ¿Por qué no sufrís más bien el agravio?... Pero vosotros cometéis el agravio, y defraudáis, y esto a los hermanos. ¿No sabéis que los injustos no heredarán el reino de Dios?"

Satanás está tratando constantemente de provocar desconfianza, desunión, malicia entre el pueblo de Dios. Seremos a menudo tentados a sentir que se pisotean nuestros derechos, aun cuando no haya causa real para tales sentimientos. Aquellos cuyo amor propio sea más fuerte que su amor por Cristo y su causa, darán la primacía a sus propios intereses y recurrirán a casi cualquier medio para protegerlos y conservarlos. Aun muchos que parecen ser cristianos concienzudos son impedidos por el orgullo y la estima propia de ir privadamente a aquellos a quienes consideran en error, para hablar con ellos con el espíritu de Cristo y orar juntos el uno por el otro. Al creerse perjudicados por sus hermanos, algunos recurrirán hasta a un juicio en lugar de seguir la regla del Salvador.

Los cristianos no deberían recurrir a los tribunales civiles para arreglar las diferencias que puedan levantarse entre los miembros de la iglesia. Tales diferencias deberían arreglarse entre ellos mismos, o por la iglesia, de acuerdo con la

instrucción de Cristo. Aunque pueda haberse cometido una injusticia, el seguidor del manso y humilde Jesús sufrirá que se le defraude antes que exponer al mundo los pecados de sus hermanos de la iglesia.

Los pleitos entre hermanos son un oprobio para la causa de la verdad. Los cristianos que recurren a la ley unos contra otros exponen a la iglesia al ridículo de sus enemigos, y provocan el triunfo de las potestades de las tinieblas. Hieren de nuevo a Cristo, y le exponen al vituperio. Al pasar por alto la autoridad de la iglesia, manifiestan menosprecio por Dios, quien dio autoridad a la iglesia.

En esta carta a los corintios, Pablo se esforzó por mostrarles el poder de Cristo para guardarlos del mal. Sabía que si cumplieran con las condiciones expuestas serían revestidos de la fuerza del Poderoso. Como medio para ayudarles a librarse de la esclavitud del pecado y perfeccionar la santidad con el temor del Señor, Pablo les presentó con vehemencia los requerimientos de Aquel a quien habían dedicado sus vidas cuando se convirtieron. "Sois de Cristo" (VM), declaró. "No sois vuestros ... Habéis sido comprados por precio; glorificad, pues, a Dios en vuestro cuerpo y en vuestro espíritu, los cuales son de Dios".

El apóstol bosquejó francamente el resultado de volver de la vida de pureza y santidad a las prácticas corruptas del paganismo. "No erréis —escribió—; ni los fornicarios, ni los idólatras, ni los adúlteros, ... ni los ladrones, ni los avaros, ni los borrachos, ni los maldicientes, ni los estafadores, heredarán el reino de Dios". Les suplicó que dominaran las bajas pasiones y apetitos. "¿O ignoráis que vuestro cuerpo es templo del Espíritu Santo —les preguntó—, el cual está en vosotros, el cual tenéis de Dios?"

Aunque Pablo poseía elevadas facultades intelectuales, su vida revelaba el poder de una sabiduría aun menos común, que le daba rapidez de discernimiento y simpatía de corazón, y le ponía en estrecha comunión con otros, capacitándolo para despertar su mejor naturaleza e inspirarlos a luchar por una vida más elevada. Su corazón estaba lleno de ardiente amor por los creyentes corintios. Anhelaba verlos revelar una piedad interior que los fortaleciera contra la tentación. Sabía que a cada paso del camino cristiano se les opondría la sinagoga de Satanás, y que tendrían que empeñarse diariamente en conflictos. Tendrían que guardarse contra el acercamiento furtivo del enemigo, rechazar los viejos hábitos e inclinaciones naturales, y velar siempre en oración. Pablo sabía que las más valiosas conquistas cristianas pueden obtenerse solamente mediante mucha oración y constante vigilancia, y trató de inculcar esto en sus mentes. Pero sabía también que en Cristo crucificado se les ofrecía un poder suficiente para convertir el alma y divinamente adaptado para permitirles resistir todas las tentaciones al mal. Con la fe en Dios como su armadura, y con su Palabra como su arma de guerra, serían provistos de un poder interior que los capacitaría para desviar los ataques del enemigo.

Los creyentes corintios necesitaban una experiencia más profunda en las cosas de Dios. No sabían plenamente lo que significaba contemplar su gloria y ser cambiados de carácter en carácter. No habían visto sino los primeros rayos de la aurora de esa gloria. El deseo de Pablo ... era que pudieran ser henchidos con toda la plenitud de Dios, que prosiguieran conociendo a Aquel cuya salida se prepara como la mañana, y continuaran aprendiendo de él hasta que llegaran a la plenitud del mediodía de una perfecta fe evangélica.

CAPITULO 30

Este capítulo está basado en la primera Epístola a los Corintios.

Llamamiento a Alcanzar una Norma más Alta

CON la esperanza de hacer comprender vívidamente a los creyentes corintios la importancia del firme dominio propio, la estricta temperancia y el celo incansable en el servicio de Cristo, Pablo hizo en la carta que les escribiera una impresionante comparación entre la lucha cristiana y las carreras pedestres que se tenían en determinadas ocasiones cerca de Corinto. De todos los juegos instituidos entre los griegos y romanos, las carreras pedestres eran las más antiguas y las más altamente estimadas. Eran presenciadas por reyes, nobles, y hombres de estado. Jóvenes de alcurnia y riqueza participaban en ellas, y no escatimaban el esfuerzo y la disciplina necesarios para obtener el premio.

Los torneos eran regidos por reglamentos estrictos, de los cuales no había apelación. Los que deseaban que se incluyeran sus nombres entre los competidores por el premio, tenían que someterse primero a un severo entrena-

319

Cuando Pablo escribió a los creyentes de Corinto comparó la vida del cristiano a una carrera deportiva.

miento preparatorio. Se prohibía estrictamente la peligrosa complacencia del apetito o cualquier otra satisfacción que redujera el vigor mental o físico. Para que alguien tuviera alguna esperanza de éxito en estas pruebas de fuerza y velocidad, los músculos debían ser fuertes y flexibles, y los nervios debían estar bien dominados. Todo movimiento debía ser preciso; todo paso, rápido y seguro; las facultades físicas debían alcanzar su mayor altura.

Cuando los competidores de la carrera se presentaban ante la multitud expectante, se proclamaban sus nombres y se establecían claramente las reglas de la carrera. Entonces todos partían juntos, y la atención fija de los espectadores les inspiraba su determinación de ganar. Los jueces se sentaban cerca de la meta para poder observar la carrera desde el principio hasta el fin, y dar el premio al verdadero vencedor. Si un hombre llegaba a la meta primero valiéndose de algún recurso ilícito, no se le adjudicaba el premio.

En estas lides se corrían muchos riesgos. Algunos nunca se reponían del terrible esfuerzo físico. No era raro que los hombres cayeran en la pista, sangrando por la boca y la nariz, y algunas veces un contendiente caía muerto cuando estaba a punto de alcanzar el premio. Pero por amor al honor que se confería al contendiente que triunfaba, no se consideraba un riesgo demasiado grande la posibilidad de dañarse por toda la vida o de morir.

Cuando el ganador llegaba a la meta, los aplausos de la vasta muchedumbre de observadores hendían el aire y repercutían en las colinas y montañas circundantes. A plena vista de los espectadores, el juez le otorgaba los emblemas de la victoria: una corona de laurel, y una palma que había de llevar en la mano derecha. Se cantaba su alabanza por toda la tierra; sus padres compartían su honor; y aun la ciudad donde vivía era tenida en alta estima por haber producido tan grande atleta.

Al referirse a estas carreras como figura de la lucha cristiana, Pablo recalcó la preparación necesaria para el éxito de los contendientes en la carrera: la disciplina preliminar, el régimen alimentario abstemio, la necesidad de temperancia. "Todo aquel que lucha —declaró—, de todo se abstiene". Los corredores renunciaban a toda complacencia que tendería a debilitar las facultades físicas, y mediante severa y continua disciplina, desarrollaban la fuerza y resistencia de sus músculos, para que cuando llegase el día del torneo, pudieran exigir el mayor rendimiento a sus facultades. ¡Cuánto más importante es que el cristiano, cuyos intereses eternos están en juego, sujete sus apetitos y pasiones a la razón y a la voluntad de Dios! Nunca debe permitir que su atención sea distraída por las diversiones, los lujos o la comodidad. Todos sus hábitos y pasiones deben estar bajo la más estricta disciplina. La razón, iluminada por las enseñanzas de la Palabra de Dios y guiada por su Espíritu, debe conservar las riendas del dominio.

Y después de haber hecho esto, el cristiano debe hacer el mayor esfuerzo a fin de obtener la victoria. En los juegos de Corinto, los últimos pocos tramos de los contendientes de la carrera eran hechos con agonizante esfuerzo por conservar la velocidad. Así el cristiano, al acercarse a la meta, avanzará con más celo y determinación que al principio de su carrera.

Pablo presenta el contraste entre la perecedora guirnalda de laurel recibida por el vencedor de las carreras pedestres, y la corona de gloria inmortal que recibirá el que

321

corra triunfalmente la carrera cristiana. "Ellos, a la verdad —declara—, para recibir una corona corruptible, pero nosotros, una incorruptible". Para obtener una recompensa perecedera, los corredores griegos no escatimaban esfuerzo ni disciplina. Nosotros estamos luchando por una recompensa infinitamente más valiosa, la corona de la vida eterna. ¡Cuánto más cuidadoso debería ser nuestro esfuerzo, cuánto más voluntario nuestro sacrificio y abnegación!

En la Epístola a los Hebreos se señala el propósito absorbente que debería caracterizar la carrera cristiana por la vida eterna: "Despojémonos de todo peso y del pecado que nos asedia, y corramos con paciencia la carrera que tenemos por delante, puestos los ojos en Jesús, el autor y consumador de la fe" (Hebreos 12: 1, 2). La envidia, la malicia, los malos pensamientos, las malas palabras, la codicia: éstos son pesos que el cristiano debe deponer para correr con éxito la carrera de la inmortalidad. Todo hábito o práctica que conduce al pecado o deshonra a Cristo, debe abandonarse, cualquiera que sea el sacrificio. La bendición del cielo no puede descender sobre ningún hombre que viola los eternos principios de la justicia. Un solo pecado acariciado es suficiente para degradar el carácter y extraviar a otros.

"Si tu mano te fuere ocasión de caer —dijo el Salvador—, córtala; mejor te es entrar en la vida manco, que teniendo dos manos ir al infierno, al fuego que no puede ser apagado... Y si tu pie te fuere ocasión de caer, córtalo; mejor te es entrar a la vida cojo, que teniendo dos pies ser echado en el infierno" (S. Marcos 9: 43-45). Si para salvar el cuerpo de la muerte debería cortarse el pie o la mano, o hasta sacarse el ojo, ¡cuánto más fervientemente debiera el cristiano quitar el pecado, que produce muerte al alma!

Los competidores de los antiguos juegos, después de haberse sometido a la renuncia personal y a rígida disciplina, no estaban todavía seguros de la victoria. "¿No sabéis que los que corren en el estadio —preguntó Pablo—, todos a la verdad corren, pero uno solo se lleva el premio?" Por ansiosa y fervientemente que se esforzaran los corredores, el premio se adjudicaba a uno solo. Una sola mano podía tomar la codiciada guirnalda. Alguno podía empeñar el mayor esfuerzo por obtener el premio, pero cuando estaba por extender la mano para tomarlo, otro, un instante antes que él, podía llevarse el codiciado tesoro.

Tal no es el caso en la lucha cristiana. Ninguno que cumpla con las condiciones se chasqueará al fin de la carrera. Ninguno que sea ferviente y perseverante dejará de tener éxito. La carrera no es del veloz, ni la batalla del fuerte. El santo más débil, tanto como el más fuerte, puede llevar la corona de gloria inmortal. Puede ganarla todo el que, por el poder de la gracia divina, pone su vida en conformidad con la voluntad de Cristo. Demasiado a menudo se considera como asunto sin importancia, demasiado

trivial para exigir atención, la práctica en los detalles de la vida, de los principios sentados en la Palabra de Dios. Pero en vista del resultado que está en juego, nada de lo que ayude o estorbe es pequeño. Todo acto pesa en la balanza que determina la victoria o el fracaso de la vida. La recompensa dada a los que venzan estará en proporción con la energía y el fervor con que hayan luchado.

El apóstol se comparó a sí mismo con un hombre que corre una carrera empeñando todo nervio en la obtención del premio. "Así que, yo de esta manera corro —dice—, no como a la ventura; de esta manera peleo, no como quien golpea el aire, sino que golpeo mi cuerpo, y lo pongo en servidumbre, no sea que habiendo sido heraldo para otros, yo mismo venga a ser eliminado". Para no correr en forma incierta o al azar la carrera cristiana, Pablo se sometía a severa preparación. Las palabras: "Pongo en servidumbre" mi cuerpo, significan literalmente someter, mediante severa disciplina, los deseos, impulsos y pasiones. Pablo temía que, habiendo predicado a otros, él mismo fuera reprobado. Comprendía que si no cumplía en su vida los principios que creía y predicaba, sus labores en favor de otros no le valdrían de nada. Su conversación, su influencia, su negación a entregarse a la complacencia propia, debían mostrar que su religión no era mera profesión, sino una comunión diaria y viva con Dios. Mantenía siempre delante de sí un blanco, y luchaba ardientemente por alcanzarlo: "la justicia que es de Dios por la fe" (Filipenses 3: 9).

Pablo sabía que su lucha contra el mal no terminaría mientras durara la vida. Siempre comprendía la necesidad de vigilarse severamente, para que los deseos terrenales no se sobrepusieran al celo espiritual. Con todo su poder continuaba luchando contra las inclinaciones naturales. Siempre mantenía ante sí el ideal que debía alcanzarse, y luchaba por alcanzar ese ideal mediante la obediencia voluntaria a la ley de Dios. Sus palabras, sus prácticas, sus pasiones: todo lo sometía al dominio del Espíritu de Dios.

Era este propósito único de ganar la carrera de la vida eterna, lo que Pablo anhelaba ver revelado en las vidas de los creyentes corintios. Sabía que a fin de alcanzar el ideal de Cristo para con ellos, tenían por delante una lucha de toda la vida, que no tendría tregua. Les pedía que lucharan lealmente, día tras día, en busca de piedad y excelencia moral. Les rogaba que pusieran a un lado todo peso y se esforzaran hacia el blanco de la perfección en Cristo.

Pablo señaló a los corintios la experiencia del antiguo Israel, las bendiciones que recompensaron su obediencia y los juicios que siguieron a sus transgresiones. Les recordó la milagrosa manera en que los hebreos fueron guiados desde Egipto, bajo la protección de la nube de día y de la columna de fuego de noche. Así fueron conducidos con seguridad a través del mar Rojo, mientras los egipcios, intentando cruzar de la misma manera, se ahogaron todos. Por estos actos Dios había reconocido a Israel como su iglesia. Todos ellos "comieron el mismo alimento espiritual, y todos bebieron la misma bebida espiritual; porque bebían de la roca espiritual que los seguía, y la roca era Cristo". Los hebreos, en todos sus viajes, tenían a Cristo como su jefe. La piedra herida representaba a Cristo, que había de ser herido por las transgresiones de los hombres, para que pudiera fluir a todos la corriente de la salvación.

A pesar del favor que Dios les mostró a los hebreos, por causa de su anhelo vehemente de los placeres dejados en

325

Egipto y de su pecado y rebelión, los juicios de Dios cayeron sobre ellos. Y el apóstol instó a los creyentes corintios a prestar oídos a la lección contenida en la historia de Israel. "Mas estas cosas sucedieron como ejemplos para nosotros —declaró—, para que no codiciemos cosas malas, como ellos codiciaron". Mostró cómo el amor a la comodidad y al placer los había predispuesto para cometer los pecados que provocaron la manifiesta venganza de Dios. Fue al sentarse los hijos de Israel a comer y a beber, y al levantarse a jugar, cuando abandonaron el temor de Dios, que habían sentido al escuchar la proclamación de la ley; y, haciendo un becerro de oro para representar a Dios, lo adoraron. Y fue después de un festín voluptuoso relaciondo con el culto de Baal-peor, cuando muchos de los hebreos cayeron en la licencia. Se despertó la ira de Dios, y a su orden, "veintitrés mil" fueron muertos en un día por la plaga.

El apóstol advierte a los corintios: "Así que, el que piensa estar firme, mire que no caiga". Si se vanagloriaban y confiaban en sí mismos, descuidando la vigilancia y la oración,

caerían en grave pecado, provocando la ira de Dios contra ellos. Sin embargo, Pablo no quería que se entregasen al desaliento. Les aseguró: "Fiel es Dios, que no os dejará ser tentados más de lo que podéis resistir, sino que dará también juntamente con la tentación la salida, para que podáis soportar".

Pablo instó a sus hermanos a preguntar qué influencia ejercerían sus palabras y hechos sobre los demás, y a no hacer nada, por inocente que fuera en sí mismo, que pareciera sancionar la idolatría u ofender los escrúpulos de los que fueran débiles en la fe. "Si, pues, coméis o bebéis, o hacéis otra cosa, hacedlo todo para la gloria de Dios. No seáis tropiezo ni a judíos, ni a gentiles, ni a la iglesia de Dios".

Las palabras de amonestación del apóstol a la iglesia de Corinto se aplican a todo tiempo, y convienen especialmente a nuestros días. Por idolatría, él no se refería solamente a la adoración de los ídolos, sino al servicio propio, al amor a la comodidad, a la complacencia de los apetitos y pasiones. Una mera profesión de fe en Cristo, un jactancioso conocimiento de la verdad, no hace cristiano a un hombre. Una religión que trata solamente de agradar a los ojos, a los oídos o al gusto, o que sanciona la complacencia propia, no es la religión de Cristo.

Mediante una comparación de la iglesia con el cuerpo humano, el apóstol ilustra apropiadamente la estrecha y armoniosa relación que debiera existir entre todos los miembros de la iglesia de Cristo. "Por un solo Espíritu —escribió— fuimos todos bautizados en un cuerpo, sean judíos o griegos, sean esclavos o libres; y a todos se nos dio a beber de un mismo Espíritu. Además, el cuerpo no es un solo miembro, sino muchos. Si dijere el pie: Porque no soy mano, no

327

soy del cuerpo, ¿por eso no será del cuerpo? Y si dijere la oreja: Porque no soy ojo, no soy del cuerpo, ¿por eso no será del cuerpo? Si todo el cuerpo fuese ojo, ¿dónde estaría el oído? Si todo fuese oído, ¿dónde estaría el olfato? Mas ahora Dios ha colocado los miembros cada uno de ellos en el cuerpo, como él quiso. Porque si todos fueran un solo miembro, ¿dónde estaría el cuerpo? Pero ahora son muchos los miembros, pero el cuerpo es uno solo. Ni el ojo puede decir a la mano: No te necesito, ni tampoco la cabeza a los pies: No tengo necesidad de vosotros… Dios ordenó el cuerpo, dando más abundante honor al que le faltaba, para que no haya desavenencia en el cuerpo, sino que los miembros todos se preocupen los unos por los otros. De manera que si un miembro padece, todos los miembros se duelen con él, y si un miembro recibe honra, todos los miembros con él se gozan. Vosotros, pues, sois el cuerpo de Cristo, y miembros cada uno en particular".

Y entonces, con palabras que desde ese día han sido para hombres y mujeres una fuente de inspiración y aliento, Pablo expone la importancia del amor que deberían abrigar los seguidores de Cristo: "Si yo hablase lenguas humanas y angélicas, y no tengo amor, vengo a ser como metal que resuena, o címbalo que retiñe. Y si tuviese profecía, y entendiese todos los misterios y toda ciencia, y si tuviese toda la fe, de tal manera que trasladase los montes, y no tengo amor, nada soy. Y si repartiese todos mis bienes para dar de comer a los pobres, y si entregase mi cuerpo para ser quemado, y no tengo amor, de nada me sirve".

Por muy noble que sea lo profesado por aquel cuyo corazón no está lleno del amor a Dios y a sus semejantes, no es verdadero discípulo de Cristo. Aunque posea gran fe y tenga poder aun para obrar milagros, sin amor su fe será inútil. Podrá desplegar gran liberalidad; pero si el motivo es otro que el amor genuino, aunque dé todos sus bienes para alimentar a los pobres, la acción no le merecerá el favor de Dios. En su celo podrá hasta afrontar el martirio, pero si no obra por amor, será considerado por Dios como engañado entusiasta o ambicioso hipócrita.

"El amor es sufrido, es benigno; el amor no tiene envidia, el amor no es jactancioso, no se envanece". El gozo más puro surge de la más profunda humildad. Los caracteres más fuertes y nobles están edificados sobre el fundamento de la paciencia, el amor y la sumisión a la voluntad de Dios.

El amor "no hace nada indebido, no busca lo suyo, no se irrita, no guarda rencor". El amor de Cristo concibe de la manera más favorable los motivos y actos de los otros. No expone innecesariamente sus faltas; no escucha ansiosamente los informes desfavorables, sino que trata más bien de recordar las buenas cualidades de los otros.

El amor "no se goza de la injusticia, mas se goza de la verdad. Todo lo sufre, todo lo cree, todo lo espera, todo lo soporta". Este amor "nunca deja de ser". No puede perder su valor; es un atributo celestial. Como un tesoro precioso, será introducido por su poseedor por las puertas de la ciudad de Dios.

"Y ahora permanecen la fe, la esperanza y el amor, estos tres; pero el mayor de ellos es el amor".

Al bajarse la norma moral de los creyentes corintios, ciertas personas habían abandonado algunos de los rasgos fundamentales de su fe. Algunos habían llegado hasta el punto de negar la doctrina de la resurrección. Pablo afrontó esta herejía con un testimonio muy claro en cuanto a la evidencia inconfundible de la resurrección de Cristo. Declaró que Cristo, después de su muerte, "resucitó al tercer día, conforme a las Escrituras", después de lo cual "apareció a Cefas, y después a los doce. Después apareció a más de quinientos hermanos a la vez, de los cuales muchos viven aún, y otros ya duermen. Después apareció a Jacobo; después a todos los apóstoles; y al último de todos, ... me apareció a mí".

Con poder convincente el apóstol expuso la gran verdad de la resurrección. "Porque si no hay resurrección de muertos —arguyó—, tampoco Cristo resucitó. Y si Cristo no resucitó, vana es entonces nuestra predicación, vana es también vuestra fe. Y somos hallados falsos testigos de Dios; porque hemos testificado de Dios que él resucitó a Cristo, al cual no resucitó, si en verdad los muertos no resucitan. Porque si los muertos no resucitan, tampoco Cristo resucitó; y si Cristo no resucitó, vuestra fe es vana; aún estáis en vuestros pecados. Entonces también los que durmieron en Cristo perecieron. Si en esta vida solamente esperamos en Cristo, somos los más dignos de conmiseración de todos los hombres. Mas ahora Cristo ha resucitado de los muertos; primicias de los que durmieron es hecho".

Pablo dirigió los pensamientos de los hermanos corintios a los triunfos de la mañana de la resurrección, cuando todos los santos que duermen se levantarán, para vivir para siempre con el Señor. "He aquí —declaró el apóstol—, os digo un misterio: No todos dormiremos; pero todos seremos transformados, en un momento, en un abrir y cerrar de ojos, a la final trompeta; porque se tocará la trompeta, y los muertos serán resucitados incorruptibles, y nosotros seremos transformados. Porque es necesario que esto corruptible se vista

En su primera carta a los corintios
Pablo destaca la gran verdad
de la resurrección.

de incorrupción, y esto mortal se vista de inmortalidad. Y cuando esto corruptible se haya vestido de incorrupción, y esto mortal se haya vestido de inmortalidad, entonces se cumplirá la palabra que está escrita: Sorbida es la muerte en victoria. ¿Dónde está, oh muerte, tu aguijón? ¿Dónde, oh sepulcro, tu victoria?... Mas gracias sean dadas a Dios, que nos da la victoria por medio de nuestro Señor Jesucristo".

Glorioso es el triunfo que aguarda al fiel. El apóstol, comprendiendo las posibilidades que estaban por delante de los creyentes corintios, trató de exponerles algo que los elevara del egoísmo y la sensualidad y glorificase su vida con la esperanza de la inmortalidad. Fervorosamente los exhortó a ser leales a su alta vocación en Cristo. "Hermanos míos amados —les suplicó—, estad firmes y constantes, creciendo en la obra del Señor siempre, sabiendo que vuestro trabajo en el Señor no es en vano".

Así el apóstol, de la manera más decidida y expresiva, se esforzó por corregir las falsas y peligrosas ideas y prácticas que prevalecían en la iglesia de Corinto. Habló claramente, pero con amor por sus almas. Mediante sus amonestaciones y reproches, brilló sobre ellos la luz del trono de Dios, para revelar los pecados ocultos que estaban manchando sus vidas. ¿Cómo sería recibida?

Después de despachar la carta, Pablo temió que lo que había escrito hiriera demasiado profundamente a aquellos a quienes deseaba beneficiar. Temió agudamente un alejamiento adicional, y algunas veces deseaba retirar sus palabras. Aquellos que, como el apóstol, han sentido responsabilidad por sus amadas iglesias o instituciones, pueden apreciar mejor su depresión de espíritu y su acusación propia. Los siervos de Dios que llevan la carga de su obra para este tiempo conocen algo de la misma experiencia de trabajo, conflicto y ansioso cuidado que cayó en suerte al gran apóstol. Preocupado por las divisiones de la iglesia, haciendo frente a la ingratitud y traición de algunos a quienes había mirado en busca de simpatía y sostén, comprendiendo el peligro de las iglesias que abrigaban la iniquidad, compelido a dar un testimonio directo, escrutador, de reproche contra el pecado, estaba al mismo tiempo oprimido por el temor de que pudiera haber tratado a los corintios con severidad excesiva. Con temblorosa ansiedad esperaba recibir algunas nuevas en cuanto a la recepción de su mensaje.

CAPITULO 31

Se Escucha el Mensaje

DESDE Efeso, Pablo emprendió otra gira misionera, durante la cual esperaba visitar una vez más los escenarios de sus anteriores labores en Europa. Deteniéndose por un tiempo en Troas, para predicar "el Evangelio de Cristo", encontró algunos que estaban dispuestos a escuchar su mensaje. "Se me abrió puerta en el Señor", declaró más tarde respecto a sus labores en ese lugar. Pero a pesar del éxito de sus esfuerzos en Troas, no podía permanecer mucho tiempo allí. "La preocupación por todas las iglesias", y particularmente de la iglesia de Corinto, pesaba sobre su corazón. Había esperado encontrarse con Tito en Troas, y enterarse por él de cómo habían sido recibidas las palabras de consejo y reprensión enviadas a los hermanos corintios; pero se chasqueó. "No tuve reposo en mi espíritu —escribió concerniente a este incidente—, por no haber hallado a mi hermano Tito". Partió de Troas, y cruzó a Macedonia, donde, en la ciudad de Filipos, encontró a Timoteo.

Durante este tiempo de ansiedad concerniente a la iglesia de Corinto, Pablo esperaba lo mejor; sin embargo, a veces se le llenaba el alma de sentimientos de profunda tristeza, por temor a que sus consejos y amonestaciones fuesen mal comprendidos. "Ningún reposo tuvo nuestro cuerpo —escribió más tarde—, sino que en todo fuimos atribulados; de fuera, conflictos; de dentro, temores. Pero Dios, que consuela a los humildes, nos consoló con la venida de Tito".

Este fiel mensajero le trajo las alegres nuevas de que se había realizado un maravilloso cambio entre los creyentes corintios. Muchos habían aceptado la instrucción de la carta de Pablo, y se habían arrepentido de sus pecados. La vida que ahora llevaban no era ya un oprobio para el cristianismo, sino que ejercía una poderosa influencia en favor de la piedad práctica.

Lleno de gozo, el apóstol envió otra carta a los creyentes corintios, expresando la alegría de su corazón por la buena obra realizada entre ellos: "Porque aunque os contristé con la carta, no me pesa, aunque entonces lo lamenté". Cuando estaba torturado por el temor de que sus palabras fueran despreciadas, había lamentado a veces haber escrito tan decidida y severamente. "Ahora me gozo —continuó—, no porque hayáis sido contristados, sino porque fuisteis contristados para arrepentimiento; porque habéis sido contristados según Dios, para que ninguna pérdida padecieseis por nuestra parte. Porque la tristeza que es según Dios produce arrepentimiento para salvación, de que no hay que arrepentirse". Ese arrepentimiento producido por la influencia de la gracia divina en el corazón, induce a la confesión y al abandono del pecado. Tales fueron los primeros frutos que el apóstol declaró que se habían visto en la vida de los creyentes corintios. "¡Qué solicitud produjo en vosotros, qué defensa, qué indignación, qué temor, qué ardiente afecto, qué celo!"

Por algún tiempo, Pablo había sentido honda preocupación por las iglesias, una preocupación tan pesada que apenas podía soportarla. Algunos falsos maestros habían tratado de destruir su influencia entre los creyentes y de introducir sus propias doctrinas en lugar de la verdad evangélica. Las perplejidades y desalientos con que Pablo estaba rodeado se revelan en las palabras: "Fuimos abrumados sobremanera más allá de nuestras fuerzas, de tal modo que aun perdimos la esperanza de conservar la vida".

Pero ahora se había quitado una causa de ansiedad. Al oír las buenas nuevas de la aceptación de su carta a los corintios, Pablo prorrumpió en palabras de regocijo: "Bendito sea el Dios y Padre de nuestro Señor Jesucristo, Padre de misericordias y Dios de toda consolación, el cual nos consuela en todas nuestras tribulaciones, para que podamos también nosotros consolar a los que están en cualquier tribulación, por medio de la consolación con que nosotros somos consolados por Dios. Porque de la manera que abundan en nosotros las aflicciones de Cristo, así abunda también por el mismo Cristo nuestra consolación. Pero si somos atribulados, es para vuestra consolación y salvación; o si somos consolados, es para vuestra consolación y salvación, la cual se opera en el sufrir las mismas aflicciones que nosotros también padecemos. Y nuestra esperanza respecto de vosotros es firme, pues sabemos que así como sois compañeros en las aflicciones, también lo sois en la consolación".

Al expresar su gozo por la reconversión y el crecimiento de ellos en la gracia, Pablo atribuye a Dios toda la alabanza por esa transformación del corazón y la vida. "Mas a Dios gracias —exclamó—, el cual nos lleva siempre en triunfo en Cristo Jesús, y por medio de nosotros manifiesta en todo lugar el olor de su conocimiento. Porque para Dios somos grato olor de Cristo en los que se salvan, y en los que se pierden". Era costumbre de entonces que un general victorioso en la guerra trajera consigo al volver una caravana de cautivos. En esas ocasiones se señalaban personas que llevaban incienso, y mientras el ejército regresaba triunfalmente, el fragante olor era para los cautivos condenados a muerte, un sabor de muerte, que mostraba que estaba próximo el tiempo de su ejecución; pero para los prisioneros que

habían obtenido el favor del conquistador, y cuyas vidas iban a ser perdonadas, era un sabor de vida, por cuanto mostraba que su libertad estaba cerca.

Pablo estaba ahora lleno de fe y esperanza. Sentía que Satanás no había de triunfar sobre la obra de Dios en Corinto, y con palabras de alabanza exhaló la gratitud de su corazón. El y sus colaboradores habrían de celebrar su victoria sobre los enemigos de Cristo y la verdad avanzando con nuevo celo para extender el conocimiento del Salvador. Como el incienso, la fragancia del Evangelio habría de difundirse por el mundo. Para aquellos que aceptaran a Cristo, el mensaje sería un sabor de vida para vida; pero para aquellos que persistieran en la incredulidad, un sabor de muerte para muerte.

Comprendiendo la enorme magnitud del trabajo, Pablo exclamó: "Para estas cosas, ¿quién es suficiente?" ¿Quién puede predicar a Cristo de tal manera que sus enemigos no tengan justa causa para despreciar al mensajero o el mensaje que da? Pablo deseaba hacer sentir a los creyentes la solemne responsabilidad del ministerio evangélico. Sólo la fidelidad en la predicación de la Palabra, unida a una vida pura y consecuente, puede hacer aceptables a Dios y útiles para las almas, los esfuerzos de los ministros. Los ministros de nuestros días, compenetrados del sentido de la grandeza de la obra, pueden con razón exclamar con el apóstol: "Para estas cosas, ¿quién es suficiente?"

Había quienes acusaban a Pablo de haberse alabado al escribir su carta anterior. El apóstol se refirió ahora a esto preguntando a los miembros de la iglesia si juzgaban así sus motivos. "¿Comenzamos otra vez a recomendarnos a nosotros mismos? —preguntó— ¿O tenemos necesidad, como algunos, de cartas de recomendación para vosotros, o de recomendación de vosotros?" Los creyentes que se trasladaban a un lugar nuevo llevaban a menudo consigo cartas de recomendación de la iglesia con la cual habían estado unidos anteriormente; pero los obreros dirigentes, los fundadores de esas iglesias, no necesitaban tal recomendación. Los creyentes corintios, que habían sido guiados del culto de los ídolos a la fe del Evangelio, eran toda la recomendación que Pablo necesitaba. Su recepción de la verdad, y la reforma que se había operado en sus vidas, atestiguaban elocuentemente la fidelidad de sus labores y su autoridad para aconsejar, reprender y exhortar como ministro de Cristo.

Pablo consideraba a los hermanos corintios como su recomendación. "Nuestras cartas sois vosotros —dijo—, escritas en nuestros corazones, conocidas y leídas por todos los hombres; siendo manifiesto que sois carta de Cristo expedida por nosotros, escrita no con tinta, sino con el Espíritu del Dios vivo; no en tablas de piedra, sino en tablas de carne del corazón".

La conversión de los pecadores y su santificación por la verdad es la prueba más poderosa que un ministro puede tener de que Dios le ha llamado al ministerio. La evidencia de su apostolado está escrita en los corazones de sus conversos y atestiguada por sus vidas renovadas. Cristo se forma en ellos como la esperanza de gloria. Un ministro es fortalecido grandemente por estas pruebas de su ministerio.

Hoy los ministros de Cristo debieran tener el mismo testimonio que la iglesia de Corinto daba de las labores de Pablo. Aunque en este tiempo los predicadores son muchos, hay una gran escasez de ministros capaces y santos, de hombres llenos del amor que moraba en el corazón de Cristo.

El orgullo, la confianza propia, el amor al mundo, las críticas, la amargura y la envidia son el fruto que producen muchos de los que profesan la religión de Cristo. Sus vidas, en agudo contraste con la vida del Salvador, dan a menudo un triste testimonio del carácter de la labor ministerial bajo la cual se convirtieron.

Un hombre no puede tener mayor honor que el ser aceptado por Dios como apto ministro del Evangelio. Pero aquellos a quienes el Señor bendice con poder y éxito en su obra no se vanaglorían. Reconocen su completa dependencia de él, y comprenden que no tienen poder en sí mismos. Con Pablo dicen: "No que seamos competentes por nosotros mismos para pensar algo como de nosotros mismos, sino que nuestra competencia proviene de Dios, el cual asimismo nos hizo ministros competentes de un nuevo pacto".

Un verdadero ministro hace la obra del Señor. Siente la importancia de su obra y comprende que mantiene con la iglesia y con el mundo una relación similar a la que mantenía Cristo. Trabaja incansablemente para guiar a los pecadores a una vida más noble y elevada, para que puedan obtener la recompensa del vencedor. Sus labios están tocados con un carbón encendido extraído del altar, y ensalza a Jesús como la única esperanza del pecador. Los que le oyen saben que se ha acercado a Dios mediante la oración ferviente y eficaz. El Espíritu Santo ha reposado sobre él, su alma ha sentido el fuego vital del cielo, y puede comparar las cosas espirituales con las espirituales. Se le da poder para derribar las fortalezas de Satanás. Los corazones son quebrantados por su exposición del amor de Dios, y muchos son inducidos a preguntar: "¿Qué debo hacer para ser salvo?"

"Por lo cual, teniendo nosotros este ministerio según la

misericordia que hemos recibido, no desmayamos. Antes bien renunciamos a lo oculto y vergonzoso, no andando con astucia, ni adulterando la palabra de Dios, sino por la manifestación de la verdad recomendándonos a toda conciencia humana delante de Dios. Pero si nuestro Evangelio está aún encubierto, entre los que se pierden está encubierto; en los cuales el dios de este siglo cegó el entendimiento de los incrédulos, para que no les resplandezca la luz del Evangelio de la gloria de Cristo, el cual es la imagen de Dios. Porque no nos predicamos a nosotros mismos, sino a Jesucristo como Señor, y a nosotros como vuestros siervos por amor de Jesús. Porque Dios, que mandó que de las tinieblas resplandeciese la luz, es el que resplandeció en nuestros corazones, para iluminación del conocimiento de la gloria de Dios en la faz de Jesucristo".

Así magnificaba el apóstol la gracia y la misericordia de Dios, mostrada en el sagrado cometido que se le confiara como ministro de Cristo. Por la abundante misericordia de Dios, él y sus hermanos habían sido sostenidos en las dificultades, aflicciones y peligros. No habían amoldado su fe y enseñanza para acomodarlas a los deseos de sus oyentes, ni callado las verdades esenciales para la salvación a fin de hacer más atractiva su enseñanza. Habían presentado la verdad con sencillez y claridad, orando por la convicción y conversión de las almas. Y se habían esforzado por vivir de acuerdo con sus enseñanzas, para que la verdad que presentaban fuera aceptable a la conciencia de todo hombre.

"Pero tenemos este tesoro —continuó el apóstol— en vasos de barro, para que la excelencia del poder sea de Dios, y no de nosotros". Dios podría haber proclamado su verdad mediante ángeles inmaculados, pero tal no es su plan. El escoge a los seres humanos, a los hombres rodeados de flaquezas, como instrumentos para realizar sus designios. El inestimable tesoro se coloca en vasos de barro. Mediante los hombres han de comunicarse al mundo sus bendiciones y ha de brillar su gloria en las tinieblas del pecado. Por su ministerio amante deben ellos encontrar al pecador y al necesitado para guiarlos a la cruz. Y en toda su obra tributarán gloria, honor y alabanza a Aquel que está por encima de todo y sobre todos.

Al referirse a su propio caso, Pablo mostró que al elegir el servicio de Cristo no había sido inducido por motivos egoístas; porque su camino había estado bloqueado de pruebas y tentaciones. "Estamos atribulados en todo —escribió—, mas no angustiados; en apuros, mas no desesperados; perseguidos, mas no desamparados; derribados, pero no destruidos; llevando en el cuerpo siempre por todas partes la muerte de Jesús, para que también la vida de Jesús se manifieste en nuestros cuerpos".

Pablo les recordó a sus hermanos que, como mensajeros de Cristo, él y sus colaboradores estaban continuamente en peligro. Las penalidades que soportaban estaban desgastando sus fuerzas. "Nosotros que vivimos —escribió— siempre estamos entregados a muerte por causa de Jesús, para que también la vida de Jesús se manifieste en nuestra carne mortal. De manera que la muerte actúa en nosotros, y en vosotros la vida". Sufriendo físicamente por las privaciones y trabajos, estos ministros de Cristo estaban conformándose a la muerte de él. Pero lo que obraba muerte en ellos, traía vida y salud espiritual a los corintios, quienes por la fe en la verdad eran hechos participantes de la vida eterna. En vista de esto, los seguidores de Jesús han de procurar no aumentar, por el descuido y el desafecto, las cargas y pruebas de los que trabajan.

"Teniendo el mismo espíritu de fe —continuó Pablo—, conforme a lo que está escrito: Creí, por lo cual hablé, nosotros también creemos, por lo cual también hablamos". Plenamente convencido de la realidad de la verdad a él confiada, nada podía inducir a Pablo a manejar engañosamente la palabra de Dios o a ocultar las convicciones de su alma. No quería conformarse con las opiniones del mundo para adquirir riqueza, honor o placer. Aunque en constante peligro del martirio por la fe que había predicado a los corintios, no se intimidaba; porque sabía que el que había muerto y resucitado le levantaría de la tumba y le presentaría al Padre.

"Todas estas cosas padecemos por amor a vosotros, para que abundando la gracia por medio de muchos, la acción de gracias sobreabunde para gloria de Dios". No para engrandecerse a sí mismos predicaban los apóstoles el Evangelio. Era la esperanza de salvar almas lo que los inducía a dedicar sus vidas a esta obra. Y era esta esperanza lo que les ayudaba a no abandonar sus esfuerzos por causa de los peligros que los amenazaban o de los sufrimientos que soportaban.

"Por tanto —declaró Pablo—, no desmayamos; antes aunque éste nuestro hombre exterior se va desgastando, el interior no obstante se renueva de día en día". Pablo sentía el poder del enemigo; pero aunque sus fuerzas físicas declinaban, declaraba fiel y resueltamente el Evangelio de Cristo. Vestido con toda la armadura de Dios, este héroe de la cruz proseguía la lucha. Su voz animosa lo proclamaba triunfante en el combate. Fijando sus ojos en la recompensa de los fieles, exclamó con tono de victoria: "Porque esta leve

23—H.M.C.A., ACTS Span.

tribulación momentánea produce en nosotros un cada vez más excelente y eterno peso de gloria; no mirando nosotros las cosas que se ven, sino las que no se ven; pues las cosas que se ven son temporales, pero las que no se ven son eternas".

Es muy ferviente e impresionante la invitación del apóstol a sus hermanos corintios a considerar de nuevo el inmaculado amor de su Redentor. "Ya conocéis la gracia de nuestro Señor Jesucristo —declaró—, que por amor a vosotros se hizo pobre, siendo rico, para que vosotros con su pobreza fueseis enriquecidos". Conocéis la altura desde la cual se rebajó, la profundidad de la humillación a la cual descendió. Habiendo emprendido la senda de la abnegación y el sacrificio, no se apartó de ella hasta que hubo dado su vida. No hubo descanso para él entre el trono y la cruz.

Pablo se fue deteniendo en un punto tras otro, a fin de que los que leyeran su epístola pudieran comprender plenamente la maravillosa condescendencia de su Salvador con ellos. Presentando a Cristo como era cuando era igual a Dios y recibía con él el homenaje de los ángeles, el apóstol trazó su curso hasta cuando hubo alcanzado las más bajas profundidades de la humillación. Pablo estaba convencido de que si podía hacerles comprender el asombroso sacrificio hecho por la Majestad del cielo, barrería de sus vidas todo su egoísmo. Mostró cómo el Hijo de Dios había depuesto su gloria y se había sometido voluntariamente a las condiciones de la naturaleza humana; y entonces se había humillado como un siervo, llegando a ser "obediente hasta la muerte, y muerte de cruz" (Filipenses 2: 8), para poder elevar a los hombres de la degradación a la esperanza y el gozo del cielo.

Cuando estudiamos el carácter divino a la luz de la cruz,

vemos misericordia, ternura, espíritu perdonador unidos con equidad y justicia. Vemos en medio del trono a uno que lleva en sus manos y pies y en su costado las marcas del sufrimiento soportado para reconciliar al hombre con Dios. Vemos a un Padre infinito que mora en luz inaccesible, pero que nos recibe por los méritos de su Hijo. La nube de la venganza que amenazaba solamente con la miseria y la desesperación, revela, a la luz reflejada desde la cruz, el escrito de Dios: ¡Vive, pecador, vive! ¡Vosotros, almas arrepentidas y creyentes, vivid! Yo he pagado el rescate.

Al contemplar a Cristo, nos detenemos en la orilla de un amor inconmensurable. Nos esforzamos por hablar de este amor, pero nos faltan las palabras. Consideramos su vida en la tierra, su sacrificio por nosotros, su obra en el cielo como abogado nuestro, y las mansiones que está preparando para aquellos que le aman; y sólo podemos exclamar: ¡Oh! ¡qué altura y profundidad las del amor de Cristo! "En esto consiste el amor: no en que nosotros hayamos amado a Dios, sino en que él nos amó a nosotros, y envió a su Hijo en propiciación por nuestros pecados". "Mirad cuál amor nos ha dado el Padre, para que seamos llamados hijos de Dios" (1 S. Juan 4: 10; 3: 1).

En todo verdadero discípulo, este amor, como fuego sagrado, arde en el altar del corazón. Fue en la tierra donde el amor de Dios se reveló por Cristo. Es en la tierra donde sus hijos han de reflejar su amor mediante vidas inmaculadas. Así los pecadores serán guiados a la cruz, para contemplar al Cordero de Dios.

CAPITULO 32

Una Iglesia Generosa

EN SU primera carta a la iglesia de Corinto, Pablo instruyó a los creyentes respecto a los principios generales sobre los cuales se funda el sostén de la obra de Dios en la tierra. Escribiendo en cuanto a sus labores apostólicas en favor de ellos, preguntó:

"¿Quién fue jamás soldado a sus propias expensas? ¿Quién planta viña y no come de su fruto? ¿O quién apacienta el rebaño y no toma de la leche del rebaño? ¿Digo esto sólo como hombre? ¿No dice esto también la ley? Porque en la ley de Moisés está escrito: No pondrás bozal al buey que trilla. ¿Tiene Dios cuidado de los bueyes, o lo dice enteramente por nosotros? Pues por nosotros se escribió; porque con esperanza debe arar el que ara, y el que trilla, con esperanza de recibir del fruto.

"Si nosotros sembramos entre vosotros lo espiritual, ¿es gran cosa si segáremos de vosotros lo material? Si otros participan de este derecho sobre vosotros, ¿cuánto más nosotros? Pero no hemos usado de este derecho, sino que lo soportamos todo, por no poner ningún obstáculo al Evange-

347

lio de Cristo. ¿No sabéis que los que trabajan en las cosas sagradas, comen del templo, y que los que sirven al altar, del altar participan? Así también ordenó el Señor a los que anuncian el Evangelio, que vivan del Evangelio" (1 Corintios 9: 7-14).

El apóstol se refirió aquí al plan del Señor para sostener a los sacerdotes que ministraban en el templo. Aquellos que eran apartados para este sagrado cargo eran sostenidos por sus hermanos, a quienes ellos ministraban las bendiciones espirituales. "Ciertamente los que de entre los hijos de Leví reciben el sacerdocio, tienen mandamiento de tomar del pueblo los diezmos según la ley" (Hebreos 7: 5). La tribu de Leví fue escogida por el Señor para los cargos sagrados pertenecientes al templo y al sacerdocio. Acerca del sacerdote se dijo: "Porque le ha escogido Jehová..., para ministrar en el nombre de Jehová" (Deuteronomio 18: 5). Dios reclamaba como propiedad suya una décima parte de todas las ganancias, y consideraba como robo la retención del diezmo.

A este plan para el sostén del ministerio se refirió Pablo cuando dijo: "Así también ordenó el Señor a los que anuncian el Evangelio, que vivan del Evangelio". Y más tarde, escribiendo a Timoteo, el apóstol dijo: "Digno es el obrero de su salario" (1 Timoteo 5: 18).

El pago del diezmo no era sino una parte del plan de Dios para el sostén de su servicio. Se especificaban divinamente numerosas dádivas y ofrendas. Bajo el sistema judío, se le enseñaba al pueblo a abrigar un espíritu de liberalidad, tanto en el sostén de la causa de Dios, como en la provisión de las necesidades de los pobres. En ocasiones especiales había ofrendas voluntarias. En ocasión de la cosecha y la vendimia, se consagraban como ofrenda para el Señor los primeros frutos del campo: el trigo, el vino y el aceite. Los rebuscos y las esquinas del campo se reservaban para los pobres. Las primicias de la lana cuando se trasquilaban las ovejas, y del grano cuando se trillaba el trigo, se apartaban para Dios. Así también se hacía con el primogénito de todos los animales. Se pagaba un rescate por el primogénito de toda familia humana. Los primeros frutos debían presentarse delante del Señor en el santuario, y se dedicaban al uso de los sacerdotes.

Por este sistema de benevolencia, el Señor trataba de enseñar a Israel que en todas las cosas él debía ser el primero. Así se les recordaba que él era el propietario de sus campos, sus rebaños y sus ganados; que era él quien enviaba la luz del sol y la lluvia que hacían crecer y madurar la sementera. Todas las cosas que ellos poseían eran de él. Ellos no eran sino sus mayordomos.

No es propósito de Dios que los cristianos, cuyos privilegios exceden por mucho a los de la nación judía, den menos liberalmente que los judíos. "A todo aquel a quien se haya dado mucho —declaró el Salvador—, mucho se le demandará" (S. Lucas 12: 48). La liberalidad que se requería de los hebreos era en gran parte para beneficio de su propia nación; hoy la obra de Dios abarca toda la tierra. Cristo confió los tesoros del Evangelio a las manos de sus seguidores, y les impuso la responsabilidad de dar las alegres nuevas de la salvación al mundo. Nuestras obligaciones son por cierto mucho mayores que las del antiguo Israel.

A medida que la obra de Dios se extienda, se pedirá ayuda más y más frecuentemente. Para que estas peticiones puedan atenderse, los cristianos deben prestar atención al mandato: "Traed todos los diezmos al alfolí y haya alimento en mi casa" (Malaquías 3: 10). Si los profesos cristianos fueran fieles en traer a Dios sus diezmos y ofrendas, su tesorería estaría llena. No habría entonces que recurrir a exposiciones, loterías, o excursiones de placer para asegurar fondos para el sostén del Evangelio.

Los hombres están tentados a usar sus medios en la complacencia propia, en la satisfacción del apetito, en el atavío personal, o en el embellecimiento de sus casas. Por estas cosas muchos miembros de iglesia no vacilan en gastar liberalmente, y hasta con extravagancia. Pero cuando se les pide que den para la tesorería del Señor, para llevar adelante su obra en la tierra, ponen dificultades. Sintiendo quizá que no pueden hacer otra cosa, dan una suma mucho menor de la que a menudo gastan en complacencias innecesarias. No manifiestan verdadero amor por el servicio de Cristo, ni ferviente interés en la salvación de las almas. ¿Qué de extraño tiene que la vida cristiana de los tales sea una existencia débil y enfermiza?

Aquel cuyo corazón refulge con el amor de Cristo considerará no solamente como un deber, sino como un placer, ayudar en el avance de la obra más elevada y más santa encomendada al hombre: la de presentar al mundo las riquezas de la bondad, la misericordia y la verdad. El hacer esto responde a un impulso natural del alma santificada.

Es el espíritu de la codicia lo que induce a los hombres a conservar para la complacencia propia los medios que por derecho pertenecen a Dios, y este espíritu es tan aborrecible para él ahora como cuando, mediante su profeta, censuró severamente a su pueblo así: "¿Robará el hombre a Dios? Pues vosotros me habéis robado. Y dijisteis: ¿En qué te hemos robado? En vuestros diezmos y ofrendas. Malditos

350

sois con maldición, porque vosotros, la nación toda, me habéis robado" (Malaquías 3: 8, 9).

El espíritu de liberalidad es el espíritu del cielo. Este espíritu halla su más elevada manifestación en el sacrificio de Cristo en la cruz. En nuestro favor, el Padre dio a su Hijo unigénito; y Cristo, habiendo dado todo lo que tenía, se dio entonces a sí mismo, para que el hombre pudiera ser salvo. La cruz del Calvario debe despertar la benevolencia de todo seguidor del Salvador. El principio allí ilustrado es el de dar, dar. "El que dice que permanece en él, debe andar como él anduvo" (1 S. Juan 2: 6).

Por otra parte, el espíritu de egoísmo es el espíritu de Satanás. El principio ilustrado en la vida de los mundanos es el de conseguir, conseguir. Así esperan asegurarse felicidad y comodidad, pero el fruto de su siembra es tan sólo miseria y muerte.

Mientras Dios no cese de bendecir a sus hijos, no dejarán ellos de estar bajo la obligación de devolverle la porción que reclama. No solamente deben entregar al Señor la porción que le pertenece, sino que deben también traer a su tesorería, como ofrenda de gratitud, un tributo liberal. Con corazones gozosos deben dedicar al Creador las primicias de todos sus bienes: sus más selectas posesiones, su servicio mejor y más sagrado. Así recibirán abundantes bendiciones. Dios mismo convertirá sus almas en jardín de riego, cuyas aguas no falten. Y cuando la última gran cosecha sea recogida, las gavillas que pudieron llevar al Maestro serán la recompensa de su generoso uso de los talentos a ellos confiados.

Los mensajeros escogidos de Dios están empeñados en una labor agresiva, y no deben verse obligados a pelear a sus propias expensas, sin la ayuda de la simpatía y el cordial sostén de sus hermanos. Incumbe a los miembros de la iglesia tratar generosamente a aquellos que abandonan su empleo secular para entregarse al ministerio. Cuando se alienta a los ministros de Dios, se hace progresar mucho su causa. Pero cuando el egoísmo de los hombres los priva de su legítimo sostén, se debilitan sus manos, y a menudo se menoscaba seriamente su utilidad.

Se enciende el desagrado de Dios contra los que aseveran seguirle y sin embargo permiten que los consagrados obreros sufran por las necesidades de la vida mientras están ocupados en el ministerio activo. Los egoístas serán llamados a rendir cuentas no solamente por el mal uso del dinero de su Señor, sino también por la depresión y pena que su conducta ocasionó a sus fieles siervos. Los que son llamados a la obra del ministerio, y al llamamiento del deber renuncian a todo para ocuparse en el servicio de Dios, deben recibir por sus esfuerzos abnegados suficiente salario para sostenerse a sí mismos y a sus familias.

En los diversos departamentos del trabajo secular, mental y físico, los obreros fieles pueden ganar buenos salarios. ¿No es la obra de diseminar la verdad y guiar las almas a Cristo de más importancia que cualquier negocio común? ¿Y no tienen derecho a una remuneración suficiente los que trabajan fielmente en esta obra? Por nuestra estima del valor relativo del trabajo por el bien moral y por el físico, mostramos nuestro aprecio de lo celestial en contraste con lo terrenal.

Para que haya fondos en la tesorería para el sostén de los ministros y para atender los pedidos de ayuda en las empresas misioneras, es necesario que el pueblo de Dios dé alegre y liberalmente. Sobre los ministros descansa la solemne responsabilidad de mantener ante las iglesias las necesidades de la causa de Dios, y de enseñarles a ser liberales. Cuando se descuida esto, y las iglesias dejan de dar para las necesidades ajenas, no solamente sufre la obra del Señor, sino que son retenidas las bendiciones que deberían recibir los creyentes.

Hasta los muy pobres deberían traer sus ofrendas a Dios. Ellos han de participar de la gracia de Cristo negándose a sí mismos para ayudar a aquellos cuya necesidad es más apremiante que la suya propia. El don del pobre, el fruto de su abnegación, se presenta delante de Dios como fragante incienso. Y todo acto de sacrificio propio fortalece el espíritu de beneficencia en el corazón del dador, y lo une más estrechamente con Aquel que era rico, pero que por amor a nosotros se hizo pobre para que por su pobreza fuésemos enriquecidos.

El acto de la viuda que puso dos blancas —todo lo que tenía— en la tesorería, fue registrado para animar a los que,

aunque luchan con la pobreza, desean sin embargo ayudar a la causa de Dios mediante sus dones. Cristo llamó la atención de los discípulos a esa mujer, que había dado "todo su sustento". Consideró su dádiva de más valor que las grandes ofrendas de aquellos cuyas limosnas no exigían abnegación. De su abundancia ellos habían dado una pequeña porción. Para hacer su ofrenda, la viuda se había privado aun de lo que necesitaba para vivir, confiando que Dios supliría sus necesidades para el mañana. Respecto a ella el Salvador declaró: "De cierto os digo que esta viuda pobre echó más que todos los que han echado en el arca" (S. Marcos 12: 44, 43). Así enseñó que el valor de la dádiva no se estima por el monto, sino por la proporción que se da y por el motivo que impulsa al dador.

El apóstol Pablo, en su ministerio entre las iglesias, era incansable en sus esfuerzos por inspirar en los corazones de los nuevos conversos un deseo de hacer grandes cosas por la causa de Dios. A menudo los exhortaba a ejercer la liberalidad. Al hablar con los ancianos de Efeso respecto a sus labores anteriores entre ellos, dijo: "En todo os he enseñado que, trabajando así, se debe ayudar a los necesitados, y recordar las palabras del Señor Jesús, que dijo: Más bienaventurado es dar que recibir" (Hechos 20: 35). "El que siembra escasamente —escribió a los corintios—, también segará escasamente; y el que siembra generosamente, generosamente también segará. Cada uno dé como propuso en su corazón: no con tristeza, ni por necesidad, porque Dios ama al dador alegre" (2 Corintios 9: 6, 7).

Casi todos los creyentes macedonios eran pobres en bienes de este mundo, pero sus corazones rebosaban de amor a Dios y a su verdad, y daban alegremente para el sostén del

Evangelio. Cuando se hicieron colectas generales entre las iglesias gentiles para aliviar a los creyentes judíos, la liberalidad de los conversos de Macedonia se presentaba como un ejemplo a las otras iglesias. Escribiendo a los creyentes corintios, el apóstol les llamó la atención a "la gracia de Dios que se ha dado a las iglesias de Macedonia; que en grande prueba de tribulación, la abundancia de su gozo y su profunda pobreza abundaron en riquezas de su generosidad... Con agrado han dado conforme a sus fuerzas, y aun más allá de sus fuerzas, pidiéndonos con muchos ruegos que les concediésemos el privilegio de participar en este servicio para los santos" (2 Corintios 8: 1-4).

La buena voluntad de los creyentes macedonios para sacrificarse era resultado de la consagración completa. Movidos por el Espíritu de Dios, "a sí mismos se dieron primeramente al Señor" (2 Corintios 8: 5); entonces estaban dispuestos a dar generosamente de sus medios para el sostén del Evangelio. No era necesario instarlos a dar; más bien, se regocijaban por el privilegio de privarse aun de las cosas necesarias a fin de suplir las necesidades de otros. Cuando el apóstol quiso contenerlos, le importunaron para que aceptara sus ofrendas. En su sencillez e integridad, y en su amor por los hermanos, se negaban alegremente a sí mismos, y así abundaban en frutos de benevolencia.

Cuando Pablo envió a Tito a Corinto para fortalecer a los creyentes de allí, le indicó que edificara a la iglesia en la gracia de dar; y en una carta personal a los creyentes, él también añadió su propio llamamiento. "Por tanto, como en todo abundáis —les rogó—, en fe, en palabra, en ciencia, en toda solicitud, y en vuestro amor para con nosotros, abundad también en esta gracia". "Ahora, pues, llevad también a cabo el hacerlo, para que como estuvisteis prontos a querer, así también lo estéis en cumplir conforme a lo que tengáis. Porque si primero hay la voluntad dispuesta, será acepta según lo que uno tiene, no según lo que no tiene". "Y poderoso es Dios para hacer que abunde en vosotros toda gracia, a fin de que, teniendo siempre en todas las cosas todo lo suficiente, abundéis para toda buena obra; ... para que estéis enriquecidos en todo para toda liberalidad, la cual produce por medio de nosotros acción de gracias a Dios" (2 Corintios 8: 7, 11, 12; 9: 8-11).

La liberalidad abnegada provocaba en la iglesia primitiva arrebatos de gozo; porque los creyentes sabían que sus esfuerzos ayudaban a enviar el mensaje evangélico a los que estaban en tinieblas. Su benevolencia testificaba de que no habían recibido en vano la gracia de Dios. ¿Qué podía producir semejante liberalidad sino la santificación del Espíritu? En ojos de los creyentes y de los incrédulos, era un milagro de la gracia.

La prosperidad espiritual está estrechamente vinculada con la liberalidad cristiana. Los seguidores de Cristo deben regocijarse por el privilegio de revelar en sus vidas la caridad de su Redentor. Mientras dan para el Señor, tienen la seguridad de que sus tesoros van delante de ellos a los atrios celestiales. ¿Quieren los hombres asegurar su propiedad? Colóquenla entonces en las manos que llevan las marcas de la crucifixión. ¿Quieren gozar de sus bienes? Usenlos entonces para la bendición del necesitado y doliente. ¿Quieren aumentar sus posesiones? Escuchen entonces la orden divina: "Honra a Jehová con tus bienes, y con las primicias de todos tus frutos; y serán llenos tus graneros con abundancia, y tus lagares rebosarán de mosto" (Proverbios 3: 9, 10).

Procuren retener sus posesiones para fines egoístas, y provocarán su ruina eterna. Pero den sus tesoros a Dios, y desde aquel momento llevarán éstos su inscripción. Estarán sellados con su inmutabilidad.

Dios declara: "Dichosos vosotros los que sembráis junto a todas las aguas" (Isaías 32: 20). La comunicación continua de las dádivas de Dios dondequiera la causa de Dios o las necesidades de la familia humana demandan nuestra ayuda, no conduce a la pobreza. "Hay quienes reparten, y les es añadido más; y hay quienes retienen más de lo que es justo, pero vienen a pobreza" (Proverbios 11: 24). El sembrador multiplica su semilla al arrojarla. Así sucede con aquellos que son fieles en distribuir las dádivas de Dios. Al impartir, aumentan sus bendiciones. "Dad, y se os dará —ha prometido Dios—; medida buena, apretada, remecida y rebosando darán en vuestro regazo" (S. Lucas 6: 38).

CAPITULO 33

Trabajos y Dificultades

AUNQUE Pablo tenía cuidado de presentar a sus conversos las sencillas enseñanzas de las Escrituras en cuanto al debido sostén de la obra de Dios y reclamaba, como ministro del Evangelio, el "derecho de no trabajar" (1 Corintios 9: 6) en empleos seculares como medio de sostén propio, en diversas ocasiones durante su ministerio en los grandes centros de civilización, trabajó en un oficio manual para mantenerse.

Entre los judíos no se consideraba el trabajo físico como cosa extraña o degradante. Mediante Moisés se había enseñado a los hebreos a desarrollar en sus hijos hábitos de laboriosidad; y se consideraba como un pecado permitir que los jóvenes crecieran sin conocer el trabajo físico. Aun cuando se educara a un hijo para un cargo sagrado, se consideraba esencial un conocimiento de la vida práctica. A todo joven, ya fueran sus padres ricos o pobres, se le enseñaba un oficio. Se consideraba que los padres que descuidaban el impartimiento de esa enseñanza a sus hijos se aparta-

Pablo se ganaba su sustento fabricando tiendas; además, con su ejemplo enseñaba a los perezosos hábitos de trabajo.

JOHN STEEL © PPPA

24—H.M.C.A., ACTS Span.

ban de la instrucción del Señor. De acuerdo con esta costumbre, Pablo había aprendido temprano el oficio de tejedor de tiendas.

Antes de llegar a ser discípulo de Cristo, Pablo había ocupado un alto puesto, y no dependía del trabajo manual para su sostén. Pero más tarde, cuando hubo usado todos sus medios para promover la causa de Cristo, recurrió algunas veces a su oficio para ganarse la vida. Especialmente hacía eso cuando trabajaba en lugares donde podían entenderse mal sus motivos.

Tesalónica es el primer lugar acerca del cual leemos que trabajó Pablo con sus manos para sostenerse mientras predicaba la Palabra. Escribiendo a la iglesia de creyentes de allí, les recordó que podía haberles sido "carga", y añadió: "Os acordáis, hermanos, de nuestro trabajo y fatiga; cómo trabajando de noche y de día, para no ser gravosos a ninguno de vosotros, os predicamos el Evangelio de Dios" (1 Tesalonicenses 2: 6, 9). Y de nuevo, en su segunda Epístola a los Tesalonicenses, declaró que él y sus colaboradores, durante el tiempo que habían estado con ellos, no habían comido "de balde el pan de nadie". Noche y día trabajamos, escribió, "para no ser gravosos a ninguno de vosotros; no porque no tuviésemos derecho, sino por daros nosotros mismos un ejemplo para que nos imitaseis" (2 Tesalonicenses 3: 8, 9).

En Tesalónica Pablo había encontrado personas que se negaban a trabajar con las manos. Respecto a esta clase escribió más tarde: "Algunos de entre vosotros andan desordenadamente, no trabajando en nada, sino entremetiéndose en lo ajeno. A los tales mandamos y exhortamos por nuestro Señor Jesucristo, que trabajando sosegadamente, coman su propio pan". Mientras trabajaba en Tesalónica, Pablo había tenido cuidado de presentar a los tales un ejemplo correcto. "Porque también cuando estábamos con vosotros, os ordenábamos esto: Si alguno no quiere trabajar, tampoco coma" (2 Tesalonicenses 3: 11, 12, 10).

En todo tiempo Satanás ha tratado de perjudicar los esfuerzos de los siervos de Dios introduciendo en la iglesia un espíritu de fanatismo. Así era en los días de Pablo, y así fue en los siglos ulteriores, durante el tiempo de la Reforma. Wiclef, Lutero, y muchos otros que beneficiaron al mundo por su influencia y fe, afrontaron los ardides por los cuales el enemigo procura arrastrar a un fanatismo excesivamente celoso las mentes desequilibradas y profanas. Ciertas almas extraviadas han enseñado que la adquisición de la verdadera santidad eleva la mente por encima de todo pensamiento terrenal e induce a los hombres a abstenerse enteramente del trabajo. Otros, interpretando con extremismo cierto texto de la Escritura, han enseñado que es un pecado trabajar, que los cristianos no debieran preocuparse de su bienestar temporal y del de sus familias, sino que deberían dedicar sus días enteramente a las cosas espirituales. La enseñanza y el ejemplo del apóstol Pablo son un reproche contra semejantes conceptos extremos.

Pablo no dependía enteramente de la labor de sus manos para sostenerse en Tesalónica. Refiriéndose ulteriormente a lo que le sucedió en esa ciudad, escribió a los creyentes filipenses en reconocimiento de los dones que había recibido de ellos mientras estaba allí: "Aun a Tesalónica me enviasteis una y otra vez para mis necesidades" (Filipenses 4: 16). No obstante el hecho de que había recibido esta ayuda, tuvo cuidado de presentar a los tesalonicenses un ejemplo de diligencia, de modo que nadie pudiera acusarlo con razón de codicia, y también para que aquellos que tenían conceptos fanáticos en cuanto al trabajo manual recibieran una reprensión práctica.

Cuando Pablo visitó por primera vez a Corinto, se encontró entre gente que desconfiaba de los motivos de los extranjeros. Los griegos de la costa del mar eran hábiles traficantes. Tanto tiempo habían seguido sus inescrupulosas prácticas comerciales, que habían llegado a creer que la granjería era piedad, y que el obtener dinero, fuera por medios limpios o sucios, era encomiable. Pablo estaba familiarizado con sus características, y no quería darles ocasión para decir que predicaba el Evangelio a fin de enriquecerse. Hubiera podido con justicia pedir a sus oyentes corintios que le sostuvieran; pero estaba dispuesto a renunciar a este derecho, no fuera que su utilidad y éxito como ministro fueran perjudicados por la sospecha injusta de que predicaba el Evangelio por ganancia. Trataba de eliminar toda ocasión de ser mal interpretado, para que su mensaje no perdiera fuerza.

Poco después de llegar a Corinto, Pablo encontró "a un judío llamado Aquila, natural del Ponto, recién venido de Italia con Priscila su mujer". Estos eran "del mismo oficio". Desterrados por el decreto de Claudio, que ordenaba a todos los judíos que abandonaran Roma, Aquila y Priscila habían ido a Corinto, donde establecieron un negocio como fabricantes de tiendas. Pablo averiguó en cuanto a ellos, y al descubrir que temían a Dios y trataban de evitar las contaminadoras influencias que los rodeaban, "quedó con ellos, y trabajaban... Y discutía en la sinagoga todos los días de reposo, y persuadía a judíos y a griegos" (Hechos 18: 2-4).

Más tarde, Silas y Timoteo se unieron a Pablo en Corinto. Estos hermanos trajeron consigo fondos para el sostén de la obra, contribuidos por las iglesias de Macedonia.

En su segunda carta a los creyentes de Corinto, escrita después que se hubo levantado una fuerte iglesia allí, Pablo reseñó su manera de vivir entre ellos. "¿Pequé yo —preguntó— humillándome a mí mismo, para que vosotros fueseis enaltecidos, por cuanto os he predicado el Evangelio de Dios de balde? He despojado a otras iglesias, recibiendo salario para serviros a vosotros. Y cuando estaba entre vosotros y tuve necesidad, a ninguno fui carga, pues lo que me faltaba, lo suplieron los hermanos que vinieron de Macedonia, y en todo me guardé y me guardaré de seros gravoso. Por la verdad de Cristo que está en mí, que no se me impedirá esta mi gloria en las regiones de Acaya" (2 Corintios 11: 7-10).

Pablo dice por qué había obrado así en Corinto. Era para no dar ocasión de crítica a "aquellos que la desean" (2 Corintios 11: 12). Mientras trabajaba haciendo tiendas, actuaba también fielmente en la proclamación del Evangelio. Declara respecto a sus labores: "Con todo, las señales de apóstol han sido hechas entre vosotros en toda paciencia, por

señales, prodigios y milagros". Y añade: "Porque ¿en qué habéis sido menos que las otras iglesias, sino en que yo mismo no os he sido carga? ¡Perdonadme este agravio! He aquí, por tercera vez estoy preparado para ir a vosotros; y no os seré gravoso, porque no busco lo vuestro, sino a vosotros... Con el mayor placer gastaré lo mío, y aun yo mismo me gastaré del todo por amor de vuestras almas" (2 Corintios 12: 12-15).

Durante el largo período de su ministerio en Efeso, donde por tres años realizó un agresivo esfuerzo evangélico en esa región, Pablo trabajó de nuevo en su oficio. En Efeso, como en Corinto, el apóstol fue alegrado por la presencia de Aquila y Priscila, quienes le habían acompañado en su regreso al Asia al fin de su segundo viaje misionero.

Algunos criticaban a Pablo porque trabajaba con las manos, declarando que era incompatible con la obra del ministro evangélico. ¿Por qué Pablo, un ministro de la más elevada categoría, vinculaba así el trabajo mecánico con la predicación de la Palabra? ¿No era el obrero digno de su salario? ¿Por qué dedicaba a hacer tiendas el tiempo que a todas luces podía dedicarse a algo mejor?

Pablo no consideraba perdido el tiempo así empleado. Mientras trabajaba con Aquila se mantenía en relación con el gran Maestro, sin perder ninguna oportunidad para testificar a favor del Salvador y ayudar a los necesitados. Su mente estaba constantemente en procura de conocimiento espiritual. Daba instrucción a sus colaboradores en las cosas espirituales, y ofrecía también un ejemplo de laboriosidad y trabajo cabal. Era un obrero rápido y hábil, diligente en los negocios, ardiente "en espíritu, sirviendo al Señor" (Romanos 12: 11). Mientras trabajaba en su oficio, el apóstol tenía acceso a una clase de gente que de otra manera no hubiera podido alcanzar. Mostraba a sus asociados que la habilidad en las artes comunes es un don de Dios, quien provee tanto el don como la sabiduría para usarlo correctamente. Enseñaba que aun en el trabajo de cada día, ha de honrarse a Dios. Sus manos encallecidas por el trabajo no menoscababan en nada la fuerza de sus patéticos llamamientos como ministro cristiano.

Pablo trabajaba algunas veces noche y día, no solamente para su propio sostén, sino para poder ayudar a sus colaboradores. Compartía sus ganancias con Lucas, y ayudaba a Timoteo. Hasta sufría hambre a veces, para poder aliviar las necesidades de otros. La suya era una vida de abnegación. Hacia el fin de su ministerio, en ocasión de su discurso de despedida a los ancianos de Efeso, en Mileto, pudo levantar ante ellos sus manos gastadas por el trabajo, y decir: "Ni plata ni oro ni vestido de nadie he codiciado. Antes vosotros sabéis que para lo que me ha sido necesario a mí y a los que están conmigo, estas manos me han servido. En todo os he enseñado que, trabajando así, se debe ayudar a los necesitados, y recordar las palabras del Señor Jesús, que dijo: Más bienaventurado es dar que recibir" (Hechos 20: 33- 35).

Si los ministros sienten que están sufriendo durezas y privaciones en la causa de Cristo, visiten con la imaginación el taller donde Pablo trabajaba. Recuerden que mientras este hombre escogido por Dios confeccionaba tiendas, trabajaba por el pan que ya había ganado con justicia por sus labores como apóstol.

El trabajo es una bendición, no una maldición. Un espíritu de indolencia destruye la piedad y entristece al Espíritu de Dios. Un charco estancado es repulsivo, pero la corriente de agua pura esparce salud y alegría sobre la tierra. Pablo sabía que aquellos que descuidan el trabajo físico se debilitan rápidamente. Deseaba enseñar a los ministros jóvenes que, trabajando con sus manos y poniendo en ejercicio sus músculos y tendones, se fortalecerían para soportar las faenas y privaciones que los aguardaban en el campo evangélico. Y comprendía que su propia enseñanza carecería de vitalidad y fuerza si no mantenía todas las partes de su organismo debidamente ejercitadas.

El indolente se priva de la inestimable experiencia que se obtiene por el fiel cumplimiento de los deberes comunes de la vida. No pocos, sino miles de seres humanos, existen solamente para consumir los beneficios que Dios en su misericordia les concede. No traen al Señor ofrendas de gratitud por las riquezas que les ha confiado. Olvidan que negociando sabiamente con los talentos a ellos concedidos, han de ser productores tanto como consumidores. Si comprendieran la obra que el Señor desea que hagan como su mano ayudadora, no rehuirían las responsabilidades.

La utilidad de los hombres jóvenes que sienten que son llamados por Dios a predicar, depende mucho de la forma en que empiezan sus labores. Los que son escogidos por Dios para la obra del ministerio darán pruebas de su alta vocación, y por todos los medios de que dispongan se esforzarán para desarrollarse como obreros capaces. Tratarán de adquirir una experiencia que los haga aptos para planear, organizar y ejecutar. Al apreciar la santidad de su vocación, llegarán a ser, por la disciplina propia, más y aun más semejantes al Señor revelando su bondad, amor y verdad. Y mientras manifiesten fervor en el desarrollo de los talentos a ellos confiados, la iglesia debe ayudarles juiciosamente.

No todos los que sienten que han sido llamados a predicar, deberían ser animados a depender inmediatamente ellos y sus familias de la iglesia para su continuo sostén financiero. Hay peligro de que algunos, de experiencia limitada, sean echados a perder por la adulación y por el imprudente aliento a esperar pleno sostén, independiente de todo serio esfuerzo de su parte. Los medios dedicados a la extensión de la obra de Dios no deben ser consumidos por hombres que desean predicar solamente para recibir sostén y satisfacer así la egoísta ambición de una vida fácil.

Los jóvenes que desean ejercer sus dones en la obra del ministerio, hallarán una lección útil en el ejemplo de Pablo en Tesalónica, Corinto, Efeso y otros lugares. Aunque era un orador elocuente y había sido escogido por Dios para hacer una obra especial, nunca desdeñó el trabajo, y nunca se cansó de sacrificarse por la causa que amaba. "Hasta esta hora —escribió a los corintios— padecemos hambre, tenemos sed, estamos desnudos, somos abofeteados, y no tenemos morada fija. Nos fatigamos trabajando con nuestras propias manos; nos maldicen, y bendecimos; padecemos persecución, y la soportamos" (1 Corintios 4: 11, 12).

Aunque era uno de los mayores maestros humanos, Pablo cumplía alegremente los deberes más humildes tanto como los más sublimes. Cuando en su servicio por el Señor las circunstancias parecían requerirlo, trabajaba voluntariamente en su oficio. Sin embargo, siempre se mantuvo dispuesto a abandonar su trabajo secular a fin de afrontar la oposición de los enemigos del Evangelio o aprovechar alguna oportunidad especial para ganar almas para Jesús. Su celo y laboriosidad son un reproche contra la indolencia y el deseo de comodidad.

Pablo dio un ejemplo contra el sentimiento, que estaba entonces adquiriendo influencia en la iglesia, de que el Evangelio podía ser predicado con éxito solamente por quienes quedaran enteramente libres de la necesidad de hacer trabajo físico. Ilustró de una manera práctica lo que pueden hacer los laicos consagrados en muchos lugares donde la gente no está enterada de las verdades del Evangelio. Su costumbre inspiró en muchos humildes trabajadores el deseo de hacer lo que podían para el adelanto de la causa de Dios, mientras se sostenían al mismo tiempo con sus labores cotidianas. Aquila y Priscila no fueron llamados a dedicar todo su tiempo al ministerio del Evangelio; sin embargo, estos humildes trabajadores fueron usados por Dios para enseñar más perfectamente a Apolos el camino de la verdad. El Señor emplea diversos instrumentos para el cumplimiento de su propósito; mientras algunos con talentos especiales son escogidos para dedicar todas sus energías a la obra de enseñar y predicar el Evangelio, muchos otros, a quienes nunca fueron impuestas las manos humanas para su ordenación, son llamados a realizar una parte importante en la salvación de las almas.

Hay un gran campo abierto ante los obreros evangélicos de sostén propio. Muchos pueden adquirir una valiosa experiencia en el ministerio mientras trabajan parte de su tiempo en alguna clase de labor manual; y por este método pueden desarrollarse poderosos obreros para un servicio muy importante en campos necesitados.

El abnegado siervo de Dios que trabaja incansablemente en palabra y doctrina, lleva en su corazón una pesada carga. No mide su trabajo por horas. Su salario no influye en su labor, ni abandona su deber por causa de las condiciones desfavorables. Recibió del cielo su comisión, y del cielo espera su recompensa cuando haya terminado el trabajo que se le ha confiado.

Es el propósito de Dios que tales obreros estén libres de ansiedades innecesarias, y que puedan tener plena oportunidad para obedecer la orden de Pablo a Timoteo: "Ocúpate en estas cosas; permanece en ellas" (1 Timoteo 4: 15). Si bien deberían cuidar de hacer suficiente ejercicio para mantener con vigor su mente y su cuerpo, no es el plan de Dios que sean obligados a dedicar una gran parte de su tiempo al trabajo secular.

Estos fieles obreros, aunque dispuestos a gastar y ser gastados por el Evangelio, no están exentos de tentación. Cuando están impedidos y cargados por ansiedades porque la iglesia no les da el debido sostén financiero, algunos son acosados fieramente por el tentador. Cuando ven que se aprecian tan poco sus labores, se deprimen. Es verdad que esperan recibir su justa recompensa en el tiempo del juicio y esto los sostiene; pero entretanto sus familias deben recibir alimento y ropa. Si se pudieran sentir relevados de su divina comisión, trabajarían voluntariamente con sus manos. Pero comprenden que su tiempo pertenece a Dios, no obstante la miopía de aquellos que deberían proveerles suficientes fondos. Se sobreponen a la tentación de entregarse a ocupaciones por las cuales pronto se verían libres de necesidades; y continúan trabajando para el progreso de la causa que les es más cara que la misma vida. Para hacer esto pueden, con todo, verse obligados a seguir el ejemplo de Pablo, y dedicarse por un tiempo a la labor manual mientras continúan realizando su obra ministerial. Hacen esto, no para fomentar sus propios intereses, sino los intereses de la causa de Dios en la tierra.

Hay ocasiones cuando le parece imposible al siervo de Dios hacer la obra que necesita hacerse, por causa de la falta de medios para realizar un trabajo vigoroso y sólido. Algunos temen que con las facilidades puestas a su disposición no pueden hacer todo lo que sienten que es su deber hacer. Pero si avanzan por fe, se revelará la salvación de Dios, y la prosperidad acompañará sus esfuerzos. El que ha ordenado a sus siervos ir por todas partes del mundo, sostendrá a todo obrero que en obediencia a su mandato procure proclamar su mensaje.

En la edificación de su obra, el Señor no aclara todas las cosas a sus siervos. Algunas veces prueba la confianza de su pueblo, haciéndolo pasar por circunstancias que lo obliguen a avanzar por fe. A menudo guía a sus hijos por lugares estrechos y difíciles, y les ordena avanzar cuando parece que sus pies penetran en las aguas del Jordán. En tales ocasiones, cuando las oraciones de sus siervos ascienden a él con ardiente fe, Dios abre el camino ante ellos y los lleva a lugares amplios.

Cuando los mensajeros de Dios reconozcan sus respon-

sabilidades para con las porciones necesitadas de la viña del
Señor, y con el espíritu del obrero Maestro trabajen incansablemente por la conversión de las almas, los ángeles de
Dios prepararán el camino ante ellos, y serán provistos los
medios necesarios para llevar adelante la obra. Los que sean
iluminados darán liberalmente para el sostén del trabajo
hecho en su favor. Responderán liberalmente a todo pedido
de ayuda, y el Espíritu de Dios moverá sus corazones para
que sostengan la causa del Señor no solamente en los campos
locales, sino en las regiones lejanas. Así las fuerzas que
trabajan en otros lugares serán corroboradas, y la obra del
Señor avanzará de la manera por él señalada.

CAPITULO 34

Un Ministerio Consagrado

EN SU vida y lecciones Cristo dio una perfecta ejemplificación del ministerio abnegado que tiene su origen en Dios. Dios no vive para sí. Al crear el mundo y al sostener todas las cosas, está ministrando constantemente a otros. "Hace salir su sol sobre malos y buenos, y... hace llover sobre justos e injustos" (S. Mateo 5: 45). El Padre encomendó al Hijo este ideal de ministerio. Jesús fue dado para que permaneciera a la cabeza de la humanidad, y enseñara por su ejemplo qué significa ministrar. Toda su vida estuvo bajo la ley del servicio. El servía a todos, ministraba a todos.

Vez tras vez, Jesús trató de establecer este principio entre sus discípulos. Cuando Santiago y Juan le pidieron la preeminencia, les dijo: "Mas entre vosotros no será así, sino que el que quiera hacerse grande entre vosotros será vuestro servidor, y el que quiera ser el primero entre vosotros será vuestro siervo; como el Hijo del hombre no vino para ser servido, sino para servir, y para dar su vida en rescate por muchos" (S. Mateo 20: 26-28).

Desde su ascensión, Cristo ha llevado adelante su obra en la tierra mediante embajadores escogidos, por medio de quienes habla aún a los hijos de los hombres y ministra sus necesidades. El que es la gran Cabeza de la iglesia dirige su obra mediante hombres ordenados por Dios para que actúen como sus representantes.

La posición de aquellos que han sido llamados por Dios para trabajar en palabra y en doctrina para la edificación de su iglesia, es de grave responsabilidad. En lugar de Cristo han de suplicar a los hombres y mujeres que se reconcilien con Dios; y pueden cumplir su misión solamente en la medida en que reciban sabiduría y poder de lo alto.

Los ministros de Cristo son los atalayas espirituales de la gente encomendada a su cuidado. Su trabajo se ha comparado al de los centinelas. En los tiempos antiguos los centinelas eran colocados sobre los muros de las ciudades, donde, desde puntos estratégicos, podían ver los puestos importantes que debían ser protegidos, y dar la voz de alarma cuando se acercaba el enemigo. De su fidelidad dependía la seguridad de todos los que estaban dentro. Se les exigía que a intervalos determinados se llamaran unos a otros, para estar seguros de que todos estaban despiertos, y que ninguno había recibido daño alguno. El grito de buen ánimo o de advertencia era transmitido de uno a otro, y cada uno repetía el llamado hasta que el eco circundaba la ciudad.

A todos los ministros el Señor declara: "A ti, pues, hijo de hombre, te he puesto por atalaya a la casa de Israel, y oirás la palabra de mi boca, y los amonestarás de mi parte. Cuando yo dijere al impío: Impío, de cierto morirás; si tú no hablares para que se guarde el impío de su camino, el impío morirá por su pecado, pero su sangre yo la demandaré de tu mano. Y si tú avisares al impío de su camino para que se aparte de él, y él no se apartare de su camino,… tú libraste tu vida" (Eze-quiel 33: 7-9).

Las palabras del profeta declaran la solemne responsabi-lidad de los que son colocados como guardianes de la iglesia, mayordomos de los misterios de Dios. Han de permanecer como atalayas sobre los muros de Sion, para dar la nota de alarma al acercarse el enemigo. Las almas están en peligro de caer bajo la tentación, y perecerán a menos que los ministros de Dios sean fieles en su cometido. Si por alguna razón sus sentidos espirituales se entorpecen hasta que sean incapaces de discernir el peligro, y porque no dieron la amonestación el pueblo perece, Dios requerirá de sus manos la sangre de los perdidos.

Es el privilegio de los atalayas de los muros de Sion vivir tan cerca de Dios, ser tan susceptibles a las impresiones de su Espíritu, que él pueda obrar por medio de ellos para advertir a los hombres y mujeres su peligro, y señalarles el lugar de seguridad. Han de advertirles fielmente el seguro resultado de la transgresión, y proteger fielmente los intere-ses de la iglesia. En ningún tiempo pueden descuidar su vigilancia. La suya es una obra que requiere el ejercicio de todas las facultades de su ser. Sus voces han de elevarse con tonos de trompeta, y nunca han de dar una nota vacilante e incierta. No han de trabajar por la paga, sino porque no pueden obrar de otra manera, porque comprenden que pesa un ay sobre ellos si no predican el Evangelio. Escogidos por Dios, sellados con la sangre de la consagración, han de

375

rescatar a los hombres y mujeres de la destrucción inminente.

El ministro que es colaborador de Cristo tendrá un profundo sentido de la santidad de su trabajo, y de la ardua labor y el sacrificio requeridos para realizarlo con éxito. No estudia su propia comodidad o conveniencia. Se olvida de sí mismo. En su búsqueda de las ovejas perdidas, no siente que él mismo está cansado, con frío y hambre. No tiene sino un objeto en vista: la salvación de los perdidos.

El que sirve bajo el estandarte manchado de sangre de Emmanuel, tiene una tarea que requerirá esfuerzo heroico y paciente perseverancia. Pero el soldado de la cruz permanece sin retroceder en la primera línea de la batalla. Cuando el enemigo lo presiona con sus ataques, se torna a la fortaleza por ayuda, y mientras presenta al Señor las promesas de la Palabra, se fortalece para los deberes de la hora. Comprende su necesidad de fuerza de lo alto. Las victorias que obtiene no le inducen a la exaltación propia, sino a depender más y más completamente del Poderoso. Confiando en ese Poder, es capacitado para presentar el mensaje de salvación tan vigorosamente que vibre en otras mentes.

El que enseña la Palabra debe vivir en concienzuda y frecuente comunión con Dios por la oración y el estudio de su Palabra; porque ésta es la fuente de la fortaleza. La comunión con Dios impartirá a los esfuerzos del ministro un poder mayor que la influencia de su predicación. No debe privarse de ese poder. Con un fervor que no pueda ser rechazado, debe suplicar a Dios que lo fortalezca para el deber y la prueba, que toque sus labios con el fuego vivo. A menudo los embajadores de Cristo se aferran demasiado débilmente a las realidades eternas. Si los hombres quisieren caminar con Dios, él los esconderá en la hendidura de la Roca. Escondidos así, podrán ver a Dios, así como Moisés le vio. Por el poder y la luz que él imparte podrán comprender y realizar más de lo que su finito juicio considera posible.

La astucia de Satanás tiene más éxito contra los que están deprimidos. Cuando el desaliento amenace abrumar al ministro, exponga él sus necesidades a Dios. Cuando los cielos eran como bronce sobre Pablo, era cuando él confiaba más plenamente en Dios. Conocía él mejor que la mayoría de los hombres el significado de la aflicción; pero escuchad su grito triunfal cuando, acosado por la tentación y el conflicto, avanza hacia el cielo: "Porque esta leve tribulación momentánea produce en nosotros un cada vez más excelente y eterno peso de gloria; no mirando nosotros las cosas que se ven, sino las que no se ven" (2 Corintios 4: 17, 18). Los ojos de Pablo estaban siempre fijos en lo invisible y eterno. Al comprender que luchaba contra poderes sobrenaturales, se confiaba a Dios, y en esto residía su fuerza. Es viendo al Invisible como el alma adquiere fuerza y vigor y se quebranta el poder de la tierra sobre la mente y el carácter.

Un pastor debería tratar libremente con la gente por la cual trabaja, para familiarizarse con ella y saber adaptar su enseñanza a sus necesidades. Cuando un ministro de la Palabra ha predicado un sermón, su trabajo apenas ha comenzado. Tiene que hacer obra personal. Debe visitar a la gente en sus casas, hablar y orar con ella con fervor y humildad. Hay familias que nunca serán alcanzadas por las verdades de la Palabra de Dios, a menos que los dispensadores de su gracia penetren en sus hogares y les señalen el camino más elevado. Pero los corazones de los que hacen este trabajo deben latir al unísono con el corazón de Cristo.

Mucho abarca la orden: "Ve por los caminos y por los vallados, y fuérzalos a entrar, para que se llene mi casa" (S. Lucas 14: 23). Enseñen los ministros la verdad en las familias, vinculándose estrechamente con aquellos por quienes trabajan, y mientras cooperen así con Dios, él los revestirá de poder espiritual. Cristo los guiará en su trabajo, y les dará palabras que penetren profundamente en los corazones de sus oyentes. Es el privilegio de todo ministro poder decir con Pablo: "Porque no he rehuido anunciaros todo el consejo de Dios". "Nada que fuese útil he rehuido de anunciaros y enseñaros, públicamente y por las casas,... arrepentimiento para con Dios, y de la fe en nuestro Señor Jesucristo" (Hechos 20: 27, 20, 21).

El Salvador iba de casa en casa, sanando a los enfermos, confortando a los enlutados, consolando a los afligidos, hablando paz a los desconsolados. Tomaba a los niñitos en sus brazos y los bendecía, y hablaba palabras de esperanza y consuelo a las cansadas madres. Con incansable ternura y cortesía, trataba toda forma de aflicción y dolor humanos. No trabajaba para sí sino para otros. Era siervo de todos. Era su comida y bebida infundir esperanza y fuerza a todos aquellos con quienes se relacionaba. Mientras los hombres y mujeres escuchaban las verdades que caían de sus labios, tan distintas de las tradiciones y dogmas enseñados por los rabinos, brotaba la esperanza en sus corazones. En su enseñanza había un fervor que hacía penetrar sus palabras en los corazones con un poder convincente.

Los ministros de Dios han de aprender el método de trabajar que seguía Cristo, para que puedan extraer del depósito de su Palabra lo que supla las necesidades espirituales de aquellos con quienes trabajan. Sólo así pueden cum-

Los seguidores de Cristo, como en e primer siglo, deben imitar s ministerio a favor de los enfermos

plir su cometido. El mismo Espíritu que moraba en Cristo mientras impartía la instrucción que recibía constantemente, ha de ser la fuente de su conocimiento y el secreto de su poder al realizar en el mundo la obra del Salvador.

Algunos que han trabajado en el ministerio no han tenido éxito porque no han dedicado su interés indiviso a la obra del Señor. Los ministros no deberían tener intereses absorbentes fuera de la gran obra de guiar las almas al Salvador. Los pescadores a quienes llamó Cristo, abandonaron inmediatamente sus redes y le siguieron. Los ministros no pueden realizar un trabajo aceptable para Dios, y al mismo tiempo llevar las cargas de grandes empresas comerciales personales. Semejante división de intereses empaña su percepción espiritual. La mente y el corazón están ocupados con las cosas terrenales, y el servicio de Cristo pasa a un lugar secundario. Tratan de acomodar su trabajo para Dios a sus circunstancias personales, en lugar de acomodar las circunstancias a las demandas de Dios.

El ministro necesita todas sus energías para su alta vocación. Sus mejores facultades pertenecen a Dios. No debe envolverse en especulaciones ni en ningún otro negocio que pueda apartarlo de su gran obra. "Ninguno que milita —declaró Pablo— se enreda en los negocios de la vida, a fin de agradar a aquel que lo tomó por soldado" (2 Timoteo 2: 4). Así recalcó el apóstol la necesidad del ministro de consagrarse sin reserva al servicio del Señor. El ministro enteramente consagrado a Dios rehúsa ocuparse en negocios que podrían impedirle dedicarse por completo a su sagrada vocación. No lucha por honores o riquezas terrenales; su único propósito es hablar a otros del Salvador, que se dio a sí mismo para proporcionar a los seres humanos las riquezas de la vida eterna. Su más alto deseo no es acumular tesoros en este mundo, sino llamar la atención de los indiferentes y desleales a las realidades eternas. Puede pedírsele que se ocupe en empresas que prometan grandes ganancias mundanales, pero ante tales tentaciones responde: "¿Qué aprovechará al hombre si ganare todo el mundo, y perdiere su alma?" (S. Marcos 8: 36).

Satanás presentó este móvil a Cristo, sabiendo que si lo aceptaba, el mundo nunca sería redimido. De diversas maneras presenta la misma tentación a los ministros de Dios hoy día, sabiendo que los que son engañados por ella traicionarán su cometido.

No es la voluntad de Dios que sus ministros procuren ser ricos. Al considerar esto, Pablo escribió a Timoteo: "Porque raíz de todos los males es el amor al dinero, el cual codiciando algunos, se extraviaron de la fe, y fueron traspasados de muchos dolores. Mas tú, oh hombre de Dios, huye de estas cosas, y sigue la justicia, la piedad, la fe, el amor, la paciencia, la mansedumbre" (1 Timoteo 6: 10, 11). Por ejemplo tanto como por precepto, el embajador de Cristo ha de mandar "a los ricos de este siglo… que no sean altivos, ni pongan la esperanza en las riquezas, las cuales son inciertas, sino en el Dios vivo, que nos da todas las cosas en abundancia para que las disfrutemos. Que hagan bien, que sean ricos en buenas obras, dadivosos, generosos; atesorando para sí buen fundamento para lo por venir, que echen mano de la vida eterna" (versículos 17-19).

Lo experimentado por el apóstol y su instrucción en cuanto a la santidad de la obra del ministro, son una fuente de ayuda e inspiración para los que se ocupan en el ministerio evangélico. El corazón de Pablo ardía de amor por los pecadores, y dedicaba todas sus energías a la obra de ganar almas. Nunca vivió un obrero más abnegado y perseverante. Las bendiciones que recibía las consideraba otras tantas ventajas que debía usar para bendición de otros. No perdía ninguna oportunidad de hablar del Salvador o ayudar a los que estaban en dificultad. Iba de lugar en lugar predicando el Evangelio de Cristo y estableciendo iglesias. Dondequiera podía encontrar oyentes, procuraba contrarrestar el mal y tornar los hombres y mujeres a la senda de la justicia.

Pablo no se olvidaba de las iglesias que había establecido. Después de hacer una gira misionera, él y Bernabé volvieron sobre sus pasos y visitaron las iglesias que habían levantado, escogiendo de entre sus miembros hombres a quienes podían preparar para que se les unieran en la proclamación del Evangelio.

Este rasgo de la obra de Pablo contiene una importante lección para los ministros hoy día. El apóstol hizo de la enseñanza de jóvenes para el oficio de ministros una parte de su obra. Los llevaba consigo en sus viajes misioneros, y así adquirían la experiencia necesaria para ocupar más tarde cargos de responsabilidad. Mientras estaba separado de ellos, se mantenía al tanto de su obra, y sus epístolas a Timoteo y Tito demuestran cuán vivamente anhelaba que obtuviesen éxito.

Los obreros de experiencia hacen hoy una noble obra cuando, en lugar de tratar de llevar todas las cargas ellos mismos, adiestran obreros más jóvenes y colocan cargas sobre sus hombros.

Nunca olvidaba Pablo la responsabilidad que descansaba sobre él como ministro de Cristo; ni que si las almas se perdían por su infidelidad, Dios lo tendría por responsable.

"Fui hecho ministro —declaró—, según la administración de Dios que me fue dada para con vosotros, para que anuncie cumplidamente la palabra de Dios, el misterio que había estado oculto desde los siglos y edades, pero que ahora ha sido manifestado a sus santos, a quienes Dios quiso dar a conocer las riquezas de la gloria de este misterio entre los gentiles; que es Cristo en vosotros, la esperanza de gloria, a quien anunciamos, amonestando a todo hombre, y enseñando a todo hombre en toda sabiduría, a fin de presentar perfecto en Cristo Jesús a todo hombre; para lo cual también trabajo, luchando según la potencia de él, la cual actúa poderosamente en mí" (Colosenses 1: 25-29).

Estas palabras presentan al obrero de Cristo una norma elevada, que puede ser alcanzada, sin embargo, por todos los que, poniéndose bajo la dirección del gran Maestro, aprenden diariamente en la escuela de Cristo. El poder que Dios tiene a su disposición es ilimitado, y el ministro que en su gran necesidad se esconde en el Señor, puede estar seguro de que recibirá lo que será para sus oyentes un sabor de vida para vida.

Los escritos de Pablo muestran que el ministro evangélico debe ser un ejemplo de las verdades que enseña, "sin dar en nada ocasión de ofensa, para que no sea culpado el ministerio" (2 Corintios 6: 3 VM). De su propia obra nos ha dejado un cuadro en su carta a los corintios: "Nos recomendamos en todo como ministros de Dios, en mucha paciencia, en tribulaciones, en necesidades, en angustias; en azotes, en cárceles, en tumultos, en trabajos, en desvelos, en ayunos; en pureza, en ciencia, en longanimidad, en bondad, en el Espíritu Santo, en amor sincero, en palabra de verdad, en poder de Dios, con armas de justicia a diestra y a siniestra;

por honra y por deshonra, por mala fama y por buena fama; como engañadores, pero veraces; como desconocidos, pero bien conocidos; como moribundos, mas he aquí vivimos; como castigados, mas no muertos; como entristecidos, mas siempre gozosos; como pobres, mas enriqueciendo a muchos" (versículos 4-10).

A Tito escribió: "Exhorta asimismo a los jóvenes a que sean prudentes; presentándote tú en todo como ejemplo de buenas obras; en la enseñanza mostrando integridad, seriedad, palabra sana e irreprochable, de modo que el adversario se avergüence, y no tenga nada malo que decir de vosotros" (Tito 2: 6-8).

No hay nada más precioso a la vista de Dios que los ministros de su Palabra, que penetran en los desiertos de la tierra para sembrar las semillas de verdad, esperando la cosecha. Ninguno sino Cristo puede medir la solicitud de sus siervos mientras buscan al perdido. El les imparte su Espíritu, y por sus esfuerzos las almas son inducidas a volverse del pecado a la justicia.

Dios llama a hombres dispuestos a dejar sus granjas, sus negocios, si es necesario sus familias, para llegar a ser misioneros suyos. Y el llamamiento hallará respuesta. En lo pasado hubo hombres que, conmovidos por el amor de Cristo y las necesidades de los perdidos, dejaron las comodidades del hogar y la asociación de los amigos, aun la de la esposa y los hijos, para ir a tierras extranjeras, entre idólatras y salvajes, a proclamar el mensaje de misericordia. Muchos perdieron la vida en la empresa, pero se levantaron otros para continuar la obra. Así, paso a paso, la causa de Cristo ha progresado, y la semilla sembrada con tristeza ha producido una abundante cosecha. El conocimiento de Dios ha sido extendido ampliamente, y el estandarte de la cruz ha sido plantado en tierras paganas.

Por la conversión de un pecador, el ministro somete a máximo esfuerzo sus recursos. El alma que Dios ha creado y Cristo ha redimido es de gran valor, por causa de las posibilidades que tiene por delante, las ventajas espirituales que se le han concedido, las capacidades que puede poseer si la vivifica la Palabra de Dios, y la inmortalidad que puede obtener mediante la esperanza presentada en el Evangelio. Y si Cristo dejó las noventa y nueve para poder buscar y salvar a la única oveja perdida, ¿podemos justificarnos nosotros si hacemos menos que esto? El dejar de trabajar como Cristo trabajó, de sacrificarse como él se sacrificó, ¿no es una traición de los cometidos sagrados, un insulto a Dios?

El corazón del verdadero ministro rebosa de un intenso anhelo de salvar almas. Gasta tiempo y fuerza, no escatima el penoso esfuerzo, porque otros deben oír las verdades que le proporcionaron a su propia alma tal alegría y paz y gozo. El Espíritu de Cristo descansa sobre él. Vela por las almas como quien debe dar cuenta. Con los ojos fijos en la cruz del Calvario, contemplando al Salvador levantado, confiando en su gracia, creyendo que estará con él hasta el fin como su escudo, su fuerza, su eficiencia, trabaja por Dios. Con invitaciones y súplicas, mezcladas con la seguridad del amor de Dios, trata de ganar almas para Cristo, y en los cielos se lo cuenta entre los que "son llamados y elegidos y fieles" (Apocalipsis 17: 14).

CAPITULO 35

La Salvación Ofrecida a los Judíos

DESPUES de muchas demoras inevitables, Pablo llegó por fin a Corinto, escenario de tan ansiosas labores pasadas, y por un tiempo el objeto de su profunda solicitud. Encontró que muchos de los primeros creyentes todavía le consideraban con afecto como el que les había llevado primero la luz del Evangelio. Cuando saludó a estos discípulos y vio las evidencias de su fidelidad y celo, se regocijó porque su trabajo en Corinto no había sido estéril.

Los creyentes corintios, una vez tan propensos a perder de vista su alta vocación en Cristo, habían desarrollado fuerza de carácter cristiano. Sus palabras y hechos revelaban el poder transformador de la gracia de Dios, y eran ahora una poderosa fuerza para el bien en ese centro de paganismo y superstición. En la asociación de sus amados compañeros y

Desde el comienzo de su ministerio
Pablo hizo de "Jesucristo...
crucificado" el centro de su predicación.

estos fieles conversos, el cansado y turbado espíritu del apóstol halló reposo.

Durante su estada en Corinto tuvo Pablo tiempo para vislumbrar nuevos y más dilatados campos de servicio. Pensaba especialmente en su proyectado viaje a Roma. Una de sus más caras esperanzas y acariciados planes era ver firmemente establecida la fe cristiana en la gran capital del mundo conocido. Ya había una iglesia en Roma y el apóstol deseaba obtener la cooperación de sus miembros para la obra que debía hacerse en Italia y otros países. A fin de preparar el camino para sus labores entre aquellos hermanos, muchos de los cuales le eran todavía desconocidos, les escribió una carta anunciándoles su propósito de visitar a Roma y su esperanza de enarbolar el estandarte de la cruz en España.

En su Epístola a los Romanos, Pablo expuso los grandes principios del Evangelio. Declaró su posición respecto a las cuestiones que perturbaban a las iglesias judías y gentiles, y mostró que las esperanzas y promesas que habían pertenecido una vez especialmente a los judíos, se ofrecían ahora también a los gentiles.

Con gran claridad y poder el apóstol presentó la doctrina de la justificación por la fe en Cristo. Esperaba que otras iglesias también fueran ayudadas por la instrucción enviada a los cristianos de Roma. ¡Pero cuán oscuramente podía prever la extensa influencia de sus palabras! A través de todos los siglos, la gran verdad de la justificación por la fe ha subsistido como un poderoso faro para guiar a los pecadores arrepentidos al camino de la vida. Fue esta luz la que disipó las tinieblas que envolvían la mente de Lutero, y le reveló el poder de la sangre de Cristo para limpiar del pecado. La misma luz ha guiado a la verdadera fuente de perdón y paz a miles de almas abrumadas por el pecado. Todo creyente cristiano tiene verdaderamente motivo para agradecer a Dios por la epístola dirigida a la iglesia de Roma.

En esta carta, Pablo expresó libremente su preocupación por los judíos. Siempre, desde su conversión, había anhelado ayudar a sus hermanos judíos a obtener una clara comprensión del mensaje evangélico. "El anhelo de mi corazón, y mi oración a Dios por Israel —declaró él—, es para salvación".

No era un deseo común que sentía el apóstol. Pedía constantemente a Dios que le permitiera trabajar en favor de los israelitas que no reconocían a Jesús de Nazaret como el Mesías prometido. "Verdad digo en Cristo —aseguró a los creyentes de Roma—, no miento, y mi conciencia me da testimonio en el Espíritu Santo, que tengo gran tristeza y continuo dolor en mi corazón. Porque deseara yo mismo ser anatema, separado de Cristo, por amor a mis hermanos, los que son mis parientes según la carne; que son israelitas, de los cuales son la adopción, la gloria, el pacto, la promulgación de la ley, el culto y las promesas; de quienes son los patriarcas, y de los cuales, según la carne, vino Cristo, el cual es Dios sobre todas las cosas, bendito por los siglos".

Los judíos eran el pueblo escogido de Dios, por medio del cual se había propuesto bendecir a todo el género humano. De entre ellos Dios había levantado muchos profetas. Estos habían predicho el advenimiento de un Redentor que iba a ser rechazado y muerto por aquellos que hubieran debido ser los primeros en reconocerlo como el Prometido.

El profeta Isaías, mirando hacia adelante a través de los siglos y presenciando el rechazamiento de profeta tras profeta y finalmente el del Hijo de Dios, fue inspirado a escribir concerniente a la aceptación del Redentor por aquellos que nunca antes habían sido contados entre los hijos de Israel. Refiriéndose a esta profecía, Pablo declara: "E Isaías dice resueltamente: Fui hallado de los que no me buscaban; me manifesté a los que no preguntaban por mí. Pero acerca de Israel dice: Todo el día extendí mis manos a un pueblo rebelde y contradictor".

Aunque Israel rechazó a su Hijo, Dios no los rechazó a ellos. Escuchemos cómo continúa Pablo su argumento: "Digo, pues: ¿Ha desechado Dios a su pueblo? En ninguna manera. Porque también yo soy israelita, de la descendencia de Abrahán, de la tribu de Benjamín. No ha desechado Dios a su pueblo, al cual desde antes conoció. ¿O no sabéis qué dice de Elías la Escritura, cómo invoca a Dios contra Israel, diciendo: Señor, a tus profetas han dado muerte, y tus altares han derribado; y sólo yo he quedado, y procuran matarme? Pero ¿qué le dice la divina respuesta? Me he reservado siete mil hombres, que no han doblado la rodilla delante de Baal. Así también aun en este tiempo ha quedado un remanente escogido por gracia".

Israel había tropezado y caído, pero esto no hacía imposible que se volviera a levantar. En respuesta a la pregunta: "¿Han tropezado los de Israel para que cayesen?" el apóstol replica: "En ninguna manera; pero por su transgresión vino la salvación a los gentiles, para provocarles a celos. Y si su transgresión es la riqueza del mundo, y su defección la riqueza de los gentiles, ¿cuánto más su plena restauración? Porque a vosotros hablo, gentiles. Por cuanto yo soy apóstol a los gentiles, honro mi ministerio, por si en alguna manera pueda provocar a celos a los de mi sangre, y hacer salvos a algunos de ellos. Porque si su exclusión es la reconciliación del mundo, ¿qué será su admisión, sino vida de entre los muertos?"

Era el propósito de Dios que su gracia se revelara entre los gentiles tanto como entre los israelitas. Esto había sido anunciado claramente en las profecías del Antiguo Testamento. El apóstol usa algunas de estas profecías en su argumento. "¿O no tiene potestad el alfarero sobre el barro —pregunta—, para hacer de la misma masa un vaso para honra y otro para deshonra? ¿Y qué, si Dios, queriendo mostrar su ira y hacer notorio su poder, soportó con mucha paciencia los vasos de ira preparados para destrucción, y para hacer notorias las riquezas de su gloria, las mostró para con los vasos de misericordia que él preparó de antemano para gloria, a los cuales también ha llamado, esto es, a nosotros, no sólo de los judíos, sino también de los gentiles? Como también en Oseas dice: Llamaré pueblo mío al que no era mi pueblo, y a la no amada, amada. Y en el lugar donde se les dijo: Vosotros no sois pueblo mío, allí serán llamados hijos del Dios viviente". (Véase Oseas 1: 10.)

A pesar del fracaso de Israel como nación, había entre ellos un buen remanente que se salvaría. En el tiempo del advenimiento del Salvador, había hombres y mujeres fieles que habían recibido con alegría el mensaje de Juan el Bau-

tista, y habían sido inducidos así a estudiar de nuevo las profecías concernientes al Mesías. Cuando se fundó la iglesia cristiana primitiva, estaba compuesta de estos fieles judíos que reconocieron a Jesús de Nazaret como Aquel cuyo advenimiento habían anhelado. A este remanente se refiere Pablo cuando escribe: "Si las primicias son santas, también lo es la masa restante; y si la raíz es santa, también lo son las ramas".

Pablo compara el residuo de Israel a un noble olivo, algunas de cuyas ramas habían sido cortadas. Compara a los gentiles a las ramas de un olivo silvestre, injertadas en la cepa madre. "Pues si algunas de las ramas fueron desgajadas —escribe a los creyentes gentiles—, y tú, siendo olivo silvestre, has sido injertado en lugar de ellas, y has sido hecho participante de la raíz y de la rica savia del olivo, no te jactes contra las ramas; y si te jactas, sabe que no sustentas tú a la raíz, sino la raíz a ti. Pues las ramas, dirás, fueron desgajadas para que yo fuese injertado. Bien; por su incredulidad fueron desgajadas, pero tú por la fe estás en pie. No te ensoberbezcas, sino teme. Porque si Dios no perdonó a las ramas naturales, a ti tampoco te perdonará. Mira, pues, la bondad y la severidad de Dios; la severidad ciertamente para con los que cayeron, pero la bondad para contigo, si permaneces en esa bondad; pues de otra manera tú también serás cortado".

Por la incredulidad y el rechazamiento del propósito del cielo para con él, Israel como nación había perdido su relación con Dios. Pero Dios podía unir a la verdadera cepa de Israel las ramas que habían sido separadas de la cepa madre: el residuo que había permanecido fiel al Dios de sus padres. "Y aun ellos —declara el apóstol respecto a las ramas que—

bradas—, si no permanecieren en incredulidad, serán injertados, pues poderoso es Dios para volverlos a injertar". "Si tú —escribe a los gentiles— fuiste cortado del que por naturaleza es olivo silvestre, y contra naturaleza fuiste injertado en el buen olivo, ¿cuánto más éstos, que son las ramas naturales, serán injertados en su propio olivo?

"Porque no quiero, hermanos, que ignoréis este misterio, para que no seáis arrogantes en cuanto a vosotros mismos: que ha acontecido a Israel endurecimiento en parte, hasta que haya entrado la plenitud de los gentiles; y luego todo Israel será salvo, como está escrito: Vendrá de Sion el Libertador, que apartará de Jacob la impiedad. Y este será mi pacto con ellos, cuando yo quite sus pecados. Así que en cuanto al Evangelio, son enemigos por causa de vosotros; pero en cuanto a la elección, son amados por causa de los padres. Porque irrevocables son los dones y el llamamiento de Dios. Pues como vosotros también en otro tiempo erais desobedientes a Dios, pero ahora habéis alcanzado misericordia por la desobediencia de ellos, así también éstos ahora han sido desobedientes, para que por la misericordia concedida a vosotros, ellos también alcancen misericordia.

"Porque Dios sujetó a todos en desobediencia, para tener misericordia de todos. ¡Oh profundidad de las riquezas de la sabiduría y de la ciencia de Dios! ¡Cuán insondables son sus juicios, e inescrutables sus caminos! Porque ¿quién entendió la mente del Señor? ¿O quién fue su consejero? ¿O quién le dio a él primero, para que le fuese recompensado? Porque de él, y por él, y para él, son todas las cosas. A él sea la gloria por los siglos".

Así muestra Pablo que Dios es abundantemente capaz de transformar el corazón del judío y del gentil igualmente y de conceder a todo creyente en Cristo las bendiciones prometidas a Israel. El repite las declaraciones de Isaías concernientes al pueblo de Dios: "Si fuere el número de los hijos de Israel como la arena del mar, tan sólo el remanente será salvo; porque el Señor ejecutará su sentencia sobre la tierra en justicia y con prontitud. Y como antes dijo Isaías: Si el Señor de los ejércitos no nos hubiera dejado descendencia, como Sodoma habríamos venido a ser, y a Gomorra seríamos semejantes".

Cuando Jerusalén fue destruida y el templo reducido a ruinas, muchos miles de judíos fueron vendidos, para que fueran esclavos en países paganos. Como restos de un naufragio en una playa desierta, fueron esparcidos entre las naciones. Por mil ochocientos años los judíos han vagado de país en país por todo el mundo, y en ningún lugar se les ha dado oportunidad de recuperar su antiguo prestigio como nación. Maldecidos, odiados, perseguidos, de siglo en siglo la suya ha sido una herencia de sufrimiento.

No obstante la terrible sentencia pronunciada sobre los judíos como nación en ocasión de su rechazamiento de Jesús de Nazaret, han vivido de siglo en siglo muchos judíos nobles y temerosos de Dios, tanto hombres como mujeres, que sufrieron en silencio. Dios consoló sus corazones en la aflicción, y contempló con piedad su terrible suerte. Oyó las agonizantes oraciones de aquellos que le buscaban con todo corazón en procura de un correcto entendimiento de su Palabra. Algunos aprendieron a ver en el humilde Nazareno a quien sus padres rechazaron y crucificaron, al verdadero Mesías de Israel. Al percibir el significado de las profecías familiares por tanto tiempo oscurecidas por la tradición y la mala interpretación, sus corazones se llenaron de gratitud hacia Dios por el indecible don que otroga él a todo ser humano que escoge aceptar a Cristo como Salvador personal.

Es a esta clase a la cual Isaías se refiere en su profecía: "El remanente será salvo". Desde los días de Pablo hasta ahora, Dios, por medio de su Santo Espíritu ha estado llamando a los judíos tanto como a los gentiles. "Porque no hay acepción de personas para con Dios", declaró Pablo. El apóstol se considera a sí mismo deudor "a griegos y a no griegos", tanto como a los judíos; pero nunca perdió de vista las indiscutibles ventajas de los judíos sobre otros, "primero ciertamente, que les ha sido confiada la palabra de Dios". "El Evangelio —declaró— es poder de Dios para salvación a todo aquel que cree; al judío primeramente, y también al griego. Porque en el Evangelio la justicia de Dios se revela por fe y para fe, como está escrito: Mas el justo por la fe vivirá". Es de este Evangelio de Cristo, igualmente eficaz para el judío y el gentil, del que el apóstol en su Epístola a los Romanos declara que no se avergüenza.

Cuando este Evangelio se presente en su plenitud a los judíos, muchos aceptarán a Cristo como el Mesías. Entre los ministros cristianos son pocos los que han sido llamados a trabajar por el pueblo judío. Pero a éstos que han sido pasados por alto, tanto como a todos los otros, ha de darse el mensaje de misericordia y esperanza en Cristo.

En la proclamación final del Evangelio, cuando una obra especial deberá hacerse en favor de las clases descuidadas hasta entonces, Dios espera que sus mensajeros manifiesten particular interés en el pueblo judío que se halla en todas partes de la tierra. Cuando las escrituras del Antiguo Testamento se combinen con las del Nuevo para explicar el eterno propósito de Jehová, eso será para muchos judíos como la aurora de una nueva creación, la resurrección del alma. Cuando vean al Cristo de la dispensación evangélica pintado en las páginas de las escrituras del Antiguo Testamento, y perciban cuán claramente explica el Nuevo Testamento al Antiguo, sus facultades adormecidas se despertarán y reconocerán a Cristo como el Salvador del mundo. Muchos recibirán por la fe a Cristo como su Redentor. En ellos se cumplirán las palabras: "A todos los que le recibieron, a los que creen en su nombre, les dio potestad de ser hechos hijos de Dios". (S. Juan 1: 12).

Entre los judíos hay algunos que, como Saulo de Tarso, son poderosos en las Escrituras, y éstos proclamarán con poder la inmutabilidad de la ley de Dios. El Dios de Israel hará que esto suceda en nuestros días. No se ha acortado su brazo para salvar. Cuando sus siervos trabajen con fe por aquellos que han sido mucho tiempo descuidados y despreciados, su salvación se revelará.

"Por tanto, Jehová, que redimió a Abrahán, dice así a la casa de Jacob: No será ahora avergonzado Jacob, ni su rostro se pondrá pálido; porque verá a sus hijos, obra de mis manos en medio de ellos, que santificarán mi nombre; y santificarán al Santo de Jacob, y temerán al Dios de Israel. Y los extraviados de espíritu aprenderán inteligencia, y los murmuradores aprenderán doctrina" (Isaías 29: 22-24).

CAPITULO 36

Este capítulo está basado en la Epístola a los Gálatas.

Apostasía en Galacia

MIENTRAS estaba en Corinto, Pablo tenía motivo de seria aprensión concerniente a algunas de las iglesias ya establecidas. Por la influencia de falsos maestros que se habían levantado entre los creyentes de Jerusalén, se estaban extendiendo rápidamente la división, la herejía y el sensualismo entre los creyentes de Galacia. Esos falsos maestros mezclaban las tradiciones judías con las verdades del Evangelio. Haciendo caso omiso de la decisión del concilio general de Jerusalén, instaban a los conversos gentiles a observar la ley ceremonial.

La situación era crítica. Los males que se habían introducido amenazaban con destruir rápidamente a las iglesias gálatas.

El corazón de Pablo se sintió herido y su alma fue conmovida por esta abierta apostasía de aquellos a quienes había enseñado fielmente los principios del Evangelio. Es-

397

cribió inmediatamente a los creyentes engañados, exponiendo las falsas teorías que habían aceptado, y reprendiendo con gran severidad a los que se estaban apartando de la fe. Después de saludar a los gálatas con las palabras: "Gracia y paz sean a vosotros, de Dios el Padre y de nuestro Señor Jesucristo", les dirigió estas palabras de agudo reproche:

"Estoy maravillado de que tan pronto os hayáis alejado del que os llamó por la gracia de Cristo, para seguir un Evangelio diferente. No que haya otro, sino que hay algunos que os perturban y quieren pervertir el Evangelio de Cristo. Mas si aun nosotros, o un ángel del cielo, os anunciare otro Evangelio diferente del que os hemos anunciado, sea anatema". Las enseñanzas de Pablo habían estado en armonía con las Escrituras, y el Espíritu había dado testimonio acerca de sus labores; por lo tanto exhortó a sus hermanos a que no escucharan a quien contradijera la verdad que él les había enseñado.

El apóstol pidió a los creyentes gálatas que consideraran cuidadosamente el comienzo de su vida cristiana. "¡Oh gálatas insensatos! —exclamó— ¿quién os fascinó para no obedecer a la verdad, ante cuyos ojos Jesucristo fue ya presentado claramente entre vosotros como crucificado? Esto solo quiero saber de vosotros: ¿Recibisteis el Espíritu por las obras de la ley, o por el oír con fe? ¿Tan necios sois? ¿Habiendo comenzado por el Espíritu, ahora vais a acabar por la carne? ¿Tantas cosas habéis padecido en vano? si es que realmente fue en vano. Aquel, pues, que os suministra el Espíritu, y hace maravillas entre vosotros, ¿lo hace por las obras de la ley, o por el oír con fe?"

Así Pablo emplazó a los creyentes de Galacia ante el

tribunal de su propia conciencia, y trató de detenerlos en su conducta. Confiando en el poder de Dios para salvar, y rehusando reconocer las doctrinas de los maestros apóstatas, el apóstol se esforzó por inducir a los conversos a ver que habían sido groseramente engañados, pero que retornando a su fe anterior en el Evangelio, podrían sin embargo frustrar el propósito de Satanás. Tomó partido firmemente del lado de la verdad y la justicia; y su suprema fe y confianza en el mensaje que predicaba ayudaron a muchos cuya fe había fallado, a recuperar su lealtad al Salvador.

¡Cuán diferente del modo en que Pablo escribió a la iglesia de Corinto, fue el proceder que siguió hacia los

gálatas! A la primera la reprendió con cuidado y ternura; a los últimos, con palabras de despiadado reproche. Los corintios habían sido vencidos por la tentación. Engañados por los ingeniosos sofismas de maestros que presentaban errores bajo el disfraz de la verdad, se habían confundido y desorientado. El enseñarles a distinguir lo falso de lo verdadero requería cautela y paciencia. La severidad o la prisa imprudente de parte de Pablo hubiera destruido su influencia sobre muchos de aquellos a quienes anhelaba ayudar.

En las iglesias gálatas, el error abierto y desenmascarado estaba suplantando al mensaje evangélico. Cristo, el verdadero fundamento de la fe, era virtualmente desplazado por las anticuadas ceremonias del judaísmo. El apóstol vio que para salvar a los creyentes gálatas de las peligrosas influencias que los amenazaban, debían tomarse las más decisivas medidas, darse las más penetrantes amonestaciones.

Una importante lección que todo ministro de Cristo debe aprender es que debe adaptar sus labores a la condición de aquellos a quienes trata de beneficiar. La ternura, la paciencia, la decisión y la firmeza son igualmente necesarias; pero han de ejercerse con la debida discriminación. El tratar sabiamente con diferentes clases de mentes, en diversas circunstancias y condiciones, es un trabajo que requiere sabiduría y juicio iluminados y santificados por el Espíritu de Dios.

En su carta a los creyentes gálatas, Pablo repasa brevemente los principales incidentes relacionados con su propia conversión y primera experiencia cristiana. Por este medio trató de demostrar que fue por una manifestación especial del poder divino, cómo él fue inducido a ver y recibir las grandes verdades del Evangelio. Fue por instrucción recibida de Dios mismo cómo Pablo fue inducido a reprender y amonestar a los gálatas en tan solemne y positiva manera. Escribió no con vacilación y duda, sino con la seguridad de la firme convicción y del conocimiento absoluto. Bosquejó claramente la diferencia entre el ser enseñado por el hombre y el recibir instrucción directa de Cristo.

El apóstol instó a los gálatas a dejar a los falsos guías por los cuales habían sido extraviados, y a volver a la fe que había sido acompañada por evidencias inconfundibles de la aprobación divina. Los hombres que habían tratado de apartarlos de su fe en el Evangelio eran hipócritas, profanos de corazón y corruptos en su vida. Su religión estaba constituida por una rutina de ceremonias, con cuyo cumplimiento esperaban ganar el favor de Dios. No querían un Evangelio que exigía obediencia a la palabra: "El que no naciere de nuevo, no puede ver el reino de Dios" (S. Juan 3: 3). Sentían que una religión fundada en tal doctrina, requería demasiado sacrificio, y se aferraban a sus errores, engañándose a sí mismos y a otros.

Sustituir la santidad del corazón y la vida por las formas exteriores de la religión, es tan agradable para la naturaleza no renovada hoy como en los días de esos maestros judíos. Hoy, como entonces, hay falsos guías espirituales, a cuyas doctrinas muchos prestan atención ansiosamente. El esfuerzo premeditado de Satanás procura apartar las mentes de la esperanza de salvación mediante la fe en Cristo y la obediencia a la ley de Dios. En toda época el gran enemigo adapta sus tentaciones a los prejuicios e inclinaciones de aquellos a quienes trata de engañar. En los tiempos apostólicos inducía a los judíos a exaltar la ley ceremonial y a rechazar a Cristo; y actualmente induce a muchos profesos cristianos, con el pretexto de honrar a Cristo, a menospreciar la ley moral y a enseñar que sus preceptos pueden ser transgredidos impunemente. Es el deber de todo siervo de Dios resistir firmemente a estos pervertidores de la fe y, por la palabra de verdad, exponer denodadamente sus errores.

En su esfuerzo por recuperar la confianza de sus hermanos gálatas, Pablo vindicó hábilmente su posición como apóstol de Cristo. Se declaró apóstol, "no de hombres ni por hombre, sino por Jesucristo y por Dios el Padre que lo resucitó de los muertos". El no había recibido su comisión de los hombres, sino de la más alta autoridad del cielo. Y su posición había sido reconocida por un concilio general en Jerusalén, cuyas decisiones Pablo había cumplido en todas sus labores entre los gentiles.

A los que procuraban negar su apostolado, Pablo les presentó así pruebas de que "en nada he sido inferior a aquellos grandes apóstoles" (2 Corintios 11: 5), no para exaltarse a sí mismo, sino para magnificar la gracia de Dios. Los que procuraban empequeñecer su vocación y su obra, estaban luchando contra Cristo, cuya gracia y poder se manifestaban por medio de Pablo. El apóstol se vio forzado, por la oposición de sus enemigos, a defender decididamente su posición y autoridad.

Pablo rogó a los que habían conocido una vez el poder de Dios en sus vidas, a volver a su primer amor de la verdad evangélica. Con argumentos irrefutables les presentó su privilegio de llegar a ser hombres y mujeres libres en Cristo, por cuya gracia expiatoria todos los que se entregan plenamente son vestidos con el manto de su justicia. Sostuvo que toda alma que quiera ser salvada debe tener una experiencia genuina y personal en las cosas de Dios.

Las fervientes palabras de ruego del apóstol no fueron estériles. El Espíritu Santo obró con gran poder, y muchos cuyos pies habían sido descarriados por caminos extraños, volvieron a su primera fe en el Evangelio. Desde entonces se mantuvieron firmes en la libertad con que Cristo los había hecho libres. En sus vidas se revelaban los frutos del Espíritu: "Amor, gozo, paz, paciencia, benignidad, bondad, fe, mansedumbre, templanza". El nombre de Dios fue glorificado, y muchos fueron agregados al grupo de creyentes por toda esa región.

CAPITULO 37

Este capítulo está basado en Hechos 20: 4 a 21: 16.

Ultimo Viaje de Pablo a Jerusalén

PABLO deseaba grandemente llegar a Jerusalén a tiempo para la Pascua, pues eso le daría oportunidad de encontrarse con aquellos que llegaban de todas partes del mundo para asistir a la fiesta. Siempre acariciaba él la esperanza de poder ser de alguna manera instrumento para quitar el prejuicio de sus compatriotas incrédulos, de modo que pudieran ser inducidos a aceptar la preciosa luz del Evangelio. También deseaba encontrarse con la iglesia de Jerusalén y entregarle las ofrendas que enviaban las iglesias gentiles para los hermanos pobres de Judea. Y por medio de esta visita, esperaba lograr que se efectuara una unión más firme entre los judíos y los gentiles convertidos a la fe.

Habiendo terminado su trabajo en Corinto, resolvió na-

405

vegar directamente hacia uno de los puertos de la costa de Palestina. Todos los arreglos habían sido hechos, y estaba por embarcarse, cuando se le notificó de una maquinación tramada por los judíos para quitarle la vida. En lo pasado todos los esfuerzos de estos oponentes de la fe por hacer cesar la obra del apóstol habían sido frustrados.

El éxito que acompañaba la predicación del Evangelio despertó de nuevo la ira de los judíos. De todas partes llegaban noticias de la divulgación de la nueva doctrina, por la cual los judíos eran relevados de la observancia de los ritos de la ley ceremonial y los gentiles eran admitidos con iguales privilegios que los judíos como hijos de Abrahán. En su predicación en Corinto, Pablo presentó los mismos argumentos que defendió tan vigorosamente en sus epístolas. Su enfática declaración: "No hay griego ni judío, circuncisión ni incircuncisión" (Colosenses 3: 11), era considerada por sus enemigos como una osada blasfemia, y decidieron reducir su voz al silencio.

Al ser advertido del complot, Pablo decidió hacer el viaje por Macedonia. Tuvo que renunciar a su plan de llegar a Jerusalén a tiempo para celebrar allí la Pascua, pero tenía la esperanza de encontrarse allí para Pentecostés.

Los compañeros de Pablo y Lucas eran "Sópater de Berea, Aristarco y Segundo de Tesalónica, Gayo de Derbe, y Timoteo; y de Asia, Tíquico y Trófimo". Pablo tenía consigo una gran suma de dinero de las iglesias de los gentiles, la cual se proponía colocar en las manos de los hermanos que tenían a su cargo la obra en Judea; y por esta causa hizo arreglos para que estos hermanos, representantes de varias de las iglesias que habían contribuido, le acompañaran a Jerusalén.

En Filipos, Pablo se detuvo para observar la Pascua. Sólo Lucas quedó con él; los otros miembros del grupo siguieron hasta Troas para esperarlo allí. Los filipenses eran los más amantes y sinceros de entre los conversos del apóstol, y durante los ocho días de la fiesta, él disfrutó de una pacífica y gozosa comunión con ellos.

Saliendo de Filipos, Pablo y Lucas alcanzaron a sus compañeros en Troas cinco días después, y permanecieron durante siete días con los creyentes de allí.

En la última tarde de su estada, los hermanos se juntaron "para partir el pan". El hecho de que su amado maestro estaba por partir había hecho congregar a un grupo más numeroso que de costumbre. Se reunieron en un "aposento alto" en el tercer piso. Allí, movido por el fervor de su amor y solicitud por ellos, el apóstol predicó hasta la medianoche.

En una de las ventanas abiertas estaba sentado un joven llamado Eutico. En ese lugar peligroso se durmió, y cayó al patio de abajo. Inmediatamente todo fue alarma y confusión. Se alzó al joven muerto, y muchos se juntaron en su derredor con lamentos y duelo. Pero Pablo, pasando por en medio de la congregación asustada, lo abrazó y ofreció una oración fervorosa para que Dios restaurara la vida al muerto. Lo pedido fue concedido. Por encima de las voces de duelo y lamento, se oyó la del apóstol que decía: "No os alarméis, pues está vivo". Los creyentes se volvieron a reunir gozosos en el aposento alto. Participaron en la comunión, y entonces Pablo "habló largamente hasta el alba".

El barco en que Pablo y sus compañeros querían continuar su viaje estaba por zarpar, y los hermanos subieron a bordo apresuradamente. El apóstol mismo, sin embargo, decidió seguir la ruta más directa por tierra entre Troas y Asón, para encontrar a sus compañeros en esta última ciudad. Esto le dio un breve tiempo para meditar y orar. Las dificultades y peligros relacionados con su próxima visita a Jerusalén, la actitud de la iglesia allí hacia él y su obra, como también la condición de las iglesias y los intereses de la obra del Evangelio en otros campos, eran temas de reflexión fervorosa y ansiosa; y aprovechó esta oportunidad especial para buscar a Dios de todo corazón en procura de fuerza y dirección.

Los viajeros, después de partir de Asón, pasaron por la ciudad de Efeso, por tanto tiempo escenario de la labor del apóstol. Pablo había deseado grandemente visitar a la iglesia allí, porque tenía que darle importantes instrucciones y consejos. Pero después de considerarlo, decidió seguir adelante, porque deseaba "estar el día de Pentecostés, si le fuese posible, en Jerusalén". Sin embargo, al llegar a Mileto, situada a unos cincuenta kilómetros de Efeso, supo que podría comunicarse con los miembros de la iglesia antes que partiese el barco. Envió inmediatamente un mensaje a los ancianos, instándolos a que fuesen prestamente a Mileto, para que pudiese verlos antes de continuar viaje.

En respuesta a su invitación, ellos fueron, y les dirigió palabras fuertes y conmovedoras de amonestación y despedida. "Vosotros sabéis cómo —dijo— me he comportado entre vosotros todo el tiempo, desde el primer día que entré en Asia, sirviendo al Señor con toda humildad, y con muchas lágrimas, y pruebas que me han venido por las asechanzas de los judíos; y cómo nada que fuese útil he rehuido de anunciaros y enseñaros, públicamente y por las casas, testificando a judíos y a gentiles acerca del arrepentimiento para con Dios, y de la fe en nuestro Señor Jesucristo".

Pablo había exaltado siempre la ley divina. Había mostrado que en la ley no hay poder para salvar a los hombres del castigo de la desobediencia. Los que han obrado mal deben arrepentirse de sus pecados y humillarse ante Dios, cuya justa ira han provocado al violar su ley; y deben también ejercer fe en la sangre de Cristo como único medio de perdón. El Hijo de Dios había muerto en sacrificio por ellos, y ascendido al cielo para ser su abogado ante el Padre. Por el arrepentimiento y la fe, ellos podían librarse de la condenación del pecado y, por la gracia de Cristo, obedecer la ley de Dios.

"Ahora, he aquí —continuó Pablo—, ligado yo en espíritu, voy a Jerusalén, sin saber lo que allá me ha de acontecer; salvo que el Espíritu Santo por todas las ciudades me da testimonio, diciendo que me esperan prisiones y tribulaciones. Pero de ninguna cosa hago caso, ni estimo preciosa mi vida para mí mismo, con tal que acabe mi carrera con gozo, y el ministerio que recibí del Señor Jesús, para dar testimonio del Evangelio de la gracia de Dios. Y ahora, he aquí, yo sé que ninguno de todos vosotros, entre quienes he pasado predicando el reino de Dios, verá más mi rostro".

Pablo no había tenido intención de dar este testimonio, pero mientras hablaba, el Espíritu de la inspiración descendió sobre él, y confirmó sus temores de que ésa sería la última entrevista con sus hermanos efesios.

"Por tanto, yo os protesto en el día de hoy, que estoy limpio de la sangre de todos; porque no he rehuido anunciaros todo el consejo de Dios". Ningún temor de ofender, ni el deseo de conquistar amistad o aplauso, podía inducir a Pablo a negarse a declarar las palabras de Dios dadas para su instrucción, amonestación y corrección. Dios requiere hoy que sus siervos prediquen la Palabra y expongan sus preceptos con intrepidez. El ministro de Cristo no debe presentar a la gente tan sólo las verdades más agradables, ocultándole las que puedan causarle dolor. Debe observar con intensa solicitud el desarrollo del carácter. Si ve que cualquiera de su rebaño fomenta un pecado, como fiel pastor debe darle, basado en la Palabra de Dios, instrucciones aplicables a su caso. Si permite que sigan, sin amonestación alguna, confiando en sí mismos, será responsable por sus almas. El pastor que cumple su elevado cometido debe dar a su pueblo fiel instrucción en cuanto a todos los puntos de la fe cristiana y mostrarle lo que debe ser y hacer a fin de ser hallado perfecto en el día de Dios. Sólo el que es fiel maestro de la verdad podrá decir con Pablo al fin de su obra: "Estoy limpio de la sangre de todos".

"Por tanto, mirad por vosotros —amonestó el apóstol a sus hermanos—, y por todo el rebaño en que el Espíritu Santo os ha puesto por obispos, para apacentar la iglesia del Señor, la cual él ganó por su propia sangre". Si los ministros del Evangelio tuviesen constantemente presente que están tratando con lo que ha sido comprado con la sangre de Cristo, tendrían un concepto más profundo de la importancia de su obra. Han de tener cuidado de sí mismos y de su rebaño. Su propio ejemplo debe ilustrar sus instrucciones y reforzarlas. Como maestros del camino de la vida, no deberían dar ocasión para que se hable mal de la verdad. Como representantes de Cristo, deben mantener el honor de su nombre. Mediante su devoción, la pureza de su vida, su conversación piadosa, deben mostrarse dignos de su elevada vocación.

Se le revelaron al apóstol los peligros que iban a asaltar a la iglesia de Efeso. "Porque yo sé —dijo— que después de mi partida entrarán en medio de vosotros lobos rapaces, que no perdonarán al rebaño. Y de vosotros mismos se levantarán hombres que hablen cosas perversas para arrastrar tras sí a los discípulos".

Pablo temblaba por la iglesia cuando, al pensar en el futuro, veía los ataques que iba a sufrir de enemigos exteriores e interiores. Aconsejó solemnemente a sus hermanos que guardasen vigilantemente su sagrado cometido. Como ejemplo, mencionó sus incansables trabajos entre ellos: "Por tanto, velad, acordándoos que por tres años, de noche y de día, no he cesado de amonestar con lágrimas a cada uno.

"Y ahora, hermanos —continuó—, os encomiendo a Dios, y a la palabra de su gracia, que tiene poder para sobreedificaros y daros herencia con todos los santificados. Ni plata ni oro ni vestido de nadie he codiciado". Algunos de los hermanos efesios eran ricos, pero nunca había tratado Pablo de obtener de ellos beneficio personal. No era parte de su mensaje llamar la atención a sus propias necesidades. "Para lo que me ha sido necesario a mí y a los que están conmigo, estas manos —declaró— me han servido". En medio de sus arduas labores y largos viajes por la causa de Cristo, él pudo no sólo suplir sus propias necesidades, sino tener algo para el sostén de sus colaboradores y el alivio de los pobres dignos. Esto lo logró por una diligencia incansable y estricta economía. Bien podía citarse como ejemplo al decir: "En todo os he enseñado que, trabajando así, se debe ayudar a los necesitados, y recordar las palabras del Señor Jesús, que dijo: Más bienaventurado es dar que recibir.

"Cuando hubo dicho estas cosas, se puso de rodillas, y oró con todos ellos. Entonces hubo gran llanto de todos; y echándose al cuello de Pablo, le besaban, doliéndose en gran manera por la palabra que dijo, de que no verían más su

rostro. Y le acompañaron al barco".

De Mileto, los viajeros fueron "con rumbo directo a Cos, y al día siguiente a Rodas, y de allí a Pátara", situada en la costa sudoeste de Asia Menor, donde, "hallando un barco que pasaba a Fenicia", se embarcaron y partieron. En Tiro, donde fue descargado el barco, hallaron algunos discípulos, con quienes se les permitió que permaneciesen siete días. Por medio del Espíritu Santo, estos discípulos fueron advertidos de los peligros que esperaban a Pablo en Jerusalén, e insistieron que "no subiese a Jerusalén". Pero el apóstol no permitió que el temor a las aflicciones y el encarcelamiento le hicieran desistir de su propósito.

Al final de la semana pasada en Tiro, todos los hermanos, con sus esposas e hijos, fueron con Pablo hasta el barco, y antes que él subiese a bordo, todos se arrodillaron en la costa y oraron, él por ellos y ellos por él.

Siguiendo su viaje hacia el sur, los viajeros llegaron a Cesarea, y "entrando en casa de Felipe el evangelista, que era uno de los siete", posaron con él. Allí pasó Pablo algunos días tranquilos y felices, los últimos de libertad perfecta que había de gozar por mucho tiempo.

Mientras Pablo estaba en Cesarea, "descendió de Judea un profeta llamado Agabo, quien viniendo a vernos —dice Lucas—, tomó el cinto de Pablo, y atándose los pies y las manos, dijo: Esto dice el Espíritu Santo: Así atarán los judíos en Jerusalén al varón de quien es este cinto, y le entregarán en manos de los gentiles.

"Al oír esto —continuó Lucas—, le rogamos nosotros y los de aquel lugar, que no subiese a Jerusalén". Pero Pablo no quiso apartarse de la senda del deber. Seguiría a Cristo si fuera necesario a la prisión y a la muerte. "¿Qué hacéis llorando y quebrantándome el corazón? —exclamó—. Porque yo estoy dispuesto no sólo a ser atado, mas aun a morir en Jerusalén por el nombre del Señor Jesús". Viendo que le producían dolor sin que cambiara de propósito, los hermanos dejaron de importunarle, diciendo solamente: "Hágase la voluntad del Señor".

Pronto llegó el fin de la breve estada en Cesarea, y acompañado por algunos de los hermanos, Pablo y sus acompañantes partieron para Jerusalén, con los corazones oprimidos por el presentimiento de una desgracia inminente.

Nunca antes se había acercado el apóstol a Jerusalén con tan entristecido corazón. Sabía que iba a encontrar pocos amigos y muchos enemigos. Se acercaba a la ciudad que había rechazado y matado al Hijo de Dios y sobre la cual pendían los juicios de la ira divina. Recordando cuán acerbo había sido su propio prejuicio contra los seguidores de Cristo, sentía la más profunda compasión por sus engañados compatriotas. Y sin embargo, ¡cuán poco podía esperar que fuera capaz de ayudarles! La misma ciega cólera que un tiempo inflamara su propio corazón, encendía ahora con indecible intensidad el corazón de todo un pueblo contra él.

No podía contar siquiera con el apoyo y la simpatía de los hermanos en la fe. Los judíos inconversos que le habían seguido muy de cerca el rastro, no habían sido lentos en hacer circular, acerca de él y su trabajo, los más desfavorables informes en Jerusalén, tanto personalmente como por carta; y algunos, aun de los apóstoles y ancianos, habían recibido esos informes como verdad, sin hacer esfuerzo alguno por contradecirlos, ni manifestar deseo de concordar con él.

Sin embargo, en medio de sus desalientos, el apóstol no estaba desesperado. Confiaba en que la Voz que había hablado a su corazón, hablaría al de sus compatriotas y que el Señor a quien los demás discípulos amaban y servían uniría sus corazones al suyo en la obra del Evangelio.

CAPITULO 38

Este capítulo está basado en Hechos 21: 17 a 23: 35.

La Prisión de Pablo

"CUANDO llegamos a Jerusalén, los hermanos nos recibieron con gozo. Y al día siguiente Pablo entró con nosotros a ver a Jacobo, y se hallaban reunidos todos los ancianos".

En esa ocasión Peblo y sus acompañantes presentaron formalmente a los dirigentes de la obra en Jerusalén las contribuciones enviadas por las iglesias gentiles para el sostén de los pobres entre sus hermanos judíos. El juntar estas contribuciones había costado al apóstol y a sus colaboradores mucho tiempo, mucha reflexión ansiosa y labor cansadora. La suma, que excedía en mucho a las expectativas de los ancianos de Jerusalén, representaba mucho sacrificio y aun severas privaciones de parte de los creyentes gentiles.

Estas ofrendas voluntarias expresaban la lealtad de los conversos gentiles a la obra de Dios organizada en todo el

El populacho rodeaba a Pablo en las calles y los soldados romanos acudían pronto en su auxilio para salvarlo.

417

mundo, y todos debieran haberlas recibido con agradecimiento. Sin embargo, era evidente para Pablo y sus acompañantes, que aun entre aquellos delante de los cuales estaban en ese momento, había quienes eran incapaces de apreciar el espíritu de amor fraternal que había inspirado esos donativos.

En los primeros años del trabajo evangélico entre los gentiles, algunos de los principales hermanos de Jerusalén, aferrándose a anteriores prejuicios y modos de pensar, no habían cooperado de corazón con Pablo y sus asociados. En su ansiedad por conservar algunas formas y ceremonias carentes de significado habían perdido de vista las bendiciones que les reportaría a ellos y a la causa que amaban un esfuerzo por unir en una todas las fases de la obra de Dios. Aunque deseosos de proteger los mejores intereses de la iglesia de Cristo, habían dejado de mantenerse al paso con la marcha de las providencias de Dios, y en su sabiduría humana, trataban de imponer a los obreros muchas restricciones innecesarias. Así se levantó un grupo de hombres que no conocían personalmente las circunstancias cambiantes y las necesidades peculiares afrontadas por los obreros en los países distantes, pero quienes insistían, sin embargo, en que tenían autoridad para ordenar a los hermanos de esos países que siguieran ciertos métodos determinados de trabajo. Creían que la obra de predicar el Evangelio debía hacerse de acuerdo con sus opiniones.

Varios años habían pasado desde que los hermanos de Jerusalén, con los representantes de otras iglesias principales, habían considerado cuidadosamente las serias cuestiones que se habían suscitado en cuanto a los métodos seguidos por los que trabajaban por los gentiles. Como resultado de ese concilio, los hermanos habían hecho unánimemente ciertas recomendaciones a las iglesias referentes a algunos ritos y costumbres, inclusive la circuncisión. En ese concilio general, los hermanos habían recomendado a las iglesias cristianas y con la misma unanimidad a Bernabé y Pablo como colaboradores dignos de la plena confianza de cada creyente.

Entre los que estaban presentes en aquella reunión, había algunos que habían criticado severamente los métodos de labor seguidos por los apóstoles sobre quienes pesaba la principal responsabilidad de llevar el Evangelio a los gentiles. Pero durante el concilio, sus conceptos del propósito de Dios se habían ampliado, y ellos se habían unido con sus hermanos para tomar varias decisiones que hacían posible la unificación de todo el cuerpo de creyentes.

Después, cuando se vio que crecía rápidamente el número de conversos entre los gentiles, algunos de los principales hermanos radicados en Jerusalén volvieron a acariciar sus anteriores prejuicios contra los métodos de Pablo y sus asociados. Estos prejuicios se fortalecieron con el transcurso de los años, hasta que algunos de los dirigentes llegaron a la conclusión de que la obra de predicar el Evangelio debía realizarse desde entonces de acuerdo con sus propias ideas. Si Pablo conformaba sus métodos a ciertos planes de acción que ellos defendían, reconocerían y apoyarían su trabajo; de otra manera, no le considerarían más con favor ni le apoyarían.

Estos hombres habían perdido de vista el hecho de que Dios es el Maestro de su pueblo; que todo obrero de su causa ha de adquirir una experiencia individual en pos del divino Dirigente, sin mirar al hombre en procura de dirección; que sus obreros deben ser amoldados y moldeados, no de acuerdo con ideas humanas, sino según la similitud con lo divino.

En su ministerio, el apóstol Pablo había enseñado a la gente no "con palabras persuasivas de humana sabiduría, sino con demostración del Espíritu y de poder". Las verdades que proclamaba le habían sido reveladas por el Espíritu Santo; "porque el Espíritu todo lo escudriña, aun lo profundo de Dios. Porque ¿quién de los hombres sabe las cosas del hombre, sino el espíritu del hombre que está en él? Así tampoco nadie conoció las cosas de Dios, sino el Espíritu de Dios... Lo cual —declaró Pablo— también hablamos, no con palabras enseñadas por sabiduría humana, sino con las que enseña el Espíritu, acomodando lo espiritual a lo espiritual" (1 Corintios 2: 4, 10-13).

Durante todo su ministerio, Pablo había mirado a Dios en procura de su dirección personal. Al mismo tiempo había tenido mucho cuidado de trabajar de acuerdo con las decisiones del concilio general de Jerusalén; y como resultado, las iglesias "eran confirmadas en la fe, y aumentaban en número cada día" (Hechos 16: 5). Y ahora, no obstante la falta de simpatía que algunos le demostraban, se consolaba al saber que había cumplido su deber fomentando en sus conversos un espíritu de lealtad, generosidad y amor hermanable, según lo revelaban en esta ocasión por las liberales contribuciones que pudo colocar ante los ancianos judíos.

Después de la presentación de las ofrendas, Pablo "contó una por una las cosas que Dios había hecho entre los gentiles por su ministerio". Esta enumeración de hechos produjo en todos los corazones, aun en los que habían dudado, la convicción de que la bendición del cielo había acompañado sus labores. "Cuando ellos lo oyeron, glorificaron a Dios". Sintieron que los métodos de trabajo seguidos por el apóstol llevaban el sello del cielo. Las generosas contribuciones que tenían delante añadían peso al testimonio del apóstol en cuanto a la fidelidad de las nuevas iglesias establecidas entre los gentiles. Los hombres que, mientras figuraban entre los encargados de la obra en Jerusalén, habían insistido en que se tomaran medidas arbitrarias de control, vieron desde un nuevo punto de vista el ministerio de Pablo, y se convencieron de que era su propio proceder el equivocado; que ellos habían sido esclavos de las costumbres y tradiciones judías, y que la obra del Evangelio había sido grandemente estorbada porque no habían comprendido que la muralla de separación entre los judíos y gentiles había sido derribada por la muerte de Cristo.

Se ofrecía una áurea oportunidad a todos los hombres dirigentes de confesar francamente que Dios había obrado por medio del apóstol Pablo y que ellos habían errado al permitir que los informes de los enemigos despertaran sus celos y prejuicios. Pero en lugar de unirse en un esfuerzo por

hacer justicia al perjudicado, le dieron un consejo que mostraba el sentimiento todavía acariciado por ellos de que Pablo debía ser considerado en alto grado responsable por los prejuicios existentes. No tomaron noblemente su defensa ni se esforzaron por mostrar su error a los desafectos, sino que trataron de hacerle transigir aconsejándole que siguiera un proceder que, en su opinión, haría desaparecer todo lo que fuese causa de aprensión errónea.

"Ya vez, hermano —dijeron, en respuesta a su testimonio—, cuántos millares de judíos hay que han creído; y todos son celosos por la ley. Pero se les ha informado en cuanto a ti, que enseñas a todos los judíos que están entre los gentiles a apostatar de Moisés, diciéndoles que no circunciden a sus hijos, ni observen las costumbres. ¿Qué hay, pues? La multitud se reunirá de cierto, porque oirán que has venido. Haz, pues, esto que te decimos: Hay entre nosotros cuatro hombres que tienen obligación de cumplir voto. Tómalos contigo, purifícate con ellos, y paga sus gastos para que se rasuren la cabeza; y todos comprenderán que no hay nada de lo que se les informó acerca de ti, sino que tú también andas ordenadamente, guardando la ley. Pero en cuanto a los gentiles que han creído, nosotros les hemos escrito determinando que no guarden nada de esto; solamente que se abstengan de lo sacrificado a los ídolos, de sangre, de ahogado y de fornicación".

Los hermanos esperaban que Pablo, al seguir el proceder aconsejado, pudiera contradecir en forma decisiva los falsos informes concernientes a él. Le aseguraron que la decisión del concilio anterior respecto a los conversos gentiles y a la ley ceremonial, estaba todavía en vigencia. Pero el consejo que le daban ahora no estaba de acuerdo con aquella decisión. El Espíritu de Dios no había sugerido esta instrucción; era el fruto de la cobardía. Los dirigentes de la iglesia de Jerusalén sabían que por no conformarse a la ley ceremonial, los cristianos se acarrearían el odio de los judíos y se expondrían a la persecución. El Sanedrín estaba haciendo todo lo que podía para impedir el progreso del Evangelio. Ese cuerpo escogía a hombres para que siguieran a los apóstoles, especialmente a Pablo, y se opusieran de toda forma posible a su obra. Si los creyentes en Cristo fueran condenados ante el Sanedrín como transgresores de la ley, serían rápida y severamente castigados como apóstatas de la fe judía.

Muchos de los judíos que habían aceptado el Evangelio tenían todavía en alta estima la ley ceremonial, y estaban muy dispuestos a hacer concesiones imprudentes, esperando ganar así la confianza de sus compatriotas, quitar su prejuicio y ganarlos a la fe de Cristo como Redentor del mundo. Pablo comprendía que mientras muchos de los miembros dirigentes de la iglesia de Jerusalén continuaran abrigando prejuicios contra él, tratarían constantemente de contrarrestar su influencia. Tenía la impresión de que si por alguna concesión razonable pudiera ganarlos a la verdad, podría quitar un gran obstáculo para el éxito del Evangelio en otros lugares. Pero no estaba autorizado por Dios para concederles tanto como ellos pedían.

Cuando pensamos en el gran deseo que tenía Pablo de estar en armonía con sus hermanos, en su ternura por los débiles en la fe, en su reverencia por los apóstoles que habían estado con Cristo, y hacia Santiago, el hermano del Señor, y en su propósito de llegar a ser todo para todos, siempre que esto no le obligara a sacrificar sus principios, no nos sorprende tanto que se sintiese constreñido a desviarse del curso firme y decidido que hasta entonces había seguido. Pero en vez de lograr el propósito deseado, sus esfuerzos de conciliación sólo precipitaron la crisis, apresuraron sus predichos sufrimientos, y le separaron de sus hermanos, de modo que la iglesia quedó privada de uno de sus más fuertes pilares, y los corazones cristianos de todas partes se llenaron de tristeza.

Al día siguiente Pablo empezó a llevar a cabo los consejos de los ancianos. Los cuatro hombres que estaban bajo el voto del nazareato, cuyo término estaba a punto de expirar, fueron introducidos por Pablo en el templo, "para anunciar el cumplimiento de los días de la purificación, cuando había de presentarse la ofrenda por cada uno de ellos". Debían ofrecerse aún por la purificación ciertos sacrificios costosos.

Aquellos que habían aconsejado a Pablo que tomara esta medida no habían considerado plenamente el gran peligro al cual se expondría así. Por entonces Jerusalén estaba llena de adoradores procedentes de muchos países. Cuando, en cumplimiento de la comisión que Dios le diera, Pablo había llevado el Evangelio a los gentiles, había visitado muchas de las mayores ciudades del mundo, y era bien conocido por miles que desde regiones extranjeras habían acudido a Jerusalén para asistir a las fiestas. Entre éstos había hombres cuyos corazones estaban llenos de verdadero odio contra Pablo; y para él, entrar en el templo en una ocasión pública era poner en peligro su vida. Por varios días entró y salió entre los adoradores al parecer sin ser notado; pero antes que terminara el período especificado, mientras hablaba con un sacerdote concerniente a los sacrificios que debían ofrecerse, fue reconocido por algunos judíos de Asia.

Estos se precipitaron sobre él con furia demoníaca gritando: "¡Varones israelitas, ayudad! Este es el hombre que por todas partes enseña a todos contra el pueblo, la ley y este lugar". Y cuando el pueblo acudió a prestar ayuda, agravaron la acusación, diciendo: "Y además de esto, ha metido a griegos en el templo, y ha profanado este santo lugar".

Según la ley judía, era un crimen punible de muerte el que un incircunciso penetrara en los atrios interiores del edificio sagrado. Habían visto a Pablo en la ciudad en compañía de Trófimo, de Efeso, y suponían que Pablo le había introducido en el templo. Pero no había hecho tal cosa; y como Pablo era judío, no violaba la ley al entrar en el templo. No obstante ser de todo punto falsa la acusación, sirvió para excitar los prejuicios populares. Al propalarse los gritos por los atrios del templo, la gente allí reunida fue presa de salvaje excitación. La noticia cundió rápidamente por Jerusalén, y "toda la ciudad se conmovió, y se agolpó el pueblo".

Que un apóstata de Israel pretendiera profanar el templo precisamente cuando miles habían venido de todas partes del mundo para adorar, excitó las pasiones más fieras de la turba. "Y apoderándose de Pablo, le arrastraron fuera del templo, e inmediatamente cerraron las puertas.

"Y procurando ellos matarle, se le avisó al tribuno de la compañía, que toda la ciudad de Jerusalén estaba alborotada". Claudio Lisias conocía muy bien a los levantiscos elementos con los cuales tenía que tratar, y "tomando luego soldados y centuriones, corrió a ellos. Y cuando ellos vieron al tribuno y a los soldados, dejaron de golpear a Pablo". Ignorante de la causa del tumulto, pero en vista de que la furia de la multitud se dirigía contra Pablo, el tribuno romano se figuró que era cierto sedicioso egipcio de quien había oído hablar, y que hasta entonces no habían logrado capturar. Por lo tanto, "le prendió y le mandó atar con dos cadenas; y preguntó quién era y qué había hecho". En seguida se levantaron muchas voces en clamorosa y colérica acusación; "unos gritaban una cosa, y otros otra; y como no podía entender nada de cierto a causa del alboroto, le mandó llevar a la fortaleza. Al llegar a las gradas, aconteció que era llevado en peso por los soldados a causa de la violencia de la multitud; porque la muchedumbre del pueblo venía detrás, gritando: ¡Muera!"

El apóstol se mantenía tranquilo y dueño de sí en medio del tumulto. Su mente estaba fija en Dios, y sabía que le rodeaban los ángeles del cielo. No quería dejar el templo sin hacer un esfuerzo para proclamar la verdad a sus compatriotas, y cuando iban a conducirlo al castillo, le dijo al tribuno: "¿Se me permite decirte algo?" Lisias replicó: "¿Sabes griego? ¿No eres tú aquel egipcio que levantó una sedición antes de estos días, y sacó al desierto los cuatro mil sicarios?" Entonces repuso Pablo: "Yo de cierto soy hombre judío de Tarso, ciudadano de una ciudad no insignificante de Cilicia; pero te ruego que me permitas hablar al pueblo".

Concedido el permiso, "Pablo, estando en pie en las gradas, hizo señal con la mano al pueblo". El ademán del apóstol atrajo la atención del gentío, y su porte le inspiró respeto. "Y hecho gran silencio, habló en lengua hebrea, diciendo: Varones hermanos y padres, oíd ahora mi defensa ante vosotros". Al oír las familiares palabras hebreas, "guardaron más silencio", y en medio del silencio general, continuó:

"Yo de cierto soy judío, nacido en Tarso de Cilicia, pero criado en esta ciudad, instruido a los pies de Gamaliel, estrictamente conforme a la ley de nuestros padres, celoso de Dios, como hoy lo sois todos vosotros". Nadie podía negar las declaraciones del apóstol, siendo que los hechos que relataba eran bien conocidos para muchos que vivían todavía en Jerusalén. Habló entonces de su celo anterior en perseguir a los discípulos de Cristo, hasta la muerte; y narró las circunstancias de su conversión, contando a sus oyentes cómo su propio corazón orgulloso había sido inducido a postrarse ante el Nazareno crucificado. Si hubiera procurado discutir con sus opositores, se habrían negado tercamente a escucharle. Pero el relato de su experiencia fue acompañado de tan convincente poder que momentáneamente pareció enternecer y rendir los corazones.

Entonces se esforzó por mostrar que su trabajo entre los gentiles no había sido emprendido por su propia elección. El había deseado trabajar entre su propia nación; pero en ese mismo templo la voz de Dios le había hablado en santa visión, y había dirigido sus pies "lejos a los gentiles".

Hasta este punto la gente había escuchado con mucha atención; pero cuando Pablo llegó en su relato al punto en que dijo que había sido escogido como embajador de Cristo a los gentiles, volvió a estallar la furia del pueblo; pues, acostumbrados a considerarse como único pueblo favorecido por Dios, no querían consentir en que los menospreciados gentiles participasen de los privilegios que hasta entonces tuvieron por exclusivamente suyos. Levantando sus voces sobre la del orador, gritaron: "Quita de la tierra a tal hombre, porque no conviene que viva.

"Y como ellos gritaban y arrojaban sus ropas y lanzaban polvo al aire, mandó el tribuno que le metiesen en la fortaleza, y ordenó que fuese examinado con azotes, para saber por qué causa clamaban así contra él.

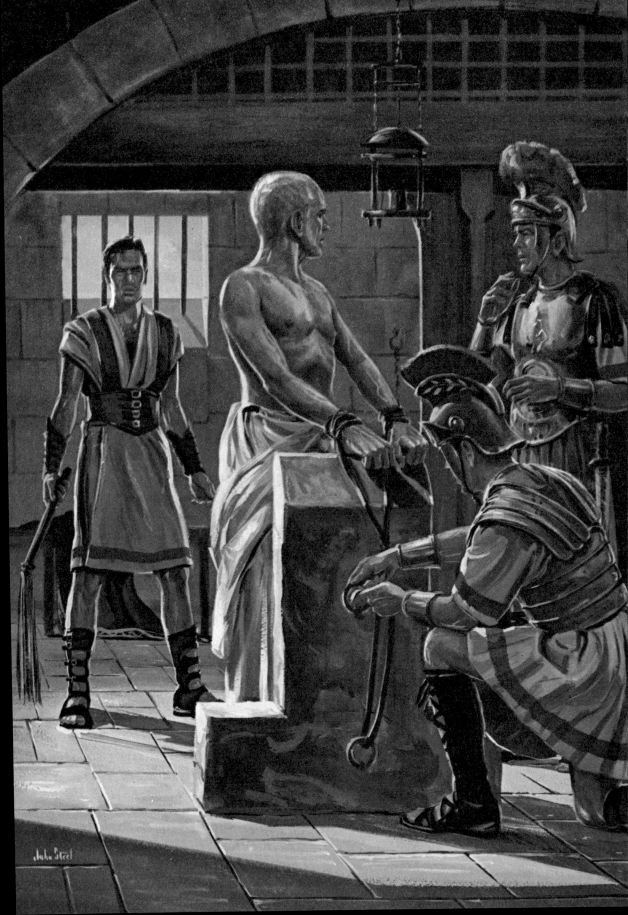

"Pero cuando le ataron con correas, Pablo dijo al centurión que estaba presente: ¿Os es lícito azotar a un ciudadano romano sin haber sido condenado? Cuando el centurión oyó esto, fue y dio aviso al tribuno, diciendo: ¿Qué vas a hacer? Porque este hombre es ciudadano romano. Vino el tribuno y le dijo: Dime, ¿eres tú ciudadano romano? El dijo: Sí. Respondió el tribuno: Yo con una gran suma adquirí esta ciudadanía. Entonces Pablo dijo: Pero yo lo soy de nacimiento. Así que, luego se apartaron de él los que le iban a dar tormento; y aun el tribuno, al saber que era ciudadano romano, también tuvo temor por haberle atado.

"Al día siguiente, queriendo saber de cierto la causa por la cual le acusaban los judíos, le soltó de las cadenas, y mandó venir a los principales sacerdotes y a todo el concilio, y sacando a Pablo, le presentó ante ellos".

El apóstol iba ahora a ser juzgado por el mismo tribunal del que había formado parte antes de su conversión. Ante los magistrados judíos compareció con tranquilo aspecto, y su semblante denotaba la paz de Cristo. "Mirando fíjamente al concilio, dijo: Varones hermanos, yo con toda buena conciencia he vivido delante de Dios hasta el día de hoy". Después de oír estas palabras, sus odios se encendieron de nuevo; "el sumo sacerdote Ananías ordenó entonces a los que estaban junto a él, que le golpeasen en la boca". A su inhumana orden, Pablo exclamó: "¡Dios te golpeará a ti, pared blanqueada! ¿Estás tú sentado para juzgarme conforme a la ley, y quebrantando la ley me mandas golpear? Los que estaban presentes dijeron: ¿Al sumo sacerdote de Dios injurias?" Con su habitual cortesía Pablo respondió: "No sabía, hermanos, que era el sumo sacerdote; pues escrito está: No maldecirás a un príncipe de tu pueblo.

429

Cuando Pablo estaba a punto de ser castigado preguntó al guardia si era lícito azotar a un ciudadano romano.

"Entonces Pablo, notando que una parte era de saduceos y otra de fariseos, alzó la voz en el concilio: Varones, hermanos, yo soy fariseo, hijo de fariseo; acerca de la esperanza y de la resurrección de los muertos se me juzga. Cuando dijo esto, se produjo disensión entre los fariseos y los saduceos, y la asamblea se dividió. Porque los saduceos dicen que no hay resurrección, ni ángel, ni espíritu; pero los fariseos afirman estas cosas". Los dos partidos empezaron a disputar entre sí; y de este modo se quebrantó su oposición contra Pablo. "Los escribas de la parte de los fariseos, contendían, diciendo: Ningún mal hallamos en este hombre; que si un espíritu le ha hablado, o un ángel, no resistamos a Dios".

En la confusión que siguió a esto, los saduceos se esforzaban en apoderarse del apóstol para matarlo, y los fariseos luchaban con todo ardor por protegerlo. "El tribuno, teniendo temor de que Pablo fuese despedazado por ellos, mandó que bajasen soldados y le arrebatasen de en medio de ellos, y le llevasen a la fortaleza".

Después, reflexionando sobre las arduas experiencias de aquel día, receló Pablo de que su conducta no hubiese sido agradable a Dios. ¿Acaso se había equivocado al visitar a Jerusalén? ¿Le había conducido a este desastroso resultado su gran deseo de estar en armonía con sus hermanos?

La posición que los judíos como profeso pueblo de Dios ocupaban ante el mundo incrédulo, causaba al apóstol intensa angustia de espíritu. ¿Cómo los considerarían estos oficiales paganos? Pretendían ser adoradores de Jehová y ocupar oficios sagrados, y sin embargo se entregaban al dominio de una ira ciega e irrazonable, tratando de destruir aun a sus hermanos que se atrevían a diferir de ellos en fe religiosa, y convirtieron a su más solemne consejo deliberante en una escena de lucha y salvaje confusión. Pablo sentía que el nombre de su Dios había sido injuriado a la vista de los paganos.

Y ahora estaba en la cárcel, y sabía que sus enemigos, impulsados por su extrema maldad, recurrirían a cualquier medio para matarlo. ¿Podía ser que hubiera terminado su obra por las iglesias, y que entrarían ahora en ellas lobos rapaces? La causa de Cristo estaba muy cerca del corazón de Pablo, y con profunda ansiedad pensaba en los peligros de las diseminadas iglesias, expuestas a las persecuciones de hombres tales como los que había encontrado en el concilio del Sanedrín. Angustiado y descorazonado, lloró y oró.

En aquella hora tenebrosa el Señor no olvidó a su siervo. Le había librado de las turbas asesinas en los atrios del templo. Estuvo con él ante el concilio del Sanedrín. Estaba con él en la fortaleza; y se reveló a su fiel testigo en respuesta a las fervorosas oraciones en procura de dirección. "A la noche siguiente se le presentó el Señor y le dijo: Ten ánimo, Pablo, pues como has testificado de mí en Jerusalén, así es necesario que testifiques también en Roma".

Pablo deseaba desde hacía mucho tiempo visitar a Roma. Anhelaba grandemente testificar por Cristo allí; pero pensaba que la enemistad de los judíos había frustrado su propóstito. Poco se figuraba, aun ahora, que iría en calidad de preso.

Mientras el Señor animaba a su siervo, los enemigos de Pablo tramaban afanosamente su destrucción. "Venido el día, algunos de los judíos tramaron un complot y se juramentaron bajo maldición, diciendo que no comerían ni beberían hasta que hubiesen dado muerte a Pablo. Eran más de cuarenta los que habían hecho esta conjuración". Este era un ayuno como el que el Señor, por medio de Isaías, había condenado: "Para contiendas y debates ayunáis, y para herir con el puño inicuamente" (Isaías 58: 4).

Los conspiradores "fueron a los principales sacerdotes y a los ancianos y dijeron: Nosotros no hemos juramentado bajo maldición, a no gustar nada hasta que hayamos dado muerte a Pablo. Ahora pues, vosotros, con el concilio, requerid al tribuno que le traiga mañana ante vosotros, como que queréis indagar alguna cosa más cierta acerca de él; y nosotros estaremos listos para matarle antes que llegue".

En lugar de rechazar esta cruel estratagema, los sacerdotes y gobernantes la aprobaron ansiosos. Pablo había dicho la verdad al comparar a Ananías con un sepulcro blanqueado.

Pero Dios intervino para salvar la vida de su siervo. Un hijo de la hermana de Pablo, al oír el crimen que tramaban los asesinos, "entró en la fortaleza, y dio aviso a Pablo. Pablo, llamando a uno de los centuriones, dijo: Lleva a este joven ante el tribuno, porque tiene cierto aviso que darle. El entonces tomándole, le llevó al tribuno, y dijo: El preso Pablo me llamó y me rogó que trajese ante ti a este joven, que tiene algo que hablarte".

Claudio Lisias recibió bondadosamente al joven, y llevándole aparte, le preguntó: "¿Qué es lo que tienes que decirme?" El joven respondió: "Los judíos han convenido en rogarte que mañana lleves a Pablo ante el concilio, como que van a inquirir alguna cosa más cierta acerca de él. Pero tú no les creas; porque más de cuarenta hombres de ellos le acechan, los cuales se han juramentado bajo maldición, a no comer ni beber hasta que le hayan dado muerte; y ahora están listos esperando tu promesa. Entonces el tribuno despidió al mancebo, mandándole que a nadie dijere que le había dado aviso de esto".

Lisias decidió en seguida trasladar a Pablo de su jurisdicción a la de Félix, el procurador. Como pueblo, los judíos estaban en un estado de excitación e irritación, y los tumultos ocurrían con frecuencia. La continua presencia del apóstol en Jerusalén podía conducir a consecuencias peligrosas para la ciudad, y aun para el mismo comandante. Por lo tanto, "llamando a dos centuriones, mandó que preparasen para la hora tercera de la noche doscientos soldados, setenta jinetes y doscientos lanceros, para que fuesen hasta Cesarea; y que preparasen cabalgaduras en que poniendo a Pablo, le llevasen en salvo a Félix el gobernador".

No había tiempo que perder antes de enviar a Pablo. "Y los soldados, tomando a Pablo como se les ordenó, le llevaron de noche a Antípatris". Desde ese lugar los hombres de a caballo fueron con el preso hasta Cesarea, mientras los cuatrocientos infantes regresaron a Jerusalén.

El oficial que estaba a cargo del destacamento entregó su preso a Félix, y le presentó también una carta que el tribuno le había confiado:

"Claudio Lisias al excelentísimo gobernador Félix: Salud. A este hombre, aprehendido por los judíos, y que iban ellos a matar, lo libré yo acudiendo con la tropa, habiendo sabido que era ciudadano romano. Y queriendo saber la causa por qué le acusaban, le llevé al concilio de ellos; y hallé que le acusaban por cuestiones de la ley de ellos, pero que ningún delito tenía digno de muerte o de prisión. Pero al ser avisado de asechanzas que los judíos habían tendido contra este hombre, al punto le he enviado a ti, intimando también a los acusadores que traten delante de ti lo que tengan contra él. Pásalo bien".

Después de leer esta comunicación, Félix preguntó de qué provincia era el preso, y al informársele de que era de Cilicia, dijo: "Te oiré cuando vengan tus acusadores. Y mandó que le custodiasen en el pretorio de Herodes".

El caso de Pablo no fue el primero en que un siervo de Dios encontrara entre los paganos un refugio contra la maldad del pueblo profeso de Jehová. Impulsados por su ira contra Pablo, los judíos habían añadido otro crimen a la sombría lista que caracterizaba su historia. Además, habían endurecido su corazón contra la verdad y hecho más segura su condena.

Pocos comprenden el pleno significado de las palabras que Cristo habló cuando, en la sinagoga de Nazaret, se anunció como el Ungido. Declaró que su misión era consolar, bendecir y salvar a los afligidos y pecadores. Luego, viendo que el orgullo y la incredulidad dominaban los corazones de sus oyentes, les recordó que en tiempos pasados Dios se había apartado de su pueblo escogido por causa de su incredulidad y rebelión y se había manifestado a los habitantes de tierras paganas que no habían rechazado la luz del cielo. La viuda de Sarepta y Naamán el siro, habían vivido de acuerdo con toda la luz que tenían, por lo cual se los consideró más justos que el pueblo escogido de Dios que se había apartado de él y había sacrificado sus principios a las conveniencias y honores mundanales.

En Nazaret Cristo dijo a los judíos una terrible verdad al declarar que en medio del Israel apóstata no había seguridad para el fiel mensajero de Dios. No querían conocer su valor ni apreciaban sus labores. Mientras los dirigentes judíos profesaban tener gran celo por el honor de Dios y el bien de Israel, eran enemigos de ambos. Por precepto y ejemplo,

Una guardia fuertemente armada llevó a Pablo de noche de Jerusalén a Cesarea.

alejaban cada vez más al pueblo de la obediencia a Dios y lo llevaban adonde él no pudiera ser su defensa en el día de prueba.

Las palabras de reproche del Salvador a los hombres de Nazaret se aplicaron, en el caso de Pablo, no solamente a los judíos incrédulos, sino también a sus propios hermanos en la fe. Si los dirigentes de la iglesia hubiesen abandonado plenamente sus sentimientos de amargura contra el apóstol, y le hubieran aceptado como a uno especialmente llamado por Dios para dar el Evangelio a los gentiles, el Señor habría permitido que lo tuvieran por más tiempo. Dios no había dispuesto que las labores de Pablo terminaran tan pronto; pero no hizo un milagro para contrarrestar el curso de las circunstancias creadas por el proceder de los dirigentes de la iglesia de Jerusalén.

El mismo espíritu conduce aún a los mismos resultados. El dejar de apreciar y aprovechar las provisiones de la gracia divina ha privado a la iglesia de muchas bendiciones. Cuán a menudo el Señor habría prolongado la obra de algún fiel ministro si sus labores hubieran sido apreciadas. Pero si la iglesia permite que el enemigo de las almas pervierta el entendimiento, de modo que se falseen e interpreten mal las palabras y los actos del siervo de Cristo; si se llega a obstruir su camino y estorbar su utilidad, el Señor los priva algunas veces de la bendición que había dado.

Satanás está obrando continuamente por medio de sus agentes para desanimar y destruir a los elegidos por Dios para llevar a cabo una obra grande y buena. Ellos pueden estar listos para sacrificar aun la vida misma por el adelanto de la causa de Cristo; sin embargo, el gran engañador sugerirá o inspirará dudas a sus hermanos concernientes a ellos, dudas que si se abrigan, destruirán la confianza en su integridad de carácter, y así malograrán su utilidad. Demasiado a menudo tiene éxito en acarrearles, por medio de sus propios hermanos, tal tristeza de corazón que Dios en su gracia interviene para dar descanso a sus perseguidos siervos. Después que las manos están cruzadas sobre su pecho exánime, cuando la voz de amonestación y aliento se acalla, entonces los obstinados pueden despertar y ver la magnitud de las bendiciones de que se privaron. Su muerte puede realizar lo que no logró hacer su vida.

CAPITULO 39

Este capítulo está basado en Hechos 24.

El Juicio en Cesarea

CINCO días después de la llegada de Pablo a Cesarea, llegaron sus acusadores de Jerusalén, acompañados por Tértulo, orador que habían contratado como abogado. Se dio pronto audiencia al caso. Pablo fue traído delante de la asamblea, y Tértulo comenzó a acusarlo. Considerando que la adulación tendría más influencia en el gobernador romano que la simple declaración de la verdad y la justicia, el astuto orador comenzó su discurso alabando a Félix: "Como debido a ti gozamos de gran paz, y muchas cosas son bien gobernadas en el pueblo por tu prudencia, oh excelentísimo Félix, lo recibimos en todo tiempo y en todo lugar con toda gratitud".

Tértulo descendió aquí a la mentira descarada, porque el carácter de Félix era vil y despreciable. Se dice de él, que "en la práctica de toda clase de concupiscencia y maldad, ejerció el poder de un rey con el temperamento de un

En Cesarea los judíos acusaron a Pablo delante del gobernador romano por medio del orador Tértulo.

439

esclavo" (Tácito, *History,* cap. 5, párr. 9).

Los que escuchaban a Tértulo sabían que sus palabras de adulación no eran ciertas; pero su deseo de asegurar la condenación de Pablo era más fuerte que su amor por la verdad.

En su discurso, Tértulo acusó a Pablo de crímenes que, si hubiesen sido probados, habrían dado como resultado su condenación por alta traición al gobierno. "Porque hemos hallado que este hombre es una plaga —declaró el orador—, y promotor de sediciones entre todos los judíos por todo el mundo, y cabecilla de la secta de los nazarenos. Intentó también profanar el templo". Tértulo declaró entonces que Lisias, el comandante de la guarnición de Jerusalén, había arrebatado violentamente a Pablo de manos de los judíos cuando estaban por juzgarlo por su ley eclesiástica, y los había forzado así a traer el asunto delante de él. Estas declaraciones fueron hechas con el propósito de inducir al procurador a entregar a Pablo al tribunal judío. Todas las acusaciones fueron vehementemente sostenidas por los judíos presentes, los cuales no hicieron ningún esfuerzo por ocultar su odio al preso.

Félix era bastante perspicaz para discernir la disposición y el carácter de los acusadores de Pablo. Sabía con qué motivo le habían adulado, y notó también que no habían probado sus cargos contra Pablo. Así que volviéndose hacia el acusado le hizo señas de que se defendiese. Pablo no desperdició palabras en adulaciones, pero declaró sencillamente que podía defenderse gustosamente ante Félix, puesto que éste había sido durante tanto tiempo procurador que comprendía las leyes y costumbres de los judíos. Refiriéndose a las acusaciones que le hacían, mostró claramente que ninguna era verdadera. Declaró que no había provocado disturbio en parte alguna de Jerusalén, ni había profanado el templo. "No me hallaron disputando con ninguno, ni amotinando a la multitud; ni en el templo, ni en las sinagogas ni en la ciudad; ni te pueden probar las cosas de que ahora me acusan".

Si bien confesó que "según el Camino que ellos llaman herejía", había adorado al Dios de sus padres, aseveró que había creído siempre en "todas las cosas que en la ley y en los profetas están escritas", y que de acuerdo con las enseñanzas claras de las Escrituras, tenía fe en la resurrección de los muertos. Y declaró además que el propósito dominante de su vida era tener "siempre una conciencia sin ofensa ante Dios y ante los hombres".

Con candidez y sinceridad declaró el objeto de su visita a Jerusalén, y las circunstancias de su arresto y juicio: "Pero pasados algunos años, vine a hacer limosnas a mi nación y presentar ofrendas. Estaba en ello, cuando unos judíos de Asia me hallaron purificado en el templo, no con multitud ni con alboroto. Ellos debieran comparecer ante ti y acusarme, si contra mí tienen algo. O digan éstos mismos si hallaron en mí alguna cosa mal hecha, cuando comparecí ante el concilio, a no ser que estando entre ellos prorrumpí en alta voz: Acerca de la resurrección de los muertos soy juzgado hoy por vosotros".

El apóstol habló con fervor y evidente sinceridad, y sus palabras eran convincentes. Claudio Lisias, en su carta a Félix, había dado testimonio similar en cuanto a la conducta de Pablo. Además, Félix conocía mejor la religión judía de lo que muchos suponían. La sencilla declaración de Pablo sobre los hechos del caso, capacitó a Félix para entender aun

441

más claramente los móviles que regían a los judíos al acusar al apóstol de sedición y conducta traidora. El gobernador no iba a complacerlos condenando injustamente a un ciudadano romano, ni entregándolo para que lo mataran sin un juicio imparcial. Sin embargo, Félix no conocía ningún móvil más elevado que el interés propio, y estaba dominado por el amor a la alabanza y el deseo de ascender. El temor de ofender a los judíos le impidió hacer plena justicia al hombre que reconocía inocente. Y decidió, por lo tanto, suspender el juicio hasta que Lisias estuviera presente, diciendo: "Cuando descendiere el tribuno Lisias, acabaré de conocer de vuestro asunto".

El apóstol permaneció preso, pero Félix mandó al centurión que aliviara a Pablo de las prisiones, "y que no impidiese a ninguno de los suyos servirle o venir a él".

No mucho tiempo después, Félix y su esposa Drusila hicieron traer a Pablo, a fin de que en una entrevista privada pudiesen oír de él "la fe en Jesucristo". Estaban deseosos y hasta ansiosos de oír esas nuevas verdades, verdades, que posiblemente nunca volverían a oír, y que, si las rechazaban, darían sumario testimonio contra ellos en el día de Dios.

Pablo consideró que ésta era una oportunidad dada por Dios, y la aprovechó fielmente. Sabía que estaba en presencia de alguien que tenía facultad de quitarle la vida o de libertarlo; sin embargo, no se dirigió a Félix y Drusila con alabanza o adulación. Sabía que sus palabras serían para ellos sabor de vida o de muerte, y olvidando todas las consideraciones egoístas, trató de despertar en ellos la conciencia de su peligro.

El apóstol comprendía que el Evangelio imponía responsabilidades a cualquiera que oyese sus palabras; que algún día ellos estarían entre los puros y santos alrededor del gran trono blanco, o con aquellos a quienes Cristo diría: "Apartaos de mí, hacedores de maldad" (S. Mateo 7: 23). Sabía que habría de encontrarse con cada uno de sus oyentes ante el tribunal del cielo, y allí rendir cuenta, no sólo de todo lo que hubiera dicho y hecho, sino aun de los motivos y del espíritu de sus palabras y hechos.

Tan violento y cruel había sido el proceder de Félix, que pocos se habían atrevido antes a insinuar siquiera que su carácter y conducta no eran intachables. Pero Pablo no temía al hombre. Expuso claramente su fe en Cristo y las razones de esa fe, y fue inducido así a hablar particularmente de las virtudes esenciales del carácter cristiano, de las cuales la arrogante pareja se hallaba tan notablemente desprovista.

Reveló a Félix y Drusila el carácter de Dios: su justicia, su equidad y la naturaleza de su ley. Mostró claramente que

es el deber del hombre vivir una vida sobria y temperante, teniendo las pasiones bajo el dominio de la razón, de acuerdo con la ley de Dios, conservando sanas las facultades físicas y mentales. Declaró que vendría seguramente un día de juicio en el cual todos serían recompensados de acuerdo con las acciones hechas en el cuerpo, y cuando se revelaría claramente que las riquezas, la posición o los títulos son impotentes para conquistarle al hombre el favor de Dios, o librarlo de los resultados del pecado. Mostró que esta vida es el tiempo concedido al hombre para prepararse para la vida futura. Si descuidara los actuales privilegios y oportunidades, sufriría una perdida eterna; no se le daría un nuevo tiempo de gracia. Pablo se explayó especialmente en las abarcantes exigencias de la ley de Dios. Explicó que alcanza a los profundos secretos de la naturaleza moral del hombre y derrama un raudal de luz sobre lo que se ha ocultado de la vista y el conocimiento de los hombres. Lo que las manos pueden hacer o la lengua puede declarar, lo que la vida entera revela, no muestra sino imperfectamente el carácter moral del hombre. La ley discierne los pensamientos, motivos y propósitos. Las oscuras pasiones que yacen ocultas de la vista de los hombres, como el celo, el odio, la concupiscencia y la ambición, las malas acciones meditadas en las oscuras reconditeces del alma, aunque nunca se hayan realizado por falta de oportunidad: todo esto lo condena la ley de Dios.

Pablo trató de dirigir los pensamientos de sus oyentes hacia el gran sacrificio hecho por el pecado. Señaló los sacrificios que eran sombra de los bienes venideros, y presentó entonces a Cristo como la realidad prefigurada por todas esas ceremonias: el objeto al cual todas señalaban como la única fuente de vida y esperanza para el hombre caído.

Los santos hombres de la antigüedad se salvaron por la fe en la sangre de Cristo. Mientras miraban las agonías de muerte de las víctimas sacrificadas, contemplaban a través del abismo de los siglos al Cordero de Dios que habría de quitar el pecado del mundo.

Dios reclama con derecho el amor y la obediencia de todas sus criaturas. Les ha dado en su ley una norma perfecta de justicia. Pero muchos olvidan a su Hacedor, y en oposición a su voluntad eligen seguir sus propios caminos. Retribuyen con enemistad el amor que es tan alto como el cielo, tan ancho como el universo. Dios no puede rebajar los requerimientos de su ley para satisfacer la norma de los impíos; ni pueden los hombres, por su propio poder, satisfacer las demandas de la ley. Solamente por la fe en Cristo puede el pecador ser limpiado de sus culpas y capacitado para prestar obediencia a la ley de su Hacedor.

De ese modo, Pablo, el preso, recalcó con insistencia lo que la ley divina exigía a judíos y gentiles, y presentó a Jesús, el despreciado Nazareno, como el Hijo de Dios, el Redentor del mundo.

La princesa judía entendía bien el carácter sagrado de esa ley que tan desvergonzadamente había transgredido; pero su prejuicio contra el Hombre del Calvario endureció su corazón contra la palabra de vida. Pero Félix nunca antes había escuchado la verdad; y cuando el Espíritu de Dios convenció su alma, se conmovió profundamente. La conciencia, despierta ahora, dejó oír su voz y Félix sintió que las palabras de Pablo eran verdaderas. La memoria le recordó su culpable pasado. Con terrible nitidez recordó los secretos de su vida de libertinaje y de derramamiento de sangre, y el oscuro registro de sus años ulteriores. Se vio licencioso, cruel, codicioso. Nunca antes la verdad había impresionado de esta manera su corazón. Nunca antes se había llenado así su alma de terror. El pensamiento de que todos los secretos de su carrera de crímenes estaban abiertos ante los ojos de Dios, y que habría de ser juzgado de acuerdo con sus hechos, le hizo temblar de miedo.

Pero en vez de permitir que sus convicciones lo llevaran al arrepentimiento, trató de ahuyentar estas reflexiones desagradables. La entrevista con Pablo fue suspendida. "Ahora vete —dijo—; pero cuando tenga oportunidad te llamaré".

¡Cuánto contrastaba el proceder de Félix con el del carcelero de Filipos! Los siervos del Señor fueron conducidos en cadenas al carcelero, como Pablo a Félix. La evidencia que dieron de ser sostenidos por un poder divino, su regocijo bajo el sufrimiento y la desgracia, su valentía cuando la tierra temblaba por el terremoto, su espíritu perdonador semejante al de Cristo, produjeron convicción en el corazón del carcelero, y temblando confesó sus pecados y halló perdón. Félix tembló pero no se arrepintió. El carcelero dio alegremente la bienvenida al Espíritu de Dios en su corazón y en su hogar; Félix pidió al mensajero divino que se fuera. El uno escogió llegar a ser hijo de Dios y heredero del cielo; el otro echó su suerte con los obradores de iniquidad.

Durante dos años no se siguió el juicio contra Pablo, pero quedó preso. Félix le visitó varias veces y escuchaba atentamente sus palabras. Pero el verdadero motivo de esta amistad aparente era un deseo de lucro, pues insinuó que por el pago de una gran suma de dinero Pablo podría obtener su libertad. El apóstol, sin embargo, era de una naturaleza demasiado noble para librarse por cohecho. No era culpable de ningún crimen, y no quería rebajarse a cometer un mal para obtener la libertad. Además, aunque hubiese estado dispuesto a hacerlo, era demasiado pobre para pagar un rescate tal, y no habría recurrido para ello a la simpatía y generosidad de sus conversos. También sentía que estaba en las manos de Dios, y no quería malograr los propósitos divinos respecto a él.

Al fin, Félix fue llamado a Roma a causa de graves injusticias cometidas contra los judíos. Antes de salir de Cesarea en respuesta a este llamamiento, pensó "congraciarse con los judíos" dejando a Pablo en la cárcel. Pero Félix no tuvo éxito en su tentativa de recobrar la confianza de los judíos. Fue destituido, y Porcio Festo le sucedió, con sede en Cesarea.

Se permitió que un rayo de luz iluminase a Félix desde el cielo, cuando Pablo razonó con él en cuanto a la justicia, la temperancia y el juicio venidero. Esa fue la oportunidad que el cielo le concedió para que viera y abandonara sus pecados. Pero dijo el mensajero de Dios: "Ahora vete, pero cuando tenga oportunidad te llamaré". Despreció el último ofrecimiento de gracia. Nunca más recibiría otro llamamiento de Dios.

CAPITULO 40

Este capítulo está basado en Hechos 25: 1-12.

Pablo Apela a César

"LLEGADO, pues, Festo a la provincia, subió de Cesarea a Jerusalén tres días después. Y los principales sacerdotes y los más influyentes de los judíos se presentaron ante él contra Pablo, y le rogaron, pidiendo contra él como gracia, que le hiciese traer a Jerusalén; preparando ellos una celada para matarle en el camino". Al pedir esto se proponían asaltar a Pablo en el camino a Jerusalén, y matarlo. Pero Festo tenía un elevado sentido de la responsabilidad de su cargo, y rehusó cortésmente enviar a buscar a Pablo. "No es costumbre de los romanos —declaró— entregar alguno a la muerte antes que el acusado tenga delante a sus acusadores, y pueda defenderse de la acusación" (Hechos 25: 16). El mismo "partiría en breve" para Cesarea. "los que de vosotros puedan —dijo—, desciendan conmigo y si hay algún crimen en este hombre, acúsenle".

Esto no era lo que los judíos querían. No habían olvidado

448

su fracaso anterior en Cesarea. En contraste con la calma y los poderosos argumentos del apóstol, su propio espíritu maligno y sus acusaciones sin fundamento aparecerían en sus peores aspectos. De nuevo insistieron en que Pablo fuese traído a Jerusalén para ser juzgado, pero Festo se mantuvo firme en su propósito de concederle a Pablo un juicio justo en Cesarea. Dios en su providencia dirigió la dicisión de Festo, para que la vida del apóstol fuese prolongada.

Habiéndose frustrado sus propósitos, los gobernantes judíos se prepararon una vez más para testificar contra Pablo ante el tribunal del procurador. Al volver a Cesarea después de estar unos pocos días en Jerusalén, Festo "al siguiente día se sentó en el tribunal, y mandó que fuese traído Pablo". "Lo rodearon los judíos que habían venido de Jerusalén, presentando contra él muchas y graves acusaciones, las cuales no podían probar". Estando sin abogado en esta ocasión, los judíos mismos presentaron sus acusaciones. A medida que el juicio seguía, el acusado mostraba claramente, con calma y serenidad, la falsedad de sus declaraciones.

Festo se dio cuenta de que la cuestión en disputa se refería enteramente a las doctrinas judías, y que, aun en el caso de poder probarlas, no había en las acusaciones contra Pablo, nada que lo hiciera digno de muerte ni aun de prisión. Sin embargo, vio claramente la tormenta de ira que se levantaría si Pablo no fuera condenado o entregado en sus manos. Y así, "queriendo congraciarse con los judíos", Festo se volvió a Pablo y le preguntó si quería ir a Jerusalén bajo su protección, para ser juzgado por el Sanedrín.

El apóstol sabía que no podía esperar justicia de parte del

pueblo que por sus crímenes estaba atrayendo sobre sí la ira de Dios. Sabía que, como el profeta Elías, estaría más seguro entre los paganos que entre los que habían rechazado la luz del cielo y endurecido sus corazones contra el Evangelio. Cansado de la lucha, su activo espíritu apenas podía soportar los repetidos aplazamientos y la agotadora incertidumbre de su juicio y encarcelamiento. Por lo tanto, decidió ejercer su derecho de ciudadano romano de apelar directamente a César.

En respuesta a la pregunta del gobernador, Pablo dijo: "Ante el tribunal de César estoy, donde debo ser juzgado. A los judíos no les he hecho ningún agravio, como tú sabes muy bien. Porque si algún agravio, o cosa alguna digna de muerte he hecho, no rehúso morir; pero si nada hay de las cosas de que éstos me acusan, nadie puede entregarme a ellos. A César apelo".

Festo no conocía ninguna de las conspiraciones de los judíos para asesinar a Pablo, y se sorprendió por esta apelación a César. Sin embargo, las palabras del apóstol detuvieron el proceso de la corte. "Entonces Festo, habiendo ha-

blado con el consejo, respondió: A César has apelado; a César irás".

Así fue como una vez más, a causa del odio nacido del fanatismo y de la justicia propia, un siervo de Dios fue inducido a buscar protección entre los paganos. Fue este mismo odio el que indujo a Elías a huir y pedir socorro a la viuda de Sarepta; y el que obligó a los heraldos del Evangelio a apartarse de los judíos para proclamar su mensaje a los gentiles. Y el pueblo de Dios que vive en este siglo tiene todavía que afrontar este odio. Entre muchos de los profesos seguidores de Cristo existe el mismo orgullo, formalismo y egoísmo, el mismo espíritu opresor, que reinaba en tan grande medida en el corazón de los judíos. En lo futuro, hombres que se digan representantes de Cristo seguirán una conducta similar a la de los sacerdotes y príncipes en su manera de tratar a Cristo y a los apóstoles. En la gran crisis por la cual tendrán que pasar pronto, los fieles siervos de Dios encontrarán la misma dureza de corazón, la misma cruel determinación y el mismo odio implacable.

Todo el que en ese día malo quiera servir sin temor a Dios, de acuerdo con los dictados de su conciencia, necesitará valor, firmeza y conocimiento de Dios y de su Palabra; porque los que sean fieles a Dios serán perseguidos, sus motivos serán condenados, sus mejores esfuerzos serán desfigurados y sus nombres serán denigrados. Satanás obrará con todo su poder engañador para influir en el corazón y oscurecer el entendimiento, para hacer pasar lo malo por bueno, y lo bueno por malo. Cuanto más fuerte y pura sea la fe del pueblo de Dios, y más firme su determinación de obedecerle, más fieramente tratará Satanás de excitar contra ellos la ira de los que, mientras pretenden ser justos, pisotean la ley de Dios. Se requerirá la más firme confianza, el más heroico propósito, para conservar la fe una vez dada a los santos.

Dios desea que su pueblo se prepare para la crisis venidera. Esté preparado o no, tendrá que afrontarla; y solamente aquellos que vivan en conformidad con la norma divina, permanecerán firmes en el tiempo de la prueba. Cuando los gobernantes seculares se unan con los ministros de la religión para legislar en asuntos de conciencia, entonces se verá quiénes realmente temen y sirven a Dios. Cuando las tinieblas sean más profundas, la luz de un carácter semejante al de Dios brillará con el máximo fulgor. Cuando fallen todas las demás confianzas, entonces se verá quiénes confían firmemente en Jehová. Y mientras los enemigos de la verdad estén por doquiera, vigilando a los siervos de Dios para mal, Dios velará por ellos para bien. Será para ellos como la sombra de un gran peñasco en tierra desierta.

CAPITULO 41

Este capítulo está basado en Hechos 25: 13-27 y capítulo 26.

"Casi Me Persuades"

PABLO había apelado a César, y Festo no podía hacer otra cosa que enviarlo a Roma. Pero pasó un tiempo antes que se pudiese encontrar un barco conveniente; y como había otros presos para enviar con Pablo, la consideración de sus casos también ocasionó atraso. Esto dio a Pablo la oportunidad de exponer las razones de su fe ante los principales hombres de Cesarea, y también al rey Agripa II, el último de los Herodes.

"Pasados algunos días, el rey Agripa y Berenice vinieron a Cesarea para saludar a Festo. Y como estuvieron allí muchos días, Festo expuso al rey la causa de Pablo, diciendo: Un hombre ha sido dejado preso por Félix, respecto al cual, cuando fui a Jerusalén, se me presentaron los principales sacerdotes y los ancianos de los judíos, pidiendo condenación contra él". Esbozó las circunstancias que indujeron al preso a apelar a César, describió el reciente juicio

453

realizado ante él, y dijo que los judíos no habían presentado contra Pablo ninguna acusación de las que él había pensado que levantarían, sino "ciertas cuestiones acerca de su religión, y de un cierto Jesús, ya muerto, el que Pablo afirmaba estar vivo".

Cuando Festo relató su historia, Agripa se interesó y dijo: "Yo también quisiera oír a ese hombre". De acuerdo con su deseo, se arregló una entrevista para el día siguiente. "Al otro día, viniendo Agripa y Berenice con mucha pompa, y entrando en la audiencia con los tribunos y principales hombres de la ciudad, por mandato de Festo fue traído Pablo".

En honor de sus visitantes, Festo había tratado de hacer imponente esta ocasión. Los ricos mantos del procurador y sus invitados, las espadas de sus soldados, y la resplandeciente armadura de sus comandantes, contribuían a dar relumbre a la escena.

Y ahora Pablo, maniatado todavía, estaba ante la compañía reunida. ¡Qué contraste se presentaba allí! Agripa y Berenice poseían poder y jerarquía, y por eso eran favorecidos por el mundo. Pero estaban desprovistos de los rasgos de carácter que Dios estima. Eran transgresores de su ley, corrompidos de corazón y vida. Su conducta era aborrecida por el cielo.

El anciano preso, encadenado a los soldados que le servían de guardia, no tenía en su apariencia nada que indujera al mundo a rendirle homenaje. Sin embargo, en ese hombre aparentemente sin amigos ni riquezas ni elevada posición, y mantenido preso a causa de su fe en el Hijo de Dios, todo el cielo estaba interesado. Los ángeles eran sus asistentes. Si se hubiese manifestado la gloria propia de uno solo de estos

455

El rey Agripa escucha la defensa de
Pablo y se siente impresionado
por su relato de Cristo y de su amor.

30—H.M.C.A., ACTS Span.

resplandecientes mensajeros, la pompa y orgullo de la realeza habrían palidecido; el rey y sus cortesanos habrían sido postrados en tierra, como sucedió a los de la guardia romana que vigilaban el sepulcro de Cristo.

Festo mismo presentó a Pablo ante la asamblea con las palabras: "Rey Agripa, y todos los varones que estáis aquí juntos con nosotros, aquí tenéis a este hombre, respecto del cual toda la multitud de los judíos me ha demandado en Jerusalén y aquí, dando voces que no debe vivir más. Pero yo, hallando que ninguna cosa digna de muerte ha hecho, y como él mismo apeló a Augusto, he determinado enviarle a él. Como no tengo cosa cierta que escribir a mi señor, le he traído ante vosotros, y mayormente ante ti, oh rey Agripa, para que después de examinarle, tenga yo qué escribir. Porque me parece fuera de razón enviar un preso, y no informar de los cargos que haya en su contra".

El rey Agripa le permitió ahora a Pablo hablar en su defensa. El apóstol no se desconcertó por la brillante pompa, ni por la alta jerarquía de su auditorio; porque sabía de cuán poco valor son las riquezas y la posición mundanales. Las pompas terrenales y el poder ni por un momento intimidaron su valor o le despojaron de su dominio propio.

"Me tengo por dichoso, oh rey Agripa —declaró él—, de que haya de defenderme hoy delante de ti de todas las cosas de que soy acusado por los judíos. Mayormente porque tú conoces todas las costumbres y cuestiones que hay entre los judíos; por lo cual te ruego que me oigas con paciencia".

Pablo relató la historia de su conversión desde su empecinado descreimiento hasta que aceptó la fe en Jesús de Nazaret como el Redentor del mundo. Describió la visión celestial que al principio le había llenado de indescriptible terror, pero que después resultó ser una fuente del mayor consuelo: una revelación de la gloria divina, en medio de la cual estaba entronizado Aquel a quien él había despreciado y aborrecido, cuyos seguidores estaban tratando de destruir. Desde aquella hora Pablo había sido un nuevo hombre, un sincero y ferviente creyente en Jesús, gracias a la misericordia transformadora.

Con claridad y poder Pablo repasó ante Agripa los principales acontecimientos relacionados con la vida de Cristo en la tierra. Testificó que el Mesías de las profecías ya había aparecido en la persona de Jesús de Nazaret. Mostró cómo las Escrituras del Antiguo Testamento habían declarado que el Mesías debía aparecer como un hombre entre los hombres; y cómo en la vida de Jesús se habían cumplido todas las especificaciones dadas por Moisés y los profetas. A fin de redimir un mundo perdido, el divino Hijo de Dios había sufrido la cruz, menospreciando la vergüenza, y había ascendido a los cielos triunfante de la muerte y el sepulcro.

¿Por qué, razonó Pablo, habría de parecer increíble que Cristo hubiese resucitado de los muertos? Una vez le había parecido así a él mismo; pero, ¿cómo podía dejar de creer lo que él mismo había visto y oído? Cerca de las puertas de Damasco había de veras contemplado al Cristo crucificado y resucitado, el mismo que había caminado por las calles de Jerusalén, muerto en el Calvario, roto las ligaduras de la muerte y ascendido al cielo. Lo había visto y había conversado con él, tan ciertamente como Cefas, Santiago, Juan o cualquier otro de los discípulos. La Voz le había mandado proclamar el Evangelio de un Salvador resucitado y, ¿cómo podía desobedecer? En Damasco, en Jerusalén, por toda Judea, en las regiones más lejanas, había dado testimonio de

457

Jesús el Crucificado, exhortando a todos a "que se arrepintiesen y se convirtiesen a Dios, haciendo obras dignas de arrepentimiento.

"Por causa de esto —declaró el apóstol— los judíos, prendiéndome en el templo, intentaron matarme. Pero habiendo obtenido auxilio de Dios, persevero hasta el día de hoy, dando testimonio a pequeños y a grandes, no diciendo nada fuera de las cosas que los profetas y Moisés dijeron que habían de suceder: Que Cristo había de padecer, y ser el primero de la resurrección de los muertos, para anunciar luz al pueblo y a los gentiles".

Todos habían escuchado extasiados el relato que hiciera Pablo de las cosas maravillosas que había experimentado. El apóstol se estaba espaciando en su tema favorito. Ninguno de los que le oían podía dudar de su sinceridad. Pero en medio de su persuasiva elocuencia fue interrumpido por Festo, que gritó: "Estás loco, Pablo; las muchas letras te vuelven loco".

El apóstol replicó: "No estoy loco, excelentísimo Festo, sino que hablo palabras de verdad y de cordura. Pues el rey sabe estas cosas, delante de quien también hablo con toda confianza. Porque no pienso que ignora nada de esto; pues no se ha hecho esto en algún rincón". Entonces, dirigiéndose a Agripa, le preguntó directamente: "¿Crees, oh rey Agripa, a los profetas? Yo sé que crees".

Profundamente afectado, Agripa perdió por un momento de vista todo lo que le rodeaba y la dignidad de su posición. Consciente sólo de las verdades que había oído, viendo al humilde preso de pie ante él como embajador de Dios, contestó involuntariamente: "Por poco me persuades a ser cristiano".

Fervientemente el apóstol respondió: "¡Quisiera Dios que por poco o por mucho, no solamente tú, sino también todos los que hoy me oyen, fueseis hechos tales cual yo soy —y añadió mientras levantaba sus manos encadenadas—, excepto estas cadenas!"

Festo, Agripa y Berenice podían con justicia cargar las cadenas que llevaba el apóstol. Todos eran culpables de graves crímenes. Esos culpables habían oído ese día el ofrecimiento de la salvación por medio del nombre de Cristo. Uno, por lo menos, casi había sido persuadido a aceptar la gracia y el perdón ofrecidos. Pero Agripa, poniendo a un lado la misericordia ofrecida, rehusó aceptar la cruz de un Redentor crucificado.

La curiosidad del rey estaba satisfecha, y levantándose de su asiento, indicó que la entrevista había terminado. Cuando la asamblea se dispersó, hablaron ellos entre sí diciendo: "Ninguna cosa digna ni de muerte ni de prisión ha hecho este hombre".

Aunque Agripa era judío, no sentía el celo fanático ni el prejuicio de los fariseos. "Podía este hombre ser puesto en libertad —dijo a Festo—, si no hubiera apelado a César". Pero como el caso había sido remitido al tribunal superior, estaba fuera de la juridicción de Festo o de Agripa.

CAPITULO 42

Este capítulo está basado en Hechos 27 y 28: 1-10.

El Viaje y el Naufragio

POR fin Pablo estaba en camino a Roma.

"Cuando se decidió —escribe Lucas— que habíamos de navegar para Italia, entregaron a Pablo y a algunos otros presos a un centurión llamado Julio, de la compañía Augusta. Y embarcándonos en una nave adramitena que iba a tocar los puertos de Asia, zarpamos, estando con nosotros Aristarco, macedonio de Tesalónica".

En el primer siglo de la era cristiana, el viajar por mar se caracterizaba por grandes dificultades y peligros. Los marineros se guiaban en gran parte por la posición del sol y de las estrellas; y cuando éstos no aparecían y había indicios de tormenta, los dueños de los barcos tenían miedo de aventurarse al mar abierto. Durante una parte del año, la navegación segura era casi imposible.

El apóstol tuvo que soportar entonces las penurias que durante el largo viaje a Italia le pudieran tocar a un preso encadenado. Una circunstancia alivió mucho la dureza de

460

su suerte: se le permitió tener la compañía de Lucas y Aristarco. A este último lo mencionó más tarde, en su carta a los colosenses, como "compañero de prisiones" (Colosenses 4: 10), pues de su propia voluntad había decidido compartir esa prisión con Pablo, para servirle en sus aflicciones.

El viaje se inició con toda felicidad. Al día siguiente anclaron en el puerto de Sidón. El centurión, al saber que allí había cristianos, por bondad hacia Pablo "le permitió que fuese a los amigos, para ser atendido por ellos". El apóstol apreció mucho ese permiso, porque su salud era delicada.

Al salir de Sidón, el barco encontró vientos contrarios; y no pudiendo seguir una ruta directa, hizo lento progreso. En Mira, ciudad de Licia, el centurión encontró un gran buque alejandrino que navegaba hacia Italia, e inmediatamente transbordó sus presos a éste. Pero los vientos se mantuvieron contrarios, y la marcha del buque se hizo difícil. Lucas escribe: "Navegando muchos días despacio, y llegando a duras penas frente a Gnido, porque nos impedía el viento, navegamos a sotavento de Creta, frente a Salmón. Y costeándola con dificultad, llegamos a un lugar que llaman Buenos Puertos".

En Buenos Puertos se vieron obligados a permanecer por algún tiempo, esperando vientos favorables. El invierno se aproximaba y era "ya peligrosa la navegación"; los encargados de la nave debieron abandonar la esperanza de llegar a destino antes que terminara la estación favorable del año para viajar por mar. Lo único que debían decidir entonces era si convenía quedar en Buenos Puertos o intentar llegar a un lugar más apropiado para invernar.

Esta cuestión fue muy discutida y finalmente referida

por el centurión a Pablo, quien se había ganado el respeto tanto de los marineros como de los soldados. El apóstol, sin vacilar, les aconsejó que quedaran donde estaban. "Varones —dijo—, veo que la navegación va a ser con perjuicio y mucha pérdida, no sólo del cargamento y de la nave, sino también de nuestras personas". Pero el piloto, el patrón de la nave y la mayoría de los pasajeros y la tripulación, no quisieron aceptar este consejo. Por cuanto el puerto en que habían anclado no tenía comodidad para invernar, "la mayoría acordó zarpar también de allí, por si pudiesen arribar a Fenice, puerto de Creta que mira al nordeste y sudeste, e invernar allí".

El centurión decidió seguir la opinión de la mayoría. Por consiguiente, "soplando una brisa del sur" partieron de Buenos Puertos en la esperanza de llegar pronto al puerto deseado. "Pero no mucho después dio contra la nave un viento huracanado... y siendo arrebatada la nave", no pudo resistir contra el viento.

Impulsada por la tormenta, la nave se acercó a la pequeña isla de Clauda, y bajo su protección, los marineros se prepararon para lo peor. El bote salvavidas, el único medio de salvación en caso de que naufragase la nave, iba a remolque, y en peligro de hacerse pedazos en cualquier momento. Su primera tarea era alzarlo a bordo. Se tomaron todas las precauciones posibles para reforzar la nave y prepararla para resistir la tempestad. La poca protección proporcionada por la isleta no duró mucho tiempo, y pronto estaban expuestos de nuevo a la plena violencia de la tormenta.

Rugió toda la noche, y a pesar de las medidas tomadas, el buque hacía agua. "Al siguiente día empezaron a alijar". Llegó nuevamente la noche, pero el viento no amainaba. El

Pablo está seguro de que Dios es su amigo y siente confianza en medio de la tormenta que hace añicos al barco.

buque, azotado por la tempestad, con el mástil roto y las velas hechas trizas, era arrojado de aquí para allá por la furia de los elementos. Cada momento parecía que el crujiente maderamen iba a ceder en el balanceo y estremecimiento del barco bajo el embate de las olas. La vía de agua aumentaba rápidamente, y los pasajeros y la tripulación trabajaron continuamente para desaguar el buque. No había ni un momento de descanso para nadie de los que estaban a bordo. "Al tercer día —escribe Lucas— con nuestras propias manos arrojamos los aparejos de la nave. Y no apareciendo ni sol ni estrellas por muchos días, y acosados por una tempestad no pequeña, ya habíamos perdido toda esperanza de salvarnos".

Durante catorce días fueron llevados a la deriva bajo un cielo sin sol y sin estrellas. El apóstol, aunque sufría físicamente, tenía palabras de esperanza para la hora más negra, y tendía una mano de ayuda en toda emergencia. Se aferraba por la fe del brazo del Poder Infinito, y su corazón se apoyaba en Dios. No tenía temores por sí mismo; sabía que Dios le preservaría para testificar en Roma a favor de la verdad de Cristo. Pero su corazón se conmovía de lástima por las pobres almas que le rodeaban, pecaminosas, degradadas, y sin preparación para la muerte. Al suplicar fervientemente a Dios que les perdonara la vida, se le reveló que esto se había concedido.

Aprovechando un momento en que amainó la tempestad, Pablo se adelantó en la cubierta, y levantando la voz dijo: "Habría sido por cierto conveniente, oh varones, haberme oído, y no zarpar de Creta tan sólo para recibir este perjuicio y pérdida. Pero ahora os exhorto a tener buen ánimo, pues no habrá ninguna pérdida de vida entre vosotros, sino solamente de la nave. Porque esta noche ha estado conmigo el ángel del Dios de quien soy y a quien sirvo, diciendo: Pablo, no temas; es necesario que comparezcas ante César; y he aquí, Dios te ha concedido todos los que navegan contigo. Por tanto, oh varones, tened buen ánimo; porque yo confío en Dios que será así como se me ha dicho. Con todo, es necesario que demos en alguna isla".

Estas palabras despertaron la esperanza. Y pasajeros y tripulantes sacudieron su apatía. Había todavía mucho que hacer, y debían ejercer todo esfuerzo posible para evitar la destrucción.

La decimocuarta noche de ser presa de las negras olas, "a la medianoche", los marineros, al distinguir ruido de rompientes, "sospecharon que estaban cerca de tierra; y echando la sonda, hallaron veinte brazas; y pasando un poco más adelante, volviendo a echar la sonda, hallaron quince brazas. Y temiendo —escribe Lucas— dar en escollos, echaron cuatro anclas por la popa, y ansiaban que se hiciese de día".

Al despuntar el alba, se divisaron con dificultad los contornos de una costa azotada por la tormenta, pero no se podía reconocer ninguna señal familiar. Tan lúgubre era la perspectiva, que los marineros paganos, perdiendo su valentía, estaban por huir de la nave, y fingiendo hacer preparativos para "largar las anclas de proa", habían ya bajado el bote salvavidas, cuando Pablo, percibiendo su indigno propósito, dijo al centurión y a los soldados: "Si éstos no permanecen en la nave, vosotros no podéis salvaros". Los soldados inmediatamente "cortaron las amarras del esquife y lo dejaron perderse" en el mar.

Les esperaba todavía la hora más crítica. Otra vez el

apóstol les habló palabras de ánimo, y rogó a todos, tanto marineros como pasajeros, que comieran algo, diciendo: "Este es el decimocuarto día que veláis y permanecéis en ayunas, sin comer nada. Por tanto, os ruego que comáis por vuestra salud; pues ni aun un cabello de la cabeza de ninguno de vosotros perecerá.

"Y habiendo dicho esto, tomó el pan y dio gracias a Dios en presencia de todos, y partiéndolo, comenzó a comer". Entonces aquellas doscientas setenta y seis personas cansadas y desalentadas que, a no ser por Pablo, se hubieran desesperado, comieron juntamente con el apóstol. "Y ya satisfechos, aligeraron la nave, echando el trigo al mar".

Era ya pleno día, pero no podían reconocer nada que les hiciese posible determinar dónde estaban. Sin embargo, "veían una ensenada que tenía playa, en la cual acordaron varar, si pudiesen, la nave. Cortando, pues, las anclas, las dejaron en el mar, largando también las amarras del timón; e izada al viento la vela de proa, enfilaron hacia la playa. Pero dando en un lugar de dos aguas, hicieron encallar la nave; y la proa, hincada, quedó inmóvil, y la popa se abría con la violencia del mar".

A Pablo y los demás presos les amenazaba ya una suerte más terrible que el naufragio. Los soldados percibieron que mientras se esforzasen por llegar a tierra, les sería imposible guardar a los presos. Cada hombre tendría que esforzarse al límite para salvarse a sí mismo. Sin embargo, si faltara alguno de los presos, responderían con su vida los encargados de su cuidado. Por lo tanto los soldados deseaban matar a todos los presos. La ley de Roma sancionaba este cruel recurso, y el plan habría sido llevado a cabo en seguida, si no hubiese sido por aquel hacia el cual todos estaban por igual

467

La tempestad arrojó el barco contra las rocas y parecía no haber escape para los pasajeros.

profundamente obligados. Julio el centurión sabía que Pablo había sido el medio de salvar la vida de todos los que estaban a bordo; además, convencido de que el Señor estaba con él, temía hacerle daño. El, por lo tanto, "mandó que los que pudiesen nadar se echasen los primeros, y saliesen a tierra; y los demás, parte en tablas, parte en cosas de la nave. Y así aconteció que todos se salvaron saliendo a tierra". Cuando se repasó la nómina, no faltaba ninguno.

Los náufragos fueron recibidos bondadosamente por la gente bárbara de Malta. Estos, "encendido un fuego —escribe Lucas—, nos recibieron a todos, a causa de la lluvia que caía, y del frío". Pablo se mostró activo entre los que ministraban a la comodidad de los demás. "Habiendo recogido... algunas ramas secas, las echó al fuego; y una víbora, huyendo del calor, se le prendió en la mano". Los circunstantes se horrorizaron; y viendo por su cadena que Pablo era un preso, se dijeron el uno al otro: "Ciertamente este hombre es homicida, a quien, escapado del mar, la justicia no deja vivir". Mas Pablo sacudió el reptil al fuego, y no padeció ningún mal. Conociendo la naturaleza venenosa de la víbora, la gente esperaba que en cualquier momento cayese al suelo en terrible agonía. "Mas habiendo esperado mucho, y viendo que ningún mal le venía, cambiaron de parecer y dijeron que era un dios".

Durante los tres meses que los náufragos se quedaron en Malta, Pablo y sus compañeros en el trabajo aprovecharon muchas oportunidades de predicar el Evangelio. De manera notable el Señor obró mediante ellos. Por causa de Pablo, toda la compañía de los náufragos fueron tratados con suma bondad; se suplieron todas sus necesidades, y al abandonar Malta fueron provistos liberalmente de todo lo necesario para su viaje. Los principales incidentes de su estada allí se resumen brevemente por Lucas en estas palabras:

"En aquellos lugares había propiedades del hombre principal de la isla, llamado Publio, quien nos recibió y hospedó solícitamente tres días. Y aconteció que el padre de Publio estaba en cama, enfermo de fiebre y de disentería; y Pablo entró a verle, y después de haber orado, le impuso las manos, y le sanó. Hecho esto, también los otros que en la isla tenían enfermedades, venían y eran sanados; los cuales también nos honraron con muchas atenciones; y cuando zarpamos, nos cargaron de las cosas necesarias".

CAPITULO 43

*Este capítulo está basado en Hechos 28: 11-31
y la Epístola a Filemón.*

En Roma

CON la reanudación del tránsito marítimo, el centurión y sus prisioneros emprendieron su viaje a Roma. Un buque alejandrino, el "Cástor y Pólux", había invernado en Malta en su viaje hacia el occidente, y en él se embarcaron los viajeros. Aunque un poco retardado por vientos contrarios, el viaje se realizó sin novedad, y el barco ancló en el hermoso puerto de Puteoli, en la costa de Italia.

En este lugar había unos pocos cristianos, los cuales rogaron al apóstol que se quedara con ellos siete días, privilegio que le fue concedido amablemente por el centurión. Desde que recibieran la Epístola de Pablo a los Romanos, los cristianos de Italia habían esperado ansiosamente una visita del apóstol. No habían pensado verlo llegar como preso, pero sus sufrimientos despertaron en ellos aun mayor cariño hacia él. La distancia de Puteoli a Roma era aproximadamente de 224 kilómetros, y como el puerto se hallaba en constante comunicación con la metrópoli, los cristianos de

471

Pablo, prisionero y rumbo a Roma,
desembarcó en las costas de Italia y
los cristianos del lugar vinieron a visitarlo.

Roma fueron informados de la llegada inminente de Pablo, de modo que algunos de ellos salieron para encontrarse con él y darle la bienvenida.

Al octavo día del desembarco, el centurión y sus presos emprendieron viaje a Roma. Julio le concedió voluntariamente al apóstol todo el favor que le fue dable concederle; pero no podía cambiar su calidad de preso ni soltarle de la cadena que lo ligaba a su guardia militar. Con corazón apesadumbrado el apóstol avanzaba para hacer su visita largo tiempo anhelada a la metrópoli del mundo. ¡Cuán diferentes eran las circunstancias de las que él se había imaginado! ¿Cómo podría él, encadenado y estigmatizado, proclamar el Evangelio? Parecía que sus esperanzas de ganar a muchas almas para la verdad en Roma iban a quedar chasqueadas.

Por fin los viajeros llegan a la plaza de Apio, a 65 kilómetros de Roma. Mientras se abren paso entre las multitudes que llenan la gran carretera, el anciano de cabellos grises, encadenado con un grupo de criminales aparentemente empedernidos, recibe más de una mirada de escarnio y es hecho objeto de más de una broma grosera y burlona.

De repente se oye un grito de júbilo, y un hombre que sale de entre la multitud se arroja al cuello del preso y le abraza con lágrimas de regocijo como un hijo que da la bienvenida a su padre por largo tiempo ausente. Vez tras vez se repite la escena, a medida que con ojos aguzados por la amante expectación, muchos reconocen en el encadenado a aquel que en Corinto, en Filipos, en Efeso, les había hablado las palabras de vida.

Mientras los afectuosos discípulos rodean a su padre en el Evangelio, toda la compañía se detiene. Los soldados se impacientan por la demora; sin embargo, no se atreven a interrumpir este feliz encuentro, porque ellos también han aprendido a respetar y estimar a su preso. En ese cansado y dolorido rostro, los discípulos veían reflejada la imagen de Cristo. Le aseguraban a Pablo que no le habían olvidado ni cesarían de amarle; que estaban endeudados con él por la feliz esperanza que animaba sus vidas y les otorgaba paz para con Dios. En ardoroso amor, hubieran deseado llevarlo sobre sus hombros todo el camino hasta la ciudad, si tan sólo se les hubiese concedido ese privilegio.

Pocos comprenden el significado de estas palabras de Lucas, referentes al encuentro de Pablo con los hermanos: "Dio gracias a Dios y cobró aliento". En medio de la llorosa y simpatizante compañía de creyentes, que no se avergonzaba de sus cadenas, el apóstol alabó a Dios en alta voz. Se disipó la nube de tristeza que había pesado sobre su espíritu. Su vida cristiana había sido una sucesión de pruebas, sufrimientos y chascos, pero en esta hora se sentía abundantemente recompensado. Con paso más firme y corazón gozoso continuó su camino. No se quejaría del pasado, ni tampoco temería el futuro. Sabía que cadenas y aflicciones le esperaban, pero también que debía rescatar almas de un cautiverio infinitamente más terrible, y se regocijó en sus sufrimientos por causa de Cristo.

En Roma el centurión Julio entregó sus presos al capitán de la guardia del emperador. El buen informe que dio de Pablo, juntamente con la carta de Festo, fue motivo para que el apóstol fuese tratado con miramiento por el prefecto de los ejércitos, y en lugar de ser puesto en prisión, se le permitió vivir en su propia casa alquilada. Aunque constantemente encadenado a un soldado, tenía libertad de recibir a sus

amigos y trabajar en favor del avance de la causa de Cristo.

Muchos de los judíos que fueran expulsados de Roma varios años antes, habían recibido permiso de volver, de modo que se encontraban allí en gran número. A éstos, ante todo, decidió Pablo presentar los hechos concernientes a sí mismo y a su obra, antes que sus enemigos tuvieran oportunidad de predisponerlos en su contra. Por lo tanto, tres días después de su llegada a Roma, llamó a sus hombres principales, y en una manera sencilla y directa les explicó por qué llegaba a Roma en calidad de preso.

"Varones hermanos —dijo— no habiendo hecho nada contra el pueblo, ni contra las costumbres de nuestros padres, he sido entregado preso desde Jerusalén en manos de los romanos; los cuales, habiéndome examinado, me querían soltar, por no haber en mí ninguna causa de muerte. Pero oponiéndose los judíos, me vi obligado a apelar a César; no porque tenga de qué acusar a mi nación. Así que por esta causa os he llamado para veros y hablaros; porque por la esperanza de Israel estoy sujeto con esta cadena".

No dijo nada del maltrato que había sufrido a manos de los judíos, o de los repetidos complots para asesinarle. Sus palabras revelaron prudencia y bondad. No estaba buscando atención o simpatía personal, sino defender la verdad y mantener el honor del Evangelio.

En respuesta, sus oyentes afirmaron que no habían recibido ninguna acusación contra él por carta pública o privada, y que ninguno de los judíos que habían venido a Roma le había acusado de algún crimen. Igualmente expresaron un marcado deseo de oír personalmente las razones de su fe en Cristo. "Porque de esta secta —dijeron— nos es notorio que en todas partes se habla contra ella".

475

Durante su prisión en Roma Pablo recibió muchas visitas, y les habló de Jesús, de su vida y de su muerte.

Ya que ellos mismos lo deseaban, Pablo les pidió que fijaran un día para presentarles la verdad del Evangelio. Al tiempo señalado, muchos concurrieron "a los cuales les declaraba y les testificaba el reino de Dios desde la mañana hasta la tarde, persuadiéndoles acerca de Jesús, tanto por la ley de Moisés como por los profetas". Les relató su propia experiencia, y les presentó argumentos de los escritos del Antiguo Testamento con sencillez, sinceridad y poder.

El apóstol mostró que la religión no consiste en ritos y ceremonias, credos y teorías. Si así fuera, el hombre natural podría entenderla por investigación, así como entiende las cosas del mundo. Pablo enseñó que la religión es un positivo poder salvador, un principio proveniente enteramente de Dios, una experiencia personal del poder renovador de Dios en el alma.

Les mostró cómo Moisés enseñó a Israel a mirar a Cristo como al Profeta a quien ellos debían oír; cómo todos los profetas testificaron de él como el gran remedio de Dios para el pecado, el Inocente que había de llevar los pecados del culpable. Pablo no censuró la observancia de sus ritos y ceremonias, pero les mostró que al mismo tiempo que ellos mantenían el servicio ritual con gran exactitud, rechazaban al que se tipificaba en todo el sistema de ritos.

Pablo declaró que siendo inconverso, conoció a Cristo, no por una relación personal, sino únicamente por el concepto que él, juntamente con otros, abrigaba concerniente al carácter y obra del Mesías que había de venir. Había rechazado a Jesús de Nazaret como impostor, porque no se ajustó a ese concepto. Pero ahora sus ideas tocante a Cristo y su misión eran mucho más espirituales y exaltadas, porque había experimentado la conversión. El apóstol afirmó que no les presentaba a Cristo según la carne. Herodes vio a Cristo en los días de su humanidad; Anás también lo vio, y asimismo Pilato y los sacerdotes y gobernantes, y los soldados romanos. Pero ellos no le vieron con los ojos de la fe, como al Redentor glorificado. Comprender a Cristo por fe y tener un conocimiento espiritual de él era más deseable que una relación personal con él tal como apareció en la tierra. La comunión con Cristo que Pablo gozaba ahora, era más íntima, duradera, que un mero compañerismo terrestre y humano.

Mientras Pablo hablaba de lo que conocía y testificaba de aquello que había visto concerniente a Jesús de Nazaret como la esperanza de Israel, los que honradamente buscaban la verdad fueron convencidos. Sobre algunas mentes, por lo menos, sus palabras hicieron una impresión que jamás se borró. Pero otros rehusaron tercamente aceptar el claro testimonio de las Escrituras, aun cuando les fuera presentado por uno que tenía la iluminación especial del Espíritu Santo. No podían refutar sus argumentos, pero rehusaron aceptar sus conclusiones.

Muchos meses pasaron desde la llegada de Pablo a Roma hasta la comparecencia de los judíos que vinieron de Jerusalén para acusarle. Habían sido repetidamente estorbados en sus propósitos; y ahora que Pablo iba a ser juzgado por el supremo tribunal del Imperio Romano, no deseaban exponerse a otro fracaso. Lisias, Félix, Festo y Agripa habían declarado que le juzgaban inocente. Sus enemigos sólo podían esperar inclinar al emperador en su favor por medio de intrigas. La demora favorecería sus propósitos, por cuanto les proporcionaría tiempo para perfeccionar y ejecutar sus planes; y al efecto aguardaron algún tiempo antes de presentar personalmente sus acusaciones contra el apóstol.

Por providencia de Dios, este aplazamiento tuvo por resultado el adelanto del Evangelio. Mediante el favor de los encargados de la guardia, le fue permitido a Pablo residir en una cómoda vivienda, donde podía tratar libremente con sus amigos y también declarar diariamente la verdad a cuantos acudían a oírle. Así prosiguió durante dos años con sus labores, "predicando el reino de Dios y enseñando acerca del Señor Jesucristo, abiertamente y sin impedimento".

Durante ese tiempo no se olvidó de las iglesias que había establecido en muchos países. Comprendiendo los peligros que amenazaban a los convertidos a la nueva fe, el apóstol procuraba, en tanto le era posible, atender a sus necesidades por medio de cartas de amonestación e instrucciones prácticas. Y desde Roma envió consagrados obreros a trabajar no sólo en aquellas iglesias, sino también en campos que él no había visitado. Estos obreros, como prudentes pastores, intensificaron la obra tan bien comenzada por Pablo, quien se mantuvo informado de la situación y peligros de las iglesias por la constante correspondecias con ellos, de suerte que pudo ejercer prudente inspección sobre todos.

Así, aunque aparentemente ajeno a la labor activa, Pablo ejerció más amplia y duradera influencia que si hubiese podido viajar libremente de iglesia en iglesia como en años anteriores. Como preso del Señor, era objeto del más profundo afecto de parte de sus hermanos; y sus palabras, escritas por quien estaba en cautiverio por la causa de Cristo, imponían mayor atención y respeto que cuando él estaba personalmente con ellos. Hasta que Pablo les fue quitado, los creyentes no se dieron cuenta de cuán pesadas eran las cargas que había soportado por ellos. En otros tiempos se habían excusado en gran parte de las responsabilidades porque les faltaba su sabiduría, tacto e indomable energía; pero ahora, abandonados a su inexperiencia para aprender las lecciones que habían rehuido, apreciaron sus amonestaciones, consejos e instrucciones como no los habían estimado durante su obra personal. Al informarse de su valentía y fe durante su largo encarcelamiento, fueron estimulados a una mayor fidelidad y celo en la causa de Cristo.

Entre los asistentes de Pablo en Roma había muchos que habían sido antes sus compañeros y colaboradores. Lucas, "el médico amado", quien le había atendido en el viaje a Jerusalén, durante los dos años de su encarcelamiento en Cesarea, y en su arriesgado viaje a Roma, estaba todavía con él. Timoteo también velaba por su comodidad. Tíquico "amado hermano y fiel ministro y consiervo en el Señor", auxiliaba noblemente al apóstol. Demas y Marcos estaban también con él. Aristarco y Epafras eran sus compañeros "de prisiones" (Colosenses 4: 7-14).

Desde los primeros años de su profesión de fe, la experiencia cristiana de Marcos se había profundizado. A medida que estudiaba más atentamente la vida y muerte de Cristo, obtenía más claros conceptos de la misión del Salvador, sus afanes y conflictos. Leyendo en las cicatrices de las manos y los pies de Cristo las señales de su servicio por la humanidad, y el extremo a que llega la abnegación para salvar a los extraviados y perdidos, Marcos se constituyó en un seguidor voluntario del Maestro en la senda del sacrificio. Ahora, compartiendo la suerte de Pablo, el preso, comprendía mejor que nunca antes que es una infinita ganancia alcanzar a Cristo, e infinita pérdida ganar el mundo y perder el alma por cuya redención la sangre de Cristo fue derramada. Frente a la severa prueba y adversidad, Marcos continuó firmemente, como sabio y amado ayudador del apóstol.

Demas fue fiel por un tiempo, pero luego abandonó la causa de Cristo. Refiriéndose a esto, Pablo escribió: "Demas me ha desamparado, amando este mundo" (2 Timoteo 4: 10). Demas sacrificó toda alta y noble consideración para conseguir la ganancia mundanal. ¡Qué cambio insensato! Poseyendo solamente riqueza u honor mundano, Demas era ciertamente pobre, por mucho que fuera lo que orgullosamente pudiera considerar suyo; mientras tanto Marcos, escogiendo sufrir por la causa de Cristo, poseía riquezas eternas, siendo considerado por el cielo como heredero de Dios y coheredero con su Hijo.

Entre los que dieron su corazón a Dios a causa de las labores de Pablo en Roma, estaba Onésimo, esclavo pagano que había perjudicado a su amo Filemón, creyente cristiano de Colosas, y había escapado a Roma. En la bondad de su corazón, Pablo trató de aliviar al desdichado fugitivo en su pobreza y desgracia, y entonces procuró derramar la luz de la verdad en su mente entenebrecida. Onésimo atendió las palabras de vida, confesó sus pecados y se convirtió a la fe de Cristo.

Onésimo se hizo apreciar por Pablo en virtud de su piedad y sinceridad, tanto como por su tierno cuidado por la comodidad del apóstol y su celo en promover la obra del Evangelio. Pablo vio en él rasgos de carácter que le capacitarían para ser un colaborador útil en la obra misionera, y le aconsejó que regresara sin demora a Filemón, suplicándole su perdón; hizo planes, además, para el futuro. El apóstol prometió ayudarle haciéndose él mismo responsable por la suma que hubiese robado a Filemón. Estando a punto de enviar a Tíquico con cartas para varias iglesias de Asia Menor, envió a Onésimo con él. Fue una severa prueba para este siervo entregarse así a su amo a quien había perjudicado, pero estaba verdaderamente convertido, y no desistió de cumplir con este deber.

Pablo hizo a Onésimo portador de la carta a Filemón, en la cual, con su tacto y bondad acostumbrados, el apóstol defendía la causa del esclavo arrepentido, y expresaba sus deseos de conservar sus servicios para el futuro. La carta comenzaba con afectuosos saludos para Filemón como amigo y colaborador: "Gracia y paz a vosotros, de Dios nuestro Padre y del Señor Jesucristo. Doy gracias a mi Dios, ha-

ciendo siempre memoria de ti en mis oraciones, porque oigo del amor y de la fe que tienes hacia el Señor Jesús, y para con todos los santos; para que la participación de tu fe sea eficaz en el conocimiento de todo el bien que está en vosotros por Cristo Jesús". El apóstol recordó a Filemón que todo buen propósito y rasgo de carácter que poseía lo debía a la gracia de Cristo; solamente esto lo hacía diferente de los perversos y pecadores. La misma gracia podía hacer de un degradado criminal un hijo de Dios y un obrero útil en el Evangelio.

Pablo pudo haber manifestado a Filemón su deber como cristiano, pero en cambio escogió valerse del ruego: "Pablo ya anciano, y ahora, además, prisionero de Jesucristo; te ruego por mi hijo Onésimo, a quien engendré en mis prisiones, el cual en otro tiempo te fue inútil, pero ahora a ti y a mí nos es útil".

El apóstol pidió a Filemón, en vista de la conversión de Onésimo, que recibiera al esclavo arrepentido como a su propio hijo, mostrándole tan profundo afecto que le decidiera a habitar con el que antes fuera su amo, "no ya como esclavo, sino como más que esclavo, como hermano amado". Expresó su deseo de retener a Onésimo como uno que podía servirle durante su encarcelamiento como Filemón mismo lo hubiera hecho; sin embargo no deseaba sus servicios a menos que por propia iniciativa dejara al esclavo libre.

El apóstol conocía bien la severidad con que muchos amos trataban a sus esclavos, y sabía también que Filemón estaba grandemente irritado a causa de la conducta de su siervo. Trató de escribirle de tal manera que despertara sus más profundos y tiernos sentimientos de cristiano. La conversión de Onésimo le había transformado en un hermano en la fe, y cualquier castigo infligido a este nuevo converso sería considerado por Pablo como aplicado a sí mismo.

Pablo propuso voluntariamente tomar a su cargo la deuda de Onésimo para que el culpable pudiera ser librado del oprobio de un castigo y pudiera gozar nuevamente los privilegios que había perdido. "Si me tienes por compañero —escribió a Filemón—, recíbele como a mí mismo. Y si en algo te dañó, o te debe, ponlo a mi cuenta. Yo Pablo lo escribo de mi mano, yo lo pagaré".

¡Qué adecuada ilustración del amor de Cristo hacia el pecador arrepentido! El siervo que había defraudado a su amo no tenía nada con que hacer la restitución. El pecador que ha robado a Dios años de servicio, no tiene medios para cancelar su deuda. Jesús se interpone entre el pecador y Dios, diciendo: Yo pagaré la deuda. Perdona al pecador; yo sufriré en su lugar.

Después de ofrecerse como pagador de la deuda de Onésimo, Pablo recordó a Filemón cuán grande era su deuda hacia el apóstol. Le debía su propio ser, siendo que Dios había usado a Pablo como instrumento para su conversión. Entonces, en un tierno y fervoroso pedido, imploró a Filemón que así como por su liberalidad había refrigerado a los santos, refrescara el espíritu del apóstol concediéndole este motivo de regocijo. "Te he escrito confiando en tu obediencia —agregó—, sabiendo que harás aun más de lo que te digo" (Filemón 21).

La carta de Pablo a Filemón muestra la influencia del Evangelio en las relaciones entre amos y siervos. La esclavitud era una institución establecida en todo el Imperio Romano, y tanto amos como esclavos se encontraban en la mayoría de las iglesias por las cuales Pablo había trabajado. En las ciudades, donde a menudo el número de esclavos era mayor que el de la población libre, se creía necesario tener leyes de terrible severidad para mantenerlos en sujeción. Muy a menudo un romano rico era dueño de cientos de esclavos, de toda clase, de toda nación y de toda capacidad. Teniendo un control completo sobre las almas y cuerpos de estos desvalidos siervos, podía infligirles cualquier sufrimiento que escogiera. Si alguno de ellos en su propia defensa se aventuraba a levantar su mano contra su amo, toda la familia del ofensor podía ser sacrificada despiadadamente. La menor equivocación, accidente o falta de cuidado se castigaba generalmente sin misericordia.

Algunos amos, más humanitarios que otros, mostraban mayor indulgencia para con sus siervos; pero la gran mayoría de los ricos y nobles daban rienda suelta a sus excesivas concupiscencias, pasiones y apetitos, haciendo de sus esclavos las desdichadas víctimas de sus caprichos y tiranía. La tendencia de todo el sistema era sobremanera degradante.

No era la obra del apóstol trastornar arbitraria o repentinamente el orden establecido en la sociedad. Intentar eso hubiera impedido el éxito del Evangelio. Pero enseñó principios que herían el mismo fundamento de la esclavitud, los cuales, llevados a efecto, seguramente minarían todo el sistema. Donde estuviere "el Espíritu del Señor, allí hay libertad" (2 Corintios 3: 17), declaró. Una vez convertido, el esclavo llegaba a ser miembro del cuerpo de Cristo, y como tal debía ser amado y tratado como un hermano, un coheredero con su amo de las bendiciones de Dios y de los privilegios del Evangelio. Por otra parte, los siervos debían cumplir sus deberes, "no sirviendo al ojo, como los que quieren agradar a los hombres, sino como siervos de Cristo, de corazón haciendo la voluntad de Dios" (Efesios 6: 6).

El cristianismo forma un fuerte lazo de unión entre el amo y el esclavo, el rey y el súbdito, el ministro del Evangelio y el pecador caído que ha hallado en Cristo purificación del pecado. Han sido lavados en la misma sangre, vivificados por el mismo Espíritu; y son hechos uno en Cristo Jesús.

CAPITULO 44

En la Casa de César

EL EVANGELIO ha logrado siempre sus mayores éxitos entre las clases humildes. "No sois muchos sabios según la carne, ni muchos poderosos, ni muchos nobles" (1 Corintios 1: 26). No cabía esperar que Pablo, pobre y desvalido preso, fuese capaz de atraer la atención de las clases opulentas y aristocráticas de los ciudadanos romanos, a quienes el vicio ofrecía todos sus halagos y los mantenía en voluntaria esclavitud. Pero entre las fatigadas y menesterosas víctimas de la opresión y aun de entre los infelices esclavos, muchos escuchaban gozosamente las palabras de Pablo, y en la fe de Cristo hallaban la esperanza y paz que les daban aliento para sobrellevar las innumerables penalidades que les tocaban en suerte.

Sin embargo, aunque el apóstol comenzó su obra con los pobres y humildes, la influencia de ella se dilató hasta alcanzar el mismo palacio del emperador.

487

En Roma Pablo fue puesto bajo
una guardia que le permitía
una relativa libertad.

32—H.M.C.A., ACTS Span.

Roma era en ese tiempo la metrópoli del mundo. Los arrogantes césares dictaban leyes a casi cada nación de la tierra. Reyes y cortesanos ignoraban al humilde Nazareno o le miraban con odio y escarnio. Y sin embargo, en menos de dos años el Evangelio se abrió camino desde la modesta morada del preso hasta las salas imperiales. Pablo estaba encarcelado como un malhechor; pero "la palabra de Dios no está presa" (2 Timoteo 2: 9).

En años anteriores el apóstol había proclamado públicamente la fe de Cristo con persuasivo poder; y mediante señales y milagros había dado inequívoca evidencia del carácter divino de la misma. Con noble firmeza se había presentado ante los sabios de Grecia, y por sus conocimientos y elocuencia había silenciado los argumentos de los orgullosos filósofos. Con intrépida valentía se había presentado ante reyes y gobernadores para disertar sobre la justicia, la temperancia y el juicio venidero, hasta hacer temblar a los soberbios gobernantes como si ya contemplaran los terrores del día de Dios.

Tales oportunidades no se le presentaban ahora al apóstol, confinado en su propia casa; solamente podía proclamar la verdad a los que acudían a él. No tenía, como Moisés y Aarón, la orden divina de presentarse ante el rey libertino, y en el nombre del gran YO SOY reprochar su crueldad y opresión. No obstante, en ese mismo tiempo, cuando el principal abogado del Evangelio estaba aparentemente impedido de realizar trabajo público, se ganó una gran victoria para la causa de Dios: miembros de la misma casa del rey fueron añadidos a la iglesia.

En ninguna parte podía existir una atmósfera más antagónica hacia el cristianismo que en la corte romana. Nerón parecía haber borrado de su alma el último vestigio de lo divino, y aun de lo humano, y llevar la misma estampa de Satanás. Sus asistentes y cortesanos eran, en general, del mismo carácter: crueles, degradados y corrompidos. Según todas las apariencias, sería imposible para el cristianismo abrirse paso en la corte y palacio de Nerón.

No obstante, aun en este caso, como en muchos otros, se comprobó la veracidad de la afirmación de Pablo; que las armas de nuestra milicia son "poderosas en Dios para la destrucción de fortalezas" (2 Corintios 10: 4). Aun en la misma casa de Nerón fueron ganados trofeos para la cruz. De entre los viles siervos de un rey aun más vil, se ganaron conversos que llegaron a ser hijos de Dios. No eran cristianos secretos, sino que profesaban su fe abiertamente y no se avergonzaban.

¿Y por qué medios alcanzó entrada y se abrió paso el cristianismo donde su misma admisión parecía imposible? En su Epístola a los Filipenses, Pablo atribuyó a su propio encarcelamiento el éxito alcanzado en ganar conversos a la fe en la casa de Nerón. Temeroso de que se pensara que sus aflicciones habían impedido el progreso del Evangelio, les aseguró esto: "Quiero que sepáis hermanos, que las cosas que me han sucedido, han redundado más bien para el progreso del Evangelio" (Filipenses 1: 12).

Cuando las iglesias cristianas se enteraron por primera vez de que Pablo iba a Roma, esperaron un marcado triunfo del Evangelio en esa ciudad. Pablo había llevado la verdad a muchos países, y la había proclamado en ciudades populosas. Por lo tanto, ¿no podía este campeón de la fe ganar almas para Cristo aun en la metrópoli del mundo? Pero se desvanecieron sus esperanzas al saber que Pablo había ido a Roma en calidad de preso. Esperaban los cristianos confiadamente ver cómo, una vez establecido el Evangelio en aquel centro, se propagase rápidamente a todas las naciones y llegara a ser una potencia prevaleciente en la tierra. ¡Cuán grande fue su desengaño! Habían fracasado las esperanzas humanas, pero no los propósitos de Dios.

No por los discursos de Pablo, sino por sus prisiones, la atención de la corte imperial fue atraída al cristianismo; en calidad de cautivo, rompió las ligaduras que mantenían a muchas almas en la esclavitud del pecado. No sólo esto, sino que, como Pablo declaró: "Y la mayoría de los hermanos, cobrando ánimo en el Señor con mis prisiones, se atreven mucho más a hablar la palabra sin temor" (Filipenses 1: 14).

La paciencia y el gozo de Pablo, su ánimo y fe durante su largo e injusto encarcelamiento, eran un sermón continuo. Su espíritu, tan diferente del espíritu del mundo, testificaba que moraba en él un poder superior al terrenal. Y por su ejemplo, los cristianos fueron impelidos a defender con mayor energía la causa de cuyas labores públicas Pablo había sido retirado.

De esa manera las cadenas del apóstol fueron influyentes, a tal grado que cuando su poder y utilidad parecían haber terminado, y cuando según todas las apariencias menos podía hacer, juntó gavillas para Cristo en campos de los cuales parecía totalmente excluido.

Antes de finalizar esos dos años de encarcelamiento, Pablo pudo decir: "Mis prisiones se han hecho patentes en Cristo en todo el pretorio, y a todos los demás"; y entre aquellos que enviaban saludos a los filipenses, mencionó especialmente a los que eran "de la casa de César" (Filipenses 1: 13; 4: 22).

La paciencia tiene sus victorias lo mismo que el valor. Mediante la mansedumbre en las pruebas, tanto como por el arrojo en las empresas, pueden ganarse almas para Cristo.

Los cristianos que demuestren paciencia y alegría bajo la desgracia y los sufrimientos, que arrostran aun la misma muerte con la paz y calma que otorga una fe inquebrantable, pueden realizar mucho más para el Evangelio que lo que habrían realizado en una vida larga de fiel labor. Frecuentemente, cuando el siervo de Dios es retirado del servicio activo por una misteriosa providencia que nuestra escasa visión lamentaría, lo es por designio de Dios para cumplir una obra que de otra manera nunca se hubiese realizado.

No piense el seguidor de Cristo que, cuando ya no puede trabajar abierta y activamente para Dios y su verdad, no tiene algún servicio que prestar, no tiene galardón que conseguir. Los verdaderos testigos de Cristo nunca son puestos a un lado. En salud o enfermedad, en vida o muerte, Dios los utiliza todavía. Cuando a causa de la malicia de Satanás, los siervos de Cristo fueron perseguidos e impedidas sus labores activas; cuando fueron echados en la cárcel, arrastrados al cadalso o la hoguera, fue para que la verdad pudiera ganar un mayor triunfo. Cuando estos fieles testigos sellaron su testimonio con su sangre, muchas almas, hasta entonces en duda e incertidumbre, se convencieron de la fe de Cristo, y valerosamente se decidieron por él. De las cenizas de los mártires brotó una abundante cosecha para Dios.

El celo y la fidelidad de Pablo y sus colaboradores, tanto como la fe y obediencia de aquellos conversos al cristianismo, en circunstancias tan amenazadoras, reprenden la falta de fe y pereza del ministro de Cristo. El apóstol y sus colaboradores podrían haber argüido que sería inútil llamar al arrepentimiento y fe en Cristo a los siervos de Nerón, sometidos como estaban a terribles tentaciones, rodeados por formidables obstáculos y expuestos a una enconada oposición. Aun cuando pudieran convencerse de la verdad, ¿cómo podrían obedecerla? Pero Pablo no razonó así; por la fe presentó el Evangelio a esas almas; y entre los que oyeron hubo algunos que decidieron obedecer a cualquier costo. No obstante los obstáculos y peligros, aceptaron la luz y, confiando en que Dios les ayudaría, dejaron que su luz iluminara a otros.

No solamente hubo conversos ganados a la verdad en la casa de César, sino que después de su conversión permanecieron en esa casa. No se sintieron con libertad de abandonar su puesto de deber, porque las circunstancias no les agradaban más. La verdad los había encontrado allí, y allí permanecieron, para que el cambio de su vida y carácter testificara del poder transformador de la nueva fe.

¿Se sienten algunos tentados a presentar sus dificultades como excusa para no testificar en favor de Jesús? Consideren la situación de los discípulos en la casa de César, la depravación del emperador y el libertinaje de la corte. Difícilmente podremos imaginarnos circunstancias más desfavorables para una vida religiosa, y que ocasionen mayor sacrificio u oposición que aquéllas en que se hallaban estos conversos. Sin embargo, en medio de dificultades y peligros mantuvieron su fidelidad. A causa de obstáculos que parecen insuperables, el cristiano puede tratar de excusarse de obedecer la verdad tal cual es en Jesús; pero no puede ofrecer una excusa razonable. Poder hacerlo significaría demostrar que Dios es injusto al imponer condiciones de salvación que sus hijos no sean capaces de cumplir.

Aquel cuyo corazón está resuelto a servir a Dios encontrará oportunidades para testificar en su favor. Las dificultades serán impotentes para detener al que esté resuelto a buscar primero el reino de Dios y su justicia. Por el poder adquirido en la oración y el estudio de la Palabra, buscará la virtud y abandonará el vicio. Mirando a Jesús, el autor y consumador de la fe, quien soportó la contradicción de los pecadores contra sí mismo, el creyente afrontará voluntariamente y con valor el desprecio y el escarnio. Aquel cuya palabra es verdad promete ayuda y gracia suficientes para toda circunstancia. Sus brazos eternos rodean al alma que se vuelve a él en busca de ayuda. Podemos reposar confiadamente en su solicitud, diciendo: "En el día que temo, yo en ti confío" (Salmo 56: 3). Dios cumplirá su promesa con todo aquel que deposite su confianza en él.

Por su propio ejemplo el Salvador ha demostrado que sus seguidores pueden estar en el mundo y con todo, no ser del mundo. No vino para participar de sus ilusorios placeres, para dejarse influir por sus costumbres y seguir sus prácticas, sino para hacer la voluntad de su Padre, para buscar y salvar a los perdidos. Con este propósito, el cristiano puede permanecer sin contaminación en cualquier circunstancia. No importa su situación o condición, sea exaltada o humilde, manifestará el poder de la religión verdadera en el fiel cumplimiento del deber.

No es fuera de la prueba, sino en medio de ella, donde se desarrolla el carácter cristiano. Expuestos a las contrariedades y la oposición, los seguidores de Cristo son inducidos a ejercer mayor vigilancia y a orar más fervientemente al poderoso Auxiliador. Las duras pruebas soportadas por la gracia de Dios, desarrollan paciencia, vigilancia, fortaleza y profunda y permanente confianza en Dios. Este es el triunfo de la fe cristiana que habilita a sus seguidores a sufrir y a ser fuertes; a someterse y así conquistar; a ser muertos todo el día y sin embargo vivir; a soportar la cruz y así ganar la corona de gloria.

Cartas Escritas Desde Roma

EN LOS primeros años de la experiencia cristiana del apóstol Pablo, le fueron dadas oportunidades especiales de aprender la voluntad de Dios concerniente a los seguidores de Jesús. Fue "arrebatado hasta el tercer cielo", "al paraíso, donde oyó palabras inefables que no le es dado al hombre expresar". El mismo reconoció que muchas "visiones y... revelaciones" le fueron dadas "del Señor". Su comprensión de los principios de las verdades evangélicas, era igual a la de los "grandes apóstoles" (2 Corintios 12: 2, 4, 1, 11). Tenía una clara y amplia comprensión de "la anchura, la longitud, la profundidad y la altura" del "amor de Cristo, que excede a todo conocimiento" (Efesios 3: 18, 19).

Pablo no podía decir todo lo que había visto en visión, porque entre sus oidores había algunos que habrían hecho mal uso de sus palabras. Pero aquello que le fue revelado, le

495

Pablo contemplaba la cruz de
Cristo y se gloriaba en ella a medida
que se acercaba a su fin.

CHARLES ZINGARO © PPPA

habilitó para trabajar como dirigente y sabio maestro, y también modeló los mensajes que en años ulteriores envió a las iglesias. La impresión que recibió cuando estuvo en visión le acompañaba siempre y le habilitaba para dar una correcta representación del carácter cristiano. A viva voz y por carta expresó su mensaje que en todo momento trajo ayuda y fuerza a la iglesia de Dios. Para los creyentes de la actualidad, sus mensajes hablan claramente de los peligros que amenazarán a la iglesia y las falsas doctrinas que tendrán que arrostrar.

El deseo del apóstol para aquellos a quienes escribía sus cartas de consejo y admonición era que no fuesen "niños fluctuantes, llevados por doquiera de todo viento de doctrina", sino que todos llegaran "a la unidad de la fe y del conocimiento del Hijo de Dios, a un varón perfecto, a la medida de la estatura de la plenitud de Cristo". Rogó a aquellos que eran seguidores de Cristo y que vivían en comunidades paganas, que no anduviesen "como los otros gentiles, que andan en la vanidad de su mente, teniendo el entendimiento entenebrecido, ajenos de la vida de Dios..., por la dureza de su corazón", sino "con diligencia..., no como necios sino como sabios, aprovechando bien el tiempo" (Efesios 4: 14, 13, 17, 18; 5: 15, 16). Animó a los creyentes a mirar hacia el tiempo cuando Cristo, que "amó a la iglesia, y se entregó a sí mismo por ella", podría "presentársela a sí mismo, una iglesia gloriosa, que no tuviese mancha ni arruga ni cosa semejante", una iglesia "santa y sin mancha" (Efesios 5: 25, 27).

Estos mensajes, escritos, no con poder humano, sino con el de Dios, contienen lecciones que deben ser estudiadas por todos, lecciones que será provechoso repetir frecuente-

496

mente. En ellas encontramos delineada la piedad práctica, se formulan principios que deben ser seguidos en cada iglesia y se difine el camino que lleva a la vida eterna.

En su carta "a los santos y fieles hermanos en Cristo que están en Colosas", escrita mientras estaba preso en Roma, Pablo hace mención de su regocijo por la constancia de ellos en la fe, cuyas buenas nuevas le fueron traídas por Epafras, quien, escribió el apóstol, "nos ha declarado vuestro amor en el Espíritu. Por lo cual —continúa— también nosotros, desde el día que lo oímos, no cesamos de orar por vosotros, y de pedir que seáis llenos del conocimiento de su voluntad en toda sabiduría e inteligencia espiritual, para que andéis como es digno del Señor, agradándole en todo, llevando fruto en toda buena obra, y creciendo en el conocimiento de Dios; fortalecidos con todo poder, conforme a la potencia de su gloria, para toda paciencia y longanimidad".

De este modo Pablo expresó en palabras sus deseos para con los creyentes de Colosas. ¡Cuán elevado es el ideal que mantienen estas palabras ante el seguidor de Cristo! Muestran las maravillosas posibilidades de la vida cristiana y hacen bien claro que no hay límites para las bendiciones que los hijos de Dios pueden recibir. Creciendo constantemente en el conocimiento de Dios, podían ir de fortaleza en fortaleza, de altura en altura en la experiencia cristiana, hasta que por "la potencia de su gloria", llegasen a ser "aptos para participar de la herencia de los santos en luz".

El apóstol exaltó a Cristo delante de sus hermanos como aquel por quien Dios había creado todas las cosas, y por quien había labrado su redención. Declaró que la mano que sostiene los mundos en el espacio y mantiene en su ordenada distribución e infatigable actividad todas las cosas en el universo, es la que fue clavada por ellos en la cruz. "En él fueron creadas todas las cosas —escribió Pablo—, las que hay en los cielos y las que hay en la tierra, visibles e invisibles; sean tronos, sean dominios, sean principados, sean potestades; todo fue creado por medio de él y para él. Y él es antes de todas las cosas, y todas las cosas en él subsisten". "A vosotros también, que erais en otro tiempo extraños y enemigos en vuestra mente, haciendo malas obras, ahora os ha reconciliado en su cuerpo de carne, por medio de la muerte, para presentaros santos y sin mancha e irreprensibles delante de él".

El Hijo de Dios se humilló para levantar al caído. Por ello dejó los mundos celestiales que no han conocido el pecado, los noventa y nueve que le amaban, y vino a esta tierra para ser "herido ... por nuestras rebeliones", y "molido por nuestros pecados" (Isaías 53: 5). Fue hecho, en todas las cosas, semejante a sus hermanos. Se revistió de carne humana igualándose a nosotros.

El sabía lo que significaba tener hambre, sed y cansancio. Fue sustentado por el alimento y refrigerado por el sueño. Fue un extranjero y advenedizo sobre la tierra; en el mundo, pero no del mundo. Tentado y probado como lo son los hombres de la actualidad, vivió, sin embargo, una vida libre del pecado. Lleno de ternura, compasión, simpatía, siempre considerado con los demás, representó el carácter de Dios. "Y aquel Verbo fue hecho carne, y habitó entre nosotros..., lleno de gracia y de verdad" (S. Juan 1: 14).

Rodeados por prácticas e influencias paganas, los creyentes de Colosas estaban en peligro de ser inducidos a dejar la sencillez del Evangelio, y Pablo, amonestándoles contra eso, les señaló a Cristo como el único guía seguro. "Porque quiero que sepáis —escribió— cuán gran lucha sostengo por vosotros, y por los que están en Laodicea, y por todos los que nunca han visto mi rostro; para que sean consolados sus corazones, unidos en amor, hasta alcanzar todas las riquezas de pleno entendimiento, a fin de conocer el misterio de Dios el Padre, y de Cristo, en quien están escondidos todos los tesoros de la sabiduría y del conocimiento.

"Y esto lo digo para que nadie os engañe con palabras persuasivas... Por tanto, de la manera que habéis recibido al Señor Jesucristo, andad en él; arraigados y sobreedificados en él, y confirmados en la fe, así como habéis sido enseñados, abundando en acciones de gracias. Mirad que nadie os engañe por medio de filosofías y huecas sutilezas, según las tradiciones de los hombres, conforme a los rudimentos del mundo, y no según Cristo. Porque en él habita corporalmente toda la plenitud de la Deidad, y vosotros estáis completos en él, que es la cabeza de todo principado y potestad".

Cristo había anticipado que se levantarían engañadores, por cuya influencia la maldad se multiplicaría y la caridad de muchos se enfriaría (S. Mateo 24: 12). Advirtió a sus discípulos que la iglesia estaría en mayor peligro por este mal que por las persecuciones de sus enemigos. Una y otra vez Pablo previno a los creyentes contra esos falsos maestros. De este peligro, más que de cualquier otro, deberían prevenirse; pues, al recibir falsos maestros, abrirían la puerta a errores por los cuales el enemigo podría empañar las percepciones espirituales y hacer tambalear la confianza de los nuevos conversos al Evangelio. Cristo era la norma por la cual debían probar las doctrinas presentadas. Todo lo que no estaba en armonía con sus enseñanzas debían rechazarlo. Cristo crucificado por el pecado, Cristo resucitado de entre los muertos, Cristo ascendido a lo alto, ésta era la ciencia de la salvación que ellos debían aprender y enseñar.

Las amonestaciones de la Palabra de Dios respecto a los peligros que rodean a la iglesia cristiana, son para nosotros hoy. Como en los días de los apóstoles, los hombres intentan, por medio de tradiciones y filosofías, destruir la fe en las Escrituras. Así hoy, por los complacientes conceptos de la "alta crítica", evolución, espiritismo, teosofía y panteísmo, el enemigo de la justicia está procurando llevar a las almas por caminos prohibidos. Para muchos, la Biblia es una lámpara sin aceite, porque han dirigido sus mentes hacia canales de creencias especulativas que traen falsos conceptos y confusión. La obra de la "alta crítica" al criticar, conjeturar y reconstruir, está destruyendo la fe en la Biblia como revelación divina. Está privando a la Palabra de Dios del poder de guiar, levantar e inspirar las vidas humanas. Por el espiritismo, multitudes son inducidas a pensar que el deseo es la mayor ley, que la licencia es libertad y que el hombre es responsable únicamente de sí mismo y ante sí mismo.

El seguidor de Cristo se encontrará con las "palabras persuasivas" contra las cuales el apóstol advirtió a los creyentes de Colosas. Se encontrará con interpretaciones espiritualistas de las Escrituras, pero no debe aceptarlas. Ha de oírsele afirmar claramente las verdades eternas de las Escrituras. Guardando sus ojos fijos en Cristo, caminará constantemente hacia adelante en la senda señalada, descartando todas las ideas que no están en armonía con su enseñanza. La verdad de Dios es el objeto de su contemplación y meditación. Considerará la Biblia como la voz de Dios que le habla directamente. Así encontrará la sabiduría divina.

El conocimiento de Dios, como está revelado en Cristo, es el conocimiento que deben tener todos los que están salvos. Este es el conocimiento que obra la transformación del carácter. Recibido en la vida, volverá a crear en el alma la imagen de Cristo. Tal es el conocimiento que Dios invita a sus hijos a obtener, pues en comparación con él todo lo demás es vanidad y nada.

En toda generación y en cada país el fundamento de la verdad para la construcción del carácter ha sido el mismo: los principios contenidos en la Palabra de Dios. La única norma segura e infalible es hacer lo que Dios dice. "Los mandamientos de Jehová son rectos", y "el que hace estas cosas, no resbalará jamás" (Salmos 19: 8: 15: 5). Fue con la Palabra de Dios cómo los apóstoles hicieron frente a las falsas teorías de sus días, diciendo: "Nadie puede poner otro fundamento que el que está puesto" (1 Corintios 3: 11).

Al tiempo de su conversión y bautismo, los creyentes de Colosas prometieron dejar a un lado creencias y prácticas que hasta entonces habían sido una parte de sus vidas, y ser constantes en su lealtad a Cristo. En su carta, Pablo les

recordó esto, rogándoles que no olvidasen que, a fin de cumplir su voto, deberían hacer un esfuerzo constante contra los males que buscaban tener dominio sobre ellos. "Si pues, habéis resucitado con Cristo —dijo—, buscad las cosas de arriba, donde está Cristo sentado a la diestra de Dios. Poned la mira en las cosas de arriba, no en las de la tierra. Porque habéis muerto, y vuestra vida está escondida con Cristo en Dios".

"De modo que si alguno está en Cristo, nueva criatura es; las cosas viejas pasaron; he aquí todas son hechas nuevas" (2 Corintios 5: 17). Por medio del poder de Cristo, los hombres y mujeres han roto las cadenas de los hábitos pecaminosos. Han renunciado al egoísmo. El profano se transformó en reverente, el borracho en sobrio, el libertino en puro. Almas que habían manifestado la semejanza de Satanás, han llegado a transformarse a la imagen de Dios. Este cambio, en sí mismo, es el milagro de los milagros. El cambio realizado por la Palabra es uno de los más profundos misterios de ella. No lo podemos entender; solamente podemos creerlo, como lo señalan las Escrituras: "Cristo en vosotros, la esperanza de gloria".

Cuando el Espíritu de Dios domina la mente y el corazón, el alma convertida prorrumpe en una nueva canción; porque ha reconocido que la promesa de Dios ha sido cumplida en su experiencia, que su transgresión ha sido perdonada, su pecado cubierto. Ha sentido arrepentimiento hacia Dios por la violación de su divina ley, y fe hacia Cristo, quien murió por la justificación del hombre. Justificado "pues, por la fe" tiene "paz para con Dios por medio de nuestro Señor Jesucristo" (Romanos 5: 1).

Pero habiendo alcanzado esa experiencia, el cristiano no

debe por lo tanto cruzarse de brazos conforme con lo que ha logrado. Aquel que está determinado a entrar en el reino espiritual encontrará que todos los poderes y las pasiones de la naturaleza no regenarada, respaldadas por las fuerzas del reino de las tinieblas, están preparadas para atacarle. Cada día debe renovar su consagración, cada día debe batallar contra el pecado. Los hábitos antiguos, las tendencias hereditarias hacia el mal, se disputarán el dominio, y contra ellos debe siempre velar, apoyándose en el poder de Cristo para obtener la victoria.

Escribió Pablo a los colosenses: "Haced morir, pues, lo terrenal en vosotros:... en las cuales [cosas] vosotros también anduvisteis en otro tiempo cuando vivíais en ellas. Pero ahora dejad también vosotros todas estas cosas: ira, enojo, malicia, blasfemia, palabras deshonestas de vuestra boca... Vestíos, pues, como escogidos de Dios, santos y amados, de entrañable misericordia, de benignidad, de humildad, de mansedumbre, de paciencia; soportándoos unos a otros, y perdonándoos unos a otros si alguno tuviere queja contra otro. De la manera que Cristo os perdonó, así también hacedlo vosotros. Y sobre todas estas cosas vestíos de amor, que es el vínculo perfecto. Y la paz de Dios gobierne en vuestros corazones, a la que asimismo fuisteis llamados en un solo cuerpo; y sed agradecidos".

La carta a los colosenses está llena de lecciones de gran valor para todos los que están ocupados en el servicio de Cristo, lecciones que muestran la sinceridad de propósito y la altura del blanco que será visto en la vida de aquel que representa correctamente a su Salvador. Renunciando a todo lo que pueda impedirle realizar progresos en el camino ascendente, o quiera hacer volver los pies de otros del ca-

503

mino angosto, el creyente revelará en su vida diaria misericordia, bondad, humildad, mansedumbre, tolerancia y el amor de Cristo.

El poder de una vida más elevada, pura y noble es nuestra gran necesidad. El mundo abarca demasiado de nuestros pensamientos, y el reino de los cielos demasiado poco.

En sus esfuerzos por alcanzar el ideal de Dios, el cristiano no debería desesperarse de ningún empeño. A todos es prometida la perfección moral y espiritual por la gracia y el poder de Cristo. El es el origen del poder, la fuente de la vida. Nos lleva a su Palabra, y del árbol de la vida nos presenta hojas para la sanidad de las almas enfermas de pecado. Nos guía hacia el trono de Dios, y pone en nuestra boca una oración por la cual somos traídos en estrecha relación con él. En nuestro favor pone en operación los todopoderosos agentes del cielo. A cada paso sentimos su poder viviente.

Dios no fija límites al avance de aquellos que desean ser "llenos del conocimiento de su voluntad en toda sabiduría e inteligencia espiritual". Por la oración, la vigilancia y el desarrollo en el conocimiento y comprensión, son "fortalecidos con todo poder, conforme a la potencia de su gloria". Así son preparados para trabajar en favor de los demás. Es el propósito del Salvador que los seres humanos, purificados y santificados, sean sus ayudadores. Demos gracias por este gran privilegio a Aquel "que nos hizo aptos para participar de la herencia de los santos en luz; el cual nos ha librado de la potestad de las tinieblas, y trasladado al reino de su amado Hijo".

La carta de Pablo a los filipenses, como la escrita a los

colosenses, fue redactada mientras estaba preso en Roma. La iglesia de Filipos había enviado regalos a Pablo por mano de Epafrodito, a quien el apóstol llama "mi hermano y colaborador y compañero de milicia, vuestro mensajero, y ministrador de mis necesidades". Mientras estaba en Roma, Epafrodito "estuvo enfermo, a punto de morir; pero Dios tuvo misericordia de él —escribió Pablo—, y no solamente de él, sino también de mí, para que yo no tuviese tristeza sobre tristeza". Al oír de la enfermedad de Epafrodito, los creyentes de Filipos se llenaron de ansiedad respecto de él, por lo que decidió volver a ellos. "Porque él tenía gran deseo de veros a todos vosotros —escribió el apóstol—, y gravemente se angustió porque habíais oído que había enfermado... Así que le envío con mayor solicitud, para que al verle de nuevo, os gocéis, y yo esté con menos tristeza. Recibidle, pues, en el Señor, con todo gozo, y tened en estima a los que son como él; porque por la obra de Cristo estuvo próximo a la muerte, exponiendo su vida para suplir lo que faltaba en vuestro servicio por mí".

Por su mano, Pablo envió una carta a los creyentes filipenses, en la cual les agradecía las dádivas que le enviaron. De todas las iglesias, la de Filipos había sido la más liberal para suplir sus necesidades. "Y sabéis también vosotros, oh filipenses —decía el apóstol en su carta—, que al principio de la predicación del Evangelio, cuando partí de Macedonia, ninguna iglesia participó conmigo en razón de dar y recibir, sino vosotros solos; pues aun a Tesalónica me enviasteis una y otra vez para mis necesidades. No es que busque dádivas, sino que busco fruto que abunde en vuestra cuenta. Pero todo lo he recibido, y tengo abundancia; estoy lleno, habiendo recibido de Epafrodito lo que enviasteis; olor fragante, sacrificio acepto, agradable a Dios".

"Gracias y paz a vosotros, de Dios nuestro Padre y del Señor Jesucristo. Doy gracias a mi Dios siempre que me acuerdo de vosotros, siempre en todas mis oraciones rogando con gozo por todos vosotros, por vuestra comunión en el Evangelio, desde el primer día hasta ahora; estando persuadido de esto, que el que comenzó en vosotros la buena obra, la perfeccionará hasta el día de Jesucristo; como me es justo sentir esto de todos vosotros, por cuanto os tengo en el corazón; y en mis prisiones, y en la defensa y confirmación del Evangelio, todos vosotros sois participantes conmigo de la gracia. Porque Dios me es testigo de cómo os amo a todos vosotros... Y esto pido en oración, que vuestro amor abunde aun más y más en ciencia y en todo conocimiento, para que aprobéis lo mejor, a fin de que seáis sinceros e irreprensibles para el día de Cristo, llenos de frutos de justicia que son por medio de Jesucristo, para gloria y alabanza de Dios".

La gracia de Dios sostenía a Pablo en su encarcelamiento, habilitándolo para regocijarse en la tribulación. Con fe y convicción escribió a sus hermanos filipenses que su prisión había resultado en el adelantamiento del Evangelio. "Quiero que sepáis, hermanos —declaró—, que las cosas que me han sucedido, han redundado más bien para el progreso del Evangelio, de tal manera que mis prisiones se han hecho patentes en Cristo en todo el pretorio, y a todos los demás. Y la mayoría de los hermanos, cobrando ánimo en el Señor con mis prisiones, se atreven mucho más a hablar la palabra sin temor".

En esa experiencia de Pablo hay una lección para nosotros; nos revela la manera en que Dios obra. El Señor puede sacar victoria de lo que nos parece desconcierto y derrota.

Estamos en peligro de olvidar a Dios, de mirar las cosas que se ven, en vez de contemplar con los ojos de la fe las cosas que no se ven. Cuando viene la desgracia o el infortunio, estamos listos para culpar a Dios de negligencia o crueldad. Si ve conveniente interrumpir nuestro servicio en alguna actividad, nos lamentamos, sin detenernos a reflexionar que así Dios puede estar obrando para nuestro bien. Necesitamos aprender que la corrección es parte de su gran plan y que bajo la vara de la aflicción, el cristiano puede hacer, a veces, más por su Maestro que cuando está ocupado en el servicio activo.

Como ejemplo para la vida cristiana, Pablo señaló a los filipenses a Cristo, "el cual, siendo en forma de Dios, no estimó el ser igual a Dios como cosa a que aferrarse, sino que se despojó a sí mismo, tomando forma de siervo, hecho semejante a los hombres; y estando en la condición de hombre, se humilló a sí mismo, haciéndose obediente hasta la muerte, y muerte de cruz".

"Por tanto, amados míos —continúa—, como siempre habéis obedecido, no como en mi presencia solamente, sino mucho más ahora en mi ausencia, ocupaos en vuestra salvación con temor y temblor, porque Dios es el que en vosotros produce así el querer como el hacer, por su buena voluntad. Haced todo sin murmuraciones y contiendas, para que seáis irreprensibles y sencillos, hijos de Dios sin mancha en medio de una generación maligna y perversa, en medio de la cual resplandecéis como luminares en el mundo; asidos de la palabra de vida, para que en el día de Cristo yo pueda gloriarme de que no he corrido en vano, ni en vano he trabajado".

Estas palabras fueron registradas para ayudar a cada

alma que lucha. Pablo presentó el nivel de perfección y mostró cómo puede ser alcanzado. Dijo: "Ocupaos en vuestra salvación..., porque Dios es el que en vosotros obra" (antigua versión Reina-Valera).

La obra de ganar la salvación es una operación mancomunada. Debe haber cooperación entre Dios y el pecador arrepentido. Es necesaria para la formación de principios rectos de carácter. El hombre debe hacer fervientes esfuerzoa para vencer lo que le impide obtener la perfección. Pero depende enteramente de Dios para alcanzar el éxito. Los esfuerzos humanos, por sí solos, son insuficientes. Sin la ayuda del poder divino, no se conseguirá nada. Dios obra y el hombre obra. La resistencia a la tentación debe venir del hombre, quien debe obtener su poder de Dios. Por un lado hay sabiduría, compasión y poder infinitos, y por el otro, debilidad, perversidad, impotencia absoluta.

Dios desea que tengamos dominio sobre nosotros mismos, pero no puede ayudarnos sin nuestro consentimiento y cooperación. El Espíritu divino obra por medio de los poderes y facultades otorgados al hombre. Por naturaleza, no estamos capacitados para armonizar nuestros propósitos, deseos e inclinaciones con la voluntad de Dios; pero si tenemos el deseo de que Dios cree en nosotros la voluntad, el Salvador lo efectuará por nosotros, "derribando argumentos y toda altivez que se levanta contra el conocimiento de Dios, y llevando cautivo todo pensamiento a la obediencia a Cristo" (2 Corintios 10: 5).

El que desea adquirir un carácter fuerte y armónico, el que desea ser un cristiano equilibrado, debe dar todo y hacer todo por Cristo; porque el Redentor no aceptará un servicio a medias. Diariamente debe aprender el significado de la entrega propia. Debe estudiar la Palabra de Dios, aprendiendo su significado y obedeciendo sus preceptos. Así puede alcanzar la norma de la excelencia cristiana: día tras día Dios trabaja con él, perfeccionando el carácter que resistirá el tiempo de la prueba final; y día tras día el creyente está efectuando ante hombres y ángeles un experimento sublime, el cual demuestra lo que el Evangelio puede hacer en favor de los seres humanos caídos.

"Yo mismo no pretendo haberlo ya alcanzado —escribió Pablo—; pero una cosa hago: olvidando ciertamente lo que queda atrás, y extendiéndome a lo que está delante, prosigo a la meta, al premio del supremo llamamiento de Dios en Cristo Jesús".

Pablo hacía muchas cosas. Desde el tiempo que decidió ser fiel a Cristo, su vida estuvo llena de un servicio incansable. De ciudad en ciudad, de país en país, viajaba refiriendo la historia de la cruz, ganando conversos al Evangelio y estableciendo iglesias. Por esas iglesias sentía una constante solicitud y les escribió muchas cartas de instrucción. A veces, trabajaba en su oficio para ganarse el pan cotidiano. Pero en todas las absorbentes actividades de su vida, Pablo nunca perdió de vista su gran propósito: extenderse hacia el premio de su soberana vocación. Mantenía resueltamente su blanco ante sí: ser fiel a Aquel que se le había revelado junto a la puerta de Damasco. Nada tenía poder para apartarlo de ese blanco. Exaltar la cruz del Calvario, era el absorbente motivo que inspiraba sus palabras y actos.

El gran propósito que le constreñía a avanzar ante las penalidades y dificultades, debe inducir a cada obrero cristiano a consagrarse enteramente al servicio de Dios. Se le presentarán atracciones mundanales para desviar su atención del Salvador, pero debe avanzar hacia la meta, mostrando al mundo, a los ángeles y a los hombres que la esperanza de ver el rostro de Dios es digna de todo el esfuerzo y sacrificio que demanda el logro de esta esperanza.

Pablo no se desanimó mientras permanecía preso. Por el contrario, una nota de triunfo resonaba en las cartas que escribía desde Roma a las iglesias. "Regocijaos en el Señor siempre —escribió a los filipenses—. Otra vez digo: ¡Regocijaos!... Por nada estéis afanosos, sino sean conocidas vuestras peticiones delante de Dios en toda oración y ruego, con acción de gracias. Y la paz de Dios, que sobrepasa todo entendimiento, guardará vuestros corazones y vuestros pensamientos en Cristo Jesús. Por lo demás, hermanos, todo lo que es verdadero, todo lo honesto, todo lo justo, todo lo puro, todo lo amable, todo lo que es de buen nombre; si hay virtud alguna, si algo digno de alabanza, en esto pensad".

"Mi Dios, pues, suplirá todo lo que os falta conforme a sus riquezas en gloria en Cristo Jesús... La gracia de nuestro Señor Jesucristo sea con todos vosotros".

CAPITULO 46

Pablo en Libertad

AUNQUE la obra de Pablo en Roma se veía bendecida por la conversión de muchas almas y el fortalecimiento y estímulo de los fieles, se iban acumulando nubes amenazadoras no sólo sobre su seguridad personal, sino también sobre la prosperidad de la iglesia. Al llegar a Roma, había sido puesto bajo la custodia del capitán de la guardia imperial, hombre justo e íntegro, por cuya benevolencia tenía el apóstol relativa libertad para proseguir la obra del Evangelio. Pero antes de concluir los dos años de encarcelamiento, ese capitán fue relevado por otro, de quien el apóstol no podía esperar ningún favor especial.

Los judíos se volvieron entonces más activos que nunca en sus esfuerzos contra Pablo, y encontraron valiosa ayuda en la disoluta mujer a quien Nerón había hecho su segunda esposa, la cual por ser prosélita judía prestó toda su influencia en favor de los proyectos homicidas contra el campeón del cristianismo.

Pablo no podía esperar mucha justicia del César a quien había apelado. Nerón era de moral más degradada, y de carácter más frívolo, y al mismo tiempo capaz de crueldades más atroces que cuantos gobernantes le habían precedido. Las riendas del gobierno no podrían haber sido confiadas a un monarca más despótico. El primer año de su reinado se señaló por el envenenamiento de su hermanastro, heredero legítimo al trono. De un abismo a otro de vicios y de crímenes, Nerón había descendido hasta asesinar a su propia madre y después a su esposa. No hubo atrocidad que no perpetrase ni vileza ante la cual se detuviese. A cada alma noble inspiraba solamente aborrecimiento y desprecio.

Los detalles de la iniquidad practicada en su corte son demasiado viles, demasiado horribles para ser descritos. Su malvada iniquidad creó disgusto y aversión, aun en muchos de los que fueron obligados a participar en sus crímenes. Estaban en constante temor tocante a la próxima atrocidad que sugeriría. Sin embargo, todos los crímenes que cometía

Nerón no debilitaron la fidelidad de sus súbditos. Era reconocido como el gobernante absoluto de todo el mundo civilizado. Y más que esto, era objeto de honores divinos y adorado como un dios.

Desde el punto de vista del juicio humano, era segura la condena de Pablo ante semejante juez. Pero el apóstol comprendía que mientras se mantuviese leal a Dios, de nada había de temer. Aquel que en lo pasado fuera su protector, podría escudarle aun de la malignidad de los judíos y del poder de César.

Y Dios escudó a su siervo. Cuando se examinaron las acusaciones contra Pablo, nadie las sostuvo; y contrariamente a la expectativa general, y con una consideración por la justicia totalmente opuesta a su carácter, Nerón absolvió al procesado. Pablo se vio desligado de sus cadenas; y en completa libertad.

Si el proceso de Pablo se hubiese diferido por más tiempo, o si por cualquier motivo se hubiera detenido en Roma hasta el año siguiente, sin duda habría perecido en la persecución que se desató contra los cristianos. Durante el encarcelamiento de Pablo los conversos al cristianismo habían llegado a ser tan numerosos que atrajeron la atención y suscitaron la enemistad de las autoridades. La cólera del emperador se excitó especialmente por la conversión de gente de su propia casa y pronto encontró pretexto para hacer a los cristianos objeto de su despiadada crueldad.

Por entonces estalló en Roma un terrible incendio que consumió casi media ciudad. Según rumores, el mismo Nerón había sido el incendiario; para alejar toda sospecha hizo alarde de gran generosidad yendo a visitar a las víctimas del siniestro que habían quedado sin hogar y desamparadas.

Sin embargo, se le acusó del crimen. El pueblo se encolerizó y enfureció y para disculparse a sí mismo y al mismo tiempo para quitar de la ciudad a una clase que temía y odiaba, Nerón dirigió la acusación sobre los cristianos. Su ardid tuvo éxito y millares de los seguidores de Cristo, hombres, mujeres y niños, fueron cruelmente martirizados.

Escapó Pablo de aquella terrible persecución porque muy luego de verse en libertad, salió de Roma. Este último período de libertad lo utilizó diligentemente para trabajar entre las iglesias. Era su propósito establecer una unión más firme entre las iglesias griegas y orientales y fortalecer el entendimiento de los creyentes contra las falsas doctrinas que ya se insinuaban para corromper la fe.

Las pruebas y penalidades sufridas por Pablo habían agotado sus fuerzas físicas. Padecía los achaques de la vejez. Comprendía que estaba realizando su postrera labor; y a medida que se le iba acortando el tiempo, eran más intensos sus esfuerzos. Su celo no tenía límites. Resuelto en el propósito, rápido en la acción, firme en la fe, pasaba de iglesia en iglesia por diversos países, y procuraba por todos los medios a su alcance fortalecer las manos de los creyentes para que actuasen fielmente en la obra de ganar almas para Jesús, y que en los tiempos de prueba que ya se iniciaban permaneciesen firmes en el Evangelio y testificasen fielmente por Cristo.

CAPITULO 47

El Ultimo Arresto
de Pablo

NO PODIA escapar a la atención de sus enemigos la obra de Pablo entre las iglesias después de su absolución en Roma. Desde los comienzos de la persecución de Nerón, los cristianos eran por doquiera una secta proscrita. Pasado algún tiempo, los judíos incrédulos concibieron la idea de achacar a Pablo el crimen de haber instigado el incendio de Roma. Ninguno de ellos lo creía culpable; pero comprendían que semejante acusación hecha con la menor apariencia de probabilidad, acarrearía su condena. Por medio de esos esfuerzos, Pablo fue nuevamente detenido y llevado en seguida a su prisión final.

En su segundo viaje a Roma, le acompañaron varios de sus anteriores colaboradores; otros deseaban ardientemente compartir su suerte, pero Pablo rehusó permitirles que hicieran peligrar su vida así. La perspectiva para él no era ahora tan favorable como en ocasión de su primer encarcelamiento. La persecución bajo Nerón había disminuido grandemente el número de cristianos en Roma. Miles habían sido martirizados por su fe, muchos habían abandonado la ciudad y los que quedaron fueron en gran manera intimidados y deprimidos.

Al llegar a Roma, lo encerraron en una lóbrega mazmorra, en la cual iba a quedar hasta el fin de su carrera. Acusado de instigar uno de los más viles y terribles crímenes contra la ciudad y la nación, era objeto de universal execración.

Los pocos amigos que habían compartido las cargas del apóstol, comenzaron ahora a abandonarle, algunos por apostasía, y otros para cumplir misiones en favor de las varias iglesias. Figelo y Hermógenes fueron los primeros en irse. Luego Demas, desanimado por las crecientes nubes de dificultades y peligros, abandonó al apóstol perseguido. Crescente fue enviado por Pablo a las iglesias de Galacia, Tito a Dalmacia y Tíquico a Efeso. Escribiendo a Timoteo acerca de su situación. Pablo dice: "Sólo Lucas está conmigo" (2 Timoteo 4: 11). Nunca había necesitado el apóstol el servicio de sus hermanos como ahora, al encontrarse debilitado por la edad, fatigado, enfermo y confinado en una húmeda y oscura celda subterránea de una prisión romana. Los servicios de Lucas, el amado discípulo y fiel amigo, eran un gran consuelo para Pablo y le permitían comunicarse con sus hermanos y con el mundo externo.

En ese tiempo de prueba, el corazón de Pablo se regocijaba por las frecuentes visitas de Onesíforo. Este amable ciudadano de Efeso hizo todo lo que estaba en su poder para aminorar la dureza del encarcelamiento del apóstol. Su amado maestro estaba encadenado por causa de la verdad mientras él estaba libre; y no escatimó ningún esfuerzo para hacer más soportable la suerte de Pablo.

En la última carta que el apóstol escribió, habla acerca de este fiel discípulo: "Tenga el Señor misericordia de la casa de Onesíforo, porque muchas veces me confortó, y no se avergonzó de mis cadenas, sino que cuando estuvo en Roma, me buscó solícitamente y me halló. Concédale el Señor que halle misericordia cerca del Señor en aquel día" (2 Timoteo 1: 16-18).

El anhelo de simpatía y amor es implantado en el corazón por Dios mismo. Cristo, en su hora de agonía en el Getsemaní anheló la simpatía de sus discípulos. Y Pablo, aunque aparentemente indiferente a las penalidades y el sufrimiento, deseaba vivamente simpatía y compañerismo. La visita de Onesíforo, que atestiguaba su fidelidad en el tiempo de soledad y abandono, infundió alegría y regocijo a quien había dedicado su vida a servir a otros.

John Steel

CAPITULO 48

Pablo Nuevamente Ante Nerón

CUANDO Pablo recibió la orden de comparecer ante Nerón para la vista de su causa, tenía ante sí la perspectiva de una muerte segura. La grave índole del crimen que se le imputaba y la prevaleciente animosidad contra los cristianos, dejaban pocas esperanzas de éxito.

Entre los griegos y los romanos existía la costumbre de permitir a un acusado el privilegio de emplear un abogado para defender su causa ante los tribunales. Por la fuerza de los argumentos, por una elocuencia apasionada, o por ruegos, súplicas y lágrimas, tal abogado a menudo obtenía una decisión en favor del prisionero, o si no conseguía eso, lograba mitigar la severidad de la sentencia. Pero cuando Pablo compareció ante Nerón, nadie se aventuró a actuar como su consejero o abogado; no había amigo a mano para conservar un informe de las acusaciones que trajeron contra

519

Cuando Pablo compareció ante el disoluto Nerón, se llamó a sí mismo "prisionero de Jesucristo".

él, o los argumentos que presentó en su propia defensa. Entre los cristianos en Roma nadie se adelantó para apoyarle en esa hora de prueba.

El único informe seguro de esa ocasión nos es dado por Pablo mismo en su segunda carta a Timoteo. "En mi primera defensa —escribió— ninguno estuvo a mi lado, sino que todos me desampararon; no les sea tomado en cuenta. Pero el Señor estuvo a mi lado, y me dio fuerzas, para que por mí fuese cumplida la predicación, y que todos los gentiles oyesen. Así fui librado de la boca del león" (2 Timoteo 4: 16, 17).

¡Pablo ante Nerón! ¡Qué notable contraste! El arrogante monarca, ante el cual el hombre de Dios debía responder por su fe, había alcanzado el apogeo del poder, la autoridad y la riqueza terrenales, como también la más baja profundidad del crimen y la iniquidad. En poder y grandeza no tenía rival. No se podía discutir su autoridad ni resistir su voluntad. Reyes depusieron sus coronas a sus pies. Poderosos ejércitos marchaban a su mandato y las insignias de sus armadas garantizaban sus victorias. Su estatua se levantaba en las salas de justicia, y los decretos de los senadores como las decisiones de los jueces eran solamente el eco de su voluntad. Millones se inclinaban en obediencia a sus mandatos. El nombre de Nerón hacía temblar al mundo. Caer en su desagrado significaba perder la propiedad, la libertad y la vida; y su enojo era más temible que la peste.

Sin dinero, ni amigos, ni consejeros, el anciano apóstol compareció ante Nerón, cuyo aspecto revelaba las vergonzosas pasiones que en su interior rebullían, mientras que el rostro del acusado reflejaba un corazón en paz con Dios. La vida de Pablo había sido de pobreza, abnegación y sufrimientos. A pesar de las constantes falsedades, vituperios y maltrato con que sus enemigos habían procurado intimidarlo, impávidamente mantuvo enhiesto el estandarte de la cruz. Como su Maestro, había peregrinado sin hogar propio, y como él, había vivido para beneficio de la humanidad. ¿Cómo podía el antojadizo, apasionado y libertino tirano, comprender ni estimar el carácter y los motivos de ese hijo de Dios?

El amplio salón estaba lleno de una turba ansiosa e inquieta, que se apretujaba hacia adelante para ver y oír cuanto sucediese. Altos y bajos, ricos y pobres, letrados e ignorantes, altivos y humildes, todos estaban allí destituidos del verdadero conocimiento del camino de vida y salvación.

Los judíos levantaron contra Pablo las viejas acusaciones de sedición y herejía; y tanto judíos como romanos le culpaban de haber instigado el incendio de la ciudad. Pablo escuchó estos cargos con imperturbable serenidad. Los jueces y el público le miraban sorprendidos. Habían presenciado muchos procesos y observado a muchos criminales; pero nunca habían visto un procesado que denotara tan santa tranquilidad como el que tenían delante. La sagaz mirada de los jueces acostumbrados a leer en el semblante de los reos, buscaba vanamente en el rostro de Pablo alguna prueba de culpabilidad. Cuando se le concedió la palabra para hablar en defensa propia, todos escucharon con vivísimo interés.

Una vez más, tuvo Pablo ocasión de levantar ante una admirada muchedumbre la bandera de la cruz. Al contemplar a los circunstantes, judíos, griegos, romanos y extranjeros de muchos países, su alma se conmovió con un intenso anhelo por su salvación. Perdió de vista entonces la circunstancia en que se hallaba, los peligros que le rodeaban y el terrible destino que parecía inminente. Sólo vio a Jesús, el Mediador, abogando ante Dios en favor de los pecadores. Con elocuencia sobrehumana expuso las verdades del Evangelio. Presentó a sus oyentes el sacrificio realizado en bien de la raza caída. Declaró que para la redención del hombre se había pagado un rescate infinito, por el cual se le daba la posibilidad de compartir el trono de Dios. Añadió que la tierra estaba relacionada con el cielo por medio de ángeles y que todas las acciones de los hombres, buenas o malas, están bajo la mirada de la Justicia Infinita.

Tal fue el alegato del abogado de la verdad. Fiel entre los infieles, leal entre los desleales, se erguía como representante de Dios y su voz era como una voz del cielo. No había temor, tristeza ni desaliento en su palabra ni en su mirada. Firmemente, consciente de su inocencia, revestido con la armadura de la verdad, se regocijaba al sentirse hijo de Dios. Sus palabras eran como un grito de victoria que sobresalía por encima del fragor de la batalla. Declaró que la causa a la cual había dedicado su vida era la única que no podía fracasar. Aunque él pereciera, el Evangelio no perecería. Dios vive y su verdad triunfará.

Muchos de los que le contemplaron aquel día "vieron su rostro como el rostro de un ángel" (Hechos 6: 15).

Nunca habían escuchado los circunstantes palabras como aquéllas. Tocaron una cuerda que hizo vibrar aun el corazón más endurecido. La verdad clara y convincente desbarataba el error. La luz iluminó el entendimiento de muchos que después siguieron alegremente sus rayos. Las verdades declaradas aquel día iban a conmover las naciones y perdurar a través de todos los tiempos, para influir en el corazón de los hombres, aun cuando los labios que las pronunciaban iban a quedar silenciosos en una tumba de mártir.

Nunca hasta entonces había oído Nerón la verdad como en aquella ocasión. Nunca se le había revelado de tal manera la enorme culpabilidad de su conducta. La luz del cielo penetró en los recovecos de su alma manchada por la culpa y, aterrorizado, tembló al pensar en un tribunal ante el cual él, gobernante del mundo, habría finalmente de comparecer para recibir el justo castigo de sus obras. Temió Nerón al Dios del apóstol, y no se atrevió a dictar sentencia contra Pablo, pues nadie había mantenido sus acusaciones. Un sentimiento de pavor reprimió por algún tiempo su sanguinario espíritu.

Por un momento se le abrió el cielo al culpable y empedernido Nerón, y su paz y pureza le parecieron apetecibles. En aquel momento se le extendió aun a él la invitación de misericordia. Pero sólo por un momento acogió la idea del perdón. Después mandó que volviesen a llevar a Pablo a la mazmorra; y al cerrarse la puerta tras el mensajero de Dios, se cerró para siempre al emperador de Roma la puerta del arrepentimiento. Ya ningún rayo de luz del cielo había de penetrar las tinieblas que le rodeaban. Pronto iba a sufrir los juicios retributivos de Dios.

No mucho después de esto, Nerón zarpó hacia su vergonzosa expedición a Grecia, donde se deshonró a sí mismo y a su reino por medio de su despreciable y degradante frivolidad. Al regresar a Roma con gran pompa, se rodeó de sus cortesanos y se entregó a actos de repugnante corrupción. En medio de esa orgía se oyó una voz de tumulto en las calles. Se envió un mensajero para averiguar la causa, el cual regresó con las noticias aterradoras de que Galba, al frente de un ejército, marchaba rápidamente sobre Roma, que ya había estallado la insurrección en la ciudad y que las calles estaban llenas de un populacho enardecido, que amenazando con la muerte al emperador y a todos sus colaboradores, se acercaba rápidamente al palacio.

En ese tiempo de peligro, Nerón no tenía, como había tenido el fiel Pablo, un Dios poderoso y compasivo en quien confiar. Temeroso de los sufrimientos y posible tortura que podría verse obligado a soportar a manos de la turba, el infeliz tirano pensó en suicidarse, pero en el momento crítico le faltó el valor. Presa del terror, huyó vergonzosamente de la ciudad y buscó refugio en una casa de campo a pocos kilómetros de distancia; pero sin resultado. Pronto se descubrió su escondite y como los soldados de caballería que lo perseguían se acercaban, llamó a un esclavo en su auxilio, y se infligió una herida mortal. Así pereció el tirano Nerón a la temprana edad de treinta y dos años.

CAPITULO 49

Este capítulo está basado en la segunda Epístola a Timoteo.

La Ultima Carta de Pablo

DESDE la sala del juicio Pablo volvió al calabozo, comprendiendo que sólo había conseguido para sí un corto respiro. Sabía que sus enemigos no iban a cejar en su empeño hasta lograr matarlo. Pero también sabía que momentáneamente la verdad había triunfado. Ya era de por sí una victoria el haber proclamado al Salvador crucificado y resucitado ante la numerosa multitud que escuchó su defensa. Ese día comenzó una obra que iba a prosperar y fortalecerse, y que Nerón y los demás enemigos de Cristo no lograrían entorpecer ni destruir.

Recluido en su lóbrega celda, y sabiendo que por una palabra o una señal de Nerón su vida podía ser sacrificada, Pablo pensó en Timoteo y resolvió hacerlo venir. A éste se le había encomendado el cuidado de la iglesia de Efeso, y por eso quedó atrás cuando Pablo hizo su último viaje a Roma. Ambos estaban unidos por un afecto excepcionalmente profundo y fuerte. Después de su conversión, Timoteo había participado en los trabajos y sufrimientos de Pablo, y la

525

amistad entre los dos se había hecho más fuerte, profunda y sagrada. Todo lo que un hijo podría ser para su padre amoroso y honrado, lo era Timoteo para el anciano y agotado apóstol. No es de admirar que en su soledad éste anhelara verlo.

Todavía habían de pasar algunos meses antes de que Timoteo pudiera llegar a Roma desde Asia Menor, aun en las circunstancias más favorables. Pablo sabía que su vida estaba insegura, y temía que aquél llegara demasiado tarde para verle. Tenía consejos e instrucciones importantes para el joven misionero, a quien se la había entregado tan grande responsabilidad; y mientras le instaba a que viniese sin demora, dictó su postrer testimonio, ya que posiblemente no se le permitiera vivir para pronunciarlo. Con el alma henchida de amante solicitud por su hijo en el Evangelio y por la iglesia que estaba bajo su cuidado, Pablo procuró impresionar a Timoteo con la importancia de la fidelidad a su sagrado cometido.

Comenzó su carta con la salutación: "A Timoteo, amado hijo: Gracia, misericordia y paz, de Dios Padre y de Jesucristo nuestro Señor. Doy gracias a Dios, al cual sirvo desde mis mayores con limpia conciencia, de que sin cesar me acuerdo de ti en mis oraciones noche y día".

Luego le instó sobre la necesidad de la constancia en la fe. "Por lo cual te aconsejo que avives el fuego del don de Dios que está en ti por la imposición de mis manos. Porque no nos ha dado Dios espíritu de cobardía, sino de poder, de amor y de dominio propio. Por tanto, no te avergüences de dar testimonio de nuestro Señor, ni de mí, preso suyo, sino participa de las aflicciones por el Evangelio según el poder de Dios". Le suplicó que recordara que había sido llamado "con llamamiento santo" a proclamar el poder de Aquel que "sacó a luz la vida y la inmortalidad por el Evangelio, del cual —declaró— yo fui constituido predicador, apóstol y maestro de los gentiles. Por lo cual asimismo padezco esto; pero no me avergüenzo, porque yo sé a quién he creído, y estoy seguro que es poderoso para guardar mi depósito para aquel día".

A través de su largo período de servicio, la fidelidad de Pablo hacia su Salvador nunca vaciló. Dondequiera que estaba, fuera frente a enfurruñados fariseos o a las autoridades romanas; fuera frente a la furiosa turba de Listra, o los convictos pecadores de la cárcel macedónica; fuera razonando con los marineros llenos de pánico sobre el buque náufrago, o estando solo ante Nerón para defender su vida, nunca se avergonzó de la causa en la cual militaba. El gran propósito de su vida cristiana había sido servir a Aquel cuyo nombre una vez lo había llenado de desprecio; y de este propósito no había sido capaz de apartarlo ni la oposición ni la persecución. Su fe, robustecida en el esfuerzo y purificada por el sacrificio, lo sostuvo y lo fortaleció.

"Tú, pues hijo mío —continuó Pablo—, esfuérzate en la gracia que es en Cristo Jesús. Lo que has oído de mí ante muchos testigos, esto encarga a hombres fieles que sean idóneos para enseñar también a otros. Tú, pues, sufre penalidades como buen soldado de Jesucristo".

El verdadero ministro de Dios no rehúye los trabajos pesados ni las responsabilidades. De la fuente que nunca falla para los que sinceramente buscan el poder divino, saca fuerza que le capacita para afrontar las tentaciones, sobreponerse a ellas y cumplir los deberes que Dios le impone. La naturaleza de la gracia que recibe aumenta su capacidad

para conocer a Dios y a su Hijo. Su alma se desvive para realizar un servicio aceptable para su Maestro. A medida que avanza en el camino cristiano, se esfuerza "en la gracia que es en Cristo Jesús". Esta gracia le habilita para ser un testigo fiel de las cosas que ha oído. No desprecia ni descuida el conocimiento que ha recibido de Dios, sino que lo entrega a hombres fieles, quienes a su vez lo enseñarán a otros.

En ésta su última carta a Timoteo, Pablo levanta ante el joven obrero un elevado ideal, puntualizando los deberes que le corresponden como ministro de Cristo. "Procura con diligencia presentarte a Dios aprobado —escribió el apóstol—, como obrero que no tiene de qué avergonzarse, que usa bien la palabra de verdad". "Huye también de las pasiones juveniles, y sigue la justicia, la fe, el amor y la paz, con los que de corazón limpio invocan al Señor. Pero desecha las cuestiones necias e insensatas, sabiendo que engendran contiendas. Porque el siervo del Señor no debe ser contencioso, sino amable para con todos, apto para enseñar, sufrido; que con mansedumbre corrija a los que se oponen, por si quizá Dios les conceda que se arrepientan para conocer la verdad".

Le amonesta contra los falsos maestros que intentarían levantarse en la iglesia. "También debes saber esto —declaró—: que en los postreros días vendrán tiempos peligrosos. Porque habrá hombres amadores de sí mismos, avaros, vanagloriosos, soberbios, blasfemos, desobedientes a los padres, ingratos, impíos..., que tendrán apariencia de piedad, pero negarán la eficacia de ella; a éstos evita".

"Mas los malos hombres y los engañadores irán de mal en peor —continuó—, engañando y siendo engañados. Pero persiste tú en lo que has aprendido y te persuadiste, sa-

529

Cerca a su fin y en espera de su ejecución, el propósito de Pablo fue proclamar a Cristo como Salvador.

biendo de quién has aprendido; y que desde la niñez has sabido las Sagradas Escrituras, las cuales te pueden hacer sabio para la salvación… Toda la Escritura es inspirada por Dios y útil para enseñar, para redargüir, para corregir, para instituir en justicia, a fin de que el hombre de Dios sea perfecto, enteramente preparado para toda buena obra". Dios ha provisto abundantes medios para tener éxito en la guerra contra la maldad que hay en el mundo. La Biblia es el arsenal donde podemos equiparnos para la lucha. Nuestros lomos deben estar ceñidos con la verdad. Nuestra cota debe ser la justicia. El escudo de la fe debe estar en nuestra mano, el yelmo de la salvación sobre nuestra frente; y con la espada del Espíritu, que es la Palabra de Dios, hemos de abrirnos camino a través de las obstrucciones y enredos del pecado.

Pablo sabía que a la iglesia le esperaba un tiempo de grande peligro. Sabía que debía hacerse un fiel y fervoroso trabajo por aquellos a quienes se les había encargado el cuidado de las iglesias; y por eso le escribió a Timoteo: "Te encarezco delante de Dios y del Señor Jesucristo, que juzgará a los vivos y a los muertos en su manifestación y en su reino, que prediques la palabra; que instes a tiempo y fuera de tiempo; redarguye, reprende, exhorta con toda paciencia y doctrina".

Esta amonestación solemne a uno que era tan celoso y fiel como Timoteo, constituye un poderoso testimonio de la importancia y responsabilidad de la obra del ministerio evangélico. Llamándolo ante el tribunal de Dios, Pablo le ordena predicar la Palabra, y no los dichos y costumbres de los hombres; de estar listo para testificar por Dios en cualquier oportunidad que se le presente, delante de grandes congregaciones o círculos privados, por el camino o en los hogares, a amigos como a enemigos, en seguridad o expuesto a durezas y peligros, oprobios y pérdidas.

Temiendo que la moderación de Timoteo y su disposición condescendiente pudiesen llevarle a rehuir una parte principal de su trabajo, le exhortó a ser fiel en reprobar el pecado, y hasta en reprender con severidad a los que eran culpables de graves males. No obstante debía hacerlo "con toda paciencia y doctrina". Debía revelar la paciencia y amor de Cristo, explicando y reforzando sus reprensiones con las verdades de la Palabra.

Odiar y reprender el pecado y al mismo tiempo mostrar misericordia y ternura por el pecador, es tarea difícil. Cuanto más fervoroso sea nuestro esfuerzo para obtener santidad de vida y corazón, tanto más perspicaz será nuestra percepción del pecado y más decidida nuestra desaprobación por cualquier desviación de lo recto. Debemos cuidarnos contra una severidad excesiva hacia los que obran mal, pero igualmente de no perder de vista la excesiva gravedad del pecado. Hay necesidad de mirar al pecador con paciencia y amor cristianos; pero existe también el peligro de mostrar una tolerancia tan grande por su error que le haga considerarse inmerecedor de la represión, y rechazarla como innecesaria e injusta.

A veces los ministros del Evangelio causan mucho daño al permitir que su indulgencia para con los que yerran degenere en tolerancia de pecados y hasta en su participación. De ese modo son llevados a mitigar y excusar lo que Dios condena; y después de algún tiempo, llegan a estar tan cegados que elogian a los mismos que Dios les ordenó reprender. El que embotó sus percepciones espirituales por una tolerancia pecaminosa hacia aquellos a quienes Dios condena, no tardará en cometer un pecado mayor por su severidad y dureza para con aquellos a quienes Dios aprueba.

Mediante el orgullo de la sabiduría humana, el desprecio hacia la influencia del Espíritu Santo y la aversión a las verdades de la Palabra de Dios, muchos que profesan ser cristianos, y que se sienten competentes para enseñar a otros, serán inducidos a abandonar los requerimientos de Dios. Pablo declaró a Timoteo: "Porque vendrá tiempo cuando no sufrirán la sana doctrina, sino que teniendo comezón de oír, se amontonarán maestros conforme a sus propias concupiscencias, y apartarán de la verdad el oído y se volverán a las fábulas".

El apóstol no se refiere aquí a la oposición de los abiertamente irreligiosos, sino a los profesos cristianos que han hechos de sus tendencias su guía y que así han sido esclavizados por el yo. Los tales están deseosos de oír solamente las doctrinas que no reprenden sus pecados o condenan su placentero curso de acción. Se ofenden por las sencillas palabras de los fieles siervos de Cristo, y escogen a los maestros que los alaban y lisonjean. Y entre los profesos ministros de Cristo están los que predican las opiniones de los hombres, en vez de la Palabra de Dios. Infieles a su cometido, desvían a los que buscan en ellos la dirección espiritual.

En los preceptos de su santa ley, Dios ha dado una perfecta norma de vida; y ha declarado que hasta el fin del tiempo esa ley, sin sufrir cambio en una sola jota o tilde, mantendrá sus demandas sobre los seres humanos. Cristo vino para magnificar la ley y hacerla honorable. Mostró que está basada sobre el anchuroso fundamento del amor a Dios y a los hombres, y que la obediencia a sus preceptos comprende todos los deberes del hombre. En su propia vida, Cristo dio un ejemplo de obediencia a la ley de Dios. En el Sermón del Monte mostró cómo sus requerimientos se extienden más allá de sus acciones externas y abarca los pensamientos e intentos del corazón.

La ley, obedecida, guía a los hombres a renunciar "a la impiedad y a los deseos mundanos" y a vivir "en este siglo sobria, justa y piadosamente" (Tito 2: 12). Pero el enemigo de toda justicia ha cautivado al mundo y ha arrastrado a la humanidad a desobedecerla. Como Pablo lo anticipó, multitudes han abandonado las claras y penetrantes verdades de la Palabra de Dios, y se han elegido maestros que les presentan las fábulas que ellos desean. Entre nuestros ministros y creyentes hay muchos que están hollando bajo sus pies los mandamientos de Dios. Así es insultado el Creador del mundo, y Satanás se ríe triunfalmente al ver el éxito que obtienen sus estratagemas.

Con el desprecio creciente hacia la ley de Dios, existe

una marcada aversión a la religión, un aumento de orgullo, amor a los placeres, desobediencia a los padres e indulgencia propia; y dondequiera se preguntan ansiosamente los pensadores: ¿Qué puede hacerse para corregir esos males alarmantes? La respuesta la hallamos en la exhortación de Pablo a Timoteo: "Predica la Palabra". En la Biblia encontramos los únicos principios seguros de acción. Es la transcripción de la voluntad de Dios, la expresión de la sabiduría divina. Abre a la comprensión de los hombres los grandes problemas de la vida; y para todo el que tiene en cuenta sus preceptos, resultará un guía infalible que le guardará de consumir su vida en esfuerzos mal dirigidos. Dios ha hecho conocer su voluntad, y es insensato para el hombre poner en tela de juicio lo que han proferido sus labios. Después que la Infinita Sabiduría habló, no puede existir una sola cuestión en duda que el hombre haya de aclarar, ninguna posibilidad de vacilar que corregir. Todo lo que el Señor requiere de él es un sincero y fervoroso acatamiento de su expresa voluntad. La obediencia es el mayor dictado de la razón, tanto como de la conciencia.

Pablo continúa sus instrucciones: "Pero tú sé sobrio en todo, soporta las aflicciones, haz obra de evangelista, cumple tu ministerio". El apóstol estaba cerca del fin de su carrera y deseaba que Timoteo ocupara su lugar, guardando a la iglesia de fábulas y herejías por medio de las cuales el enemigo, de varias maneras, se esforzaría por seducirlos y apartarlos de la sencillez del Evangelio. Le amonestó que evitara toda ocupación y complicación temporal que le podría impedir una entrega completa a la obra de Dios, que soportara con alegría la oposición, el vituperio y la persecución a que pudiera exponerse en virtud de su fidelidad, y a hacer completa demostración de su ministerio, empleando cada recurso a su alcance para beneficiar a aquellos por quienes Cristo murió.

La vida de Pablo fue una ejemplificación de las verdades que enseñaba: en eso estribaba su poder. Su corazón estaba lleno de un profundo y perdurable sentido de su responsabilidad; y trabajaba en íntima comunión con Aquel que es la fuente de la justicia, misericordia y verdad. Se aferraba a la cruz de Cristo como a su única garantía de éxito. El amor del Salvador era el motivo imperecedero que le sostenía en sus conflictos con el yo, en sus luchas contra el mal, mientras avanzaba en el servicio de Cristo contra la hostilidad del mundo y la oposición de sus enemigos.

Lo que la iglesia necesita en estos días de peligro es un ejército de obreros que, como Pablo, se hayan educado para ser útiles, tengan una experiencia profunda en las cosas de Dios y estén llenos de fervor y celo. Se necesitan hombres santificados y abnegados; hombres que no esquiven las pruebas y la responsabilidad; hombres valientes y veraces; hombres en cuyos corazones Cristo constituya la "esperanza de gloria", y quienes, con los labios tocados por el fuego santo, prediquen la Palabra. Por carecer de tales obreros la causa de Dios languidece, y errores fatales, cual veneno mortífero, corrompen la moral y agostan las esperanzas de una gran parte de la raza humana.

A medida que los fieles y fatigados portaestandártes están ofreciendo su vida por causa de la verdad, ¿quién se adelantará para ocupar su lugar? ¿Aceptarán nuestros jóvenes el santo cometido de manos de sus padres? ¿Están ellos preparados para llenar las vacantes producidas por la muerte de los fieles? ¿Tendrán en cuenta las recomendaciones de los

535

apóstoles? ¿Escucharán el llamamiento del deber mientras están rodeados por las incitaciones al egoísmo y a la ambición que engañan a la juventud?

Pablo concluyó su carta con mensajes particulares para distintas personas, y otra vez repitió el urgente ruego de que Timoteo fuera pronto, si fuese posible antes del invierno. Habló de su soledad, causada por el abandono de algunos amigos suyos, y la ausencia necesaria de otros; y para que Timoteo no vacilase, temiendo que la iglesia de Efeso necesitara sus atenciones, Pablo le manifestó que había enviado ya a Tíquico para que ocupase la vacante.

Después de hablar de la escena de su juicio ante Nerón, la deserción de sus hermanos y la gracia sostenedora del Dios guardador de su pacto, Pablo concluyó su carta encomendando a Timoteo al cuidado del Jefe de los pastores, quien, aun cuando los subpastores cayesen en la lucha, seguiría cuidando su rebaño.

CAPITULO 50

Condenado a Muerte

DURANTE la vista del proceso final de Pablo ante Nerón, éste quedó vivamente impresionado por la lógica argumentación del procesado, de suerte que sin absolverle ni condenarle, difirió el fallo. Pero no tardó en renacer la malicia del emperador contra Pablo. Exasperado al no poder atajar los progresos de la religión cristiana aun en la misma casa imperial, determinó condenar a muerte al apóstol en cuanto se deparase una oportuna ocasión. No tardó en pronunciar la sentencia de muerte; pero como Pablo era ciudadano romano, no se le podía atormentar, y así se le condenó a la decapitación.

El apóstol fue conducido secretamente al lugar de ejécución. A pocos se les permitió presenciarla, porque alarmados sus perseguidores por la amplitud de su influencia, temieron que el espectáculo de su muerte ganara más conversos al cristianismo. Pero aun los empedernidos soldados que le escoltaban, al escuchar sus últimas palabras, asombráronse de ver la placidez y hasta el gozo de la víctima en presencia de la muerte. Para algunos de los circunstantes fue sabor de vida para vida el contemplar su martirio, su espíritu de perdón para con los verdugos y su inquebrantable confianza en Cristo hasta el último momento. Varios de ellos aceptaron al Salvador predicado por Pablo, y no tardaron en sellar intrépidamente su fe con su sangre.

Hasta su última hora, la vida del apóstol testificó de la verdad de sus palabras a los corintios: "Porque Dios, que mandó que de las tinieblas resplandeciese la luz, es el que resplandeció en nuestros corazones, para iluminación del conocimiento de la gloria de Dios en la faz de Jesucristo. Pero tenemos este tesoro en vasos de barro, para que la excelencia del poder sea de Dios, y no de nosotros, que estamos atribulados en todo, mas no angustiados; en apuros, mas no desesperados; perseguidos, mas no desamparados; derribados, pero no destruidos; llevando en el cuerpo siempre por todas partes la muerte de Jesús, para que también la vida de Jesús se manifieste en nuestros cuerpos" (2 Corintios 4: 6-10). Su suficiencia no estaba en él mismo, sino en la presencia e influencia del Espíritu divino que llenaba su alma y sometía todo pensamiento a la voluntad de Cristo. El profeta declara: "Tú guardarás en completa paz a aquel cuyo pensamiento en ti persevera; porque en ti ha confiado" (Isaías 26: 3). La paz celestial manifestada en el rostro de Pablo ganó a muchas personas para el Evangelio.

Pablo llevaba consigo el ambiente del cielo. Todos cuantos le trataban sentían la influencia de su unión con Cristo. Daba mayor valía a su predicación la circunstancia de que sus obras estaban de acuerdo con sus palabras. En esto consiste el poder de la verdad. La impremeditada e inconsciente influencia de una vida santa, es el más convincente sermón que puede predicarse en favor del cristianismo. Puede ser que los argumentos, por irrebatibles que sean, no provoquen más que oposición; pero un ejemplo piadoso entraña fuerza irresistible.

Olvidóse el apóstol de sus inminentes sufrimientos para atender solícitamente a los que iba a dejar expuestos al prejuicio, odio y persecución de sus enemigos. Procuró fortalecer y alentar a los pocos cristianos que le acompañaron al lugar de la ejecución repitiéndoles las promesas dadas a los que padecen persecución por su amor a la justicia. Les aseguró que nada de cuanto el Señor había dicho respecto a sus atribulados y fieles hijos dejaría de cumplirse. Por un corto tiempo, se verían tal vez apesadumbrados por múltiples tentaciones y despojados de las comodidades terrenas; pero podrían confortar su corazón con la seguridad de que Dios sería fiel y decir: "Yo sé a quién he creído, y estoy seguro que es poderoso para guardar mi depósito para aquel día" (2 Timoteo 1: 12). Pronto acabaría la noche de prueba y

sufrimiento, y alborearía la alegre mañana del día de perfecta paz.

El apóstol contemplaba el gran más allá, no con temor e incertidumbre, sino con gozosa esperanza y anhelosa expectación. Al llegar al paraje del martirio, no vio la espada del verdugo ni la tierra que iba a absorber su sangre, sino que a través del sereno cielo de aquel día estival, miraba el trono del Eterno.

Este hombre de fe contemplaba la visión de la escalera de Jacob, que representaba a Cristo, quien unió la tierra con el cielo, y al hombre finito con el Dios infinito. Su fe se fortaleció al recordar cómo los patriarcas y profetas habían confiado en Uno que fue su sostén y consolación y por quien él sacrificaba su vida. Oyó a esos hombres santos que de siglo en siglo testificaron por su fe asegurarle que Dios es fiel. A sus colaboradores, que para predicar el Evangelio de Cristo salieron al encuentro del fanatismo religioso y supersticiones paganas, persecución y desprecio, que no apreciaron sus propias vidas, a fin de llevar en alto la luz de la cruz en el oscuro laberinto de la incredulidad, oía testificar de Jesús como el Hijo de Dios, al Salvador del mundo. De la rueda de tormento, la estaca, el calabozo y de los escondrijos y cavernas de la tierra, llegaba a sus oídos el grito de triunfo de los mártires. Oía el testimonio de las almas resueltas, quienes, aunque desamparadas, afligidas y atormentadas, padecían sin temor testificando solemnemente de su fe, diciendo: "Yo sé a quién he creído". Los que así rindieron su vida por la fe, declararon al mundo que Aquel en quien habían confiado era capaz de salvar hasta lo sumo.

Redimido Pablo por el sacrificio de Cristo, lavado del pecado en su sangre y revestido de su justicia, tenía en sí

En el Imperio Romano muchos cristianos, igual que Pablo, fueron martirizados por su fe en Jesús.

JOHN STEEL © PPPA

mismo el testimonio de que su alma era preciosa a la vista de su Redentor. Estaba su vida oculta con Cristo en Dios, y tenía el convencimiento de que quien venció la muerte es poderoso para guardar cuanto se le confíe. Su mente se aferraba a la promesa del Salvador: "Yo le resucitaré en el día postrero" (S. Juan 6: 40). Sus pensamientos y esperanzas estaban concentrados en la segura venida de su Señor. Y al caer la espada del verdugo, y agolparse sobre el mártir las sombras de la muerte, se lanzó hacia adelante su último pensamiento —como lo hará el primero que de él brote en el momento del gran despertar— al encuentro del Autor de la vida que le dará la bienvenida al gozo de los bienaventurados.

Casi veinte siglos han transcurrido desde que el anciano Pablo vertió su sangre como testigo de la palabra de Dios y del testimonio de Jesucristo. Ninguna mano fiel registró para las generaciones futuras las últimas escenas de la vida de este santo apóstol; pero la Inspiración nos ha conservado su postrer testimonio. Como resonante trompeta, su voz ha vibrado desde entonces a través de los siglos, enardeciendo con su propio valor a millares de testigos de Cristo y despertando en millares de corazones afligidos el eco de su triunfante gozo: "Porque yo ya estoy para ser sacrificado, y el tiempo de mi partida está cercano. He peleado la buena batalla, he acabado la carrera, he guardado la fe. Por lo demás, me está guardada la corona de justicia, la cual me dará el Señor, juez justo, en aquel día; y no sólo a mí, sino también a todos los que aman su venida" (2 Timoteo 4: 6-8).

CAPITULO 51

Este capítulo está basado en la primera Epístola de Pedro.

Un Fiel Subpastor

EN EL libro de los Hechos de los Apóstoles se hace poca mención de la última parte del ministerio del apóstol Pedro. Durante los años de intensa actividad que siguieron al derramamiento del Espíritu Santo en el día de Pentecostés, Pedro estaba entre los que se esforzaban incansablemente para alcanzar a los judíos que acudían a Jerusalén a adorar en el tiempo de las fiestas anuales.

A medida que el número de los creyentes se multiplicaba en Jerusalén y en otros lugares visitados por los mensajeros de la cruz, los talentos que poseía Pedro demostraron ser de incalculable valor para la iglesia primitiva. La influencia de su testimonio concerniente a Jesús de Nazaret se difundía ampliamente. Sobre él descansaba una doble responsabilidad. Testificaba positivamente acerca del Mesías ante los incrédulos, trabajando fervientemente a favor de su conversión; y al mismo tiempo realizaba un trabajo especial en favor de los creyentes, fortaleciéndolos en la fe de Cristo.

Después que Pedro fue inducido a negarse a sí mismo y a depender en absoluto del poder divino, recibió su llamamiento a trabajar como subpastor. Cristo había dicho a Pedro, antes que le negara: "Y tú, una vez vuelto (*convertido*, versión Nácar-Colunga), confirma a tus hermanos" (S. Lucas 22: 32). Estas palabras indicaban la obra extensa y eficaz que este apóstol debía hacer en lo futuro en favor de aquellos que aceptaban la fe. Su experiencia personal con el pecado, el sufrimiento y el arrepentimiento, lo habían preparado para esa obra. Mientras no reconoció sus debilidades, no pudo conocer la necesidad que tenían los creyentes de depender de Cristo. En medio de la tormenta de la tentación había llegado a comprender que el hombre solamente puede caminar seguro cuando pierde toda confianza en sí mismo y la deposita en el Salvador.

En la última reunión de Cristo con sus discípulos junto al mar, Pedro, después de ser probado por la pregunta "¿Me amas?" (S. Juan 21: 15-17), repetida tres veces, fue restituido a su lugar entre los doce. Le fue señalada su obra: debía apacentar las ovejas del Señor. Ahora, convertido y aceptado, no solamente debía tratar de salvar a los que estaban fuera del redil, sino ser pastor de las ovejas.

Cristo mencionó a Pedro solamente una condición de servicio: "¿Me amas?" Esa es la calificación indispensable. Aunque Pedro poseyera todas las otras, sin el amor de Cristo no podía ser un fiel pastor del rebaño de Dios. El conocimiento, la benevolencia, la elocuencia, el fervor, son esenciales en la buena obra; pero sin el amor de Cristo en el corazón, la obra del ministerio cristiano es un fracaso.

El amor de Cristo no es una emoción intermitente, sino un principio viviente, el cual se manifestará como poder

545

Pedro se apartó del peligro de confiar
en sí mismo y más tarde enseñó
a los creyentes a depender sólo de Cristo.

permanente en el corazón. Si el carácter y el comportamiento del pastor es una ejemplificación de la verdad que difiende, el Señor pondrá el sello de su aprobación sobre su obra. El pastor y las ovejas llegarán a ser uno, unidos por su común esperanza en Cristo.

La manera en que el Salvador trató con Pedro tenía una lección para él y sus hermanos. Aunque Pedro había negado a su Señor, el amor que Jesús tenía hacia él nunca vaciló. Y al aceptar el apóstol la responsabilidad de ministrar la palabra a otros, debía reprender al transgresor con paciencia, simpatía y amor perdonador. Recordando su propia debilidad y fracaso, debía tratar a las ovejas y corderos encomendados a su cuidado con tanta ternura como Cristo le había tratado a él.

Los seres humanos, ellos mismos entregados al mal, tienden a tratar duramente a los tentados y a los que yerran. No pueden leer el corazón; no conocen sus conflictos y sus penas. Tienen necesidad de aprender a dar la reprensión que encierra amor, el golpe que hiere para curar y la amonestación que comunica esperanza.

Durante su ministerio, Pedro veló fielmente sobre el rebaño encomendado a su cuidado, y así demostró que era digno de la carga y responsabilidad que el Salvador había puesto sobre él. Siempre exaltaba a Jesús de Nazaret como la esperanza de Israel, y el Salvador de la humanidad. Imponía a su propia vida la disciplina del Obrero maestro. Por todos los medios a su alcance procuraba educar a los creyentes para el servicio activo. Su piadoso ejemplo y su incansable actividad inspiraban a muchos jóvenes promisorios a entregarse totalmente a la obra del ministerio. A medida que el tiempo transcurría, la influencia del apóstol como educador y dirigente aumentaba; y aun cuando nunca abandonó sus cargas relacionadas con su trabajo especial por los judíos, dio su testimonio también en muchos países y fortaleció la fe de multitudes en el Evangelio.

En los últimos años de su ministerio, Pedro fue inspirado a escribir a los creyentes "de la dispersión en el Ponto, Galacia, Capadocia, Asia y Bitinia". Sus cartas fueron el medio de despertar el ánimo y fortalecer la fe de los que soportaban pruebas y aflicciones, y de estimular a las buenas obras a los que, atravesando por diversas tentaciones, estaban en peligro de perder su confianza en Dios. Estas cartas demuestran haber sido escritas por uno en quien abundaban tanto los sufrimientos de Cristo como su consolación; por uno cuyo ser entero había sido transformado por la gracia de Dios y cuya esperanza en la vida eterna era segura e inconmovible.

En el mismo comienzo de su primera carta el anciano siervo de Dios rendía a su Señor un tributo de alabanza y agradecimiento. "Bendito el Dios y Padre de nuestro Señor Jesucristo —exclamó—, que según su grande misericordia nos hizo renacer para una esperanza viva, por la resurrección de Jesucristo de los muertos, para una herencia incorruptible, incontaminada e inmarcesible, reservada en los cielos para vosotros, que sois guardados por el poder de Dios mediante la fe, para alcanzar la salvación que está preparada para ser manifestada en el tiempo postrero".

Con esta esperanza de una herencia segura en la tierra nueva, se regocijaban los cristianos primitivos aun en tiempos de severa prueba y aflicción. "En lo cual... os alegráis —escribió Pedro—, aunque ahora por un poco de tiempo, si es necesario, tengáis que ser afligidos en diversas pruebas,

547

para que sometida a prueba vuestra fe, mucho más preciosa que el oro, el cual aunque perecedero se prueba con fuego, sea hallada en alabanza, gloria y honra cuando sea manifestado Jesucristo, a quien amáis sin haberle visto, en quien creyendo, aunque ahora no lo veáis, os alegráis con gozo inefable y glorioso; obteniendo el fin de vuestra fe, que es la salvación de vuestras almas".

Las palabras del apóstol fueron escritas para instrucción de los creyentes de todas las épocas y tienen un significado especial para los que viven en el tiempo cuando "el fin de todas las cosas se acerca". Toda alma que desea mantenerse en la fe, "firme hasta el fin" (Hebreos 3: 14) necesita sus exhortaciones y represiones y sus palabras de fe y ánimo.

El apóstol procuró enseñar a los creyentes cuán importante es impedir a la mente divagar en asuntos prohibidos o gastar energías en cosas triviales. Los que no quieren ser víctimas de las trampas de Satanás deben guardar bien las avenidas del alma; deben evitar el leer, mirar u oír lo que puede sugerir pensamientos impuros. No debe permitirse que la mente se espacie al azar en cualquier tema que sugiera el enemigo de nuestras almas. El corazón debe ser fielmente vigilado, o males de afuera despertarán males de adentro, y el alma vagará en tinieblas. "Por tanto —escribió Pedro—, ceñid los lomos de vuestro entendimiento, sed sobrios, y esperad por completo en la gracia que se os traerá cuando Jesucristo sea manifestado; como hijos obedientes, no os conforméis a los deseos que antes teníais estando en vuestra ignorancia; sino, como aquel que os llamó es santo, sed también vosotros santos en toda vuestra manera de vivir; porque escrito está: Sed santos, porque yo soy santo".

"Conducíos en temor todo el tiempo de vuestra peregrinación; sabiendo que fuisteis rescatados de vuestra vana manera de vivir, la cual recibisteis de vuestros padres, no con cosas corruptibles, como oro o plata, sino con la sangre preciosa de Cristo, como de un cordero sin mancha y sin contaminación, ya destinado desde antes de la fundación del mundo, pero manifestado en los postreros tiempos por amor de vosotros, y mediante el cual creéis en Dios, quien le resucitó de los muertos y le ha dado gloria, para que vuestra fe y esperanza sean en Dios".

Si la plata y el oro fuesen suficientes para conseguir la salvación de los hombres, cuán fácilmente podría ser efectuada por Aquel que dice: "Mía es la plata, y mío es el oro" (Hageo 2: 8). Pero el transgresor puede ser redimido solamente por la sangre preciosa del Hijo de Dios. El plan de salvación está basado en el sacrificio. El apóstol Pablo escribió: "Porque ya conocéis la gracia de nuestro Señor Jesucristo, que por amor a vosotros se hizo pobre, siendo rico, para que vosotros con su pobreza fueseis enriquecidos" (2 Corintios 8: 9). Cristo se dio a sí mismo para poder redimiros de toda iniquidad. Y ofrece como bendición suprema de la salvación "la dádiva de Dios" que "es vida eterna en Cristo Jesús Señor nuestro" (Romanos 6: 23).

"Habiendo purificado vuestras almas por la obediencia a la verdad, mediante el Espíritu, para el amor fraternal no fingido —continúa Pedro—, amaos unos a otros entrañablemente, de corazón puro". La Palabra de Dios —la verdad— es el medio por el cual Dios manifiesta su Espíritu y su poder. La obediencia a ella produce fruto de la calidad requerida; "amor no fingido de los hermanos" (Versión Moderna). Este amor es de origen celestial y conduce a móviles elevados y acciones abnegadas.

Cuando la verdad llega a ser un principio permanente en nuestra vida, el alma renace, "no de simiente corruptible, sino de incorruptible, por la palabra de Dios que vive y permanece para siempre". Este nuevo nacimiento es el resultado de haber recibido a Cristo como la Palabra de Dios. Cuando las verdades divinas son impresas sobre el corazón por el Espíritu Santo, se despiertan nuevos sentimientos, y las energías hasta entonces latentes son despertadas para cooperar con Dios.

Así sucedía con Pedro y sus condiscípulos. Cristo es el revelador de la verdad al mundo. Por él, la simiente incorruptible —la Palabra de Dios— fue sembrada en el corazón de los hombres. Pero muchas de las más preciosas lecciones del gran Maestro fueron habladas a quienes no las entendían. Cuando, después de su ascensión, el Espíritu Santo trajo sus enseñanzas a la memoria de los discípulos, se despertaron sus sentidos dormidos. El significado de esas verdades iluminó sus mentes como una nueva revelación, y la verdad, pura y sin adulteración, se hizo lugar. Entonces la maravillosa experiencia de la vida de Cristo llegó a ser suya. La Palabra dio testimonio por medio de ellos, los hombres de su elección, y proclamaron la importante verdad: "Y aquel Verbo [Palabra] fue hecho carne, y habitó entre nosotros..., lleno de gracia y de verdad". "Porque de su plenitud tomamos todos, y gracia sobre gracia" (S. Juan 1: 14-16).

El apóstol exhortó a los creyentes a estudiar las Escrituras, para que por medio de un adecuado entendimiento de ellas pudiesen realizar una segura obra para la eternidad. Pedro comprobó que en la experiencia de cada persona que finalmente obtiene la victoria, existen momentos de perplejidad y prueba; pero sabía también que la comprensión de las

Escrituras podía capacitar al tentado, trayendo a la mente promesas que podían confortar el corazón y reforzar la fe en el Poderoso.

"Toda carne es como hierba —declaró—, y toda la gloria del hombre como flor de la hierba. La hierba se seca, y la flor se cae; mas la palabra del Señor permanece para siempre. Y esta es la palabra que por el Evangelio os ha sido anunciada. Desechando, pues, toda malicia, todo engaño, hipocresía, envidias, y todas las detracciones, desead, como niños recién nacidos, la leche espiritual no adulterada, para que por ella crezcáis para salvación, si es que habéis gustado la benignidad del Señor".

Muchos de los creyentes a quienes Pedro dirigió sus cartas vivían en medio de paganos, y su permanencia en la verdad dependía mucho de que permaneciesen fieles a la alta vocación de su profesión. El apóstol les manifestó claramente sus privilegios como seguidores de Cristo Jesús. "Mas vosotros sois linaje escogido —escribió—, real sacerdocio, nación santa, pueblo adquirido por Dios, para que anunciéis

las virtudes de aquel que os llamó de las tinieblas a su luz admirable; vosotros que en otro tiempo no erais pueblo, pero que ahora sois pueblo de Dios; que en otro tiempo no habíais alcanzado misericordia, pero ahora habéis alcanzado misericordia.

"Amados, yo os ruego como a extranjeros y peregrinos, que os abstengáis de los deseos carnales que batallan contra el alma, manteniendo buena vuestra manera de vivir entre los gentiles; para que en lo que murmuran de vosotros como de malhechores, glorifiquen a Dios en el día de la visitación".

El apóstol delineó claramente cual debía ser la actitud de los creyentes hacia las autoridades civiles: "Someteos a toda institución humana, ya sea al rey, como a superior, ya a los gobernadores, como por él enviados para castigo de los malhechores y alabanza de los que hacen bien. Porque esta es la voluntad de Dios: que haciendo bien, hagáis callar la ignorancia de los hombres insensatos; como libres, pero no como los que tienen la libertad como pretexto para hacer lo malo, sino como siervos de Dios. Honrad a todos. Amad a los hermanos. Temed a Dios. Honrad al rey".

A los que eran siervos les amonestó: "Estad sujetos con todo respeto a vuestros amos; no solamente a los buenos y afables, sino también a los difíciles de soportar. Porque esto merece aprobación, si alguno a causa de la conciencia delante de Dios, sufre molestias padeciendo injustamente. Pues ¿qué gloria es, si pecando sois abofeteados, y lo soportáis? Mas si haciendo lo bueno sufrís, y lo soportáis, esto ciertamente es aprobado delante de Dios. Pues para esto fuisteis llamados; porque también Cristo padeció por nosotros, dejándonos ejemplo, para que sigáis sus pisadas; el cual no hizo pecado, ni se halló engaño en su boca; quien cuando le maldecían, no respondía con maldición; cuando padecía, no amenazaba, sino encomendaba la causa al que juzga justamente; quien llevó él mismo nuestros pecados en su cuerpo sobre el madero, para que nosotros, estando muertos a los pecados, vivamos a la justicia; y por cuya herida fuisteis sanados. Porque vosotros erais como ovejas descarriadas, pero ahora habéis vuelto al Pastor y Obispo de vuestras almas".

El apóstol exhortó a las mujeres creyentes a ser virtuosas en su conversación y modestas en su vestuario y conducta. "Vuestro atavío —aconsejó— no sea el externo de peinados ostentosos, de adornos de oro o de vestidos lujosos, sino el interno, el del corazón, en el incorruptible ornato de un espíritu afable y apacible, que es de grande estima delante de Dios".

La lección se aplica a los creyentes de todas las épocas. "Así que, por sus frutos los conoceréis" (S. Mateo 7: 20). El adorno interior de un espíritu manso y pacífico es inestimable. En la vida del verdadero cristiano el adorno exterior estará siempre en armonía con la paz y santidad interiores. "Si alguno quiere venir en pos de mí —dijo Cristo—, niéguese a sí mismo, y tome su cruz, y sígame" (S. Mateo 16: 24). La abnegación y el sacrificio caracterizarán la vida del cristiano. Una evidencia de que el gusto se convirtió, se verá en el vestuario de todo aquel que anda en el camino allanado para los redimidos del Señor.

Es correcto amar lo bello y desearlo; pero Dios desea que primero amemos y busquemos las bellezas superiores, que son imperecederas. Ningún adorno exterior puede ser comparado en valor o belleza con aquel "espíritu afable y apacible", el "lino finísimo, blanco y limpio" (Apocalipsis 19: 14) que todos los santos de la tierra usarán. Estas ropas los harán hermosos y deseables aquí, y en el futuro serán su distintivo de admisión en el palacio del Rey. Su promesa es: "Y andarán conmigo en vestiduras blancas, porque son dignas" (Apocalipsis 3: 4).

Mirando hacia adelante con visión profética a los tiempos peligrosos en los cuales estaba por entrar la iglesia de Dios, el apóstol recomendó a los creyentes afrontar con firmeza las pruebas y sufrimientos. "Carísimos —escribió—, no os maravilléis cuando sois examinados por fuego, lo cual se hace para vuestra prueba" (antigua versión Reina-Valera).

Las pruebas constituyen parte de la educación en la escuela de Cristo, para purificar a los hijos de Dios de las escorias terrenales. Porque Dios está dirigiendo a sus hijos, se presentan las experiencias angustiosas. Las pruebas y los obstáculos constituyen métodos elegidos por él como disciplina y condiciones para el éxito. Aquel que lee el corazón de los hombres conoce sus debilidades mejor que ellos mismos. Ve que algunos tienen cualidades, que, dirigidas correctamente, pueden ser usadas para el adelantamiento de su obra. En su providencia, conduce esas almas en medio de diferentes condiciones y variadas circunstancias, para que puedan descubrir los defectos que ellos mismos no reconocían. Les da oportunidad de vencer esos defectos y prepararse para servir a Dios. A menudo permite que ardan los fuegos de la aflicción para purificarlos.

El cuidado de Dios por su herencia es constante. No telera que venga aflicción alguna sobre sus hijos, a no ser aquellas que son esenciales para su bienestar presente y eterno. Purificará a su iglesia, como Cristo purificó el templo durante su ministerio terrenal. Todo lo que el Señor trae sobre su pueblo en forma de prueba y aflicción es para que puedan adquirir una piedad más profunda y mayor fortaleza para llevar adelante los triunfos de la cruz.

Tiempo hubo en la experiencia de Pedro cuando no estaba dispuesto a ver la cruz en la obra de Cristo. Cuando el Salvador hizo saber a sus discípulos sus inminentes sufrimientos y muerte, Pedro exclamó: "Señor, ten compasión de ti; en ninguna manera esto te acontezca" (S. Mateo 16: 22). La compasión hacia sí mismo, que no le permitía seguir a Cristo en el sufrimiento, sugirió su protesta. Fue para este discípulo una lección amarga, que aprendió lentamente, el saber que el camino de Cristo en la tierra pasaba por la agonía y la humillación. Pero en el calor del horno de las pruebas tuvo que aprender una lección. Ahora, cuando su cuerpo una vez activo estaba agobiado por el peso de los años y el trabajo, podía escribir: "Amados, no os sorprendáis del fuego de prueba que os ha sobrevenido, como si alguna cosa extraña os aconteciese, sino gozaos por cuanto sois participantes de los padecimientos de Cristo, para que también en la revelación de su gloria os gocéis con gran alegría".

Al dirigirse a los ancianos de iglesia recordándoles sus responsabilidades como subpastores del rebaño de Cristo, el apóstol escribió: "Apacentad la grey de Dios que está entre vosotros, cuidando de ella, no por fuerza, sino voluntariamente; no por ganancia deshonesta, sino con ánimo pronto; no como teniendo señorío sobre los que están a vuestro cuidado, sino siendo ejemplos de la grey. Y cuando aparezca el Príncipe de los pastores, vosotros recibiréis la corona incorruptible de gloria".

Los que ocupan la posición de subpastores deben ejercer una diligente vigilancia sobre la grey del Señor. No debe ser una vigilancia dictatorial, sino una que tienda a animar, fortalecer y levantar. Ministrar significa más que sermonear; representa un trabajo ferviente y personal. La iglesia sobre la tierra está compuesta de hombres y mujeres propensos a errar, los cuales necesitan paciencia y cuidadoso esfuerzo para ser preparados y disciplinados para trabajar con aceptación en esta vida y para que en la vida futura sean coronados de gloria e inmortalidad. Se necesitan pastores —pastores fieles— que no lisonjeen al pueblo de Dios ni lo traten duramente, sino que lo alimenten con el pan de vida; hombres que sientan diariamente en sus vidas el poder transformador del Espíritu Santo, y que abriguen un fuerte y desinteresado amor hacia aquellos por los cuales trabajan.

Los subpastores deben realizar una obra que requiere mucho tacto, siendo que han sido llamados a combatir en la iglesia la desunión, el rencor, la envidia y los celos, y necesitan trabajar con el espíritu de Cristo para poner las cosas en orden. Deben darse fieles amonestaciones, el pecado debe ser reprendido, lo torcido enderezado, no solamente por la obra del ministro desde el púlpito, sino también por medio de la obra personal. El corazón descarriado podrá desaprobar el mensaje, juzgando incorrectamente y criticando al siervo de Dios. Recuerde éste entonces que "la sabiduría que es de lo alto, es primeramente pura, después pacífica, amable, benigna, llena de misericordia y de buenos frutos, sin incertidumbre ni hipocresía. Y el fruto de justicia se siembra en paz para aquellos que hacen la paz" (Santiago 3: 17, 18).

La obra del ministro del Evangelio es "aclarar a todos cuál sea la dispensación del misterio escondido desde los siglos en Dios" (Efesios 3: 9). Si alguno que emprenda esta obra escoge la parte que menos sacrificio propio requiera y se contenta solamente con predicar, dejando a algún otro el ministerio personal, su labor no será aceptable para Dios. Por falta de una obra personal eficaz y consagrada están pereciendo almas por las cuales Cristo murió. Y se ha equivocado en su vocación aquel que, entrando en el ministerio, no siente disposición para realizar la obra personal que demanda el cuidado de la grey.

El espíritu del verdadero pastor es el de la abnegación. Se olvida de sí mismo para realizar las obras de Dios. Por la predicación de la Palabra y por la obra personal en los hogares, se entera de sus necesidades, sus tristezas y sus pruebas; y cooperando con el gran Sustentador, compartirá sus aflicciones, consolará sus penas, aliviará sus almas hambrientas y ganará sus corazones para Dios. En esta obra el ministro es asistido por los ángeles del cielo, y él mismo es instruido e iluminado en la verdad que lo hará sabio para la salvación.

En relación con su instrucción para los que tienen puestos de responsábilidad en la iglesia, el apóstol señala algunos principios generales que deben ser seguidos por todo el que es miembro de ella. Los miembros jóvenes del rebaño son instados a seguir el ejemplo de sus mayores en la práctica de la humildad cristiana: "Igualmente, jóvenes, estad sujetos a los ancianos; y todos, sumisos unos a otros, revestíos de humildad; porque: Dios resiste a los soberbios, y da gracia a los humildes. Humillaos, pues, bajo la poderosa mano de Dios, para que él os exalte cuando fuere tiempo; echando toda vuestra ansiedad sobre él, porque él tiene cuidado de vosotros. Sed sobrios, y velad; porque vuestro adversario el diablo, como león rugiente, anda alrededor buscando a quien devorar; al cual resistid firmes en la fe".

Pedro escribió eso a los creyentes en un tiempo de pruebas especiales para la iglesia. Muchos eran participantes de los sufrimientos de Cristo y pronto la iglesia habría de pasar por un período de terrible persecución. En el plazo de unos pocos años muchos de los que se habían ocupado como maestro y dirigentes de la iglesia habrían de sacrificar sus vidas por el Evangelio. Pronto lobos crueles penetrarían, no perdonando el rebaño. Pero ninguna de esas cosas debía desalentar a aquellos cuyas esperanzas se cifraban en Cristo. Con palabras de aliento Pedro dirigió las mentes de los creyentes de las pruebas presentes y escenas futuras de sufrimiento a "una herencia incorruptible, incontaminada e inmarcesible". "El Dios de toda gracia —oró fervientemente Pedro—, que nos llamó a su gloria eterna en Jesucristo, después que hayáis padecido un poco de tiempo, él mismo os perfeccione, afirme, fortalezca y establezca. A él sea la gloria y el imperio por los siglos de los siglos. Amén".

CAPITULO 52

Este capítulo está basado en la segunda Epístola de San Pedro.

Firme Hasta el Fin

EN LA segunda carta de Pedro a los que habían alcanzado la "fe igualmente preciosa" con él, el apóstol expone el plan divino para el desarrollo del carácter cristiano. Escribe:

"Gracia y paz os sean multiplicadas, en el conocimiento de Dios y de nuestro Señor Jesús. Como todas las cosas que pertenecen a la vida y a la piedad nos han sido dadas por su divino poder, mediante el conocimiento de aquel que nos llamó por su gloria y excelencia, por medio de las cuales nos ha dado preciosas y grandísimas promesas, para que por ellas llegaseis a ser participantes de la naturaleza divina, habiendo huido de la corrupción que hay en el mundo a causa de la concupiscencia.

"Vosotros también, poniendo toda diligencia por esto mismo, añadid a vuestra fe virtud; a la virtud, conocimiento; al conocimiento, dominio propio; al dominio propio, paciencia; a la paciencia, piedad; a la piedad, afecto fraternal; y al afecto fraternal, amor. Porque si estas cosas están en voso-

tros, y abundan, no os dejarán estar ociosos ni sin fruto en cuanto al conocimiento de nuestro Señor Jesucristo".

Estas palabras están llenas de instrucción, y dan la nota tónica de la victoria. El apóstol presenta a los creyentes la escalera del progreso cristiano, en la cual cada peldaño representa un avance en el conocimiento de Dios, y en cuya ascensión no debe haber detenciones. Fe, virtud, conocimiento, dominio propio, paciencia, piedad, fraternidad y amor representan los peldaños de la escalera. Somos salvados subiendo escalón tras escalón, ascendiendo paso tras paso hasta el más alto ideal que Cristo tiene para nosotros. De esta manera, él es hecho para nosotros sabiduría y justificación, santificación y redención.

Dios ha llamado a su pueblo para que alcancen gloria y virtud, y éstas se manifestarán en la vida de cuantos estén verdaderamente relacionados con él. Habiéndoseles permitido participar del don celestial, deben seguir dirigiéndose hacia la perfección, siendo "guardados por el poder de Dios mediante la fe" (1 S. Pedro 1: 5). La gloria de Dios consiste en otorgar su poder a sus hijos. Desea ver a los hombres alcanzar la más alta norma: y serán hechos perfectos en él cuando por fe echen mano del poder de Cristo, cuando recurran a sus infalibles promesas reclamando su cumplimiento, cuando con una importunidad que no admita rechazamiento, busquen el poder del Espíritu Santo.

Habiendo recibido la fe del Evangelio, la siguiente obra del creyente es añadir virtud a su carácter y así limpiar el corazón y preparar la mente para la recepción del conocimiento de Dios. Este conocimiento es el fundamento de toda verdadera educación y de todo verdadero servicio. Es la única real salvaguardia contra la tentación; y solamente eso

561

Pedro se consideró indigno de morir como su Señor y pidió que lo crucificaran con la cabeza hacia abajo.

puede hacerle a uno semejante a Dios en carácter. Por medio del conocimiento de Dios y de su Hijo Jesucristo, se imparten a los creyentes "todas las cosas que pertenecen a la vida y a la piedad". Ningún buen don se niega al que sinceramente desea obtener la justicia de Dios.

"Esta es la vida eterna —dijo Cristo—: que te conozcan a ti, el único Dios verdadero, y a Jesucristo, a quien has enviado" (S. Juan 17: 3). Y el profeta Jeremías declaró: "No se alabe el sabio en su sabiduría, ni en su valentía se alabe el valiente, ni el rico se alabe en sus riquezas. Mas alábese en esto el que se hubiere de alabar: en entenderme y conocerme, que yo soy Jehová, que hago misericordia, juicio y justicia en la tierra; porque estas cosas quiero, dice Jehová" (Jeremías 9: 23, 24). Difícilmente puede la mente tender la anchura, profundidad y altura de las realizaciones espirituales del que obtiene este conocimiento.

A nadie se le impide alcanzar, en su esfera, la perfección de un carácter cristiano. Por el sacríficio de Cristo se ha provisto para que los creyentes reciban todas las cosas que pertenecen a la vida y la piedad. Dios nos invita a que alcancemos la norma de perfección y pone como ejemplo delante de nosotros el carácter de Cristo. En su humanidad, perfeccionada por una vida de constante resistencia al mal, el Salvador mostró que cooperando con la Divinidad los seres humanos pueden alcanzar la perfección de carácter en esta vida. Esa es la seguridad que nos da Dios de que nosotros también podemos obtener una victoria completa.

Antes los creyentes se presenta la maravillosa posibilidad de llegar a ser semejantes a Cristo, obedientes a todos los principios de la ley de Dios. Pero por sí mismo el hombre es absolutamente incapaz de alcanzar esas condiciones. La santidad, que según la Palabra de Dios debe poseer antes de poder ser salvo, es el resultado del trabajo de la gracia divina sobre el que se somete en obediencia a la disciplina y a las influencias refrenadoras del Espíritu de verdad. La obediencia del hombre puede ser hecha perfecta únicamente por el incienso de la justicia de Cristo, que llena con fragancia divina cada acto de acatamiento. La parte que le toca a cada cristiano es perseverar en la lucha por vencer cada falta. Constantemente debe orar al Salvador para que sane las dolencias de su alma enferma por el pecado. El hombre no tiene la sabiduría y la fuerza para vencer; ellas vienen del Señor, y él las confiere a los que en humillación y contrición buscan su ayuda.

La obra de transformación de la impiedad a la santidad es continua. Día tras día Dios obra la santificación del hombre, y éste debe cooperar con él, haciendo esfuerzos perseverantes a fin de cultivar hábitos correctos. Debe añadir gracia sobre gracia; y mientras el hombre trabaja según el plan de adición, Dios obra para él según el plan de multiplicación. Nuestro Salvador está siempre listo para oír y contestar la oración de un corazón contrito, y multiplica para los fieles su gracia y paz. Gozosamente derrama sobre ellos las bendiciones que necesitan en sus luchas contra los males que los acosan.

Hay quienes intentan ascender la escalera del progreso cristiano, pero a medida que avanzan, comienzan a poner su confianza en el poder del hombre, y pronto pierden de vista a Jesús, el autor y consumador de su fe. El resultado es el fracaso, la pérdida de todo lo que se había ganado. Ciertamente es triste la condición de los que habiéndose cansado en el camino, permiten al enemigo de las almas que les arrebate las virtudes cristianas que habían desarrollado en sus corazones y en sus vidas. "Pero el que no tiene estas cosas —declara el apóstol— tiene la vista muy corta; es ciego, habiendo olvidado la purificación de sus antiguos pecados".

El apóstol Pedro había tenido una larga experiencia en las cosas divinas. Su fe en el poder salvador de Dios se había fortalecido con los años, hasta probar, más allá de toda duda, que no hay posibilidad de fracasar para aquel que, avanzando por fe, asciende escalón tras escalón, siempre hacia arriba y hacia adelante hasta el último peldaño de la escalera que llega a los mismos portales del cielo.

Por muchos años Pedro había recalcado a los creyentes la necesidad de un crecimiento constante en gracia y en conocimiento de la verdad; y ahora, sabiendo que pronto iba a ser llamado a sufrir el martirio por su fe, llamó una vez más su atención al precioso privilegio que está al alcance de cada creyente. En la completa seguridad de su fe, el anciano discípulo exhortó a sus hermanos a tener firmeza de propósito en la vida cristiana. "Tanto más procurad —rogaba Pedro— hacer firme vuestra vocación y elección; porque haciendo estas cosas, no caeréis jamás. Porque de esta manera os será otorgada amplia y generosa entrada en el reino eterno de nuestro Señor y Salvador Jesucristo". ¡Preciosa seguridad! ¡Gloriosa es la esperanza del creyente mientras avanza por fe hacia las alturas de la perfección cristiana!

"Yo no dejaré de recordaros siempre estas cosas —les decía—, aunque vosotros las sepáis, y estéis confirmados en la verdad presente. Pues tengo por justo, en tanto que estoy en este cuerpo, el despertaros con amonestación; sabiendo que en breve debo abandonar el cuerpo, como nuestro Señor

Jesucristo me ha declarado. También yo procuraré con diligencia que después de mi partida vosotros podáis en todo momento tener memoria de estas cosas".

Pedro estaba bien preparado para hablar de los propósitos de Dios para con la raza humana; porque durante el ministerio terrenal de Cristo, había visto y oído mucho concerniente al reino celestial. "Porque no os hemos dado a conocer el poder y la venida de nuestro Señor Jesucristo siguiendo fábulas artificiosas —recordó a los creyentes—, sino como habiendo visto con nuestros propios ojos su majestad. Pues cuando él recibió de Dios Padre honra y gloria, le fue enviada desde la magnífica gloria una voz que decía: Este es mi Hijo amado, en el cual tengo complacencia. Y nosotros oímos esta voz enviada del cielo, cuando estábamos con él en el monte santo".

Por muy convincente que fuese esa evidencia de la certidumbre de la esperanza de los creyentes, había otra aun más convincente en el testimonio de la profecía, por medio de la cual la fe de todos puede ser confirmada y asegurada firmemente. "Tenemos también —declaró Pedro— la palabra profética más segura, a la cual hacéis bien de estar atentos como a una antorcha que alumbra en lugar oscuro, hasta que el día esclarezca y el lucero de la mañana salga en vuestros corazones; entendiendo primero esto, que ninguna profecía de la Escritura es de interpretación privada, porque nunca la profecía fue traída por voluntad humana, sino que los santos hombres de Dios hablaron siendo inspirados por el Espíritu Santo".

Mientras exaltaba "la palabra profética más segura" como un guía infalible en tiempo de peligro, el apóstol amonestó solemnemente a la iglesia contra la antorcha de la falsa profecía, la que sería levantada por "falsos maestros, que introducirán encubiertamente herejías destructoras, y aun negarán al Señor". A esos falsos maestros, aparecidos en la iglesia y considerados por muchos de los hermanos en la fe como verdaderos, el apóstol los compara a "fuentes sin agua, y nubes empujadas por la tormenta; para los cuales la más densa oscuridad esta reservada para siempre". "Su postrer estado —dice— viene a ser peor que el primero. Porque mejor les hubiera sido no haber conocido el camino de la justicia, que después de haberlo conocido, volverse atrás del santo mandamiento que les fue dado".

Mirando hacia adelante a través de los siglos hasta el tiempo del fin, fue inspirado a señalar las condiciones que habrían de existir en el mundo precisamente antes de la segunda venida de Cristo. "En los postreros días vendrán burladores —escribió—, andando según sus propias concupiscencias, y diciendo: ¿Dónde está la promesa de su advenimiento? Porque desde el día en que los padres durmieron, todas las cosas permanecen así como desde el principio de la creación". Pero "cuando digan: Paz y seguridad, entonces vendrá sobre ellos destrucción repentina" (1 Tesalonicenses 5: 3). No todos, sin embargo, serían engañados por los artificios del enemigo. Cuando el fin de todas las cosas terrenales esté cerca, se encontrarán fieles creyentes capaces de discernir las señales de los tiempos. Aunque un gran número de creyentes profesos negarán su fe por sus obras. habrá un remanente que resistirá hasta el fin.

Pedro guardaba viva en su corazón la esperanza del regreso de Cristo, y aseguró a la iglesia del infalible cumplimiento de la promesa del Salvador: "Y si me fuere y os preparare lugar, vendré otra vez, y os tomaré a mí mismo"

(S. Juan 14: 3). Para los atribulados y fieles la venida de Cristo iba a parecer muy demorada, pero el apóstol les aseguró: "El Señor no tarda su promesa, según algunos la tienen por tardanza, sino que es paciente para con nosotros, no queriendo que ninguno perezca, sino que todos procedan al arrepentimiento. Pero el día del Señor vendrá como ladrón en la noche; en el cual los cielos pasarán con grande estruendo, y los elementos ardiendo serán deshechos, y la tierra y las obras que en ella hay serán quemadas.

"Puesto que todas estas cosas han de ser deshechas, ¡cómo no debéis vosotros andar en santa y piadosa manera de vivir, esperando y apresurándoos para la venida del día de Dios, en el cual los cielos, encendiéndose, serán deshechos, y los elementos, siendo quemados, se fundirán! Pero nosotros esperamos, según sus promesas, cielos nuevos y tierra nueva, en los cuales mora la justicia.

"Por lo cual, oh amados, estando en espera de estas cosas, procurad con diligencia ser hallados por él sin mancha e irreprensibles, en paz. Y tened entendido que la paciencia de nuestro Señor es para salvación; como también nuestro amado hermano Pablo, según la sabiduría que le ha sido

dada, os ha escrito... Así que vosotros, oh amados, sabiéndolo de antemano, guardaos, no sea que arrastrados por el error de los inicuos, caigáis de vuestra firmeza. Antes bien, creced en la gracia y el conocimiento de nuestro Señor y Salvador Jesucristo".

La providencia de Dios permitió que Pedro acabase su ministerio en Roma, donde el emperador Nerón le mandó prender en los días en que fue preso Pablo. Así los dos veteranos apóstoles, durante tantos años separados, iban a dar su postrer testimonio por Cristo en la metrópoli del mundo, y derramar su sangre como semilla de una copiosa cosecha de santos y mártires.

Desde su arrepentimiento por haber negado a Cristo. Pedro arrostró inflexiblemente el peligro, demostrando noble valentía en predicar al Salvador crucificado, resucitado y ascendido. Mientras yacía en el calabozo, recordaba lo que Cristo le dijo: "De cierto, de cierto te digo: Cuando eras más joven, te ceñías, e ibas a donde querías; mas cuando ya seas viejo, extenderás tus manos, y te ceñirá otro, y te llevará a donde no quieras" (S. Juan 21: 18). De este modo dio a entender Jesús a Pedro de qué género de muerte había de morir, y profetizó la extensión de sus manos sobre la cruz.

A Pedro, por ser judío y extranjero, le condenaron a recibir azotes y a ser crucificado después. En perspectivas de esa espantosa muerte, el apóstol recordó su gravísimo pecado de negar a Jesús en la hora de su prueba. Aunque una vez se había mostrado tan poco dispuesto a reconocer la cruz, tenía ahora por gozo dar su vida por el Evangelio, sintiendo tan sólo que fuese demasiada honra para él morir como había muerto el Señor a quien había negado. Pedro se había arrepentido sinceramente de su pecado, y Cristo le había perdonado, según lo comprueba el altísimo encargo de apacentar a las ovejas y corderos del rebaño. Pero Pedro no podía perdonarse a sí mismo. Ni aun el pensamiento de las agonías de la muerte que le aguardaba era capaz de mitigar la amargura de su aflicción y arrepentimiento. Como último favor, suplicó a sus verdugos que lo crucificaran cabeza abajo. La súplica fue otorgada, y de esa manera murió el gran apóstol Pedro.

CAPITULO 53

Juan el Amado

JUAN se distingue de los otros apóstoles como el "discípulo a quien amaba Jesús" (S. Juan 21: 20). Parece haber gozado en un grado preeminente de la amistad de Cristo, y recibió muchas pruebas de la confianza y el amor del Salvador. Juan era uno de los tres a los cuales les fue permitido presenciar la gloria de Cristo sobre el monte de la transfiguración, así como su agonía en el Getsemaní, y fue a él a quien nuestro Señor confió la custodia de su madre en aquellas últimas horas de angustia sobre la cruz.

Al afecto del Salvador correspondió el discípulo amado con toda la fuerza de una ardiente devoción. Juan se apoyó en Cristo como la parra se sostiene sobre una majestuosa columna. Por amor a su Maestro desafió los peligros de la sala del juicio y permaneció junto a la cruz; y al oír que Cristo había resucitado, se apresuró para ir al sepulcro y en su celo dejó atrás aun al impetuoso Pedro.

La devoción abnegada y el amor confiado manifestados

en la vida y el carácter de Juan, presentan lecciones de incalculable valor para la iglesia cristiana. Juan no poseía por naturaleza la belleza de carácter que reveló en su postrer experiencia. Tenía defectos graves. No solamente era orgulloso, pretencioso y ambicioso de honor, sino también impetuoso, resintiéndose por la injusticia. El y su hermano eran llamados "hijos del trueno". Mal genio, deseo de venganza, espíritu de crítica, todo eso se encontraba en el discípulo amado. Pero, debajo de ello el Maestro divino discernía un corazón ardiente, sincero y amante. Jesús reprendió su egoísmo, frustró sus ambiciones, probó su fe, y le reveló aquello por lo que su alma suspiraba: la hermosura de la santidad, el poder transformador del amor.

Los defectos del carácter de Juan se manifestaron de una manera destacada en varias ocasiones durante su relación personal con el Salvador. En una oportunidad Cristo envió mensajeros delante de sí a una aldea de los samaritanos para solicitar a la población que preparase algún refrigerio para él y sus discípulos. Pero cuando el Salvador se acercó a la aldea, pareció tener deseos de seguir hacia Jerusalén. Esto despertó la envidia de los samaritanos, y en lugar de invitarle a quedarse con ellos, le negaron la cortesía que hubiesen manifestado hacia un caminante común. Jesús nunca impone a nadie su presencia, y los samaritanos perdieron las bendiciones que les podía haber conferido si le hubieran solicitado que fuera su huésped.

Los discípulos sabían que era el propósito de Cristo beneficiar a los samaritanos con su presencia; y la frialdad, los celos y la falta de respeto mostrados a su Maestro los llenaron de sorpresa e indignación. Santiago y Juan especialmente se disgustaron. Que aquel a quien ellos reverenciaban tan altamente recibiese semejante trato, les parecía una falta demasiado grande para ser dejada sin un castigo inmediato. En su fervor dijeron: "Señor, ¿quieres que mandemos que descienda fuego del cielo, como hizo Elías y los consuma?" refiriéndose a la destrucción del capitán y su compañía de samaritanos que fueron enviados para prender al profeta Elías. Se sorprendieron al ver que Jesús quedó apenado por sus palabras, y todavía más sorprendidos, cuando esta represión llegó a sus oídos: "Vosotros no sabéis de qué espíritu sois; porque el Hijo del hombre no ha venido para perder las almas de los hombres, sino para salvarlas" (S. Lucas 9: 54-56).

No cabe en la misión de Cristo obligar a los hombres a que le reciban. Satanás y los hombres que actúan bajo su espíritu son los que procuran obligar a las conciencias. Pretendiendo manifestar celo por la justicia, los hombres que están confederados con los ángeles caídos infligen a veces sufrimiento a sus semejantes a fin de convertirlos a sus ideas religiosas. Pero Cristo manifiesta siempre misericordia, procura en todo momento ganar por medio de la revelación de su amor. No puede admitir un rival en el alma ni aceptar un servicio parcial; pero desea tan sólo un servicio voluntario, la entrega gozosa del corazón por la cumpulsión del amor.

En otra ocasión Santiago y Juan presentaron, por medio de su madre, una petición a Cristo para solicitar que les fuera permitido ocupar los más altos puestos de honor en el reino. A pesar de las repetidas instrucciones de Cristo concernientes a la naturaleza de su reino, estos jóvenes discípulos aún abrigaban la esperanza de un Mesías que ascendería a su trono con majestuoso poder, de acuerdo a los deseos de los hombres. La madre, codiciando con sus hijos el puesto de honor en ese reino, dijo: "Ordena que en tu reino se sienten estos dos hijos míos, el uno a tu derecha, y el otro a tu izquierda".

Pero el Salvador contestó: "No sabéis lo que pedís. ¿Podéis beber del vaso que yo he de beber, y ser bautizados con el bautismo con que yo soy bautizado?" Sabiendo que sus palabras misteriosas señalaban pruebas y sufrimiento, con todo contestaron confiadamente: "Podemos". Deseaban atribuirse el supremo honor de demostrar su lealtad compartiendo todo lo que estaba por sobrevenir a su Señor.

"A la verdad, de mi vaso beberéis, y con el bautismo con que yo soy bautizado, seréis bautizados", declaró Jesús, sabiendo que tenía delante de sí una cruz en lugar de un trono y dos malhechores como compañeros, el uno a su mano derecha y el otro a su izquierda. Santiago y Juan iban a ser

partícipes con su Maestro en el sufrimiento; el uno, destinado a una muerte prematura por la espada, el otro seguiría a su Maestro en trabajos, vituperio y persecución por más tiempo que todos los demás discípulos. "Pero el sentaros a mi derecha y a mi izquierda —continuó Jesús—, no es mío darlo, sino a aquellos para quienes está preparado por mi Padre" (S. Mateo 20: 21-23).

Jesús entendió el motivo que impulsó el pedido, y por ello reprendió la soberbia y ambición de sus dos discípulos: "Sabéis que los gobernantes de las naciones se enseñorean de ellas, y los que son grandes ejercen sobre ellas potestad. Mas entre vosotros no será así, sino que el que quiera hacerse grande entre vosotros será vuestro servidor, y el que quiera ser el primero entre vosotros será vuestro siervo; como el Hijo del hombre no vino para ser servido, sino para servir, y para dar su vida en rescate por muchos" (S. Mateo 20: 25-28).

En el reino de Dios no se obtiene un puesto por medio del favoritismo. No se gana, ni es otorgado por medio de una gracia arbitraria. Es el resultado del carácter. La cruz y el trono son los símbolos de una condición alcanzada, los símbolos de la conquista propia por medio de la gracia de nuestro Señor Jesucristo.

Mucho después, cuando Juan había llegado a armonizar con Cristo por haberle seguido en sus sufrimientos, el Señor Jesús le reveló cuál es la condición que nos acerca a su reino. "Al que venciere —dijo Cristo—, le daré que se siente conmigo en mi trono, así como yo he vencido, y me he sentado con mi Padre en su trono" (Apocalipsis 3: 21). Aquel que ocupe el lugar más cerca de Cristo, será el que haya bebido más profundamente de su espíritu de amor abnegado

—amor que "no es jactancioso, no se envanece;… no busca lo suyo, no se irrita, no guarda rencor" (1 Corintios 13: 4, 5)—, amor que induce al discípulo, así como indujo a nuestro Señor, a darlo todo, a vivir y trabajar y sacrificarse aun hasta la muerte para la salvación de la humanidad.

En otra oportunidad, durante sus primeros trabajos evangélicos, Santiago y Juan encontraron a uno que si bien no era reconocido como seguidor de Cristo, echaba demonios en su nombre. Los discípulos prohibieron al hombre hacer tal cosa, creyendo que procedían correctamente. Pero cuando presentaron el asunto delante de Cristo, él los reprochó, diciendo: "No se lo prohibáis; porque ninguno hay que haga milagro en mi nombre, que luego pueda decir mal de mí" (S. Marcos 9: 39). Ninguno que mostrase de alguna manera amistad hacia Cristo debía ser rechazado. Los discípulos no debían albergar un espíritu mezquino y exclusivista, sino más bien manifestar la misma amplia simpatía que habían visto en su Maestro. Santiago y Juan habían pensado que, al detener a ese hombre, tenían en vista el honor del Señor; pero comenzaron a ver que habían manifestado celo por sí mismos. Reconocieron su error y aceptaron la represión.

Las lecciones de Cristo, al recalcar la mansedumbre, la humildad y el amor como esenciales para crecer en gracia e idoneidad para su obra, eran del más alto valor para Juan. Atesoraba cada lección y procuraba constantemente poner su vida en armonía con el ejemplo divino. Juan había comenzado a discernir la gloria de Cristo —no la pompa mundana y el poder que le habían eseñado a esperar—, sino la "gloria como del unigénito del Padre, lleno de gracia y de verdad" (S. Juan 1: 14).

La profundidad y fervor del afecto de Juan hacia su Maestro no era la causa del amor de Cristo hacia él, sino el efecto de ese amor. Juan deseaba llegar a ser semejante a Jesús, y bajo la influencia transformadora del amor de Cristo, llegó a ser manso y humilde. Su yo estaba escondido en Jesús. Sobre todos sus compañeros, Juan se entregó al poder de esa maravillosa vida. Dijo: "La vida fue manifestada, y la hemos visto" (1 S. Juan 1: 2). "Porque de su plenitud tomamos todos, y gracia sobre gracia" (S. Juan 1: 16). Juan conoció al Salvador por experiencia propia. Las lecciones de su Maestro se grabaron sobre su alma. Cuando él testificaba de la gracia del Salvador, su lenguaje sencillo era elocuente por el amor que llenaba todo su ser.

A causa de su profundo amor hacia Cristo, Juan deseaba siempre estar cerca de él. El Salvador amaba a los doce, pero el espíritu de Juan era el más receptivo. Era más joven que los demás y con mayor confianza infantil abrió su corazón a Jesús. Así llegó a simpatizar más con Cristo, y mediante él, las más profundas lecciones espirituales de Cristo fueron comunicadas al pueblo.

Jesús ama a aquellos que representan al Padre, y Juan pudo hablar del amor del Padre como no lo pudo hacer ningún otro de los discípulos. Reveló a sus semejantes lo que sentía en su propia alma, representando en su carácter los atributos de Dios. La gloria del Señor se expresaba en su semblante. La belleza de la santidad que le había transformado brillaba en su rostro con resplandor semejante al de Cristo. En su adoración y amor contemplaba al Salvador hasta que la semejanza a Cristo y el compañerismo con él llegaron a ser su único deseo, y en su carácter se reflejó el carácter de su Maestro.

"Mirad —dijo— cuál amor nos ha dado el Padre, para que seamos llamados hijos de Dios... Amados, ahora somos hijos de Dios, y aún no se ha manifestado lo que hemos de ser; pero sabemos que cuando él se manifieste, seremos semejantes a él, porque le veremos tal como él es" (1 S. Juan 3: 1, 2).

CAPITULO 54

Este capítulo está basado en las Epístolas de S. Juan.

Un Testigo Fiel

DESPUES de la ascensión de Cristo, Juan se destaca como fiel y ardoroso obrero del Maestro. Juntamente con los otros discípulos disfrutó del derramamiento del Espíritu Santo en el día de Pentecostés, y con renovado celo y poder continuó hablando a la gente las palabras de vida, procurando llevar sus pensamientos hacia el Invisible. Era un predicador poderoso, ferviente y profundamente solícito. Con hermoso lenguaje y una voz musical, relataba las palabras y las obras de Cristo; hablaba en una forma que impresionaba los corazones de aquellos que le escuchaban. La sencillez de sus palabras, el poder sublime de la verdad que enunciaba, y el fervor que caracterizaba su enseñanza, le daban acceso a todas las clases sociales.

La vida del apóstol estaba en armonía con su enseñanza. El amor de Cristo que ardía en su corazón, le indujo a realizar una fervorosa e incansable labor en favor de sus semejantes, especialmente por sus hermanos en la iglesia cristiana.

579

Cuando Cristo agonizaba en la cruz confió su madre al cuidado del apóstol Juan.

JOHN STEEL © PPPA

Cristo había mandado a los primeros discípulos que se amasen unos a otros como él los había amado. Así debían testificar al mundo que Cristo, la esperanza de gloria, se había desarrollado en ellos. "Un mandamiento nuevo os doy —había dicho—: Que os améis unos a otros; como yo os he amado, que también os améis unos a otros" (S. Juan 13: 34). Cuando se dijeron esas palabras, los discípulos no las pudieron entender; pero después de presenciar los sufrimientos de Cristo, después de su crucifixión, resurrección y acensión al cielo, y después que el Espíritu Santo descendió sobre ellos en Pentecostés, tuvieron un claro concepto del amor de Dios y de la naturaleza del amor que debían tener el uno con el otro. Entonces Juan pudo decir a sus condiscípulos:

"En esto hemos conocido el amor, en que él puso su vida por nosotros; también nosotros debemos poner nuestras vidas por los hermanos".

Después que descendió el Espíritu Santo, cuando los discípulos salieron a proclamar al Salvador viviente, su único deseo era la salvación de las almas. Se regocijaban en la dulzura de la comunión con los santos. Eran compasivos, considerados, abnegados, dispuestos a hacer cualquier sacrificio por la causa de la verdad. En su asociación diaria, revelaban el amor que Cristo les había enseñado. Por medio de palabras y hechos desinteresados, se esforzaban por despertar ese sentimiento en otros corazones.

Los creyentes habían de cultivar siempre un amor tal. Tenían que ir adelante en voluntaria obediencia al nuevo mandamiento. Tan estrechamente debían estar unidos con Cristo que pudieran sentirse capacitados para cumplir todos sus requerimientos. Sus vidas magnificarían el poder del Salvador, quien podía justificarlos por su justicia.

Pero gradualmente sobrevino un cambio. Los creyentes comenzaron a buscar defectos en los demás. Espaciándose en las equivocaciones, y dando lugar a una crítica dura, perdieron de vista al Salvador y su amor. Llegaron a ser más estrictos en relación con las ceremonias exteriores, más exactos en la teoría que en la práctica de la fe. En su celo por condenar a otros, pasaban por alto sus propios errores. Perdieron el amor fraternal que Cristo les había encomendado, y lo más triste de todo, era que no se daban cuenta de su pérdida. No comprendían que la alegría y el regocijo se retiraban de sus vidas, y que, habiendo excluido el amor de Dios de sus corazones, pronto caminarían en tinieblas.

Comprendiendo Juan que el amor fraternal iba mermando en la iglesia, se esforzaba por convencer a los creyentes de la necesidad constante de ese amor. Sus cartas a las iglesias están llenas de este pensamiento. "Amados, amémonos unos a otros —escribe—; porque el amor es de Dios. Todo aquel que ama, es nacido de Dios, y conoce a Dios. El que no ama, no ha conocido a Dios; porque Dios es amor. En esto se mostró el amor de Dios para con nosotros, en que Dios envió a su Hijo unigénito al mundo, para que vivamos por él. En esto consiste el amor: no en que nosotros hayamos amado a Dios, sino en que él nos amó a nosotros, y envió a su Hijo en propiciación por nuestros pecados. Amados, si Dios nos ha amado así, debemos también nosotros amarnos unos a otros".

Tocante al sentido especial en que ese amor debería manifestarse por los creyentes, el apóstol dice: "Os escribo un mandamiento nuevo, que es verdadero en él y en vosotros, porque las tinieblas van pasando, y la luz verdadera ya alumbra. El que dice que está en la luz, y aborrece a su

581

hermano, está todavía en tinieblas. El que ama a su hermano, permanece en la luz, y en él no hay tropiezo. Pero el que aborrece a su hermano está en tinieblas, y anda en tinieblas, y no sabe a dónde va, porque las tinieblas le han cegado los ojos". "Porque éste es el mensaje que habéis oído desde el principio: Que nos amemos unos a otros". "El que no ama a su hermano, permanece en muerte. Todo aquel que aborrece a su hermano es homicida; y sabéis que ningún homicida tiene vida eterna permanente en él. En esto hemos conocido el amor, en que él puso su vida por nosotros; también nosotros debemos poner nuestras vidas por los hermanos".

El mayor peligro de la iglesia de Cristo no es la oposición del mundo. Es el mal acariciado en los corazones de los creyentes lo que produce el más grave desastre, y lo que, seguramente, más retardará el progreso de la causa de Dios. No hay forma más segura para destruir la espiritualidad que abrigar envidia, sospecha, crítica o malicia. Por otro lado, el testimonio más fuerte de que Dios ha enviado a su Hijo al mundo, es la armonía y unión entre hombres de distintos caracteres que forman su iglesia. El privilegio de los seguidores de Cristo es dar ese testimonio. Pero para poder hacerlo, deben colocarse bajo las órdenes de Cristo. Sus caracteres deben conformarse a su carácter, y sus voluntades a la suya.

"Un mandamiento nuevo os doy —dijo Cristo—: Que os améis unos a otros; como yo os he amado, que también os améis unos a otros" (S. Juan 13: 34). ¡Qué maravillosa declaración! Pero, ¡cuán poco se la practica! Hoy día en la iglesia de Dios, el amor fraternal falta, desgraciadamente. Muchos que profesan amar al Salvador, no se aman unos a otros. Los incrédulos observan para ver si la fe de los profesos cristianos ejerce una influencia santificadora sobre sus vidas; y son prestos para discernir los defectos del carácter y las acciones inconsecuentes. No permitan los cristianos que le sea posible al enemigo señalarlos diciendo: Mirad cómo esas personas, que se hallan bajo la bandera de Cristo, se odian unas a otras. Todos los cristianos son miembros de una familia, hijos del mismo Padre celestial, con la misma esperanza bienaventurada de la inmortalidad. Muy estrecho y tierno debe ser el vínculo que los une.

El amor divino dirige sus más conmovedores llamamientos al corazón cuando nos pide que manifestemos la misma tierna compasión que Cristo mostró. Solamente el hombre que tiene un amor desinteresado por su hermano, ama verdaderamente a Dios. El verdadero cristiano no permitirá voluntariamente que un alma en peligro y necesidad camine desprevenida y desamparada. No podrá mantenerse apartado del que yerra, dejando que se hunda en la tristeza y desánimo, o que caiga en el campo de batalla de Satanás.

Los que nunca experimentaron el tierno y persuasivo amor de Cristo, no pueden guiar a otros a la fuente de la vida. Su amor en el corazón es un poder compelente, que induce a los hombres a revelarlo en su conversación, por un espíritu tierno y compasivo y en la elevación de las vidas de aquellos con quienes se asocian. Los obreros cristianos que tienen éxito en sus esfuerzos deben conocer a Cristo, y a fin de conocerle, deben conocer su amor. En el cielo se mide su idoneidad como obreros por su capacidad de amar como Cristo amó y trabajar como él trabajó.

"No amemos de palabra", escribe el apóstol, "sino de hecho y en verdad". La perfección del carácter cristiano se

583

obtiene cuando el impulso de ayudar y beneficiar a otros brota constantemente de su interior. Cuando una atmósfera de tal amor rodea el alma del creyente, produce un sabor de vida para vida, y permite que Dios bendiga su trabajo.

Un amor supremo hacia Dios y un amor abnegado hacia nuestros semejantes, es el mejor don que nuestro Padre celestial puede conferirnos. Tal amor no es un impulso, sino un principio divino, un poder permanente. El corazón que no ha sido santificado no puede originarlo ni producirlo. Unicamente se encuentra en el corazón en el cual reina Cristo. "Nosotros le amamos a él, porque él nos amó primero". En el corazón que ha sido renovado por la gracia divina, el amor es el principio dominante de acción. Modifica el carácter, gobierna los impulsos, controla las pasiones, y ennoblece los afectos. Ese amor, cuando uno lo alberga en el alma, endulza la vida, y esparce una influencia ennoblecedora en su derredor.

Juan se esforzó por hacer comprender a los creyentes los eminentes privilegios que podían obtener por el ejercicio del espíritu de amor. Cuando ese poder redentor llenara el corazón, dirigiría cualquier otro impulso y colocaría a sus poseedores por encima de las influencias corruptoras del mundo. Y a medida que este amor llegara a dominar completamente y a ser la fuerza motriz de la vida, su fe y confianza en Dios y en el trato del Padre para con ellos serían completas. Podrían llegar a él con plena certidumbre y fe, sabiendo que el Señor supliría cada necesidad para su bienestar presente y eterno. "En esto se ha perfeccionado el amor en nosotros —escribió—, para que tengamos confianza en el día del juicio; pues como él es, así somos nosotros en este mundo. En el amor no hay temor, sino que el perfecto amor echa fuera el temor". "Y ésta es la confianza que tenemos en él, que si pedimos alguna cosa conforme a su voluntad, él nos oye. Y si sabemos que él nos oye…, sabemos que tenemos las peticiones que le hayamos hecho".

"Y si alguno hubiere pecado, abogado tenemos para con el Padre, a Jesucristo el justo. Y él es la propiciación por nuestros pecados; y no solamente por los nuestros, sino también por los de todo el mundo". "Si confesamos nuestros pecados, él es fiel y justo para perdonar nuestros pecados, y limpiarnos de toda maldad". Las condiciones para obtener la misericordia de Dios son sencillas y razonables. El Señor no requiere que hagamos algo doloroso a fin de obtener el perdón. No necesitamos hacer largas y cansadoras peregri-

naciones o ejecutar penitencias penosas para encomendar nuestras almas a él o para expiar nuestra transgresión. El que "confiesa y se aparta" de su pecado "alcanzará misericordia" (Proverbios 28: 13).

En los atrios celestiales, Cristo intercede por su iglesia, intercede por aquellos para quienes pagó el precio de la redención con su sangre. Los siglos de los siglos no podrán menoscabar la eficiencia de su sacrificio expiatorio. Ni la vida ni la muerte, ni lo alto ni lo bajo, pueden separarnos del amor de Dios que es en Cristo Jesús; no porque nosotros nos asimos de él tan firmemente, sino porque él nos sostiene con seguridad. Si nuestra salvación dependiera de nuestros propios esfuerzos, no podríamos ser salvos; pero ella depende de Uno que endosa todas las promesas. Nuestro asimiento de él puede parecer débil, pero su amor es como el de un hermano mayor; mientras mantengamos nuestra unión con él, nadie podrá arrancarnos de su mano.

A medida que los años transcurrían y el número de creyentes crecía, Juan trabajaba con mayor fidelidad y fervor en favor de sus hermanos. Los tiempos estaban llenos de peligro para la iglesia. Por todas partes existían engaños satánicos. Por medio de la falsedad y el engaño los emisarios de Satanás procuraban suscitar oposición contra las doctrinas de Cristo; como consecuencia las disensiones y herejías ponían en peligro a la iglesia. Algunos que creían en Cristo decían que su amor los libraba de obedecer la ley de Dios. Por otra parte, muchos creían que era necesario observar las costumbres y ceremonias judías; que una simple observancia de la ley, sin necesidad de tener fe en la sangre de Cristo, era suficiente para la salvación. Algunos sostenían que Cristo era un hombre bueno, pero negaban su divinidad.

Otros que pretendían ser fieles a la causa de Dios eran engañadores que negaban en la práctica a Cristo y su Evangelio. Viviendo en transgresión ellos mismos, introducían herejías en la iglesia. Por eso muchos eran llevados a los laberintos del escepticismo y el engaño.

Juan se llenaba de tristeza al ver penetrar en la iglesia esos errores venenosos. Veía los peligros a los cuales ella estaba expuesta y afrontaba la emergencia con presteza y decisión. Las epístolas de Juan respiran el espíritu del amor. Parecería que las hubiera escrito con pluma entintada de amor. Pero cuando se encontraba con los que estaban transgrediendo la ley de Dios, y sin embargo aseveraban que estaban viviendo sin pecado, no vacilaba en amonestarlos acerca de su terrible engaño.

"Porque muchos engañadores han salido por el mundo, que no confiesan que Jesucristo ha venido en carne. Quien esto hace es el engañador y el anticristo. Mirad por vosotros mismos, para que no perdáis el fruto de vuestro trabajo, sino que recibáis galardón completo. Cualquiera que se extravía, y no persevera en la doctrina de Cristo, no tiene a Dios; el que persevera en la doctrina de Cristo, ése sí tiene al Padre y al Hijo. Si alguno viene a vosotros, y no trae esta doctrina, no lo recibáis en casa, ni le digáis: ¡Bienvenido! Porque el que le dice: ¡Bienvenido! participa en sus malas obras".

Estamos autorizados a tener el mismo concepto que tuvo el apóstol amado de los que afirman morar en Cristo y viven transgrediendo la ley de Dios. Existen en estos últimos días males semejantes a los que amenazaban la prosperidad de la iglesia primitiva; y las enseñanzas del apóstol Juan acerca de estos puntos deben considerarse con cuidadosa atención. "Debéis tener amor", es el clamor que se oye por doquiera, especialmente de parte de quienes se dicen santos. Pero el amor verdadero es demasiado puro para cubrir un pecado no confesado. Aunque debemos amar a las almas por las cuales Cristo murió, no debemos transigir con el mal. No debemos unirnos con los rebeldes y llamar a eso amor. Dios requiere de su pueblo en esta época del mundo, que se mantenga de parte de lo justo tan firmemente como lo hizo Juan cuando se opuso a los errores que destruían las almas.

El apóstol enseñó que al mismo tiempo que manifestamos cortesía cristiana, estamos autorizados a tratar con el pecado y los pecadores en términos claros: que tal proceder no está en desacuerdo con el amor verdadero. "Todo aquel que comete pecado —escribió—, infringe también la ley; pues el pecado es infracción de la ley. Y sabéis que él apareció para quitar nuestros pecados, y no hay pecado en él. Todo aquel que permanece en él, no peca; todo aquel que peca, no le ha visto, ni le ha conocido".

Como testigo de Cristo, Juan no entró en controversias ni en fastidiosas disputas. Declaró lo que sabía, lo que había visto y oído. Estuvo asociado íntimamente con Cristo, oyó sus enseñanzas y fue testigo de sus poderosos milagros. Pocos pudieron ver las bellezas del carácter de Cristo como Juan las vio. Para él las tinieblas habían pasado; sobre él brillaba la luz verdadera. Su testimonio acerca de la vida y muerte del Señor era claro y eficaz. Hablaba con un corazón que rebosaba de amor hacia su Salvador; y ningún poder podía detener sus palabras.

"Lo que era desde el principio —declaró—, lo que hemos oído, lo que hemos visto con nuestros ojos, lo que hemos contemplado, y palparon nuestras manos tocante al Verbo de vida..., eso os anunciamos, para que también vosotros tengáis comunión con nosotros; y nuestra comunión verdaderamente es con el Padre, y con su Hijo Jesucristo".

Asimismo puede todo creyente estar capacitado, por medio de su propia experiencia, para afirmar "que Dios es veraz" (S. Juan 3: 33). Puede testificar de lo que ha visto, oído y sentido del poder de Cristo.

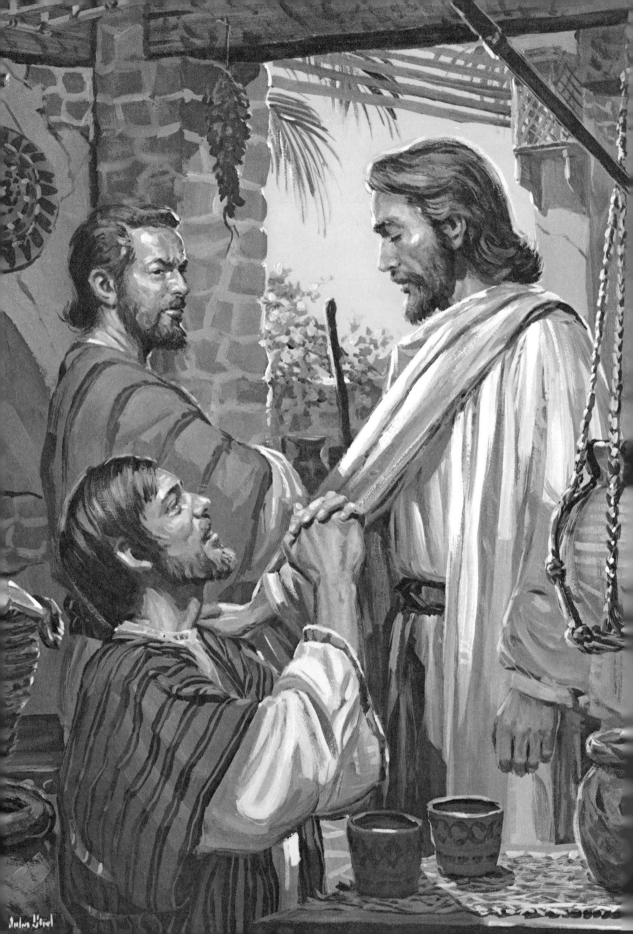

CAPITULO 55

Transformado por Gracia

EN LA vida del discípulo Juan se ejemplifica la verdadera santificación. Durante los años de su íntima asociación con Cristo, a menudo fue amonestado y prevenido por el Salvador, y aceptó sus reprensiones. A medida que el carácter del divino Maestro se le manifestaba, Juan vio sus propias deficiencias, y esta revelación le humilló. Día tras día, en contraste con su propio espíritu violento, contemplaba la ternura y la tolerancia de Jesús y oía sus lecciones de humildad y paciencia. Día tras día su corazón fue atraído a Cristo hasta que se perdió de vista a sí mismo por amor a su Maestro. El poder y la ternura, la majestad y la mansedumbre, la fuerza y la paciencia, que vio en la vida diaria del Hijo de Dios llenaron su alma de admiración. Sometió su temperamento resentido y ambicioso al poder modelador de Cristo, y el amor divino realizó en él una transformación de carácter.

En notable contraste con la obra de santificación realizada en la vida de Juan está la experiencia de su condiscípulo

591

Juan permitió que su vida fuera transformada
por Jesús; pero Judas se privó
a sí mismo de la influencia divina.

JOHN STEEL © PPPA

Judas. Así como su compañero, éste profesaba ser discípulo de Cristo, pero poseía solamente la forma de la piedad. No era insensible a la hermosura del carácter de Cristo; y a menudo, mientras oía las palabras del Salvador, afloraba la convicción de su culpabilidad; pero no humilló su corazón ni confesó sus pecados. Resistiendo a la influencia divina deshonró al Maestro a quien profesaba amar. Juan luchó fervorosamente contra sus defectos; pero Judas violó su conciencia y cedió a la tentación, ligándose con mayor seguridad a sus malos hábitos. La práctica de las verdades que Cristo enseñaba se oponía a sus deseos y propósitos, y no quiso renunciar a sus ideas a fin de recibir la sabiduría del cielo. En vez de caminar en la luz, escogió andar en las tinieblas. Acarició deseos perversos, la codicia, pasiones de venganza, oscuros y sombríos pensamientos, hasta que Satanás obtuvo la dirección completa de su vida.

Juan y Judas representan a los que profesan ser seguidores de Cristo. Ambos discípulos tuvieron las mismas oportunidades de estudiar y seguir al Modelo divino. Ambos estuvieron íntimamente relacionados con Jesús y tuvieron el privilegio de escuchar sus enseñanzas. Cada uno poseía graves defectos de carácter. Y ambos tuvieron acceso a la gracia divina que transforma el carácter. Pero mientras uno en humildad aprendía de Jesús, el otro reveló que no era un hacedor de la palabra, sino solamente un oidor. El uno, destruyendo diariamente el yo y venciendo al pecado, fue santificado por medio de la verdad; el otro, resistiendo al poder transformador de la gracia y dando rienda suelta a sus deseos egoístas, fue reducido a servidumbre por Satanás.

Semejante transformación de carácter como la observada en la vida de Juan, es siempre resultado de la comunión con Cristo. Pueden existir defectos notables en el carácter de una persona, pero cuando llega a ser un verdadero discípulo de Cristo, el poder de la gracia divina le transforma y santifica. Contemplando como por un espejo la gloria del Señor, es transformado de gloria en gloria, hasta que llega a asemejarse a Aquel a quien adora.

Juan era un maestro de santidad, y en sus cartas a la iglesia señaló reglas infalibles para la conducta de los cristianos. "Y todo aquel que tiene esta esperanza en él —escribió—, se purifica a sí mismo, así como él es puro". "El que dice que permanece en él, debe andar como él anduvo" (1 S. Juan 3: 3; 2: 6). Enseñó que el cristiano debe ser puro de corazón y vida. Nunca debe estar satisfecho con una profesión vana. Así como Dios es santo en su esfera, el hombre caído, por medio de la fe en Cristo, debe ser santo en la suya.

El apóstol Pablo escribió: "Pues la voluntad de Dios es vuestra santificación" (1 Tesalonicenses 4: 3). La santificación de la iglesia es el propósito de Dios en todo su trato con su pueblo. Lo escogió desde la eternidad, para que fuese santo. Dio a su Hijo para que muriese por él, a fin de que fuese santificado por medio de la obediencia a la verdad, despojándose de todas las pequeñeces del yo. Requiere de él una obra personal, una entrega individual. Dios puede ser honrado por los que profesan creer en él únicamente cuando se asemejan a su imagen y son dirigidos por su Espíritu. Entonces, como testigos del Salvador, pueden dar a conocer lo que ha hecho la gracia divina por ellos.

La verdadera santificación es consecuencia del desarrollo del principio del amor. "Dios es amor; y el que permanece en amor, permanece en Dios, y Dios en él" (1 S. Juan 4: 16). La vida de aquel en cuyo corazón habita Cristo revelará una piedad práctica. El carácter será purificado, elevado, ennoblecido y glorificado. Una doctrina pura acompañará a las obras de justicia; y los preceptos celestiales a las costumbres santas.

Los que quieren alcanzar la bendición de la santidad deben aprender primero el significado de la abnegación. La cruz de Cristo es la columna central sobre la cual descansa el "cada vez más excelente y eterno peso de gloria". "Si alguno quiere venir en pos de mí —dijo Cristo—, niéguese a sí mismo, y tome su cruz, y sígame" (2 Corintios 4: 17; S. Mateo 16: 24). Es la fragancia del amor para con nuestros semejantes lo que revela nuestro amor para con Dios. Es la paciencia en el servicio lo que otorga descanso al alma. Es mediante el trabajo humilde, diligente y fiel cómo se promueve el bienestar de Israel. Dios sostiene y fortalece al que desea seguir en la senda de Cristo.

La santificación no es obra de un momento, una hora, o un día, sino de toda la vida. No se la consigue por medio de un feliz arranque de los sentimientos, sino que es el resultado de morir constantemente al pecado y vivir cada día para Cristo. No pueden corregirse los males ni producirse reformas en el carácter por medio de esfuerzos débiles e intermitentes. Solamente venceremos mediante un prolongado y perseverante trabajo, penosa disciplina y duro conflicto. No sabemos en el día actual cuán intenso será nuestro conflicto en el siguiente. Mientras reine Satanás, tendremos que dominarnos a nosotros mismos y vencer los pecados que nos rodean; mientras dure la vida, no habrá un momento de descanso, un lugar al cual podamos llegar y decir: Alcancé plenamente el blanco. La santificación es el resultado de la obediencia prestada durante toda la vida.

Ningún apóstol o profeta pretendió haber vivido sin pecado. Hombres que han vivido lo más cerca de Dios, hombres que sacrificaron sus vidas antes de cometer a sabiendas un acto pecaminoso, hombres a quienes Dios honró con luz divina y poder, confesaron su naturaleza pecaminosa. No pusieron su confianza en la carne, no pretendieron poseer una justicia propia, sino que confiaron completamente en la justicia de Cristo.

Así debe ser con todos los que contemplan a Jesús. Cuanto más nos acerquemos a él y cuanto más claramente discernamos la pureza de su carácter, tanto más claramente veremos la extraordinaria gravedad del pecado y tanto menos nos sentiremos tentados a exaltarnos a nosotros mismos. Habrá un continuo esfuerzo del alma para acercarse a Dios; una constante, ferviente y dolorosa confesión del pecado y una humillación del corazón ante él. En cada paso de avance que demos en la experiencia cristiana, nuestro arrepentimiento será más profundo. Conoceremos que la suficiencia solamente se encuentra en Cristo, y haremos la confesión del apóstol: "Y yo sé que en mí, esto es, en mi carne, no mora el bien". "Pero lejos esté de mí gloriarme, sino en la cruz de nuestro Señor Jesucristo, por quien el mundo me es crucificado a mí, y yo al mundo" (Romanos 7: 18; Gálatas 6: 14).

Escriban los ángeles la historia de las santas contiendas y conflictos del pueblo de Dios y registren sus oraciones y lágrimas; pero no sea Dios deshonrado por la declaración hecha por labios humanos: No tengo pecado; soy santo. Nunca pronunciarán los labios santificados tan presuntuosas palabras.

El apóstol Pablo fue arrebatado al tercer cielo, y vio y oyó cosas que no podían referirse, y aun así su modesta declaración es: "No que lo haya alcanzado ya, ni que ya sea perfecto; sino que prosigo" (Filipenses 3: 12). Podían ángeles del cielo registrar las victorias de Pablo mientras proseguía la buena carrera de la fe. Podía el cielo regocijarse en su resuelto andar ascendente, mientras él, teniendo el galardón a la vista, consideraba todas las otras cosas como basura. Los ángeles se regocijaban al contar sus triunfos, pero Pablo no se jactaba de sus victorias. La actitud de ese apóstol es la que debe asumir cada discípulo de Cristo que anhele progresar en la lucha por la corona inmortal.

Miren en el espejo de la ley de Dios los que se sienten inclinados a hacer una elevada profesión de santidad. Cuando vean la amplitud de sus exigencias y comprendan cómo ella discierne los pensamientos e intentos del corazón, no se jactarán de su impecabilidad. "Si decimos —dice Juan, sin separarse de sus hermanos— que no tenemos pecado, nos engañamos a nosotros mismos, y la verdad no está en nosotros". "Si decimos que no hemos pecado, le hacemos a él mentiroso, y su palabra no está en nosotros". "Si confesamos nuestros pecados, él es fiel y justo para perdonar nuestros pecados, y limpiarnos de toda maldad" (1 S. Juan 1: 8, 10, 9).

Hay quienes profesan santidad, quienes declaran que están completamente con el Señor, quienes pretenden tener derecho a las promesas de Dios, mientras rehúsan prestar obediencia a sus mandamientos. Dichos transgresores de la ley quieren recibir todas las cosas que fueron prometidas a los hijos de Dios; pero eso es presunción de su parte, por cuanto Juan nos dice que el verdadero amor a Dios será revelado mediante la obediencia a todos sus mandamientos. No basta creer la teoría de la verdad, hacer una profesión de fe en Cristo, creer que Jesús no es un impostor, y que la religión de la Biblia no es una fábula por arte compuesta. "El que dice: Yo le conozco, y no guarda sus mandamientos —escribió Juan—, el tal es mentiroso, y la verdad no está en él; pero el que guarda su palabra, en éste verdaderamente el amor de Dios se ha perfeccionado; por esto sabemos que estamos en él". "El que guarda sus mandamientos, permanece en Dios, y Dios en él" (1 S. Juan 2: 4, 5; 3: 24).

Juan no enseñó que la salvación puede ser ganada por la obediencia; sino que la obediencia es el fruto de la fe y del amor. "Y sabéis que él apareció para quitar nuestros pecados —dijo—, y no hay pecado en él. Todo aquel que permanece en él, no peca; todo aquel que peca, no le ha visto, ni le ha conocido" (1 S. Juan 3: 5, 6). Si permanecemos en Cristo, si el amor de Dios habita en el corazón, nuestros sentimientos, pensamientos y acciones estarán de acuerdo con la voluntad de Dios. El corazón santificado está en armonía con los preceptos de su ley.

Muchos son los que, aunque se esfuerzan por obedecer los mandamientos de Dios, tienen poca paz y alegría. Esa falta en su experiencia es el resultado de no ejercer fe. Caminan como si estuvieran en una tierra salitrosa, o en un desierto reseco. Demandan poco, cuando podrían pedir mucho, por cuanto no tienen límite las promesas de Dios. Los tales no representan correctamente la santificación que viene mediante la obediencia a la verdad. El Señor desea que todos sus hijos sean felices, llenos de paz y obedientes. Mediante el ejercicio de la fe el creyente llega a poseer esas bendiciones. Mediante ella puede ser suplida cada deficiencia del carácter, cada contaminación purificada, cada falta corregida, cada excelencia desarrollada.

La oración es el medio ordenado por el cielo para tener éxito en el conflicto con el pecado y desarrollar el carácter cristiano. Las influencias divinas que vienen en respuesta a la oración de fe, efectuarán en el alma del suplicante todo lo que pide. Podemos pedir perdón del pecado, el Espíritu Santo, un temperamento semejante al de Cristo, sabiduría y poder para realizar su obra, o cualquier otro don que él ha prometido; y la promesa es: "Se os dará".

Fue en el monte con Dios donde Moisés contempló el modelo de aquel maravilloso edificio donde debía morar su gloria. Es en el monte con Dios —en el lugar secreto de comunión— donde nosotros podemos contemplar su glorioso ideal para la humanidad. En todas las edades, mediante la comunión con el cielo, Dios ha realizado su propósito para con sus hijos, desarrollando gradualmente ante sus mentes las doctrinas de la gracia. Su manera de impartir la verdad se ilustra con las siguientes palabras: "Como el alba está dispuesta su salida" (Oseas 6: 3). El que se coloca donde Dios puede iluminarle, alcanza, por decirlo así, desde la oscuridad parcial del alba hasta la plena luz del mediodía.

La verdadera santificación significa amor perfecto, obediencia perfecta y conformidad perfecta a la voluntad de Dios. Somos santificados por Dios mediante la obediencia a la verdad. Nuestra conciencia debe ser purificada de las obras de muerte sirviendo al Dios viviente. Todavía no somos perfectos; pero es nuestro privilegio separarnos de los lazos del yo y del pecado y avanzar hacia la perfección. Grandes posibilidades, altos y santos fines están al alcance de todos.

La razón por la cual muchos en este siglo no realizan mayores progresos en la vida espiritual, es porque interpretan que la voluntad de Dios es precisamente lo que ellos desean hacer. Mientras siguen sus propios deseos se hacen la ilusión de que están conformándose a la voluntad de Dios. Los tales no tienen conflictos consigo mismos. Hay otros que por un tiempo tienen éxito en su lucha contra sus propios deseos de placeres y comodidad. Son sinceros y fervorosos, pero se cansan por el prolongado esfuerzo, la muerte diaria y la incesante inquietud. La indolencia parece invitarlos, la muerte al yo es desagradable; finalmente cierran sus soñolientos ojos y caen bajo el poder de la tentación en vez de resistirla.

Las instrucciones formuladas en la Palabra de Dios no dan lugar para transigir con el mal. El Hijo de Dios se manifestó para atraer a todos los hombres a sí mismo. No vino para adormecer al mundo arrullándolo, sino para señalarle el camino angosto por el cual todos deben andar si quieren alcanzar finalmente las puertas de la ciudad de Dios. Sus hijos deben seguir por donde él señaló la senda; sea cual fuere el sacrificio de las comodidades o de las satisfacciones egoístas que se les exija; sea cual fuere el costo en labor o sufrimiento, deben sostener una constante batalla consigo mismos.

La mayor alabanza que los hombres pueden ofrecer a Dios es llegar a ser medios consagrados por los cuales pueda obrar. El tiempo pasa rápidamente hacia la eternidad. No retengamos de Dios lo que le pertenece. No le rehusemos lo que, aun cuando no puede ser ofrecido con mérito, no puede ser negado sin ruina. El nos pide todo el corazón; démoselo; es suyo, tanto por derecho de creación como de redención. Nos pide nuestra inteligencia; démosela, es suya. Pide nuestro dinero; démoselo, pues es suyo. No sois vuestros, "porque habéis sido comprados por precio" (1 Corintios 6: 19, 20). Dios requiere el homenaje de un alma santificada, que, por el ejercicio de la fe que obra por medio del amor, se haya preparado para servirle. Sostiene ante nosotros el más alto ideal, el de la perfección. Nos pide que nos manifestemos absoluta y completamente en favor de él en este mundo, así como él está siempre en favor nuestro en la presencia de Dios.

"Pues la voluntad de Dios —acerca de vosotros— es vuestra santificación" (1 Tesalonisenses 4: 3). ¿Es la vuestra también? Vuestros pecados pueden aparecer ante vosotros como montañas; pero si humilláis vuestro corazón, y los confesáis, creyendo en los méritos de un Salvador crucificado y resucitado, os perdonará y limpiará de toda injusticia. Dios demanda de vosotros una completa conformidad con su ley. Esa ley es el eco de su voz que nos dice: Más santo, sí, más santo aún. Desead la plenitud de la gracia de Cristo. Permitid que vuestro corazón se llene con un intenso anhelo de su justicia, cuya obra, declara la Palabra de Dios, es paz, y su efecto quietud y seguridad para siempre.

Mientras vuestra alma suspire por Dios, encontraréis más y más de las inescrutables riquezas de su gracia. Mientras las contempléis, llegaréis a poseerlas y se os revelarán los méritos del sacrificio del Salvador, la protección de su justicia, la perfección de su sabiduría y su poder para presentaros ante el Padre "sin mancha e irreprensibles" (2 S. Pedro 3: 14).

CAPITULO 56

Patmos

MAS de medio siglo había pasado desde la organización de la iglesia cristiana. Durante ese tiempo se había manifestado una oposición constante al mensaje evangélico. Sus enemigos no habían cejado en sus esfuerzos, y finalmente lograron la cooperación del emperador romano en su lucha contra los cristianos.

Durante la terrible persecución que siguió, el apóstol Juan hizo mucho para confirmar y fortalecer la fe de los creyentes. Dio un testimonio que sus adversarios no pudieron contradecir, y que ayudó a sus hermanos a afrontar con valor y lealtad las pruebas que les sobrevinieron. Cuando la fe de los cristianos parecía vacilar ante la terrible oposición que debían soportar, el anciano y probado siervo de Jesús les repetía con poder y elocuencia la historia del Salvador crucificado y resucitado. Sostuvo firmemente su fe, y de sus labios brotó siempre el mismo mensaje alentador: "Lo que era desde el principio, lo que hemos oído, lo que hemos visto con nuestros ojos, lo que hemos contemplado, y palparon nuestras manos tocante al Verbo de vida ..., eso os anunciamos" (1 S. Juan 1: 1-3).

Juan vivió hasta ser muy anciano. Fue testigo de la destrucción de Jerusalén y de la ruina del majestuoso templo. Como último sobreviviente de los discípulos que estuvieron íntimamente relacionados con el Salvador, su mensaje tenía gran influencia cuando manifestaba que Jesús era el Mesías, el Redentor del mundo. Nadie podía dudar de su sinceridad, y mediante sus enseñanzas muchos fueron inducidos a salir de la incredulidad.

Los gobernantes judíos estaban llenos de amargo odio contra Juan por su inmutable fidelidad a la causa de Cristo. Declararon que sus esfuerzos contra los cristianos no tendrían resultado mientras el testimonio de Juan repercutiera en los oídos del pueblo. Para conseguir que los milagros y

enseñanzas de Jesús pudiesen olvidarse, había que acallar la voz del valiente testigo.

Con este fin, Juan fue llamado a Roma para ser juzgado por su fe. Allí delante de las autoridades, las doctrinas del apóstol fueron expuestas erróneamente. Testigos falsos le acusaron de enseñar herejías sediciosas, con la esperanza de conseguir la muerte del discípulo.

Juan se defendió de una manera clara y convincente, y con tal sencillez y candor que sus palabras tuvieron un efecto poderoso. Sus oyentes quedaron atónitos ante su sabiduría y elocuencia. Pero cuanto más convincente era su testimonio, tanto mayor era el odio de sus opositores. El emperador Domiciano estaba lleno de ira. No podía refutar los razonamientos del fiel abogado de Cristo, ni competir con el poder que acompañaba su exposición de la verdad; pero se propuso hacer callar su voz.

Juan fue echado en una caldera de aceite hirviente; pero el Señor preservó la vida de su fiel siervo, así como protegió a los tres hebreos en el horno de fuego. Mientras se pronunciaban las palabras: Así perezcan todos los que creen en ese engañador, Jesucristo de Nazaret, Juan declaró: Mi Maestro se sometió pacientemente a todo lo que hicieron Satanás y sus ángeles para humillarlo y torturarlo. Dio su vida para salvar al mundo. Me siento honrado de que se me permita sufrir por su causa. Soy un hombre débil y pecador. Solamente Cristo fue santo, inocente e inmaculado. No cometió pecado, ni fue hallado engaño en su boca.

Estas palabras tuvieron su influencia, y Juan fue retirado de la caldera por los mismos hombres que lo habían echado en ella.

Nuevamente la mano de la persecución cayó pesadamente sobre el apóstol. Por decreto del emperador, fue desterrado a la isla de Patmos, condenado "por causa de la palabra de Dios y el testimonio de Jesucristo" (Apocalipsis 1: 9). Sus enemigos pensaron que allí no se haría sentir más su influencia, y que finalmente moriría de penurias y angustia.

Patmos, una isla árida y rocosa del mar Egeo, había sido escogida por las autoridades romanas para desterrar allí a los criminales; pero para el siervo de Dios esa lóbrega residencia llegó a ser la puerta del cielo. Allí, alejado de las bulliciosas actividades de la vida, y de sus intensas labores de años anteriores, disfrutó de la compañía de Dios, de Cristo y de los ángeles del cielo, y de ellos recibió instrucciones para guiar a la iglesia de todo tiempo futuro. Le fueron bosquejados los acontecimientos que se verificarían en las últimas escenas de la historia del mundo; y allí escribió las visiones que recibió de Dios. Cuando su voz no pudiera testificar más de Aquel a quien amó y sirvió, los mensajes que se le dieron en aquella costa estéril iban a alumbrar como una lámpara encendida, anunciando el seguro propósito del Señor acerca de cada nación de la tierra.

Entre los riscos y rocas de Patmos, Juan mantuvo comunión con su Hacedor. Repasó su vida pasada, y, al pensar en las bendiciones que había recibido, la paz llenó su corazón. Había vivido la vida de un cristiano, y podía decir con fe: "Nosotros sabemos que hemos pasado de muerte a vida" (1 S. Juan 3: 14). No así el emperador que le había desterrado. Este podía mirar hacia atrás y ver únicamente campos de batalla y matanza, hogares desolados, viudas y huérfanos llorando: el fruto de su ambicioso deseo de preeminencia.

En su aislado hogar, Juan estaba en condiciones, como nunca antes, de estudiar más de cerca las manifestaciones del poder divino, conforme están registradas en el libro de la naturaleza y en las páginas de la inspiración. Para él era motivo de regocijo meditar en la obra de la creación y adorar al divino Arquitecto. En años anteriores sus ojos habían observado colinas cubiertas de bosques, verdes valles, llanuras llenas de frutales; y en las hermosuras de la naturaleza siempre había sido su alegría rastrear la sabiduría y la pericia del Creador. Ahora estaba rodeado por escenas que a muchos les hubiesen parecido lóbregas y sin interés; pero para Juan era distinto. Aunque sus alrededores parecían desolados y áridos, el cielo azul que se extendía sobre él era tan brillante y hermoso como el de su amada Jerusalén. En las desiertas y escarpadas rocas, en los misterios de la profundidad, en las glorias del firmamento, leía importantes lecciones. Todo daba testimonio del poder y la gloria de Dios.

En todo su derredor el apóstol observaba vestigios del diluvio que había inundado la tierra porque sus habitantes se habían aventurado a transgredir la ley de Dios. Las rocas sacadas de las profundidades del mar y de la tierra por la irrupción de las aguas, le recordaban vívidamente los terrores de aquella terrible manifestación de la ira de Dios. En la voz de muchas aguas, en que un abismo llamaba a otro, el profeta oía la voz de su Creador. El mar, azotado por la furia de vientos despiadados, representaba para él la ira de un Dios ofendido. Las poderosas olas, en su terrible conmoción, contenidas por límites señalados por una mano invisible, le hablaban del control de un poder infinito. Y en contraste se daba cuenta de la fragilidad e insensatez de los mortales, los cuales, a pesar de ser gusanos del polvo, se gloriаn en su supuesta sabiduría y fueza, y ponen sus corazones contra el Rey del universo, como si Dios fuera semejante a uno de ellos. Al mirar las rocas recordaba a Cristo: la Roca de su fortaleza, a cuyo abrigo podía refugiarse sin temor. Del apóstol desterrado en la rocosa Patmos subían los más ardientes anhelos de su alma por Dios, las más fervientes oraciones.

La historia de Juan nos proporciona una notable ilustración de cómo Dios puede usar a los obreros de edad. Cuando Juan fue desterrado a la isla de Patmos, muchos le consideraban incapaz de continuar en el servicio, y como una caña vieja y quebrada, propensa a caer en cualquier momento. Pero el Señor juzgó conveniente usarlo todavía. Aunque alejado de las escenas de su trabajo anterior, no dejó de ser un testigo de la verdad. Aun en Patmos se hizo de amigos y conversos. Su mensaje era de gozo, pues proclamaba un Salvador resucitado que desde lo alto estaba intercediendo por su pueblo hasta que regresase para llevarlo consigo. Después que Juan había envejecido en el servicio de su Señor, recibió más comunicaciones del cielo de las que había recibido durante todos los años anteriores de su vida.

La más tierna consideración debe abrigarse hacia aquellos cuyos intereses durante toda la vida estuvieron ligados a la obra de Dios. Esos obreros ancianos han permanecido fieles en medio de tormentas y pruebas. Pueden tener achaques, pero aún poseen talentos que los hacen aptos para ocupar su lugar en la causa de Dios. Aunque gastados e imposibilitados de llevar las pesadas cargas que los más jóvenes pueden y deben llevar, el consejo que pueden dar es del más alto valor.

Pueden haber cometido equivocaciones, pero de sus fracasos aprendieron a evitar errores y peligros y, ¿no serán por lo tanto competentes para dar sabios consejos? Sufrieron pruebas y dificultades y aun cuando perdieron parte de su vigor, el Señor no los pone a un lado. Les da gracia especial y sabiduría.

Los que sirvieron a su Maestro cuando el trabajo era duro, soportaron pobreza y se mantuvieron fieles cuando solamente unos pocos estaban de parte de la verdad, deben ser honrados y respetados. El Señor desea que los obreros más jóvenes logren sabiduría, fuerza y madurez por su asociación con esos hombres fieles. Reconozcan los más jóvenes que al tener entre ellos tales obreros son altamente favorecidos. Déseles un lugar honorífico en sus concilios.

A medida que los que han gastado su vida en el servicio de Cristo se acercan al fin de su ministerio terrenal, serán impresionados por el Espíritu Santo a recordar los incidentes por los cuales han pasado en relación con la obra de Dios. El relato de su maravilloso trato con su pueblo, su gran bondad al librarlos de las pruebas, debe repetirse a los que son nuevos en la fe. Dios desea que los obreros ancianos y probados ocupen su lugar y hagan su parte para impedir que los hombres y mujeres sean arrastrados hacia abajo por la poderosa corriente del mal; desea que tengan puesta su armadura hasta que él les mande deponerla.

En la experiencia que adquirió el apóstol Juan bajo la persecución, hay una lección de maravilloso poder y ánimo para el cristiano. Dios no impide las conspiraciones de los hombres perversos, sino que hace que sus ardides obren para bien a los que en la prueba y el conflicto mantienen su fe y lealtad. A menudo los obreros evangélicos realizan su trabajo en medio de tormentas y persecución, amarga oposición e injusto oprobio. En momentos tales recuerden que la experiencia que se adquiere en el horno de la prueba y aflicción vale todo el dolor que costó. Así Dios acerca a sus hijos a sí mismo, para poder mostrarles sus debilidades en contraste con su fortaleza. Les enseña a apoyarse en él. Así los prepara para afrontar emergencias, para ocupar puestos de confianza, y para cumplir el gran propósito para el cual les concedió sus poderes.

En todos los tiempos los testigos señalados por Dios se han expuesto al vituperio y la persecución por amor a la verdad. José fue calumniado y perseguido porque mantuvo su virtud e integridad. David, el mensajero escogido de Dios, fue perseguido por sus enemigos como una fiera. Daniel fue echado al foso de los leones porque se mantuvo fiel al cielo. Job fue privado de sus posesiones terrenales y estuvo tan enfermo que le aborrecieron sus parientes y amigos; pero aun así mantuvo su integridad. Jeremías no pudo ser disuadido de decir las palabras que Dios le había ordenado hablar; y su testimonio enfureció tanto al rey y a los príncipes que le echaron en una inmunda mazmorra. Esteban fue apedreado porque predicó a Cristo y su crucifixión. Pablo fue encarcelado, azotado con varas, apedreado y finalmente muerto porque fue un fiel mensajero de Dios a los gentiles. Y el apóstol Juan fue desterrado a la isla de Patmos "por causa de la palabra de Dios y el testimonio de Jesucristo".

Estos ejemplos de constancia humana atestiguan la fidelidad de las promesas de Dios, su constante presencia y su gracia sostenedora. Testificaron del poder de la fe para resistir a las potestades del mundo. Es obra de la fe confiar en Dios en la hora más oscura, y sentir, a pesar de ser duramente probados y azotados por la tempestad, que nuestro Padre empuña el timón. Sólo el ojo de la fe puede ver más

El fiel apóstol Juan fue desterrado a la isla de Patmos, y allí escribió el libro de Apocalipsis.

allá de las cosas presentes para estimar correctamente el valor de las riquezas eternas.

Jesús no presentó a sus seguidores la esperanza de alcanzar gloria y riquezas terrenas ni de vivir una vida libre de pruebas. Al contrario, los llamó a seguirle en el camino de la abnegación y el vituperio. El que vino para redimir al mundo fue resistido por las fuerzas unidas del mal. En confederación despiadada, los hombres malos y los ángeles caídos se opusieron al Príncipe de Paz. Todas las palabras y los hechos de él revelaron divina compasión, y su diferencia del mundo provocó la más amarga hostilidad.

Así será con todos los que deseen vivir píamente en Cristo Jesús. Persecuciones y vituperios esperan a todos los que estén dominados por el espíritu de Cristo. El carácter de la persecución cambia con los tiempos, pero el principio —el espíritu que la fomenta— es el mismo que siempre mató a los escogidos del Señor desde los días de Abel.

En todas las épocas Satanás persiguió al pueblo de Dios. Torturó a sus hijos y los entregó a muerte, pero en su muerte llegaron a ser vencedores. Testificaron del poder de Uno que es más fuerte que Satanás. Hombres perversos pueden torturar y matar el cuerpo, pero no pueden destruir la vida que está escondida con Cristo en Dios. Pueden encerrar a hombres y mujeres dentro de las paredes de una cárcel, pero no pueden amarrar el espíritu.

En medio de la prueba y la persecución, la gloria —el carácter— de Dios se revela en sus escogidos. Los creyentes en Cristo, odiados y perseguidos por el mundo, son educados y disciplinados en la escuela del Señor. En la tierra andan por caminos angostos; son purificados en el horno de la aflicción. Siguen a Cristo en medio de penosos conflictos;

soportan la abnegación y experimentan amargos chascos; pero así aprenden lo que es la culpa y miseria del pecado, y llegan a mirarlo con aborrecimiento. Al ser participantes de los sufrimientos de Cristo, pueden ver la gloria más allá de las tinieblas, y dirán: "Pues tengo por cierto que las aflicciones del tiempo presente no son comparables con la gloria venidera que en nosotros ha de manifestarse" (Romanos 8: 18).

CAPITULO 57

El Apocalipsis

EN LOS días de los apóstoles, los creyentes cristianos estaban llenos de celo y entusiasmo. Tan incansablemente trabajaban por su Maestro que, en un tiempo relativamente corto, a pesar de la terrible oposición, el Evangelio del reino se divulgó en todas las partes habitadas de la tierra. El celo manifestado en ese tiempo por los seguidores de Jesús fue registrado por la pluma inspirada como estímulo para los creyentes de todas las épocas. De la iglesia de Efeso, que el Señor Jesús usó como símbolo de toda la iglesia cristiana de los días apostólicos, el Testigo fiel y verdadero declara:

"Yo conozco tus obras, y tu arduo trabajo y paciencia; y que no puedes soportar a los malos, y has probado a los que se dicen ser apóstoles, y no lo son, y los has hallado mentirosos; y has sufrido, y has tenido paciencia, y has trabajado arduamente por amor de mi nombre, y no has desmayado" (Apocalipsis 2: 2, 3).

Al principio, la iglesia de Efeso se distinguía por su

613

En visión Juan contempló a Cristo
ministrando a su iglesia en medio de siete
candeleros y con siete estrellas en su mano.

sencillez y fervor. Los creyentes trataban seriamente de obedecer cada palabra de Dios, y sus vidas revelaban un firme y sincero amor a Cristo. Se regocijaban en hacer la voluntad de Dios porque el Salvador moraba constantemente en sus corazones. Llenos de amor para con su Redentor, su más alto propósito era ganar almas para él. No pensaron en atesorar para sí el precioso tesoro de la gracia de Cristo. Sentían la importancia de su vocación y, cargados con el mensaje: "En la tierra paz, buena voluntad para con los hombres", ardían en deseos de llevar las buenas nuevas de la salvación a los rincones más remotos de la tierra. Y el mundo conoció que ellos habían estado con Jesús. Pecadores arrepentidos, perdonados, limpiados y santificados se allegaron a Dios por medio de su Hijo.

Los miembros de la iglesia estaban unidos en sentimiento y acción. El amor a Cristo era la cadena de oro que los unía. Progresaban en un conocimiento del Señor cada vez más perfecto, y en sus vidas se revelaba el gozo y la paz de Cristo. Visitaban a los huérfanos y a las viudas en su aflicción, y se guardaban sin mancha del mundo, pues comprendían que de no hacerlo, estarían contradiciendo su profesión y negando a su Redentor.

La obra se llevaba adelante en cada ciudad. Se convertían almas y a su vez éstas sentían que era su deber hablar a otros acerca del inestimable tesoro que habían recibido. No podían descansar hasta que la luz que había iluminado sus mentes brillara sobre otros. Multitudes de incrédulos se enteraron de las razones de la esperanza cristiana. Se hacían fervientes e inspiradas súplicas personales a los errantes, a los perdidos y a los que, aunque profesaban conocer la verdad, eran más amadores de los placeres que de Dios.

Pero después de un tiempo el celo de los creyentes comenzó a disminuir, y su amor hacia Dios y su amor mutuo decreció. La frialdad penetró en la iglesia. Algunos se olvidaron de la manera maravillosa en que habían recibido la verdad. Uno tras otro, los viejos portaestandartes cayeron en su puesto. Algunos de los obreros más jóvenes, que podrían haber sobrellevado las cargas de los soldados de vanguardia, y así haberse preparado para dirigir sabiamente la obra, se habían cansado de las verdades tan a menudo repetidas. En su deseo de algo novedoso y sorprendente, intentaron introducir nuevas fases de doctrina, más placenteras para muchas mentes, pero en desarmonía con los principios fundamentales del Evangelio. A causa de su confianza en sí mismos y su ceguera espiritual no pudieron discernir que esos sofismas serían causa de que muchos pusieran en duda las experiencias anteriores, y así producirían confusión e incredulidad.

Al insistirse en esas doctrinas falsas y aparecer diferencias, la vista de muchos fue desviada de Jesús, como el autor y consumador de su fe. La discusión de asuntos de doctrina sin importancia, y la contemplación de agradables fábulas de invención humana, ocuparon el tiempo que debiera haberse dedicado a predicar el Evangelio. Las multitudes que podrían haberse convencido y convertido por la fiel presentación de la verdad, quedaban desprevenidas. La piedad menguaba rápidamente y Satanás parecía estar a punto de dominar a los que decían seguir a Cristo.

Fue en esa hora crítica de la historia de la iglesia cuando Juan fue sentenciado al destierro. Nunca antes había necesitado la iglesia su voz como ahora. Casi todos sus anteriores asociados en el ministerio habían sufrido el martirio. El remanente de los creyentes sufría una terrible oposición.

615

Según todas las apariencias, no estaba distante el día cuando los enemigos de la iglesia de Cristo triunfarían.

Pero la mano del Señor se movía invisiblemente en las tinieblas. En la providencia de Dios, Juan fue colocado en un lugar donde Cristo podía darle una maravillosa revelación de sí mismo y de la verdad divina para la iluminación de las iglesias.

Los enemigos de la verdad confiaban que al mantener a Juan en el destierro, silenciarían para siempre la voz de un fiel testigo de Dios; pero en Patmos, el discípulo recibió un mensaje cuya influencia continuaría fortaleciendo a la iglesia hasta el fin del tiempo. Aunque no se libraron de la responsabilidad de su mala acción, los que desterraron a Juan llegaron a ser instrumentos en las manos de Dios para realizar los propósitos del cielo; y el mismo esfuerzo para extinguir la luz destacó vívidamente la verdad.

Fue en un sábado cuando la gloria del Señor se manifestó al desterrado apóstol. Juan observaba el sábado tan reverentemente en Patmos como cuando predicaba al pueblo de las aldeas y ciudades de Judea. Se aplicaba las preciosas promesas que fueron dadas respecto a ese día. "Yo estaba en el Espíritu en el día del Señor —escribió Juan—, y oí detrás de mí una gran voz como de trompeta, que decía: Yo soy el Alpha y la Omega, el primero y el último... Y me volví para ver la voz que hablaba conmigo; y vuelto, vi siete candeleros de oro, y en medio de los siete candeleros, a uno semejante al Hijo del hombre" (Apocalipsis 1: 10-13).

Fue ricamente favorecido el discípulo amado. Había visto a su Maestro en el Getsemaní con su rostro marcado con el sudor de sangre de su agonía; "tan desfigurado, era su aspecto más que el de cualquier hombre, y su forma más que la de los hijos de Adam" (Isaías 52: 14, Versión Moderna). Lo había visto en manos de los soldados romanos, vestido con el viejo manto purpúreo y coronado de espinas. Lo había visto pendiendo de la cruz del Calvario, siendo objeto de cruel burla y abuso. Ahora se le permite contemplar una vez más a su Señor. Pero, ¡cuán distinta es su apariencia! Ya no es varón de dolores, despreciado y humillado por los hombres. Lleva vestiduras de brillantez celestial. "Su cabeza y sus cabellos eran blancos como blanca lana, como nieve; sus ojos como llama de fuego; y sus pies semejantes al bronce bruñido, refulgente como en un horno" (Apocalipsis 1: 14, 15). Su voz era como el estruendo de muchas aguas. Su rostro brillaba como el sol. En su mano tenía siete estrellas, y de su boca salía una espada aguda de dos filos, emblema del poder de su palabra. Patmos resplandeció con la gloria del Señor resucitado.

"Cuando le vi —escribió Juan—, caí como muerto a sus pies. Y él puso su diestra sobre mí, diciéndome: No temas" (Apocalipsis 1: 17).

Juan fue fortalecido para vivir en la presencia de su Señor glorificado. Entonces ante sus maravillados ojos fueron abiertas las glorias del cielo. Le fue permitido ver el trono de Dios y, mirando más allá de los conflictos de la tierra, contemplar la hueste de los redimidos con sus vestiduras blancas. Oyó la música de los ángeles del cielo, y los cantos de triunfo de los que habían vencido por la sangre del Cordero y la palabra de su testimonio. En la revelación que vio se desarrolló una escena tras otra de conmovedor interés en la experiencia del pueblo de Dios, y la historia de la iglesia fue predicha hasta el mismo fin del tiempo. En figuras y símbolos, se le presentaron a Juan asuntos de gran importancia, que él debía registrar para que los hijos de Dios que vivían en su tiempo y los que vivieran en siglos futuros pudieran tener una comprensión inteligente de los peligros y conflictos que los esperaban.

Esa revelación fue dada para la orientación y el aliento de la iglesia durante la dispensación cristiana. Y sin embargo ha habido maestros religiosos que declararon que es un libro sellado y que sus secretos no pueden explicarse. Como resultado, muchos han dejado de lado el registro profético y rehusado dedicar tiempo al estudio de sus misterios. Pero Dios no desea que su pueblo considere así ese libro. Es "la revelación de Jesucristo, que Dios le dio, para manifestar a sus siervos las cosas que deben suceder pronto". "Bienaventurado el que lee —dijo el Señor—, y los que oyen las palabras de esta profecía, y guardan las cosas en ella escritas; porque el tiempo está cerca" (Apocalipsis 1: 1, 3). "Yo testifico a todo aquel que oye las palabras de la profecía de este libro: Si alguno añadiere a estas cosas, Dios traerá sobre él las plagas que están escritas en este libro. Y si alguno quitare de las palabras del libro de esta profecía, Dios quitará su parte del libro de la vida, y de la santa ciudad y de las cosas que están escritas en este libro. El que da testimonio de estas cosas dice: Ciertamente vengo en breve" (Apocalipsis 22: 18-20).

En el Apocalipsis están reveladas las cosas profundas de Dios. El nombre mismo que fue dado a sus páginas inspiradas: El Apocalipsis o la Revelación, contradice la afirmación de que es un libro sellado. Una revelación es algo revelado. El Señor mismo reveló a su siervo los misterios contenidos en dicho libro y es su propósito que estén abiertos al estudio de todos. Sus verdades se dirigen tanto a los que viven en los últimos días de la historia de esta tierra como a los que vivían en los días de Juan. Algunas de las escenas descritas en esa profecía pertenecen al pasado, otras se están cumpliendo ahora; algunas tienen que ver con el fin del gran conflicto entre los poderes de las tinieblas y el Príncipe del cielo, y otras revelan los triunfos y alegrías de los redimidos en la tierra nueva.

Nadie piense que al no poder explicar el significado de cada símbolo del Apocalipsis, es inútil seguir escudriñando el libro en un esfuerzo de conocer el significado de la verdad que contiene. El que reveló esos misterios a Juan dará al investigador diligente de la verdad un goce anticipado de las cosas celestiales. Los que tengan sus corazones abiertos para la recepción de la verdad, serán capacitados para entender sus enseñanzas, y se les otorgará la bendición prometida a

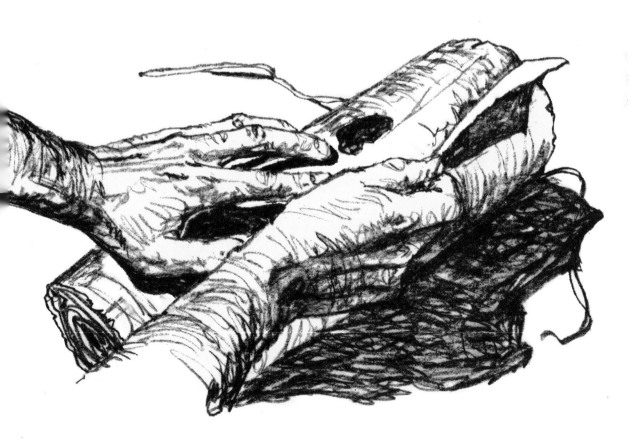

los que "oyen las palabras de esta profecía, y guardan las cosas en ella escritas".

En el Apocalipsis todos los libros de la Biblia se encuentran y terminan. En él está el complemento del libro de Daniel. Uno es una profecía, el otro una revelación. El libro que fue sellado no fue el Apocalipsis, sino aquella porción de la profecía de Daniel que se refiere a los últimos días. El ángel ordenó: "Pero tú, Daniel, cierra las palabras y sella el libro hasta el tiempo del fin" (Daniel 12: 4).

Fue Cristo quien ordenó al apóstol que escribiera lo que le iba a ser revelado. "Escribe en un libro lo que ves —le mandó—, y envíalo a las siete iglesias que están en Asia: a Efeso, Esmirna, Pérgamo, Tiatira, Sardis, Filadelfia y Laodicea". "Yo soy... el que vivo, y estuve muerto; mas he aquí que vivo por los siglos de los siglos... Escribe las cosas que has visto, y las que son, y las que han de ser después de éstas. El misterio de las siete estrellas que has visto en mi diestra, y de los siete candeleros de oro: las siete estrellas son los ángeles de las siete iglesias, y los siete candeleros que has visto, son las siete iglesias" (Apocalipsis 1: 11, 17-20).

Los nombres de éstas son un símbolo de la iglesia en diferentes períodos de la era cristiana. El número siete indica algo completo, y significa que los mensajes se extienden hasta el fin del tiempo, mientras que los símbolos usados revelan la condición de la iglesia en diferentes períodos de la historia.

Se habla de Cristo como caminando en medio de los candeleros de oro. Así se simboliza su relación con las iglesias. Está en constante comunicación con su pueblo. Conoce su real condición. Observa su orden, su piedad, su devoción. Aunque es el sumo sacerdote y mediador en el santuario celestial, se le representa como caminando de aquí para allá en medio de sus iglesias en la tierra. Con incansable desvelo y constante vigilancia, observa para ver si la luz de alguno de sus centinelas arde débilmente o si se apaga. Si el candelero fuera dejado al mero cuidado humano, la vacilante llama languidecería y moriría; pero él es el verdadero centinela en la casa del Señor, el fiel guardián de los atrios del templo. Su cuidado constante y su gracia sostenedora son la fuente de la vida y la luz.

Cristo fue presentado como sosteniendo las siete estrellas en su mano derecha. Esto nos asegura que ninguna iglesia que sea fiel a su cometido necesita temer la destrucción; porque ninguna estrella que tiene la protección del Omnipotente puede ser arrancada de la mano de Cristo.

"El que tiene las siete estrellas en su diestra... dice esto" (Apocalipsis 2: 1). Estas palabras son dirigidas a los maestros de la iglesia, a aquellos a quienes Dios confió pesadas responsabilidades. Las dulces influencias que han de abundar en la iglesia están vinculadas estrechamente con los ministros de Dios, quienes deben revelar el amor de Cristo. Las estrellas del cielo están bajo su dirección. Las llena de luz; guía y dirige sus movimientos. Si no lo hiciera, llegarían a ser estrellas caídas. Así es con sus ministros. Son instrumentos en sus manos, y todo lo bueno que pueden hacer es realizado por medio del poder divino. Por medio de ellos se difunde la luz del Salvador, quien ha de ser su eficienciá. Si tan sólo miraran a él como él miraba al Padre, serían capacitados para hacer su obra. Cuando dependan de Dios, él les dará su esplendor para reflejarlo al mundo.

En el comienzo de la historia de la iglesia, el misterio de iniquidad, predicho por el apóstol Pablo, comenzó a hacer su obra impía; y al insistir en sus herejías los falsos maestros, acerca de los cuales Pablo amonestó a los creyentes, muchos fueron engañados por falsas doctrinas. Algunos vacilaron bajo las pruebas, y fueron tentados a abandonar la fe. En el tiempo cuando Juan recibía esta revelación, muchos habían perdido su primer amor a la verdad del Evangelio. Pero en su misericordia Dios no dejó que su iglesia permaneciese en la apostasía. En un mensaje de infinita ternura reveló su amor hacia ella, y su deseo de que hiciera una obra segura para la eternidad. "Recuerda —rogó—, de dónde has caído, y arrepiéntete, y haz las primeras obras" (Apocalipsis 2: 5).

La iglesia tenía defectos, y necesitaba severa represión y corrección; y Juan fue inspirado a escribir mensajes de amonestación, represión y ruego a los que, habiendo perdido de vista los principios fundamentales del Evangelio, ponían en peligro la esperanza de su salvación. Pero las palabras de reproche que Dios halla necesario enviar se pronuncian siempre con tierno amor, y con la promesa de paz a cada creyente arrepentido. "He aquí, yo estoy a la puerta y llamo —dice el Señor—; si alguno oye mi voz y abre la puerta, entraré a él, y cenaré con él, y él conmigo" (Apocalipsis 3: 20).

Y para los que en medio del conflicto mantuviesen su fe en Dios, le fueron confiadas al profeta estas palabras de encomio y promesa: "Yo conozco tus obras; he aquí, he puesto delante de ti una puerta abierta, la cual nadie puede cerrar; porque aunque tienes poca fuerza, has guardado mi palabra, y no has negado mi nombre... Por cuanto has guardado la palabra de mi paciencia, yo también te guardaré de la hora de la prueba que ha de venir sobre el mundo entero, para probar a los que moran sobre la tierra". Se amonestó al creyente: "Sé vigilante, y afirma las otras cosas que están para morir". "He aquí, yo vengo pronto; retén lo que tienes, para que ninguno tome tu corona" (Apocalipsis 3: 8, 10, 2, 11).

Por medio de uno que declaró ser "hermano, y copartícipe vuestro en la tribulación" (Apocalipsis 1: 9), Cristo reveló a su iglesia las cosas que ella debía sufrir por su causa. Al penetrar con su vista a través de largos siglos de tinieblas y superstición, el anciano desterrado vio a multitudes sufrir el martirio por causa de su amor hacia la verdad. Pero también vio que Aquel que sostuvo a sus primeros testigos, no olvidaría a sus fieles seguidores durante los siglos de persecución que debían venir antes del fin del tiempo. "No temas en nada lo que vas a padecer —declara el Señor—. He aquí, el diablo echará a algunos de vosotros en la cárcel, para que seáis probados, y tendréis tribulación... Sé fiel hasta la muerte, y yo te daré la corona de la vida" (Apocalipsis 2: 10).

Y para todos los fieles que están luchando contra el mal, Juan oyó hacer las promesas: "Al que venciere, le daré a comer del árbol de la vida, el cual está en medio del paraíso de Dios". "El que venciere será vestido de vestiduras blancas; y no borraré su nombre del libro de la vida, y confesaré su nombre delante de mi Padre, y delante de sus ángeles". "Al que venciere, le daré que se siente conmigo en mi trono, así como yo he vencido, y me he sentado con mi Padre en su trono" (Apocalipsis 2: 7; 3: 5, 21).

Juan vio la misericordia, la ternura y el amor de Dios mezclados con su santidad, justicia y poder. Vio a los pecadores hallar un Padre en Aquel a quien sus pecados les habían hecho temer. Y mirando más allá de la culminación del gran conflicto, contempló en Sion a "los que habían alcanzado la victoria… sobre el mar de vidrio, con las arpas de Dios", y cantando el cántico de Moisés y del Cordero (Apocalipsis 15: 2, 3).

El Salvador se presenta ante Juan bajo los símbolos del "León de la tribu de Judá" y de "un Cordero como inmolado" (Apocalipsis 5: 5, 6). Dichos símbolos representan la unión del poder omnipotente con el abnegado sacrificio de amor. El León de Judá, tan terrible para los que rechazan su gracia, es el Cordero de Dios para el obediente y fiel. La columna de fuego que anuncia terror e ira al transgresor de la ley de Dios, es una señal de luz, misericordia y liberación para los que guardan sus mandamientos. El brazo que es fuerte para herir a los rebeldes, será fuerte para librar a los leales. Todo el que sea fiel será salvo. "Enviará sus ángeles con gran voz de trompeta, y juntarán a sus escogidos, de los cuatro vientos, desde un extremo del cielo hasta el otro" (S. Mateo 24: 31).

En comparación con los millones del mundo, los hijos de Dios serán, como siempre lo fueron, un rebaño pequeño; pero si permanecen de parte de la verdad como está revelada en su Palabra, Dios será su refugio. Están bajo el amplio escudo de la Omnipotencia. Dios constituye siempre una mayoría. Cuando el sonido de la final trompeta penetre en la prisión de la muerte, y los justos se levanten con triunfo, exclamando: "¿Dóndo está, oh muerte, tu aguijón? ¿Dónde, oh sepulcro, tu victoria?" (1 Corintios 15: 55) para unirse con Dios, con Cristo, con los ángeles y con los fieles de todas las edades, los hijos de Dios serán una gran mayoría.

Los verdaderos discípulos de Cristo le siguen a través de duros conflictos, siendo abnegados y experimentando amargos desengaños; pero eso les muestra la culpabilidad y la

miseria del pecado y son inducidos a mirarlo con aborrecimiento. Participantes en los sufrimientos de Cristo, son
destinados a ser participantes de su gloria. En santa visión el
profeta vio el postrer triunfo de la iglesia remanente de Dios.
Esto fue lo que escribió:

"Vi también como un mar de vidrio mezclado con fuego;
y a los que habían alcanzado la victoria... sobre el mar de
vidrio, con las arpas de Dios. Y cantan el cántico de Moisés
siervo de Dios, y el cántico del Cordero, diciendo: Grandes y
maravillosas son tus obras, Señor Dios Todopoderoso; justos
y verdaderos son tus caminos, Rey de los santos" (Apocalipsis 15: 2, 3).

"Después miré, y he aquí el Cordero estaba en pie sobre
el monte de Sion, y con él ciento cuarenta y cuatro mil, que
tenían el nombre de él y el de su Padre escrito en la frente"
(Apocalipsis 14: 1). En este mundo habían consagrado sus
mentes a Dios; le habían servido con la inteligencia y el
corazón; y ahora él puede poner su nombre "en la frente". "Y
reinarán por los siglos de los siglos" (Apocalipsis 22: 5). No
entrarán y saldrán como quienes mendigan un lugar. Perte-
necerán a aquellos de los cuales Cristo dijo: "Venid, benditos de mi Padre, heredad el reino preparado para vosotros
desde la fundación del mundo". Les dará la bienvenida como
a hijos, diciéndoles: "Entra en el gozo de tu Señor" (S.
Mateo 25: 34, 21).

"Estos son los que siguen al Cordero por dondequiera
que va. Estos fueron redimidos de entre los hombres como
primicias para Dios y para el Cordero" (Apocalipsis 14: 4).
La visión del profeta los coloca frente al monte de Sion,
ceñidos para un servicio santo, vestidos de lino blanco, que
es la justificación de los santos. Pero todo el que siga al

Cordero en el cielo, primeramente tiene que seguirle en la tierra, no con inquietud o caprichosamente, sino con confianza, amor y obediencia voluntaria; como la oveja sigue al pastor.

"Y la voz que oí era como de arpistas que tocaban sus arpas. Y cantaban un cántico nuevo delante del trono ...; y nadie podía aprender el cántico sino aquellos ciento cuarenta y cuatro mil que fueron redimidos de entre los de la tierra... En sus bocas no fue hallada mentira, pues son sin mancha delante del trono de Dios" (Apocalipsis 14: 2-5).

"Y yo Juan vi la santa ciudad, la nueva Jerusalén, descender del cielo, de Dios, dispuesta como una esposa ataviada para su marido". "Teniendo la gloria de Dios. Y su fulgor era semejante al de una piedra preciosísima, como piedra de jaspe, diáfana como el cristal. Tenía un muro grande y alto con doce puertas; y en las puertas, doce ángeles, y nombres inscritos, que son los de las doce tribus de los hijos de Israel". "Las doce puertas; eran doce perlas; cada una de las puertas era una perla. Y la calle de la ciudad era de oro puro, transparente como vidrio. Y no vi en ella templo; porque el Señor Dios Todopoderoso es el templo de ella, y el Cordero" (Apocalipsis 21: 2, 11, 12, 21, 22).

"Y no habrá más maldición; y el trono de Dios y del Cordero estará en ella, y sus siervos le servirán, y verán su rostro, y su nombre estará en sus frentes. No habrá allí más noche; y no tienen necesidad de luz de lámpara, ni de luz del sol, porque Dios el Señor los iluminará" (Apocalipsis 22: 3-5).

"Me mostró un río limpio de agua de vida, resplandeciente como cristal, que salía del trono de Dios y del Cordero. En medio de la calle de la ciudad, y a uno y otro lado del río, estaba el árbol de la vida, que produce doce frutos, dando cada mes su fruto; y las hojas del árbol eran para la sanidad de las naciones". "Bienaventurados los que lavan sus ropas, para tener derecho al árbol de la vida, y para entrar por las puertas en la ciudad" (Apocalipsis 22: 1, 2, 14).

"Y oí una gran voz del cielo que decía: He aquí el tabernáculo de Dios con los hombres, y él morará con ellos; y ellos serán su pueblo, y Dios mismo estará con ellos como su Dios" (Apocalipsis 21: 3).

CAPITULO 58

La Iglesia Triunfante

HACE alrededor de diecinueve siglos que los apóstoles descansan de sus labores; pero la historia de sus fatigas y sacrificios por la causa de Cristo se encuentra todavía entre los más preciosos tesoros de la iglesia. Dicha historia, escrita bajo la dirección del Espíritu Santo, fue registrada a fin de que por ella los seguidores de Cristo de todas las épocas fuesen inducidos a empeñarse con mayor celo y fervor en la causa del Salvador.

Los discípulos cumplieron la comisión que Cristo les dio. A medida que esos mensajeros de la cruz salían a proclamar el Evangelio, se manifestaba tal revelación de la gloria de Dios como nunca antes habían visto los mortales. Por medio de la cooperación del Espíritu divino, los apóstoles realizaron una obra que conmovió al mundo. El Evangelio fue llevado a toda nación en una sola generación.

Gloriosos fueron los resultados que acompañaron al ministerio de los apóstoles escogidos por Cristo. Al principio, algunos de ellos eran hombres sin letras, pero su consagra-

629

ción a la causa de su Maestro era absoluta y bajo su instrucción consiguieron una preparación para la gran obra que les fue encomendada. La gracia y la verdad reinaban en sus corazones, inspiraban sus motivos y dirigían sus acciones. Sus vidas estaban escondidas con Cristo en Dios, el yo se perdía de vista, sumergido en las profundidades del amor infinito.

Los discípulos eran hombres que sabían hablar y orar sinceramente, hombres que podían apoderarse de la fuerza del Poderoso de Israel. ¡Cuán cerca estaban de Dios, y cuán estrechamente ligaban su honor personal a su trono! Jehová era su Dios. Su honor era el honor de ellos. La verdad de Dios era la suya. Cualquier ataque al Evangelio hería profundamente sus almas, y con todo el poder de su ser luchaban por la causa de Cristo. Podían predicar la palabra de vida, porque habían recibido la unción celestial. Esperaban mucho y por lo tanto intentaban mucho. Cristo se revelaba a ellos y le miraban como su guía. Su entendimiento de la verdad y su poder para afrontar la oposición estaban en proporción con su conformidad a la voluntad de Dios. Jesucristo, sabiduría y poder de Dios, era el tema de todo discurso. Su nombre —el único dado a los hombres debajo del cielo para que puedan ser salvos— era exaltado por ellos. A medida que proclamaban un Salvador todopoderoso, resucitado, sus palabras conmovían los corazones y hombres y mujeres eran ganados para el Evangelio. Multitudes que habían vilipendiado el nombre del Salvador y despreciado su poder, ahora se confesaban discípulos del Crucificado.

Los apóstoles no cumplían su misión por su propio poder, sino con el del Dios viviente. Su tarea no era fácil. Las primeras labores de la iglesia cristiana se realizaron bajo opresión y amarga aflicción. Los discípulos encontraban constantemente privaciones, calumnias y persecuciones en su trabajo; pero no consideraban sus propias vidas como caras; antes se regocijaban porque eran llamados a sufrir por Cristo. La irresolución, la indecisión, y la debilidad de propósito no hallaban cabida en sus esfuerzos. Estaban dispuestos a gastar y ser gastados. El sentido de la responsabilidad que descansaba sobre ellos, purificaba y enriquecía sus vidas; y la gracia del cielo se revelaba en las conquistas que lograron para Cristo. Con el poder de la omnipotencia, Dios obraba por intermedio de ellos para hacer triunfar el Evangelio.

Los apóstoles edificaron la iglesia de Dios sobre el fundamento que Cristo mismo había puesto. Frecuentemente se usa en las Escrituras la figura de la construcción de un templo para ilustrar la edificación de la iglesia. Zacarías señaló a Cristo como el Renuevo que debía edificar el templo del Señor. Habla de los gentiles como colaboradores en la obra: "Y los que están lejos vendrán y ayudarán a edificar el templo de Jehová"; e Isaías declara: "Y extranjeros edificarán tus muros" (Zacarías 6: 12, 15; Isaías 60: 10).

Escribiendo acerca de la edificación de dicho templo, Pedro dice: "Acercándoos a él, piedra viva, desechada ciertamente por los hombres, mas para Dios escogida y preciosa, vosotros también, como piedras vivas, sed edificados como casa espiritual y sacerdocio santo, para ofrecer sacrificios espirituales aceptables a Dios por medio de Jesucristo" (1 S. Pedro 2: 4, 5).

Los apóstoles trabajaron en la cantera del mundo judío y gentil, extrayendo piedras que habían de colocar sobre el fundamento. En su carta a los creyentes de Efeso, Pablo les

631

dice: "Así que ya no sois extranjeros ni advenedizos, sino conciudadanos de los santos, y miembros de la familia de Dios, edificados sobre el fundamento de los apóstoles y profetas, siendo la principal piedra del ángulo Jesucristo mismo, en quien todo el edificio, bien coordinado, va creciendo para ser un templo santo en el Señor; en quien vosotros también sois juntamente edificados para morada de Dios en el Espíritu" (Efesios 2: 19-22).

Y escribió a los corintios: "Conforme a la gracia de Dios que me ha sido dada, yo como perito arquitecto puse el fundamento, y otro edifica encima; pero cada uno mire cómo sobreedifica. Porque nadie puede poner otro fundamento que el que está puesto, el cual es Jesucristo. Y si sobre este fundamento alguno edificare oro, plata, piedras preciosas, madera, heno, hojarasca, la obra de cada uno se hará manifiesta; porque el día la declarará, pues por el fuego será revelada; y la obra de cada uno cuál sea, el fuego la probará" (1 Corintios 3: 10-13).

Los apóstoles edificaron sobre un fundamento seguro, la Roca de los siglos. Sobre ese fundamento colocaron las piedras que extrajeron del mundo. Los edificadores no hicieron su obra sin afrontar obstáculos. Se hizo sumamente difícil a causa de la oposición de los enemigos de Cristo. Tuvieron que luchar contra el fanatismo, el prejuicio y el odio de los que edificaban sobre un fundamento falso. Muchos de los que trabajaban como edificadores de la iglesia podían compararse con los que construían las murallas en los días de Nehemías, de quienes se escribió: "Los que edificaban en el muro, los que acarreaban, y los que cargaban, con una mano trabajaban en la obra, y en la otra tenían la espada" (Nehemías 4: 17).

Reyes y gobernantes, sacerdotes y magistrados, procuraron destruir el templo de Dios. Pero frente al encarcelamiento, tortura y muerte, hombres fieles llevaron la obra adelante; y la estructura creció hermosa y simétrica. A veces los trabajadores estaban casi cegados por la neblina de superstición que se levantaba en su derredor. Por momentos se encontraban casi abrumados por la violencia de sus opositores. Pero con fe firme y valor inquebrantable prosiguieron con la obra.

Uno tras otro, los primeros edificadores cayeron a mano del enemigo. Esteban fue apedreado; Santiago, muerto por la espada; Pablo, decapitado; Pedro, crucificado; Juan, desterrado. A pesar de ello la iglesia crecía. Nuevos obreros tomaban el lugar de los que caían, y piedra tras piedra se colocaba en el edificio. Así, lentamente se levantaba el templo de la iglesia de Dios.

Siglos de fiera persecución siguieron al establecimiento de la iglesia cristiana, pero nunca faltaron hombres que consideraban la edificación del templo más preciosa que su propia vida. De los tales se escribió: "Otros experimentaron vituperios y azotes, y a más de esto prisiones y cárceles. Fueron apedreados, aserrados, puestos a prueba, muertos a filo de espada; anduvieron de acá para allá cubiertos de pieles de ovejas y de cabras, pobres, angustiados, maltratados; de los cuales el mundo no era digno; errando por los desiertos, por los montes, por las cuevas y por las cavernas de la tierra" (Hebreos 11: 36-38).

El enemigo de la justicia no escatimaba ningún esfuerzo para detener la obra encomendada a los edificadores del Señor. Pero Dios "no se dejó a sí mismo sin testimonio" (Hechos 14: 17). Se levantaron obreros capaces de defender la fe dada una vez a los santos. La historia registra la fortaleza y heroísmo de esos hombres. A la semejanza de los apóstoles, muchos de ellos cayeron en sus puestos, pero la construcción del templo siguió avanzando constantemente. Los obreros fueron muertos, pero la obra prosiguió. Los valdenses, Juan Wiclef, Huss y Jerónimo, Martín Lutero y Zwinglio, Cranmer, Latimer y Knox, los hugonotes, Juan y Carlos Wesley, y una hueste de otros, colocaron sobre el fundamento materiales que durarán por toda la eternidad. Y en los últimos años, los que se esforzaron tan noblemente por promover la circulación de la Palabra de Dios, y los que por su servicio en países paganos prepararon el camino para la proclamación del último gran mensaje, ellos también ayudaron a levantar la estructura.

Durante los años transcurridos desde los días de los apóstoles, la edificación del templo de Dios nunca cesó. Podemos mirar hacia atrás a través de los siglos, y ver las piedras vivas de las cuales está compuesto, fulgurando como luces en medio de las tinieblas del error y la superstición. Durante toda la eternidad esas preciosas joyas brillarán con creciente resplandor, testificando del poder de la verdad de Dios. La centelleante luz de esas piedras pulidas revela el fuerte contraste entre la luz y las tinieblas, entre el oro de la verdad y la escoria del error.

Pablo y los otros apóstoles, y todos los justos que han vivido desde entonces, contribuyeron con su parte en la construcción del templo. Pero su estructura todavía no está completa. Los que vivimos en este tiempo tenemos una obra que hacer, una parte que realizar. Sobre el fundamento tenemos que colocar material que resista la prueba del fuego —oro, plata, piedras preciosas, "labradas como las de un palacio" (Salmo 144: 12). A los que así edifican para Dios, Pablo les habla palabras de ánimo y amonestación: "Si permaneciere la obra de alguno que sobreedificó, recibirá recompensa. Si la obra de alguno se quemare, él sufrirá pérdida, si bien él mismo será salvo, aunque así como por fuego" (1 Corintios 3: 14, 15). Los cristianos que presentan fielmente la palabra de vida, guiando a hombres y mujeres al camino de la santidad y la paz, colocan sobre el fundamento material que será probado, y en el reino de Dios serán honrados como sabios constructores.

De los apóstoles está escrito: "Ellos, saliendo, predicaron en todas partes, ayudándoles el Señor y confirmando la palabra con las señales que la seguían" (Marcos 16: 20). Así como Cristo envió a sus discípulos, envía hoy a los miembros de su iglesia. El mismo poder que los apóstoles tuvieron es para ellos. Si desean hacer de Dios su fuerza, él obrará con ellos, y no trabajarán en vano. Comprendan que la obra en la cual están empeñados es una sobre la cual el Señor ha puesto su sello. Dios dijo a Jeremías: "No digas: Soy un niño; porque a todo lo que te envíe irás tú, y dirás todo lo que te mande. No temas delante de ellos, porque contigo estoy para librarte". Luego el Señor extendió su mano y tocó la boca de su siervo, diciendo: "He aquí he puesto mis palabras en tu boca" (Jeremías 1: 7-9). Y nos envía a seguir anunciando las palabras que nos ha dado, sintiendo su toque santo sobre nuestros labios.

Cristo dio a la iglesia un encargo sagrado. Cada miembro debe ser un medio por el cual Dios pueda comunicar al mundo los tesoros de su gracia, las inescrutables riquezas de Cristo. No hay nada que el Salvador desee tanto como tener agentes que quieran representar al mundo su Espíritu y su carácter. No hay nada que el mundo necesite tanto como la manifestación del amor del Salvador por medio de seres humanos. Todo el cielo está esperando a los hombres y a las mujeres por medio de los cuales pueda Dios revelar el poder del cristianismo.

La iglesia es la agencia de Dios para la proclamación de la verdad, facultada por él para hacer una obra especial; y si le es leal y obediente a todos sus mandamientos, habitará en ella la excelencia de la gracia divina. Si manifiesta verdadera fidelidad, si honra al Señor Dios de Israel, no habrá poder capaz de resistirle.

El celo por Dios y su causa indujo a los discípulos a ser testigos del Evangelio con gran poder. ¿No debería semejante celo encender en nuestros corazones la determinación de contar la historia del amor redentor, del Cristo crucificado? Es el privilegio de cada cristiano, no sólo esperar, sino apresurar la venida del Salvador.

Si la iglesia estuviese dispuesta a vestirse con la justicia de Cristo, apartándose de toda obediencia al mundo, se presentaría ante ella el amanecer de un brillante y glorioso día. La promesa que Dios le hizo permanecerá firme para siempre. La hará una gloria eterna, un regocijo para muchas generaciones. La verdad, pasando por alto a los que la desprecian y rechazan triunfará. Aunque a veces ha parecido sufrir retrasos, su progreso nunca ha sido detenido. Cuando el mensaje de Dios lucha con oposición, él le presta fuerza adicional, para que pueda ejercer mayor influencia. Dotado de energía divina, podrá abrirse camino a través de las barreras más fuertes, y triunfar sobre todo obstáculo.

¿Qué sostuvo al Hijo de Dios en su vida de pruebas y sacrificios? Vio los resultados del trabajo de su alma y fue

Los mensajes revelados a los apóstoles se refieren, ante todo, a aquel día cuando Jesús regresará para redimir a su pueblo.

saciado. Mirando hacia la eternidad, contempló la felicidad de los que por su humillación obtuvieron el perdón y la vida eterna. Su oído captó la aclamación de los redimidos. Oyó a los rescatados cantar el himno de Moisés y del Cordero.

Podemos tener una visión del futuro, de la bienaventuranza en el cielo. En la Biblia se revelan visiones de la gloria futura, escenas bosquejadas por la mano de Dios, las cuales son muy estimadas por su iglesia. Por la fe podemos estar en el umbral de la ciudad eterna, y oír la bondadosa bienvenida dada a los que en esta vida cooperaron con Cristo, considerándose honrados al sufrir por su causa. Cuando se expresen las palabras: "Venid, benditos de mi Padre", pondrán sus coronas a los pies del Redentor, exclamando: "El Cordero que fue inmolado es digno de tomar el poder, las riquezas, la sabiduría, la fortaleza, la honra, la gloria y la alabanza... Al que está sentado en el trono, y al Cordero, sea la alabanza, la honra, la gloria y el poder por los siglos de los siglos" (S. Mateo 25: 34; Apocalipsis 5: 12, 13).

Allí los redimidos darán la bienvenida a los que los condujeron al Salvador, y todos se unirán para alabar al que murió para que los seres humanos pudiesen tener la vida que se mide con la de Dios. El conflicto terminó. La tribulación y la lucha están en el pasado. Himnos de victoria llenan todo el cielo al elevar los redimidos el gozoso cántico: Digno, digno es el Cordero que fue muerto, y que vive nuevamente como conquistador triunfante.

"Después de esto miré, y he aquí una gran multitud, la cual nadie podía contar, de todas naciones y tribus y pueblos y lenguas, que estaban delante del trono y en la presencia del Cordero, vestidos de ropas blancas, y con palmas en las manos; y clamaban a gran voz, diciendo: La salvación pertenece a nuestro Dios que está sentado en el trono, y al Cordero" (Apocalipsis 7: 9, 10).

"Estos son los que han salido de la gran tribulación, y han lavado sus ropas, y las han emblanquecido en la sangre del Cordero. Por esto están delante del trono de Dios, y le sirven día y noche en su templo; y el que está sentado sobre el trono extenderá su tabernáculo sobre ellos. Ya no tendrán hambre ni sed, y el sol no caerá más sobre ellos, ni calor alguno; porque el Cordero que está en medio del trono los pastoreará, y los guiará a fuentes de aguas de vida; y Dios enjugará toda lágrima de los ojos de ellos". "Y ya no habrá muerte, ni habrá más llanto, ni clamor, ni dolor; porque las primeras cosas pasaron" (Apocalipsis 7: 14-17; 21: 4).

Indice de Referencias Bíblicas

Indice General Alfabético*

ABNEGACION, 369, 370, 535, 557, 594, 624; recompensa de la, 638.

Abrahán, los gentiles como hijos de, 406.

Acaya, 262.

Adán, 36.

Adaptación, 400.

Adivinación (*véase* Magia).

Aflicción, purificación mediante la, 554 (*véase* Disciplina; Pruebas).

Agabo, profecía de, 417.

Agradecimiento, de Pedro, 547.

Agripa II, 453-459.

Alabanza, a Dios por los milagros de la gracia, 335-337 (*véase* Gozo).

Alejandro, el calderero, 305.

Alta crítica, 500.

Ambiente, 259, 260, 296, 492, 493; pagano, 551; de los creyentes colosenses, 498 (*véase* Asociados).

Amor, 328, 329, 549, 559-564, 574-585; abnegado, 594; capacita para servir, 545, 546; impulsaba a Cristo, 535; pérdida del primer, 615; revelado por los discípulos, 15, 16; transformación mediante el, 344, 345, 571, 593, 594, 614 (*véase* Bondad; Caridad; Misericordia).

Ananías, de Damasco, 120, 121.

Ananías y Safira, 66-68.

Anás, el sumo sacerdote, 56.

Ancianos, de Jerusalén, actitud de los, hacia Pablo, 417-423; Dios emplea a los obreros, 604-607; responsabilidades de los, 555-557 (*véase* Iglesia).

Angel, aparece a Cornelio, 132-139; a Pedro, 134-136, 146-149; Pedro y Juan librados por un, 75-77.

---

* Las palabras principales, que van en primer término, han sido colocadas en riguroso orden alfabético; pero los vocablos y frases clasificados a continuación, siguen más bien un orden lógico o cronológico.

647

651

671

¿Ha ESTIMULADO su pensamiento el contenido de este libro?

Publicaciones Interamericanas se complace en ofrecerle dos servicios gratuitos y sin compromiso:

- Información sobre otros títulos de nuestra amplia selección de obras edificantes.

- Un Curso Bíblico por Correspondencia, para profundizar el estudio de las Escrituras.

Para obtener uno de estos servicios, o ambos, llene y envíe por correo el cupón a nuestra dirección:

PUBLICACIONES INTERAMERICANAS
División Hispana de la Pacific Press Publishing Association

- P. O. Box 7000, Mountain View, California 94039
  EE. UU. de N. A.
- Apartado 86, Montemorelos, Nuevo León, México

-------------------------------------- *Corte por esta línea* --------------------------------------

PUBLICACIONES INTERAMERICANAS
Estimados señores:
Tengan a bien hacerme llegar, gratuitamente y sin compromiso de mi parte, los siguientes materiales:
(Marque)

☐ Información sobre otras publicaciones de su sello editorial

☐ El Curso Bíblico por Correspondencia

NOMBRE _____

DOMICILIO _____

CIUDAD _____ ESTADO (o Provincia) _____

ZONA POSTAL (Zip Code) _____

PAIS _____